ISTITUTO PER LA STORIA DEL RISORGIMENTO ITALIANO

BIBLIOTECA SCIENTIFICA

SERIE II: MEMORIE   Vol. XLVII

IRENE PIAZZONI

SPETTACOLO ISTITUZIONI E SOCIETÀ NELL'ITALIA POSTUNITARIA
(1860-1882)

ARCHIVIO GUIDO IZZI
2001

Archivio Guido Izzi s.r.l. - Via Ottorino Lazzarini, 19 - 00136 Roma
Tel. (06) 39735580 - Fax (06) 39734433

ABBREVIAZIONI

ACS	Archivio Centrale dello Stato
ASM	Archivio di Stato di Milano
ASR	Archivio di Stato di Roma
ASCMi	Archivio Storico Civico di Milano
AC	Archivio della Camera dei Deputati
MCRR	Museo Centrale del Risorgimento, Roma
AP	Atti Parlamentari
DBI	*Dizionario biografico degli italiani,* Roma, Istituto della Enciclopedia Italiana, 1960-...
DRN	*Dizionario del Risorgimento nazionale. Dalle origini a Roma capitale. Fatti e persone,* Milano, Vallardi, 1931-1937
b.	busta
f.	fascicolo

INTRODUZIONE

Nell'epoca che vide la nascita e lo sviluppo dello Stato italiano, il teatro e tutte le questioni ad esso attinenti alimentavano un interesse vivissimo e diffuso. I luoghi di spettacolo, come è noto, erano da sempre il consueto punto di ritrovo delle aristocrazie del sangue e del censo, che, a dire il vero, vi si recavano spesso, più che per autentica passione, per assaporare i piaceri mondani e fare vita di società. Nel periodo in cui era andato maturando il processo risorgimentale, periodo di cospirazione e di lotta, quando «si scriveva una commedia come si buttava giù un bollettino clandestino, e si metteva un dramma sulla scena come si attaccava un proclama alle cantonate», il fenomeno si era generalizzato: nei teatri il pubblico, pronto a raccogliere qualsiasi velata allusione che fosse filtrata attraverso le pesanti maglie della censura, aveva l'occasione di fare «quel po' di chiasso» che era inopportuno e pericoloso fare nelle piazze;[1] così anche il giornalismo teatrale era divenuto il rifugio di quanti, come ad esempio Celestino Bianchi, trovavano crescenti difficoltà nell'esercitare la propria militanza attraverso la stampa politica. Tale inclinazione, ulteriormente alimentata dal clima di esultanza che suscitarono i grandi avvenimenti del 1859 e del 1860, passò in eredità agli anni successivi, quelli che, dopo la proclamazione del Regno, videro il compimento dell'Unità e la costruzione dello Stato unitario. In quegli anni il teatro attirava un pubblico socialmente e culturalmente eterogeneo – anche la media e la piccola borghesia, gli studenti, gli artigiani, gli operai stessi, che magari pur di acquistare il biglietto a metà prezzo erano disposti a infoltire la *claque*. Nella cronaca di uno spettacolo al teatro Gerbino di Torino – vi recitava il famoso attore Ernesto Rossi – si parla di una sala affollatissima, di «una mescolanza bizzarra di tutt'i ceti sociali», del silenzio e dell'attenzione rapita con cui gli spettatori seguivano la rappresentazione e dell'animata confusione che si scatenava tra un atto e un altro:

[1] *La Nazione*, 25 maggio 1874, *Rassegna drammatica*.

«[...] signore, ufficiali, impiegati, crestaie, studenti; chiome nere, e ciuffi bianchi, e cranii lucidi, e capigliature ricciute di fanciulli, alla rinfusa; famiglie intere, con balie e bambini, schierate in lunghe file; sul parapetto, mantiglie, ciarpe, scialli d'ogni colore, da parere una mascherata; e per tutto un gran moto di teste, un alzarsi, un sedersi, un salutarsi da una panca all'altra, un porgersi di ventagli e di confetti, e un cicalìo vivissimo e una musica rumorosa e allegra».[2]

Si trattava di un pubblico partecipe ed esuberante, che manifestava apertamente la noia, la disapprovazione o l'entusiasmo, decretando con gli applausi e le ripetute chiamate al proscenio, oppure con sonori fischi, la riuscita o meno dello spettacolo e il favore suscitato dalla *performance* degli interpreti. La stampa per questo dissertava di una presunta «tirannia» del pubblico, a proposito della quale il critico del quotidiano fiorentino *La Nazione*, Yorick, al secolo Pietro Coccoluto Ferrigni, così si esprimeva:

«L'*abbuonato* ha messo i denti, le Accademie hanno tirato fuori le unghie, la smania di novità travaglia tutte le platee d'Italia. La mossa è data, l'impulso è comunicato da un capo all'altro della Penisola. Una commedia nuova di Ferrari, di Torelli, di Marenco leva più rumore che una crisi ministeriale. [...] se una Commissione giudicante conferisce un premio piuttosto alla commedia di un tale che al dramma di un tal altro, a Firenze, a Milano, a Bologna, a Venezia se ne fa un baccano di casa del diavolo».[3]

Tutto ciò che toccava la vita teatrale destava dunque la curiosità generale. La passione per la recitazione, per il canto e per la musica spingeva a fondare società filodrammatiche, filarmoniche, orfeoniche, che andarono moltiplicandosi in tutta la penisola, richiamando dilettanti di condizioni e cultura diverse. Era in crescita anche il numero degli allievi dei Conservatori e delle varie scuole di musica e di declamazione, sia private che municipali.

Risulta altresì significativo il fatto che il mondo del teatro e della musica fosse ampiamente rappresentato anche nelle aule parlamentari. Numerosi, in effetti, furono i drammaturghi, i giornalisti, i critici o gli esperti di musica e di teatro che durante il ventennio preso in considerazione nel presente studio si diedero alla politica e sedettero in Parlamento. Senza contare la presenza di Alessandro Manzoni e Giuseppe Verdi, nell'elenco dei deputati e dei senatori figuravano Felice Cavallotti, Ferdinando Martini, Vittorio Bersezio, Desiderato Chiaves, Francesco De Renzis, Paulo Fambri, Leopoldo Pullè, Carlo Righetti, Raffaello Giovagnoli, Giuseppe Ricciardi, solo per ricordare i più noti.[4] Il fenomeno, del resto, è com-

---

[2] *L'Opinione*, 15 gennaio 1871, *Appendice. Ernesto Rossi.*
[3] *La Nazione*, 29 aprile 1872, *Rassegna drammatica.*
[4] Anche Paolo Ferrari, che è senz'altro da annoverarsi tra i drammaturghi più noti e di successo del tempo, tentò la carriera politica: a Milano, sua città di adozione, fu tra i mem-

prensibile: molti uomini di teatro erano in grado, proprio in virtù della loro popolarità, di aggregare consensi e voti; per citare un caso eloquente, nel 1860 i democratici milanesi pensarono di presentare come loro candidato alle elezioni politiche, insieme a Cattaneo e Bertani, il grande attore Gustavo Modena.[5]

Un ulteriore, inequivocabile indice della forte capacità di attrazione che esercitava il teatro, sia musicale che di prosa, era il numero sorprendente di quanti, per diletto o per mestiere, componevano melodrammi, libretti d'opera e commedie. Affermava ancora Yorick:

«Nel secolo passato tutti gli scolaretti di rettorica facevano il sonettino, il madrigale, la canzonetta; sul principiare del secolo presente tutti i letterati da dozzina scarabocchiavano il racconto per le strenne, la quartina per gli *Album*, l'articoletto anodino pel giornale teatrale.... oggi schiccherano giù una commedia in cinque atti, un dramma, una tragedia, una farsa.... una cosa pur che sia».[6]

Scrivere per il teatro era diventata quindi una vera mania, quasi una moda. Vi si cimentavano persino coloro i quali avevano scarsa dimestichezza con la lingua scritta, tanto da suscitare l'ironia nei componenti delle giurie dei molteplici concorsi ai quali spesso pervenivano i manoscritti dei drammaturghi in erba, liquidati in gran numero per gli errori e la trascuratezza della forma. Inevitabilmente, poi, quanti riuscivano a portare a termine un'opera teatrale non potevano che cercare il giudizio del pubblico. Il palcoscenico era così preso d'assalto da una moltitudine di scrittori esordienti. I più giocavano questa carta nella speranza, o più spesso nella ingenua illusione, di guadagnarsi la notorietà in tempi brevi e con facilità. Non solo: grazie ai progressi della legislazione sui diritti d'autore, durante il ventennio postunitario per gli autori drammatici, oltre che per i musicisti, diventò possibile ricavare un compenso dignitoso dalla rappresentazione delle proprie opere, per cui di fatto, come osservavano alcuni critici, essi potevano essere collocati nel novero «degli artisti più fortunati e meglio retribuiti».[7] In altre parole, in quel periodo fare l'autore teatrale dava la concreta possibilità di ottenere fama e denaro.

bri dell'Associazione Costituzionale e consigliere comunale; nel 1876 fu candidato per la Destra nel collegio di Modena città, ma non riuscì ad essere eletto. Comporre versi o abbozzare testi teatrali era un'abitudine diffusa tra uomini di cultura e politici. Avrebbe rivelato Paulo Fambri: «Feci pure col Bonghi una commedia. La combinammo insieme e imbastimmo tal quale come col Salmini, ma non mai a tavolino: bensì chiacchierando nell'aula durante i discorsi noiosi degli amici politici, perché durante quelli dei nemici, si passeggiava la sala dei 200» (in GIUSEPPE COSTETTI, *Il libro delle confessioni*, Roma, Tip. della Camera dei Deputati, 1888, p. 83).

[5] Modena tuttavia rifiutò la candidatura. Sulla vicenda si legga *Epistolario di Gustavo Modena (1827-1861)*, a cura di TERENZIO GRANDI, Roma, Istituto per la Storia del Risorgimento Italiano, 1955, p. 388.

[6] *La Nazione*, 3 ottobre 1870, *Rassegna drammatica*.

[7] *La Nazione*, 11 aprile 1881, *Rassegna drammatica*.

Di conseguenza era ricchissima l'offerta di opere prime; questa, a sua volta, veniva incontro sia alle esigenze di un pubblico in buona parte costituito da abbonati e perciò avido di "novità", sia a quelle di capocomici ed impresari, ansiosi di rimpinguare programmi e repertori e magari, chissà, di scovare qualche lavoro in grado di fare cassetta. Così sulle scene dei teatri italiani ogni anno si rappresentavano per la prima volta circa 300 opere drammatiche e dalle 40 alle 50 opere musicali inedite. Ovviamente un conto era la quantità di commedie e melodrammi che tentavano l'esperimento delle scene, un conto era il loro effettivo valore e la loro successiva fortuna: fiaschi clamorosi, oppure un trionfo effimero, al quale seguiva il futuro e definitivo oblio, attendevano la maggior parte di esse. Addirittura risultava arduo inferire dalla lettura, dall'ascolto o dalla visione di una tale mole di opere elementi utili a far luce sulle tendenze prevalenti fra i giovani scrittori di musica o di teatro. A tale proposito Leone Fortis – direttore del quotidiano milanese *Il Pungolo* e grande esperto di teatro, oltre che ex autore a sua volta – dopo avere stoicamente letto più di 400 commedie inviate al concorso indetto dal Giurì drammatico nel 1879, ebbe ad osservare che la preoccupazione principale degli aspiranti drammaturghi era stata più che altro quella di giungere alla parola *fine*; modalità e forme, invece, erano state trascurate, e semmai erano riconducibili ad un generico e confuso eclettismo, oppure, come scrisse meno diplomaticamente Edoardo Scarfoglio, ad un «guazzabuglio delle forme e degli intendimenti e delle inclinazioni».[8] Anche i contemporanei si stupivano, comunque, di quel fermento, di quella esuberanza creativa per il momento modesta e sconclusionata, ma che poteva preludere a sviluppi più solidi. A maggior ragione questo è un dato che, a mio avviso, lo storico della società italiana non può fare a meno di registrare e di valutare – a prescindere dal suo peso specifico e dalla sua collocazione nella storia della musica e della letteratura drammatica italiana – come un fenomeno che, se scarsamente significativo secondo i parametri estetici, fu però di assoluta rilevanza per la storia del costume e, in definitiva, della cultura del nostro paese.

A fronte dello straordinario interesse che circondava il mondo delle scene e del vivace movimento economico ed intellettuale che esso generava, persisteva d'altro canto la radicata convinzione che il teatro italiano soffrisse di congenite debolezze. Preoccupavano innanzitutto la povertà di risorse finanziarie dell'industria teatrale e la precarietà dei bilanci che tormentava centinaia di imprese e di compagnie. Le ragioni di una tale situazione venivano indagate, analizzate e animatamente dibattute, come si riferirà più avanti, da stampa, uomini politici e opinione pubblica. Di tutt'altro ordine, ma altrettanto acutamente avvertito, era il problema della scarsità dei cosiddetti talenti, che portava non di rado all'amara ammissione che per il teatro musicale italiano la stagione migliore si

---

[8] EDOARDO SCARFOGLIO, *Il libro di Don Chisciotte*, Roma, A. Sommaruga e C., 1885, p. 238.

fosse ormai conclusa e per quello di prosa dovesse ancora dischiudersi. Stentava a nascere – si diceva – un autentico teatro nazionale, specchio ed espressione della vita della società italiana, testimonianza e veicolo di una comune realtà culturale e linguistica. Questo ritardo, secondo i più, era dovuto alle secolari divisioni territoriali, che avevano esasperato le già accentuate tendenze municipalistiche, alle censure imposte dai governi preunitari, alla sudditanza e alla condizione di emarginazione e sottosviluppo in cui era fino ad allora vissuta la penisola rispetto al più dinamico contesto europeo.

Ecco perché, una volta raggiunto il traguardo dell'indipendenza e dell'unità, si diffuse la speranza in una rinascita del teatro italiano. Sembrava che finalmente si fossero stabiliti i presupposti di un suo rigoglioso sviluppo e che non mancassero più i soggetti istituzionali in grado di favorirne e accompagnarne con mano gli auspicati progressi. A dire il vero, se tale sviluppo potesse avvenire, per così dire, spontaneamente, come corollario e quasi inevitabile portato dell'emancipazione politica e civile, oppure se dovesse essere compito di una consapevole e programmata politica di incoraggiamento e di protezione da parte della nuova classe dirigente era questione assai controversa e tale rimase anche nel corso degli anni successivi. Quanti lavoravano nel settore dello spettacolo – proprietari e locatori di sale teatrali, impresari, capocomici, attori, cantanti, musicisti – erano pronti ad invocare l'intervento statale solo quando si trattava di ottenere favori e sussidi, ma erano i primi ad ergersi a paladini della «libertà dell'arte» quando i propri interessi erano minacciati: insomma, per citare un emblematico assunto, «l'arte vuol essere protetta, incoraggiata, ma libera».[9] D'altra parte anche coloro i quali si occupavano di musica e di teatro in qualità di critici e di studiosi mostravano di nutrire opinioni contrastanti in merito alla questione dell'intervento dell'autorità politica nel settore dello spettacolo: per chi accarezzava l'ideale di un'arte colta, il più possibile svincolata dalle leggi del profitto e dalle pastoie dell'indigenza, e considerava il teatro una vera ricchezza nazionale, anche in termini economici, i governi avrebbero dovuto spendersi in un'opera di salvaguardia e di patrocinio attraverso le diverse forme di sovvenzione e di controllo. Altri, al contrario, mettevano in guardia contro il pericolo di un'ingerenza statale che avrebbe potuto rivelarsi un ostacolo imbarazzante o, addirittura, ricondurre ai tempi cupi dell'assolutismo: meglio un'arte povera che un'arte sì protetta, ma «officiale», «patentata», «privilegiata»; meglio un teatro libero che un teatro soggetto alle condizioni del governante di turno.[10]

Gli stessi dubbi, le stesse divergenze travagliavano anche i liberali che in quegli anni governavano il paese, i "destri" e i "sinistri" senza significative distinzioni, tanto che, dalle numerose fonti archivistiche e a stampa da me consultate, si è dimostrato obiettivamente impossibile individuare tra le fila della classe dirigente una visione comune e unanime di quale sarebbe dovuto essere il ruolo del teatro

---

[9] *Gazzetta di Milano*, 11 maggio 1868, *Il ministro Broglio e la musica*.
[10] *La Nazione*, 27 novembre 1876, *Rassegna drammatica*.

e, di riflesso, il ruolo di una politica per il teatro. Dagli interventi, dai discorsi, dalle relazioni delle innumerevoli commissioni che si occuparono in vario modo di questioni e temi relativi allo spettacolo, si ricava piuttosto l'impressione di un composito inventario di punti di vista, che risulterebbe approssimativo e fuorviante ricondurre ad un orientamento condiviso e privo di sfumature, tantomeno ad un progetto ideologicamente e politicamente indirizzato sul teatro. Certo, le allusioni da parte di esponenti politici alle potenzialità che l'arte della rappresentazione era in grado di esprimere nel campo dell'istruzione e dell'educazione del popolo al «bello» e al «buono» erano abbastanza consuete, ma spesso ascrivibili ad una generica e sincera aspirazione a programmi di diffusione della cultura come fattore di civiltà e progresso; qualche volta, invece, si trattava chiaramente del ricorso ad un mero luogo comune, a parole di facile effetto spese a fini polemici o come espediente retorico, che non andrebbero sopravalutate.

Altrettanto frequenti, di contro, erano gli appelli all'autonomo dispiegarsi dell'iniziativa privata anche nel settore della cultura e dello spettacolo. Secondo molti rappresentanti della classe dirigente, il governo di un paese libero avrebbe dovuto astenersi da qualsivoglia ingerenza, sia perché essa sarebbe apparsa un incongruo rimando alle tradizioni dell'*ancien régime*, sia perché avrebbe implicato costi troppo elevati, incompatibili, come sostenevano i cosiddetti «economisti», con le severe ragioni del bilancio statale.

A conti fatti le risoluzioni adottate e i passi concreti compiuti dai governi italiani nel primo ventennio postunitario, tra l'altro inevitabilmente condizionati dal pesantissimo stato dei conti pubblici, dimostrano che in materia di musica e di teatro ci si mosse prevalentemente sulle linee di un liberismo tanto confuso e sbiadito sul piano della elaborazione teorica, quanto risoluto sul terreno della prassi amministrativa. Si definì, cioè, per l'autorità governativa un ruolo di documentazione, di studio, di regolamentazione, di stimolo – piuttosto che di protezione e di controllo. Innanzitutto entro il 1867 la proprietà dei teatri demaniali ereditati dagli Stati preunitari passò alle amministrazioni comunali: il governo italiano si liberò quindi di un notevole onere finanziario e burocratico. Esso venne in definitiva trasferito ai municipi, che da quel momento furono destinati a ricoprire una funzione decisiva nel campo del finanziamento e del sostegno alle iniziative locali nel settore della cultura e dello spettacolo, riconosciuta e promossa anche dalla critica più autorevole. Come si legge in una rassegna musicale della *Nazione* del 1862:

«[...] in ragione che si restringe l'opera governativa, deve allargarsi quella del comune: il quale, vero interprete dei bisogni locali [...] si rende patrocinatore degli interessi del popolo in ordine ai suoi più gentili bisogni, alle sue più nobili aspirazioni, si fa iniziatore di una vera educazione civile».[11]

---

[11] *La Nazione*, 13 agosto 1862, *Appendice. Dell'avvenire dell'arte musicale in Firenze*.

I governi, dal canto loro, mantennero saldo il controllo dell'istruzione musicale e la gestione della Regia Scuola di Declamazione fondata a Firenze nel 1860, unica scuola di recitazione statale nella penisola. Per il resto portarono avanti una politica di «incoraggiamento» sporadica e indolente, che si esaurì pressoché interamente nei due concorsi a premi riservati alle opere drammatiche, prima quello torinese, poi quello fiorentino. Entrambi erano peraltro il frutto di iniziative maturate negli anni precedenti l'Unità e proseguirono quasi per forza d'inerzia. Va detto tuttavia che la principale preoccupazione del ministero della Pubblica Istruzione – come si è constatato – fu quella di garantire all'interno delle giurie la presenza di uomini competenti che rappresentassero possibilmente le varie realtà geografiche e culturali del paese: non si ebbero a registrare pressioni, favoritismi, direttive particolari. Le autorità governative, in definitiva, benché con i concorsi ne avessero occasione, si astennero dal tracciare una via che indirizzasse univocamente il futuro del teatro italiano. A maggior ragione furono accolte tiepidamente e con estrema prudenza le richieste di adesione ai progetti di compagnie stabili finanziate e gestite direttamente dal ministero e le proposte di dare vita – come si diceva – ad un «teatro nazionale»; fu sempre declinato anche l'invito a sostenere più apertamente la tradizione musicale italiana, compromessa, come taluni asserivano, dall'influenza delle scuole straniere. Per molti amministratori e uomini di governo, in effetti, quella della presunta decadenza della musica e del teatro nostrani, della concorrenza da parte delle opere tedesche e francesi o della diversa fortuna di scuole e correnti – argomenti che non mancavano di emergere anche nel dibattito parlamentare – era una questione troppo complessa, la cui risoluzione esulava dalle competenze di una compagine governativa liberale.

All'esecutivo, dunque, doveva essere riservato ben altro compito, in particolare quello di prestare attenzione agli elementi strutturali e contestuali, alle condizioni di base atte a favorire lo sviluppo delle arti: per esempio esso doveva incrementare la diffusione della cultura attraverso l'istruzione, sollecitare lo spirito d'iniziativa dei cittadini, innescare un processo di trasformazione di imprese e aziende teatrali, affinché esse si adeguassero a metodi di gestione più moderni. Sotto questo aspetto si è potuto concludere che la politica per il teatro attuata dai governi della Destra fu sì caratterizzata da lentezze, incertezze, contraddizioni, ma, tenuto conto che dovette essere realizzata in un periodo di emergenza dominato da questioni ben più gravi e impellenti, non fu affatto inadempiente. In primo luogo si avvertì l'esigenza di sondare e conoscere lo stato della realtà teatrale della penisola in una dimensione e in una prospettiva ormai divenute nazionali. Ecco dunque la statistica di tutte le sale presenti nelle provincie del Regno, delegata ai prefetti nel 1866; ecco l'inchiesta sulla letteratura drammatica italiana dell'ultimo ventennio che il ministro della Pubblica Istruzione Domenico Berti affidò prima ad Angelo Brofferio, poi, dopo la morte di questi, a Cesare Trevisani, con l'intenzione di inviarla insieme ad altre alla Esposizione Universale di Parigi del 1867; ed è indicativo che Berti avesse richiesto anche la compilazione di un «bollettino bibliografico» su tutto quanto fosse stato pubblicato in materia – fatica, questa, alla quale Trevisani non si accinse, giudicandola improba.[12] Meno noti e consultati ma altrettanto interessanti e tali da meritare, mi è parso, una opportuna attenzione, sono gli studi che innumerevoli commissioni ministeriali o parlamentari condussero su disparati risvolti delle materie connesse all'arte musicale e drammatica.

I governi postunitari, in secondo luogo, assicurarono una censura teatrale di stampo decisamente liberale e ne riorganizzarono l'assetto secondo il principio del decentramento e della delega alle prefetture; certamente non più rigida di quella allora vigente negli altri Stati europei, essa era sostanzialmente finalizzata al mantenimento della quiete pubblica e, tra l'altro, in caso di eccessiva severità, era puntualmente e impunemente sbeffeggiata dai giornali delle diverse fazioni. Soprattutto, nel corso del ventennio successivo all'Unità, venne studiata, discussa, varata e più volte riformata una legge sulla proprietà artistica e letteraria – a cui il presente studio dedica un ampio capitolo – che ebbe ripercussioni non indifferenti sui rapporti tra le diverse categorie del mondo teatrale e sui destini dell'editoria musicale; essa, tra l'altro, stimolò la nascita di varie iniziative imprenditoriali e accordò agli autori una dignità di cui non avevano mai goduto fino ad allora, nonché garanzie più certe e la prospettiva di compensi adeguati. Le imprese e i lavoratori del settore, inoltre, furono inseriti nell'ambito del sistema fiscale del nuovo Stato, una mossa inevitabile, soprattutto in un momento in cui le circostanze dettavano la necessità di tassare persino il pane: applicato secondo criteri relativamente elastici che prevedevano accomodamenti e tariffe forfettarie concordate, il regime di imposte sugli spettacoli cozzò però – come si vedrà – contro la tenace resistenza dei contribuenti interessati, intervenendo ad affinarne le strategie, individuali e collettive, di difesa dei loro profitti.

Anche il mondo del teatro era alla ricerca di un'identità diversa, al passo coi tempi: dopo l'Unità tale ricerca venne accelerata proprio dalla presenza di un interlocutore nuovo – quello istituzionale nelle sue varie declinazioni – il governo, i comuni, le prefetture. L'esito sarà una presa di coscienza dei propri interessi da parte degli operatori teatrali, quindi un'azione rivendicativa via via più coerente e la sperimentazione, talora spregiudicata, delle proprie capacità di iniziativa e di autopromozione; si innescheranno infine processi di coordinamento e di organizzazione, il più rilevante dei quali culminerà, nel 1882, nella

---

[12] Il progetto del ministro non fu realizzato e Trevisani finì per pubblicare il suo studio autonomamente: si veda CESARE TREVISANI, *Delle condizioni della letteratura drammatica italiana nell'ultimo ventennio*, Firenze, Bettini, 1867. In una recensione di questo saggio Luigi Capuana ne definì «grandissima» l'importanza, poiché a fronte del «difetto assoluto» non solo di una storia generale, ma persino di storie parziali del teatro italiano, esso tracciava «le prime linee di una monografia della nostra letteratura drammatica contemporanea» e ne forniva «abbondanti e preziosi materiali» (*La Nazione*, 26 agosto 1867, *Rassegna drammatica*).

nascita della Società degli Autori. La politica governativa per il teatro non mi è sembrata affatto estranea a tali trasformazioni, ai progressi, in definitiva, della cosiddetta «società teatrale». Lo stesso straordinario incremento dell'interesse per il teatro e per la musica, il fenomeno del dilettantismo, il moltiplicarsi di iniziative di privati cittadini che si associavano per formare compagnie stabili o per organizzare stagioni di concerti a prezzi popolari diedero ragione a quanti avevano creduto che anche nel campo della cultura ci si dovesse attenere ai princìpi del liberismo. Certo non per questo si videro emergere stuoli di talenti e fiorire innumerevoli capolavori, né si arricchirono le decine di compagnie girovaghe di terz'ordine o le centinaia di autori di melodrammi e di commedie che cercavano di sfondare. Eppure si può concludere che, nonostante le delusioni, nonostante i giudizi pessimisti, a vent'anni di distanza dalla costituzione del Regno si potevano misurare profondi mutamenti nel vasto mondo del teatro: anche in questo ambito, in conclusione, si coglie un indizio di quel processo di formazione e di maturazione della "società civile" che molti uomini politici e di lettere – fra gli altri De Sanctis, Bonghi, Scialoja – ritenevano fosse dovere della classe dirigente promuovere e incoraggiare.

Intanto sulle pagine della stampa politica lo spazio dedicato agli argomenti teatrali era progressivamente aumentato ed era cresciuta una generazione di critici preparati e agguerriti – Francesco D'Arcais, Filippo Filippi, Girolamo Alessandro Biaggi, Pietro Coccoluto Ferrigni, Giacomo Trouvè Castellani, per nominarne alcuni – che non si limitavano all'informazione e alla recensione, ma si impegnavano in analisi colte, discussioni appassionate, denunce: la «libertà» – affermò Filippi – aveva dato «libero campo alla critica di parlare, di censurare, di predicare e di produrre frutti salutari ed effetti benefici».[13] Dalla lettura di appendici e articoli dedicati alla musica e al teatro emerge un ampio ed articolato ventaglio di tesi e di opinioni, che, anche nel caso in cui lascino a desiderare quanto a limpidezza concettuale o rivelino una certa superficialità, danno pur sempre prova di indipendenza di giudizio e di *vis* polemica. Il dibattito fu acceso e spaziò notevolmente, toccando pressoché tutte le questioni legate agli sviluppi della musica e del teatro italiani, non solo quelle che riguardavano gli aspetti puramente tematici, formali e stilistici, ma anche quelle economiche, giuridiche e amministrative.

Aumentava altresì il numero delle sale e quello dei periodici teatrali, mentre autori, capocomici, editori sempre più facevano sentire la propria voce, protestavano, convocavano congressi, pubblicizzavano le proprie iniziative. Agli inizi degli anni '80 i processi che la politica per il teatro fino ad allora attuata dai governi italiani aveva contribuito a mettere in moto finirono per condizionarne, in una sorta di interazione, i passi futuri. Così nel 1882 il ministro della Pubblica Istruzione Guido Baccelli ritenne che fosse giunto il momento di prendere

---

[13] *La Perseveranza*, 3 settembre 1865, *Appendice. Rassegna drammatico-musicale.*

15

atto del peso crescente che il teatro e la musica avevano assunto nel panorama della cultura italiana e decise di dare vita ad un organo istituzionale che si occupasse specificamente dei problemi del settore. In quell'anno venne dunque istituita in seno al ministero della Pubblica Istruzione la cosiddetta Giunta permanente per l'arte drammatica e musicale, con poteri consultivi, a comporre la quale furono chiamati critici, giuristi e uomini di spettacolo che erano stati protagonisti del dibattito di quegli anni. Con questo atto, si può dire, veniva inaugurata una fase nuova.

Ricordo il personale degli archivi consultati, in particolare il dott. Carlo M. Fiorentino per l'aiuto fornitomi nella ricerca della documentazione presente all'Archivio centrale di Stato. Desidero esprimere la mia gratitudine al prof. Enrico Decleva e al prof. Maurizio Punzo, che hanno seguito il lavoro prestandomi un sostegno prezioso, e al prof. Giuseppe Talamo, che lo ha accolto nella collana dell'Istituto nazionale per la Storia del Risorgimento. Ringrazio, infine, Alberto Giuliani.

Settembre 2000

Irene Piazzoni

CAPITOLO I

IL TEATRO ITALIANO DOPO L'UNITÀ

1. Un censimento

Nel 1868 il ministero di Agricoltura, Industria e Commercio assegnava ai prefetti il compito di stilare un elenco di tutti i teatri esistenti in ciascuna provincia del Regno.[1] Si chiedeva di precisare per ogni teatro l'anno di fondazione, il tipo di spettacoli a cui era destinato, la capienza e il numero di ordini e palchi, il reddito lordo annuo presunto, la proprietà e la gestione, inoltre se provvisto di sussidio – statale o comunale –, se diurno o serale, se ad anfiteatro o a galleria; infine si invitava a fornire precise informazioni sulla sua «importanza»; la scheda predisposta dal ministero si chiudeva con una colonna riservata ad eventuali osservazioni.[2]

Da tale censimento emerge innanzitutto un dato numerico: all'inizio del 1869 si contavano in Italia circa 930 tra teatri, arene e sale per concerti, dislocati in 696 comuni. Di essi più di 300 erano di proprietà comunale e ben 220 risultavano fondati negli anni immediatamente successivi alla proclamazione del Regno e spesso battezzati *Vittorio Emanuele* o *Garibaldi*, ad attestare in questo

---

[1] Si trattava del secondo censimento delle sale teatrali della penisola, dopo quello, parzialmente compiuto, del 1866 (la documentazione relativa è consultabile in ACS, *MAIC, Divisione terza. Diritti d'autore. Opere teatrali*, b. 1, f. 1); proprio per la sua completezza esso risulta, rispetto al precedente, una fonte statistica più attendibile.

[2] Le schede si trovano *ivi*, f. 2. I dati sui teatri vennero diffusi dal mensile *I Diritti d'Autore* (febbraio 1870 e sgg.), quindi da Ulisse Mengozzi, *Opere dell'ingegno. Prontuario alfabetico per la interpretazione della legge 25 giugno 1865*, Firenze, Tip. Pier Capponi, 1873, pp. 52-68, e da Enrico Rosmini, *La legislazione e la giurisprudenza dei teatri e dei diritti d'autore*, Milano, Stabilimento tipografico-librario dell'editore F. Manini, 1872, vol. II, pp. 579-597, ma privi delle interessanti *Osservazioni*.

periodo un innegabile fermento nel campo dell'iniziativa teatrale.[3] E all'elenco si aggiunsero, dopo la presa di Roma, i teatri esistenti nel Lazio, vale a dire gli undici della capitale e un'altra quindicina nel resto del territorio.[4] Si trattava di un numero decisamente elevato, proporzionalmente superiore a quello dei teatri esistenti negli altri paesi europei. Secondo i calcoli riportati da alcuni giornali, mentre in Francia esisteva un teatro ogni 100 mila abitanti, in Inghilterra uno ogni 184 mila, in Austria uno ogni 235 mila, in Russia uno ogni 500 mila, in Turchia uno ogni 2 milioni, in Italia il rapporto era di un teatro ogni 75 mila abitanti.[5] Ma, a ben vedere, la gran parte delle sale veniva classificata di terza categoria ed erano numerosi i casi di locali aperti solo per alcune recite all'anno, oppure costruiti in legno e quindi, in qualche modo, provvisori, tutti definiti dai prefetti «di infima importanza».

Per limitarsi ad alcuni esempi, nella provincia di Alessandria si contavano 21 sale, di cui quattro costruite dopo il 1860. Ma ad Alessandria il Municipale non trovava se non a stento un impresario ogni stagione a causa delle «gravi perdite per mancanza di spettatori massimamente in autunno in cui ha luogo lo spettacolo in musica», mentre il Bellano si teneva aperto appena un terzo dell'anno e la Sala di concerto degli operai filodrammatici era di recentissima inaugurazione. Ad Asti il Civico non dava spettacoli da alcuni anni perché privo di sussidio, l'Alfieri apriva saltuariamente, il Teatro Artistico era stato costruito in legno e veniva utilizzato anche per spettacoli di cavallerizzi; il teatro di Buttigliera non era che una saletta per esibizioni di dilettanti; il Comunale di Montechiaro d'Asti era da molti anni inagibile per mancanza di arredi e il municipio se ne serviva solo per le adunanze elettorali; il teatro di San Damiano d'Asti era una sala modesta e il suo proprietario destinava il basso reddito ad opere di beneficenza; il Dagna di Acqui si era aperto solo tre volte nel corso del 1868. Di nessuna importanza erano considerati i teatri di Nizza Monferrato, di Casale, di Valenza, di Tortona e il Carlo Alberto di Novi, il reddito serale dei quali era calcolato di 50-60 lire per gli spettacoli musicali e di 25-30 lire per quelli di prosa. Infine l'incasso delle rare rappresentazioni che si tenevano nei teatri di Sale, Garbagna, Castelnuovo Scrivia e Viguzzolo, di proprietà comunale, veniva devoluto a favore dei poveri del paese.

[3] A tale proposito citiamo il quotidiano milanese *La Perseveranza* (11 settembre 1864, *Il nuovo Teatro Re*), che, celebrando la costruzione di una nuova sala teatrale nel capoluogo lombardo, osservava: «Milano è certamente, fra le maggiori città europee, una delle poche che nell'ultimo secolo non ha veduto nel suo seno sorgere un nuovo teatro. Il sospetto e la paura, di cui si nutriva la dominazione straniera, n'erano il più forte ostacolo».

[4] Questo numero è da ritenersi indicativo, perché il prefetto di Roma, nonostante i reiterati solleciti ai sindaci della provincia, faticò a raccogliere i dati e comunicò una statistica lacunosa (ACS, *MAIC, Divisione terza. Diritti d'autore. Opere teatrali*, b. 1, f. 3, il prefetto di Roma al ministro di Agricoltura, Industria e Commercio, 16 dicembre 1872).

[5] *Il Trovatore*, 3 agosto 1871, *Cose diverse. Statistica de' teatri*. Nel 1871 le sale adibite a spettacoli erano salite, calcolando anche quelle private, a circa 1200 (anche questa notizia è fornita da *Il Trovatore*, 10 agosto 1871, *Il numero dei teatri che conta l'Italia*).

Era un quadro simile a quello che presentavano moltissime provincie del Regno, anche quelle dell'Italia centrale. La provincia di Ascoli Piceno contava 26 sale, tutte definite di nessuna importanza – sia perché aperte raramente o da molti anni chiuse, sia perché gestite da dilettanti, oppure utilizzate come palcoscenico da compagnie d'infimo ordine – ad eccezione dei teatri di Fermo: il Dell'Aquila, fondato nel 1781, che occasionalmente ospitava qualche celebrità, e il Comunale, «di qualche importanza per la educazione ed istruzione». Nella prefettura di Perugia, che coincideva di fatto con il territorio dell'Umbria, erano state censite ben 44 sale. Anche qui quelle dignitose e in buone condizioni si limitavano al Ferroni di Foligno, al Teatro Nuovo di Spoleto e al Comunale di Orvieto.

Sono esempi, quelli riportati, di provincie con un'alta percentuale di sale teatrali. Molte, d'altro canto, erano le realtà geografiche demograficamente, economicamente e culturalmente depresse, la Sardegna e il Meridione in particolare, dove i teatri erano pochissimi e le famiglie facoltose erano solite frequentare solo quelli più prestigiosi di Napoli e di Palermo.[6]

In Sardegna esistevano sei teatri, di cui due a Cagliari: quello Civico, aperto a spettacoli di prosa, musica e ballo nelle stagioni d'autunno e di Carnevale, era valutato «modesto», mentre il teatro diurno era utilizzato per rappresentazioni equestri in primavera ed estate. Gli altri quattro si trovavano in provincia di Sassari; essi ospitavano, a seconda delle circostanze, opere liriche, rappresentazioni drammatiche, spettacoli di marionette e di ginnastica ed erano di scarsissima rilevanza anche a causa – così si esprimeva il prefetto – della «mancanza di elementi nel paese»: la scarsità di pubblico, sembra di capire, non premiava le poche compagnie disposte ad affrontare il viaggio via mare.

Anche in Abruzzo il numero dei teatri era assai esiguo: cinque si trovavano in provincia dell'Aquila e due a Teramo, di cui il Comunale, inaugurato nel 1866, benché nuovo ed elegante, rimaneva «di poca importanza perché trovandosi in un piccol centro da [sic] nessun reddito, anzi è passivo». Così in Basilicata si registravano una sala a Potenza e una a Melfi, in Molise sei sale, tutte di infimo livello, e in Calabria undici: cinque in provincia di Reggio – piccoli teatrini e baracconi in legno per dilettanti e compagnie di passaggio, mentre il Comunale di Reggio versava in pessimo stato e reclamava urgenti restauri –, due in provincia di Cosenza, assai scadenti sia per le loro stesse condizioni sia «per le condizioni eccezionali di queste località», e quattro, infine, in provincia di Catanzaro. E scriveva il prefetto a proposito del Municipale del capoluogo:

---

[6] Scriveva il prefetto della Calabria Ultra prima al ministro di Agricoltura, Industria e Commercio (in ACS, *MAIC, Divisione terza. Diritti d'autore. Opere teatrali*, b. 1, f. 1, 1° agosto 1866) che il teatro principale di quella provincia offriva spettacoli «di quando in quando», e non esercitava «grande influenza educativa»; nei periodi di attività era scarsamente frequentato, anche perché privo di «quelle forme eleganti da lusingare l'amor proprio del paese», così che quanti potevano permetterselo erano «usi recarsi in Napoli ed in Messina di frequente non che nel resto d'Italia».

19

«Il teatro non da [*sic*] al Comune Proprietario reddito alcuno; anzi ogniqualvolta vengono delle compagnie, ed a seconda l'importanza di esse, assegna a solo titolo di incoraggiamento un sussidio da £. 850 a £. 1700 [...]. Le compagnie di musica e di prosa che vengono in questa Piazza non possono mantenersi con l'introito dell'appalto e co' provventi [*sic*] serali, ma le Commissioni elette dal Municipio ogni anno debbono far fronte con mezzi propri per evitare le fallanze».

Povere di teatri, ad eccezione della provincia di Napoli che ne contava diciannove (di cui ben nove aperti negli anni postunitari), erano le provincie della Campania. In quella di Salerno c'erano tre teatri, provvisori e di legno; in quella di Avellino quattro; in quella di Benevento tre, fra i quali il Vittorio Emanuele, inaugurato nel 1861 e di proprietà municipale, che era sì in ottime condizioni, ma quasi sempre chiuso, «attesa la scarsità dell'abbonamento ed introito serale che offre il paese»; sei, infine, erano le sale in Terra di lavoro, tutte di scarsa importanza.

Più alto era il numero dei teatri in Puglia. Ve n'erano quindici in provincia di Bari, ma assai modesti e tre ancora in costruzione, mentre del teatro Piccinni del capoluogo si diceva che la popolazione non fosse «propensa a frequentarlo». Piccolissime e aperte solo pochi mesi all'anno erano le quattordici sale in Terra d'Otranto e le sei in provincia di Foggia.

Anche in Sicilia i teatri – quasi tutti risalenti al periodo preunitario – erano numerosi, e non solo a Palermo, dove ne erano censiti sedici, dei quali però solo uno, il Teatro Garibaldi, era stato inaugurato dopo l'Unità. Undici si trovavano in provincia di Catania, dieci in provincia di Messina, dieci anche in quella di Caltanissetta, otto in provincia di Siracusa, sette in quella di Girgenti e sei in quella di Trapani.

Ricche di sale teatrali omogeneamente distribuite, come si è anticipato, erano le regioni centrali: l'Umbria, con 44 sale, le Marche, con 88, l'Emilia Romagna, con 118, e soprattutto la Toscana, che contava 181 sale, di cui 61 in provincia di Firenze. Qui, in particolare, un vivace spirito d'iniziativa e uno spiccato interesse per l'arte della rappresentazione si evincono sia dalla migliore condizione dei luoghi adibiti a pubblici spettacoli, sia dalla diffusione di compagnie di dilettanti e di filodrammatici che gestivano le piccole sale di paese – delle quali alcune erano piuttosto antiche – attribuendo loro il nome delle proprie Accademie e Società: Teatro dei Ravvivati, degli Uniti, dei Leggieri, degli Astrusi, dei Concordi, dei Rinnovati, dei Risoluti, degli Arrischiati, degli Accalorati e così via.

Buona anche la diffusione delle sale nel Nord della penisola: in Piemonte erano in attività 97 teatri, in Lombardia 98, in Veneto 73 e in Friuli 17, quelli della provincia di Udine; il Settentrione inoltre vantava molte delle più importanti piazze teatrali italiane – quelle di Milano, Torino, Genova e Venezia.

Anche i dati sulla stampa teatrale e musicale confermano sostanzialmente quelli sulla distribuzione dei teatri. Nel 1869 si stampavano nella penisola italiana 53 giornali che si occupavano del mondo delle scene: diciassette a Milano, quindici a Napoli, otto a Firenze, tre a Torino e tre a Bologna, due a Trieste, due a Palermo, uno a Roma, uno a Genova e uno a Venezia.[7] E a questo proposito è opportuno far notare come l'incremento dei fogli pubblicati, che rappresentavano per gli artisti, e precipuamente per gli aspiranti artisti, un irrinunciabile veicolo pubblicitario, fosse direttamente proporzionale alla diffusione delle agenzie teatrali e quindi alla crescita del fenomeno del cosiddetto «mediatorato», spesso stigmatizzato negli interventi dei critici ospitati nelle appendici dei vari quotidiani.[8]

[7] Più specificamente uscivano a Milano: *La Fama, Gazzetta dei Teatri, Cosmorama Pittorico, Il Trovatore, Gazzetta Musicale di Milano, Monitore dei Teatri, Frusta Teatrale, Don Marzio, Rivista Teatrale Melodrammatica, Il Palcoscenico, Il Mondo Artistico, L'Amico degli Artisti, L'Euterpe, Il Corsaro, Tersicore, Il Buon Gusto, Il Nuovo Trovatore*; a Napoli: *Napoli Musicale, Rivista Teatrale, La Sirena Artistica, Gazzettino dei Teatri, La Filarmonica, L'Eco dell'Arte, Il Barbiere, Scintille, La Rondinella, Bugie e Verità, Diogene a Teatro, L'Artista Italiano, Donizetti, Corriere de' Teatri* e *Il Pacini*; a Firenze: *Il Sistro, Corriere di Firenze, Boccherini, L'Italia Artistica, Arte Teatrale, Arlecchino, Rossini* e *L'Indicatore*; a Torino: *Il Pirata, Il Nuovo Pirata* e *Il Cigno*; a Bologna: *L'Arpa, L'Affondatore* e *Gioacchino Rossini*; a Trieste: *La Maschera* e *Il Teatro*; a Palermo: *Diogene* e *La Gazzetta Artistica*; a Venezia *La Scena*, a Roma *Eptacordo*, a Genova *La Liguria Artistica* (questi dati furono pubblicati in *Il Trovatore*, 4 febbraio 1869, *Il giornalismo in Italia*). La tiratura dei periodici teatrali e musicali era assai ridotta. Secondo una statistica del 1868 a cura del quotidiano milanese *Il Secolo, Cosmorama Pittorico* raggiungeva le 900 copie, *La Frusta* 800, *Il Mondo Artistico* 750, *Il Trovatore* 725, *Teatro Italiano* e *Gazzetta Musicale di Milano* avevano una tiratura al di sotto delle 700 copie, *Il Palcoscenico* e *Frusta Teatrale* al di sotto delle 600 copie, *Gazzetta dei Teatri, Don Marzio* e *La Fama* al di sotto delle 500 (*Il Secolo*, 24 gennaio 1868, *Statistica dei giornali milanesi*). La maggior parte di questi fogli contava sui proventi delle agenzie annesse e sugli abbonamenti tra gli artisti, mentre la *Gazzetta Musicale di Milano* – il periodico di Casa Ricordi – era in passivo: essa aveva sospeso le pubblicazioni nel dicembre del 1862 (*Gazzetta Musicale di Milano*, 28 dicembre 1862, *Avvertimento*), per riprenderle solo nell'aprile del 1866 (si veda l'editoriale s.t. firmato dal redattore, Antonio Ghislanzoni, nel numero del 1° aprile 1866).

[8] Si legga per esempio questa significativa pagina del giornale torinese *L'Opinione* (21 settembre 1863, *Appendice. Rivista Musicale*): «Venendo poi ai giornali teatrali, diremo francamente che se si accontentassero di essere mezzi di pubblicità come l'*Annuario Lossa* o il *Bollettino dei Locatari*, saremmo disposti a riconoscere la loro utilità. [...] Ma i giornali teatrali in Italia sono cosa ben diversa. Essi non si limitano ad annunziare la merce disponibile, ma discutono intorno al merito dell'artista e chi è loro associato innalzano alle stelle e di chi non lo è dicono corna. E per un foglio di piccola dimensione che vede la luce una o due volte per settimana impongono tasse di venti e di trenta lire all'anno, senza contare che la vanità di molti fra i signori virtuosi è per loro un'altra considerevole sorgente di rendita». Nello stesso articolo si attribuiva alla massiccia presenza del «mediatorato» la ragione per la quale gli stipendi degli artisti risultassero a loro volta eccessivamente elevati rispetto alle risorse finanziarie dei teatri della penisola. Nel 1859 si contavano a Milano 18 agenzie, di cui una «aperta notte e giorno nel centro della nuova piazza della Scala, sotto i due fanali» (come informava uno dei più prestigiosi periodici teatrali della città, *Cosmorama Pittorico*, nel numero del 12 novembre 1859, *Geroglifici*). Nel 1866, sempre a Milano, le agenzie regolari erano salite a 22, ma ve ne erano molte clandestine (così si legge in un altro periodico meneghino del settore, *Don Marzio*, 29 gennaio 1866, *A spizzico*). A Napoli

I teatri principali del Regno – di primo e di secondo ordine – risultavano in totale una sessantina: i più prestigiosi erano la Scala, la Canobbiana e il Teatro Re di Milano, il San Carlo, il Teatro del Fondo e il Teatro dei Fiorentini di Napoli, il Regio, il Carignano e lo Scribe di Torino, il Teatro della Pergola, il Pagliano e il Niccolini di Firenze, il Bellini e il Santa Cecilia di Palermo, il Carlo Felice e il Paganini di Genova, la Fenice di Venezia, il Comunale e il Teatro del Corso di Bologna, il Teatro Regio di Parma, il Comunale di Modena, il Teatro dei Floridi e il Goldoni di Livorno, il Comunale di Catania e il Santa Elisabetta di Messina.[9] Sulle vicende di questi teatri si concentrava l'attenzione della stampa.

Le altre sale erano state classificate di terz'ordine. Si trattava di teatri popolari, in genere poco frequentati dai critici, che così perdevano l'occasione di «conoscerne i difetti e additarne i rimedii o [...] discernervi il buono e applaudirlo».[10]

2. LE ARENE E LO SPETTACOLO AMBULANTE

Nella categoria dei teatri di terz'ordine rientravano anche le arene, termine con il quale si indicavano i grandi anfiteatri cittadini per gli spettacoli all'aperto sia di antica origine che di moderna costruzione. Di esse Francesco D'Arcais – uno tra i più prestigiosi e noti critici teatrali del tempo, fonte ricchissima di informazioni e di giudizi per chi studia il mondo dello spettacolo dell'Italia po-

– come si denunciava – tutti i giornalisti teatrali erano anche agenti e avevano a disposizione «subagenti, e proagenti, attivissimi e destri al *maneggio* degli affari», quindi se ne potevano contare non meno di 80 (*ibidem*).

[9] Negli anni '60, fra i teatri di prosa, il Carignano, il Re, il Niccolini e il Teatro dei Fiorentini erano considerati i migliori per scelta di compagnie e di repertorio; si distinguevano anche il Gerbino, l'Alfieri e il Rossini a Torino, il Fossati a Milano, il Corso e il Brunetti a Bologna, l'Apollo a Venezia, le Logge, il Nuovo e l'Alfieri a Firenze, il Valle e il Metastasio a Roma, il Fondo a Napoli (così si legge nel mensile fiorentino diretto da Angelo De Gubernatis, *La Rivista Europea*, novembre 1870, *Rivista drammatica. Teatri e Compagnie drammatiche in Italia*). A Milano, Firenze, Napoli c'era «vivissimo movimento d'idee» e una vivace vita teatrale; Torino, Venezia, Genova, Palermo ed altre grandi città potevano rivelarsi buone piazze, ma non vi si trovava la «vitalità sociale ed artistica» delle prime tre. Tuttavia Torino poteva vantare una particolare categoria di spettatori, quella del «popolo minuto, amantissimo della buona commedia» (anche per queste osservazioni si veda *La Rivista Europea*, maggio 1870, *Rivista drammatica*).

[10] *Il Secolo*, 6 marzo 1868, *Nuovo Teatro Re*. Il quotidiano radicale seguiva con curiosità, e qualche volta con simpatia, gli spettacoli dei teatri popolari, anche se non nascondeva la difficoltà di realizzare «certe idee riformatrici per il teatro popolare»: per attirare il pubblico – si ammetteva – era spesso necessario «far ricorso ai drammi dalle grandi tinte, dalle passioni esagerate».

stunitaria[11] – diceva sdegnosamente di non voler neppure parlare, considerandole alla stregua di una «birreria viennese» o di un *café chantant*: «Il volto della prima attrice è circondato da un'aureola di fumo che si solleva da due o trecento sigari. Le *tirate* del primo attore nuotano in un mare di birra e di gazosa». Eppure in quegli anni anche le compagnie cosiddette «primarie» sempre più spesso finivano per ripiegare sulle arene, naturalmente per ragioni di cassetta. E a fronte di chi trovava questa un'utile occasione per diffondere la conoscenza delle grandi opere della letteratura drammatica anche presso il pubblico meno colto, molti, come appunto D'Arcais, sentenziavano: «l'arte democratica è un sogno» e «al volgo date prima le scuole e poi darete i teatri».[12] L'analisi di Valentino Carrera – autore e critico teatrale torinese – era, se possibile, più realista e disincantata:

«Siccome presso di noi il teatro drammatico non è riguardato come scuola di educazione morale e sociale, ma come semplice mezzo di passatempo, se in una città non c'è che un teatro di commedia, si va alla Commedia: se poi capita la gran compagnia equestre delle amazzoni americane, si pianta lì per lì Oreste e i suoi piati, si va ad applaudire i ginnastici voli di miss Ella».[13]

Non mancavano però atteggiamenti più indulgenti o di aperta simpatia nei confronti delle arene, soprattutto da parte della stampa radicale: per *Il Secolo*, ad esempio, l'Arena di Milano avrebbe potuto essere utilizzata a buon fine, sotto il patrocinio dell'amministrazione comunale, per «celebrare i più gloriosi patrii avvenimenti, o formare una grandiosa palestra ginnastica, in cui la gioventù si eserciterebbe [...] nei giuochi più svariati, atti a sviluppare la forza fisica, la destrezza, il coraggio».[14] Del resto – si osservava – gli spettacoli generalmente organizzati nelle arene potevano anche essere «puerili», ma il loro grande potere di attrazione era innegabile: a quelli allestiti nell'Arena milanese in estate, ad onta del caldo soffocante, potevano accorrere 12.000 spettatori per sera.[15]

[11] Sulla sua figura si legga il profilo biografico di Paola Rosa in *DBI*, vol. XLVIII, pp. 323-324.
[12] *L'Opinione*, 22 luglio 1867, *Appendice. Rivista drammatico-musicale*. D'Arcais si riferiva agli spettacoli rappresentati in quel periodo a Firenze dalla compagnia Salvini al Politeama (nientemeno che l'*Amleto*), dalla compagnia Stacchini e dalla compagnia Casali-Pieri all'Arena Nazionale, dalla maschera di Stenterello all'Arena Goldoni. La polemica a proposito delle arene avrà occasione di riaccendersi nell'agosto 1869, dopo la decisione da parte della commissione del Concorso drammatico governativo di protestare contro l'obbligo di assistere alle rappresentazioni tenute in questi popolarissimi luoghi di spettacolo (si veda più avanti, cap. II, par. 3).
[13] *La Rivista Europea*, novembre 1870, *Rivista Drammatica. Teatri e Compagnie drammatiche in Italia* cit.
[14] *Il Secolo*, 3 giugno 1868, *La questione dei Regi Teatri*.
[15] *Il Secolo*, 12 luglio 1869, *Cronaca. Spettacolo all'Arena*.

Gli spettacoli ambulanti erano altrettanto seguiti e per questo accusati di fare concorrenza alle sale stabili più popolari. Essi non vennero censiti – e resteranno ignorati o ai margini della documentazione – benché regolarmente denunciati e sottoposti a rigorosa sorveglianza da parte delle questure, a cui per legge occorreva presentare richiesta per qualsiasi tipo di rappresentazione. Se le arene ospitavano spesso circhi, spettacoli ginnici, equestri, nautici o mimici, oppure cuccagne, corse di nani o di asini, esibizioni di pompieri, esistevano in genere appositi spazi all'aperto destinati alle giostre e ai baracconi che esibivano spettacoli di marionette, panorami, musei anatomici e «fenomeni» viventi.

I documenti archivistici della questura di Milano,[16] consultati come campione, offrono numerose notizie su questo genere di spettacolo.

I teatrini di marionette, adibiti talora nelle sale delle osterie, erano a gestione familiare. I loro proprietari, quando si trattava di assolvere i propri impegni fiscali, denunciavano immancabilmente, e a ragione, condizioni di grande povertà, tali da rendere assolutamente insostenibili un'interruzione o un'alterazione del consueto programma quotidiano di rappresentazioni. Ad esempio il «miserabile» Antonio Campagnoli, con teatrino di marionette a S. Cristoforo e «carico di numerosa famiglia», nel gennaio 1869 ottenne il permesso di esercitare il suo mestiere per una quindicina di giorni, ma fu altresì invitato più volte – senza risultato – a traslocare in un luogo «meno eccentrico», dove la sorveglianza delle autorità di Pubblica Sicurezza potesse esercitarsi con minore difficoltà.[17] Lì infatti, proprio per la presenza di un teatro di marionette, affluivano, come segnalava la questura, alcuni della bisca di Porta Ticinese, «coi quali quelli del cascinale di S. Cristoforo nutrono ruggine antica» e, soprattutto durante il Carnevale, «per la frequenza dei divertimenti e per l'intemperanza di quelle persone che appartengono all'infima classe della

[16] ASM, *Questura*, b. 137.
[17] Gli esercenti di teatri di marionette, per effetto dell'art. 32 della legge di Pubblica Sicurezza allora in vigore, dovevano procurarsi la licenza delle autorità locali per esercitare nel territorio di un comune la propria attività. Tale licenza era soggetta alla tassa di 2 lire, stabilita dalla legge sulle concessioni governative del 26 luglio 1868, se le recite erano tenute in luoghi chiusi; il prodotto lordo delle rappresentazioni era soggetto alla tassa del 10%, secondo la legge del 29 luglio 1868 e il relativo regolamento del 15 ottobre 1868 (a proposito del regime di imposte a cui era sottoposto il settore dei pubblici spettacoli si veda più avanti, cap. V). Secondo i calcoli del già citato giornalista toscano Yorick, che al teatro dei burattini dedicò un bello studio, nel 1880 si contavano in Italia oltre 400 «edifizi» di marionette; erano però «due o tre volte più numerosi» quelli ambulanti (YORICK, *Vent'anni al teatro. I. La storia dei burattini*, Firenze, Tipografia Editrice del Fieramosca, 1884, p. 194). Sullo spettacolo delle marionette nell'Ottocento, oltre al volume di Yorick (in particolare pp. 138-202 e pp. 229-236), si segnalano i cataloghi *Burattini e marionette in Italia dal Cinquecento ai giorni nostri. Testimonianze storiche artistiche letterarie*, Roma, Palombi, 1980, pp. 75-152, e *Burattini Marionette Pupi*, Milano, Silvana Editoriale, 1980.

Società», potevano verificarsi «contatti pericolosi» e risvegliarsi «vecchi rancori», tali da «degenerare in aperte e forse sanguinose collisioni, come accadde altre volte».[18]

Gli spettacoli ambulanti di marionette erano in grado di attirare un folto pubblico grazie anche all'estrema varietà dei soggetti delle rappresentazioni. La stessa osteria di S. Cristoforo, per esempio, qualche mese dopo avrebbe ospitato la compagnia torinese di Domenico Razzetti; il programma proposto contemplava 23 recite, in cui si mettevano in scena con disarmante disinvoltura le storie e i soggetti più disparati: si andava da *La nascita di Gesù* o la vita di *San Bartolomeo* alla vicenda di *Carlo Magno* o all'episodio di *Enrico IV al passo della Marna*, da *Elisabetta Suarez o Suor Teresa* alla farsa che narrava le gesta de *La bella Maghelona* e *Leonzeo il dissoluto*, oltre a cinque balli – *Orfeo all'Inferno*, *La vendetta di Pluto*, *Il Pulcinella magico*, *La rivoluzione di Palermo del 1859*, *La disfatta dei briganti calabresi*.[19]

Le cosiddette «giostre chiuse» erano ancor più oggetto di preoccupata attenzione da parte della questura: come quella di tale Giuseppe Valla, presso Ponte Vetero a Milano, dove – a quanto si riferiva – si commettevano «atti contro il buon costume e corruzione di giovanetti d'ambo i sessi».[20] Al Valla era stato intimato di aprire la giostra, che gli rendeva 5 o 6 lire al giorno, limitatamente alle ore di luce, ma il provvedimento aveva trovato una cocciuta resistenza: evidentemente i più lauti erano proprio gli introiti serali.[21]

D'altra parte, come osservava l'autorità di Pubblica Sicurezza, questi erano inconvenienti che interessavano in generale le intere aree riservate agli spettacoli ambulanti, come a Milano quella di Piazza Castello, per via di «questi diversi baracconi che formano come un quartiere di fabbricati con passaggio e spazi fra l'uno e l'altro che alla sera rimangono all'oscuro [...], favorendo così il malcostume ed anche i reati».[22] La stessa zona soprattutto, ma anche quella del Duomo e altre, ospitavano svariati generi di spettacolo, a loro modo indicativi del gusto, delle curiosità, del tipo di sensibilità diffusi nel pubblico popolare, nonché dell'immaginario collettivo allora imperante. Si trattava – oltre che di circhi e di serragli di belve feroci – anche di gabinetti pittorici,[23] gabinetti otti-

---

18) ASM, *Questura*, b. 137, f. 1, il questore al prefetto, 14 gennaio 1869; si leggano, *ivi*, anche il prefetto al questore, 12 gennaio 1869, e l'istanza alla questura del marionettista Antonio Campagnoli, 16 dicembre 1868.

19) *Ivi*, istanza di D. Razzetti alla questura, 27 ottobre 1869.

20) *Ivi*, f. 12, il questore all'ispettore della legione I, 15 giugno 1869.

21) *Ivi*, lettera del questore all'ispettore della legione I, 21 aprile 1869, e risposta dell'ispettore, 28 aprile 1869.

22) *Ivi*, l'ispettore della legione al questore, 17 aprile 1869, e f. 14, l'ispettore al questore, 14 agosto 1869.

23) Si veda *ivi*, f. 10, l'istanza alla questura di Giuseppe Martini, 16 dicembre 1868, che chiedeva di esporre «una quantità di vedute rappresentanti città, battaglie, castelli».

ci,[24] cosmorama,[25] ciclorama,[26] gabinetti di statue di cera,[27] spettacoli di quadri plastici,[28] teatri meccanici, musei anatomici,[29] esposizioni di cosiddetti «fenomeni»,[30] spettacoli di illusionismo o di fisiologia magnetica, allora assai dif-

[24] Otto Parisius, naturalista di Berlino, proponeva lo spettacolo *Meraviglie della Natura*, una serie di «rappresentazioni» – come erano definite – mediante trenta microscopi; prezzi d'ingresso: cent. 50 per gli adulti, 25 per i fanciulli (*ivi*, f. 9, istanza alla questura di Otto Parisius, 1° settembre 1869). Ma c'era chi puntava su spettacoli più ad effetto, quali «i misteri della tremenda Inquisizione di Spagna, le più recenti battaglie dell'attuale guerra d'Oriente, come pure quella della guerra franco-prussiana, le sette meraviglie del mondo, disastri ferroviari, feste nazionali» e «la scoperta di selvaggi antropofaghi [*sic*] nella quinta parte del mondo» (*ivi*, f. 48, istanza alla questura di Gaetano Ballarini, 16 febbraio 1878).

[25] Come quello di Luigi Catter (*ivi* la sua istanza alla questura, 5 dicembre 1868), che chiedeva di esporre un «gabinetto meccanico rappresentante i più luminosi fatti della sacra storia divisi in 32 quadri, il tutto che si muove mediante meccanismo».

[26] Quello di Antonio Rossi – dimorante nel suo baraccone di Piazza Solferino a Milano – era costruito in ferro, in stile gotico, della lunghezza di 20 metri e illuminato da 150 fiamme a gas. Il programma dello spettacolo era il seguente: «*Gran viaggio da Tolone all'Impero Chinese attraversando Europa, Africa, America ed Asia, rappresentando la squadra anglo-francese nella spedizione della China e dell'India nell'anno 1859 [...]. Viaggio della Svizzera [...]. Viaggio sul Danubio [...]. L'assedio di Gaeta visto nel momento dell'attacco sì per mare che per terra, diretto dal generale Cialdini, lo scoppio della polveriera che cagionarono la resa di questa piazza inespugnabile*». È cancellato l'ultimo punto in programma, che prevedeva *Battaglia di Lissa-Battaglia di Custoza*, forse per intervento della censura. Prezzi d'ingresso: di giorno cent. 25, di sera cent. 50, sconto per ragazzi e militari (*ivi*, f. 7, istanza alla questura di Antonio Rossi, 30 dicembre 1868).

[27] Questo il programma del gabinetto di Raffaele Fiorani (*ivi*, f. 23, la sua istanza alla questura del 30 agosto 1870): *Napoleone I, Vittorio Emanuele, Suora Marta di Besançon, Giulio Bianchi l'eroe di Crimea, Garibaldi, i briganti della Calabria, la brigantessa Maria Olivieri, Federico re di Prussia, Napoleone I ferito a Waterloo, Ivompman assassino francese, due figure ridicole*. Ingresso: soldi 2; per militari e ragazzi: un soldo; «anche cent. 5 per tutti, non avendo concorso».

[28] Come quello della compagnia comica e mimica di Pietro Lovera che metteva in scena *Vita, Passione, Miracoli, Martirii, Morte e Risurrezione del nostro divin Redentore* (*ivi*, f. 19, istanza alla questura di Pietro Lovera, 30 maggio 1869). In seguito il questore pensò di revocare il permesso concesso a Lovera di proporre i suoi quadri plastici, in quanto «essi quadri si risolvono in una parodia della Passione del Signore, che certo nulla aggiunge al decoro della Religione» (*ivi*, il questore al prefetto, 24 luglio 1869).

[29] Davvero curioso il campionario del «Museo Anatomico della vita fisica dell'uman genere», proposto da tali Willardt e Veltée (si trova *ivi* la loro istanza alla questura del 27 marzo 1869): 16 figure di cera in grandezza naturale fra cui la «rinomata Venere Anatomica, che è ripartita nelle parti minute del corpo umano» e «una razza umana antidiluviana». Si prometteva di parlare, fra l'altro, di «Anatomia, dettaglio del corpo umano; Gynacologia, malattie delle donne, ostetricia; Embriologia, sviluppo del corpo umano; Anatomia patologica, malattie; Frenologia, studio del cranio; Fisiologia, organi sentimentali, e le più difficili operazioni». L'ingresso, naturalmente per soli adulti, costava 50 cent., 25 cent. per i militari.

[30] C'era chi esponeva una «ragazza vivente colossale» (*ivi*, f. 67, istanza di Giuseppe Falcaro, 13 gennaio 1878), chi una «donna barbuta vivente» (*ivi*, istanza di Luigi Bacchi, 2 ottobre 1878), chi un ragazzo senza braccia che «con i piedi introduce il filo in un ago mi-

fusi in tutta Europa.[31] Anch'essi erano gestiti da persone che, benché in grado di leggere e scrivere e malgrado la pompa dei programmi stampati sui manifesti, versavano in condizioni di grave indigenza. Nulla più delle belle pagine dedicate da Ferdinando Fontana al mercato di Piazza Castello a Milano (nel volume edito da Vallardi in occasione dell'Esposizione del 1881) può rievocare con maggiore verità e poesia la realtà dello spettacolo ambulante del tempo. Intorno ai banchi dei venditori di angurie, alle «carriuole a mano dei venditori di *sorbettini all'unghia* [...] luccicanti di metalli e di specchietti», ai venditori di zucchero filato, di ciliegie, di «paste dolci stantie, di zuccherini d'ogni colore, di *diavolozzi*, di limonate» brulicavano gli sciami di «ragazzi del popolino e della borghesia – che giuocano al cerchio, al volante, a rincorrersi». Ma – prosegue Fontana – lo spettacolo non finisce qui:

«Queste non sono che macchiette di quel gran mondo bizzarro in miniatura che è il *Tivoli* di Milano, coi suoi coscritti imbambolati dinnanzi alle mirifiche spiegazioni dei cerretani; coi suoi ladruncoli [...]; colle sue compagnie equestri; colle sue foche parlanti; colle sue donne barbute; coi suoi vitelli a tre teste; coi suoi *grrrandiosi serrrrragli*, composti di belve cadenti di vecchiaia e logore tanto, per la lunga prigionia [...]; coi suoi cosmorama; coi suoi magnetizzatori; colle sue giostre».[32]

Negli anni Settanta tale genere di esibizioni, insieme agli spettacoli ritenuti pericolosi, furono oggetto di una campagna che ne denunciò l'«immoralità» e la «inciviltà».[33] Una deputazione provinciale chiese al governo provvedimenti e l'argomento fu oggetto di discussione alla Camera, ma Lanza, allora presidente

---

nutissimo, scrive e scarica una pistola» (*ivi*, f. s. n., istanza di Francesco Antonini, 28 giugno 1878), chi fratelli siamesi (*ivi*, istanza di Battista Tocci, 17 giugno 1878).

[31] Il *Manifesto* delle sedute tenute da Brunet di Ballans presso la sala dell'Istituto Stampa a Milano prevedeva quanto segue: nella prima parte prove di «Dominazione della volontà» – esperienze fisiologiche, il sonno magnetico, catalessi parziale, insensibilità, anestesia, paralisi di diversi organi dei sensi, ecc.; nella seconda parte «Esperienze dedicate alle signore» – il sonno a distanza, l'estasi, ecc. – e ai medici – la fulminazione a distanza, interruzione della respirazione; nella terza parte esperimenti di «Biologia – Dinamica – Magia Magnetica». I prezzi d'ingresso, piuttosto elevati, costavano 3 e 5 lire (*ivi*, f. 22, istanza di Brunet di Ballans, 29 aprile 1870).

[32] Ferdinando Fontana, *La vita di strada*, in *Mediolanum*, Milano, F. Vallardi, 1881, vol. 2°, pp. 148-149.

[33] Per il *Corriere della Sera*, ad esempio, i quadri plastici potevano «eccitare la fantasia degli adolescenti e dei peccatori avarati [*sic*]» (si veda il numero del 30 aprile/1° maggio 1877, *Corriere teatrale*, nonché quello del 19/20 settembre 1876, *I quadri plastici viventi*). Ricordiamo che alcuni spettacoli avevano suscitato la disapprovazione del pubblico stesso: come quello all'Arena di Milano nel luglio 1863, in cui erano piaciute le corse delle bighe, avevano destato ilarità le corse dei somari, ma avevano generato «disgusto» quelle dei nani. Sull'episodio così si era espresso *Il Pungolo* (13 luglio 1863, *Spettacoli*): «Far spettacolo al pubblico della miseria e delle deformità altrui non è cosa che s'addica alla moderna civiltà».

del Consiglio, replicò che nella legge di Pubblica Sicurezza vi erano disposizioni sufficienti che davano alle autorità la facoltà di intervenire; un prefetto lo prese in parola e impedì nella sua provincia gli spettacoli di acrobati, quelli con le belve feroci e le esposizioni di fenomeni: gli ambulanti protestarono contro quella violazione della «libertà» di impresa, ma dovettero spostare i baracconi altrove.[34]

3. LO STATO DELL'INDUSTRIA TEATRALE

«I tempi corrono poco favorevoli alle arti in generale ed in particolare alla musica. Giova sperare che, rassodate le faccende politiche e costituito il nuovo regno italiano, si svolgerà uno sguardo anche alla misera condizione del teatro musicale, il quale fa inutili sforzi per liberarsi dal verme roditore della speculazione».

Così il critico del quotidiano torinese *L'Opinione*, il già citato Francesco D'Arcais, si esprimeva in una sua *cronaca* del marzo 1860, denunciando la precarietà, il pressappochismo, la «poca cognizione dell'arte», l'affarismo spicciolo e miope che imperavano nel mondo musicale italiano.[35] Vent'anni più tardi la sua analisi e il suo giudizio non avevano mutato segno, anzi si può dire che fossero ancora più severi. Come egli osservava in un saggio del 1879,[36] in Italia la controversa questione se lo Stato dovesse o meno finanziare i teatri che ospitavano anche o esclusivamente spettacoli melodrammatici, notoriamente assai più costosi di quelli di prosa, si era già risolta ormai da un decennio, e per giunta negativamente; solo trent'anni prima, invece, tutti i principali teatri musicali della penisola erano largamente sovvenzionati dai governi degli Stati preunitari e, dove mancavano i finanziamenti diretti, come a Roma, esistevano comunque quelli indiretti, sotto forma di privilegi e monopoli. Il governo piemontese era stato il primo ad abolire la «dote» ai teatri: benché tale passo fosse stato dettato probabilmente da una necessità contingente, determinata dalle circostanze eccezionali, tuttavia esso aveva segnato «il principio di un notevole mutamento negli ordinamenti e nell'industria dei nostri teatri di musica». Secondo D'Arcais non vi era dubbio che il passaggio dalla sovvenzione governativa a quella municipale avesse contribuito a gettare l'industria teatrale italiana in uno stato di maggiore precarietà. Avveniva così che, a parte qualche rara eccezione, in Italia non si allestivano spettacoli importanti se non con il concorso di un sussidio da parte dei municipi, mentre le sale gestite dall'industria privata senza contributi pubblici erano quasi tutte di secondo e terz'ordine e vi si davano rappresentazioni «qualche volta mediocri e più spesso cattive»; gli spettacoli di

[34] *L'Opinione*, 23 gennaio 1874, *Notizie teatrali*.
[35] FRANCESCO D'ARCAIS, *Cronaca musicale*, in *Rivista Contemporanea*, marzo 1860.
[36] F. D'ARCAIS, *L'industria teatrale in Italia*, in *Nuova Antologia*, maggio 1879.

pregio purtroppo si rivelavano spesso operazioni fallimentari dal punto di vista finanziario, anche perché i teatri che non godevano del privilegio della «dote» si trovavano nell'impossibilità di combattere ad armi pari.

A peggiorare le cose, stava inoltre il fatto che il sussidio pubblico andava spesso ad arricchire l'industria teatrale, piuttosto che contribuire allo sviluppo artistico, al contrario di quello che avveniva, così si diceva, nei teatri tedeschi, nei quali in genere era adottato il sistema cosiddetto «a repertorio» – caldeggiato da molti critici musicali italiani – e che svolgevano la funzione di veri e propri musei d'arte, collaborando ad elevare l'educazione musicale del paese. Le stagioni teatrali, in Italia, erano assai brevi e anche nei teatri più prestigiosi si risolvevano in una «partita» giocata con l'aiuto del municipio da uno speculatore spesso «ignorantissimo di musica» e impegnato non certo a guidare, quanto più semplicemente ad assecondare i gusti del pubblico con opere di sicuro successo ed artisti di fama, evitando accuratamente sia le esumazioni di opere antiche sia le novità.

Le sovvenzioni erano comunque abbastanza esigue: tenendo conto anche dei centri minori, la somma totale spesa dai municipi superava di poco il milione, quando la sola Opéra parigina aveva a disposizione l'equivalente di ben 800 mila lire di dote. Avveniva, pertanto, che le previsioni delle spese finissero sempre per coincidere con quelle delle entrate, per cui spesso bastava un accidente imprevisto – la malattia di un cantante o l'insuccesso di uno spettacolo – per mandare a monte il bilancio dell'intera impresa. Sotto accusa erano generalmente – oltre che lo sfarzo delle scenografie – i compensi pretesi dagli artisti, anche se non si deve dimenticare che in buona parte queste somme andavano disperse tra una schiera di agenti, sensali, parassiti, giornalisti, *claque*: tanto che gli artisti di canto si arricchivano più facilmente all'estero, dove le paghe erano allettanti e le esigenze dei parassiti minori.

Ancora più miserevoli erano le condizioni dei teatri che vivevano interamente di vita propria; la loro gestione veniva assunta ordinariamente da persone che non davano alcuna garanzia di onestà e solvibilità. Nonostante ciò, il numero degli impresari aspiranti alla conduzione di un teatro era immancabilmente elevato, «perché è sempre considerevole il numero degli sventurati che cercano un qualche conforto, sia pur passeggero, alla loro miseria».

Come lo stesso D'Arcais aveva osservato in un altro suo intervento,[37] i teatri italiani erano sopraffatti da spese inutili: la maggior parte di essi non era ordinata in modo stabile, gli artisti conducevano una vita nomade, mancava la prassi del teatro a repertorio e tutto – programma, artisti, scenografie, costumi, impresa – era condizionato dall'improvvisazione, dalla precarietà e dal continuo avvicendamento. Certo, ogni anno in Italia venivano rappresentate sulle scene circa 40 opere liriche nuove, ma questo

---

[37] F. D'Arcais, *Il teatro musicale in Italia*, in *Nuova Antologia*, gennaio 1866.

«perché gli impresari teatrali le hanno sapute convertire in quaranta sorgenti di rendita, e sfuggire il pericolo di quaranta spese superflue; esistono perché si sono trovati quaranta maestri abbastanza ricchi per pagare non la propria gloria, ma le speranze sovente deluse della propria gloria. [...] Questa è la vera condizione de' compositori esordienti».[38]

Si aggiunga che il tradizionale sistema degli abbonamenti impediva la formazione di un repertorio stabile e costringeva all'allestimento di spettacoli sempre nuovi, compromettendo in questo modo i redditi dei teatri: ecco perché l'abbonato italiano del periodo, che temeva le repliche e bramava le novità, era diventato «una pianta parassita».[39]

Anche per il teatro di prosa le testimonianze dei contemporanei tendono a dipingere un quadro di relativa precarietà. Un articolo dell'autore drammatico Francesco Dall'Ongaro comparso sulla *Rivista Contemporanea* nel febbraio del 1860[40] non poteva essere più pessimista sullo stato del teatro drammatico italiano. Esso era condannato «alla vita nomade dei saltimbanchi e degli zingari», non veniva sovvenzionato, ma «abbandonato all'industria privata, ad una concorrenza senza limiti e senza legge». Di rado un comico di una certa statura, quasi sempre un attore «più avido di lucro che di plausi», diventava direttore o appaltatore «di una banda ragunaticcia», nella quale il suggeritore svolgeva un ruolo prezioso: questa «brigata», con tanto di familiari a seguito, viaggiava in continuazione, «sciorinando tutte le sere il vecchio repertorio rinfrescato di qualche nuovo lavoro originale», spesso mal tradotto dal francese, alternando generi diversi «con una versatilità incredibile». Gli incassi servivano a mala pena per campare e il ricorso all'usura o al Monte dei Pegni era assai diffuso. Il sistema degli abbonamenti che vigeva anche nei teatri di prosa imponeva un rapido avvicendarsi di spettacoli e strozzava i guadagni, mentre i palchi appartenevano «in gran parte a' privati che ne dispongono a lor talento». Così, sempre a giudizio di Dall'Ongaro, «la censura, la molteplicità dei centri, le condizioni precarie delle nostre compagnie comiche, e il forzato disinteresse dei nostri autori drammatici» contribuivano a mantenere il teatro di prosa italiano «in quello stato d'inferiorità e di abiezione in cui giacque gran tempo».[41]

---

[38] *Ibidem*.

[39] *L'Opinione*, 17 febbraio 1868, *Appendice. Rivista drammatico-musicale*. Sullo stato dei teatri filodrammatici sono interessanti anche le osservazioni svolte da Girolamo Alessandro Biaggi, critico musicale del quotidiano fiorentino *La Nazione* (per esempio nella rubrica *Rassegna musicale* dei numeri 17 aprile 1870, 19 agosto 1873, 24 luglio 1877).

[40] FRANCESCO DALL'ONGARO, *Cenni sul teatro drammatico contemporaneo*, in *Rivista Contemporanea*, febbraio 1860.

[41] Anche per tale giudizio si veda F. DALL'ONGARO, *Del teatro drammatico contemporaneo italiano e francese*, in *Rivista Contemporanea*, luglio 1860. Sulle condizioni del teatro di prosa italiano del tempo si può leggere inoltre la testimonianza dell'attore Ernesto Rossi (ERNESTO ROSSI, *Alcuni pensieri sull'arte drammatica*, Torino, Tip. G. Baglione e C., 1861).

Secondo la stima approssimativa di Valentino Carrera, nel 1870 vi erano in Italia 88 compagnie drammatiche, numero che però escludeva «quei piccoli drappelli di cinque o sei zingari che girano da Busto-Arsizio a Peretola»;[42] gli attori erano circa 1200. Non esistevano «piazze» veramente sicure, ma in alcune – come Milano, Torino, Firenze, Roma e Napoli – nella stagione invernale una buona compagnia, fornita di un repertorio scelto, era «pressoché certa di guadagno».[43] Tuttavia la concorrenza restava accanita e i margini di profitto erano incerti e, nel complesso, esigui. C'era chi osservava che i prezzi dei biglietti nei teatri di prosa italiani erano eccessivamente bassi:[44] nel settembre del 1874 si poteva assistere ad una recita della prestigiosa compagnia di Luigi Bellotti Bon all'Arena nazionale di Firenze per 50 centesimi e un'attrice come Giacinta Pezzana si esibiva con la sua compagnia al Malibran di Venezia per 60 centesimi – il costo di un biglietto in platea – o 30 centesimi – quello di un posto nel loggione. Il periodico milanese *Monitore dei Teatri* addirittura sosteneva che in Italia vi fosse chi si precludeva il piacere di uno spettacolo di prosa «perché sembragli sconveniente alla dignità» del proprio rango «valersi d'un divertimento che costa così poco»: mentre non possedere un palco alla Scala era disdicevole, possederne uno al teatro di prosa era, per alcuni, persino «compromettente»; non si trattava – precisava la rivista – di escludere dai teatri il pubblico popolare, ma di diversificare, per così dire, l'offerta.[45] Altri, al contrario, temevano che un aumento del costo dei biglietti avrebbe avuto, in un paese povero e arretrato come l'Italia, la nefasta conseguenza di scoraggiare l'affluenza di spettatori; nel 1874 l'ex deputato della Sinistra Giuseppe Ricciardi – tra l'altro autore di drammi storici e commedie – aveva proposto, anzi, di diminuire il prezzo degli ingressi.[46]

Un triste dato che accomunava il teatro musicale e quello drammatico erano le condizioni spesso assai misere degli artisti e dei lavoratori del settore. Se gli impresari non nuotavano nell'oro, anche i cantanti – ad eccezione di qualche milionario che per una rappresentazione era pagato 4.000 lire, come ad esempio la celebre soprano Adelina Patti – guadagnavano a stento di che campare. Gli artisti di canto che potevano calcare onorevolmente i palcoscenici dei teatri meno importanti guadagnavano al più un migliaio di lire al mese, vale a dire, nel caso raro in cui fossero sempre occupati, la discreta cifra di circa 12.000 lire l'anno; erano meno retribuiti gli artisti di ballo del medesimo livello.[47] Lo sti-

---

[42] *La Rivista Europea*, novembre 1870, *Rivista drammatica. Teatri e Compagnie drammatiche in Italia* cit.

[43] *Ibidem.*

[44] Si legga ad esempio *La Nazione*, 10 aprile 1864, *Rassegna teatrale*.

[45] *Monitore dei Teatri*, 1° gennaio 1875, *I prezzi d'ingresso al teatro di prosa*.

[46] *Ibidem*, dove la proposta di Ricciardi era definita «progressista, ma artisticamente [...] retrograda».

[47] *L'Opinione*, 11 luglio 1864, *Appendice. Rivista musicale*.

pendio – va però considerato – entrava «assottigliato» nelle tasche dell'artista, costretto ad abbonarsi, per farsi pubblicità e per essere sempre aggiornato, «a dieci, dodici, venti giornali teatrali che tutti lo succhiano, lo smungono e lo dissanguano» e a far fronte ad una grande quantità di «corrispondenti», altrettanto «sanguisughe», che gli si «appiccicano ai fianchi», per assicurarsi le necessarie recensioni positive.[48] Era inoltre indispensabile far fronte alle spese non indifferenti per viaggi e vestiario. Il guadagno netto, alfine, non superava di molto quello necessario per vivere almeno decentemente.

Senonché la maggior parte dei cantanti e dei ballerini non rientrava né tra le poche celebrità internazionali pagate a peso d'oro, né tra i professionisti che potevano svolgere dignitosamente la loro attività, bensì apparteneva ad una terza categoria, quella dei cosiddetti «paria». Costoro trascinavano la loro «squallida esistenza» nei teatri di provincia e nei teatri minori delle grandi città, guadagnando in media 500 lire al mese una prima donna o un tenore, 300 lire al massimo un baritono, 200 lire o poco più, qualche volta meno, un basso, circa 300 lire una ballerina – naturalmente quando non erano disoccupati.[49] Le loro condizioni erano spesso denunciate dalla stampa quotidiana e dai più seri periodici del settore. Non si contano le circolari del ministero dell'Interno volte a mettere in guardia le compagnie di prosa o di canto dalle chimeriche ma del tutto aleatorie prospettive che le portavano spesso a compiere lunghissimi viaggi pur di rabberciare una *tournée*: da Odessa, da Galatz, da Smirne, da Bucarest, da New York, i consolati italiani facevano loro presagire le probabili disillusioni. In numerosi casi, in effetti, le compagnie teatrali che si avventuravano all'estero dovevano essere rimpatriate a spese dello Stato perché non potevano pagarsi nemmeno il viaggio di ritorno:[50] come scriveva un giornale teatrale, «il Governo italiano, messosi sulle *serie economie*, vuole risparmiare quelle trecentomila lire circa che deve spendere ogni anno per far rimpatriare gli artisti gab-

[48] *L'Opinione*, 31 agosto 1863, *Appendice. Questioni teatrali*.

[49] Anche per queste notizie si veda *L'Opinione*, 11 luglio 1864, *Appendice. Rivista musicale* cit. In Italia, inoltre, si contavano da 5 a 6 mila comparse. Un corista era pagato 1 o 2 lire per sera, un figurante 1 lira o 1,5 lire; meno pagate erano le comparse drammatiche: dai 50 centesimi a una lira, ma a Torino si trovavano facilmente operai che per 25 centesimi a sera facevano le comparse ed evitavano l'osteria (*La Rivista Europea*, agosto 1870, *La comparsa teatrale*). A proposito delle paghe dei lavoratori teatrali, si prendano in considerazione a titolo d'esempio quelle percepite dal personale dei Regi Teatri milanesi nel 1863 in ACS, *Ministero dell'Interno, Serie Diverse, Teatri e Scuole di ballo* (d'ora in poi M.I., S.D., Teatri), b. 3, f. 23, *Organici*, 1863. Il direttore d'orchestra guadagnava 345 lire al mese, il maestro dei cori 200 lire, mentre lo stipendio degli orchestrali oscillava dalle 70 lire alle 150 lire mensili, quello dei comprimari era di 150 lire, quello dei coristi di 50 lire, quello delle corifee di 9-28 lire, quello dei corifei di 30-42 lire, quello delle ballerine di 30-100 lire, quello dei ballerini di 90-110 lire.

[50] Tra i numerosi appelli governativi, si consideri per esempio quello pubblicato in *La Perseveranza*, 9 settembre 1868, *Avvertenza agli artisti di canto*.

bati».[51] Una sorte analoga, del resto, attendeva non di rado gli artisti stranieri che giungevano in Italia nella speranza di fare carriera: il *Corriere della Sera* in più occasioni denunciò il fenomeno delle «numerose fanciulle povere che calano a Milano da tutte le parti del mondo», mandate allo sbaraglio da qualche agente nei palcoscenici di provincia, destinate ai "fiaschi", alla disperazione, qualche volta al suicidio.[52] A proposito di paria del teatro musicale, ed estensivamente della società italiana del periodo, non si possono dimenticare poi i casi, ancora denunciati negli anni '60, di ragazzini che nello Stato pontificio venivano evirati per farne dei contralti.[53]

Si aggiunga che, ad eccezione che nei teatri in cui le doti garantivano in qualche modo la paga degli artisti, in genere era impossibile fare assegnamento sull'osservanza dei contratti da parte degli impresari, anche per l'eccessiva indulgenza delle leggi e le lacune presenti nella giurisprudenza teatrale. È, a maggior ragione, comprensibile il problema che assillava tutti gli artisti di teatro, quello di provvedere ai casi di malattia e alla vecchiaia. Rispondeva appunto a questa impellente esigenza – nelle forme e nel grado raggiunti in quegli anni dall'organizzazione sindacale in Italia – l'istituzione della Società italiana di mutuo soccorso per gli artisti di teatro, con sede a Milano. Associazioni analoghe sarebbero nate negli anni seguenti. I successi ottenuti nel campo della previdenza, tuttavia, sarebbero stati, come si vedrà più avanti, solo parziali. A livello nazionale, il primo tentativo ufficiale di documentazione e di sensibilizzazione sulle condizioni di lavoro e sui diritti dei lavoratori teatrali si sarebbe verificato solo decenni più tardi. È nel 1913, infatti, che il socialista Ettore Reina avrebbe presentato al Comitato dell'Ufficio del Lavoro una relazione sul tema *Gli addetti ai pubblici spettacoli e le provvidenze sociali*, che venne salutata dai commentatori come «data d'inizio», «luce di coscienza che si desta» nel campo dei diritti dei lavoratori dello spettacolo; la relazione di Reina, spezzando la consueta indifferenza nei confronti delle «miserie» e dei «dolori fisici e morali inenarrabili, vergogna e rimprovero di civili comunanze» sofferti dai lavoratori del settore, parlava di sfruttamento di donne e fanciulli, di contratti, di probovirato, di collocamento, di orari lavorativi, di infortuni, di pensione.[54] Agli inizi degli anni Sessanta il cammino era quindi ancora tutto da compiere.

[51] *Monitore dei Teatri*, 11 aprile 1874, *Nuova circolare ministeriale*.

[52] *Corriere della Sera*, 14/15 febbraio 1883, *Le cantanti senza scrittura*. Ma si veda anche *Corriere della Sera*, 10/11 giugno 1882, *Le cantanti senza scrittura*, in cui tra l'altro si svelavano i meccanismi di ingaggio delle cosiddette agenzie ambulanti. Sugli allievi di canto stranieri in Italia e le loro disavventure si soffermava anche il periodico teatrale *Asmodeo*, 1° febbraio 1877, *I legulej del canto a Milano ossia «Gli aguzzini dell'arte»*, che riproduceva, tradotto, un articolo del londinese *The Era*.

[53] Come si segnalava in *Gazzetta Musicale di Milano*, 12 ottobre 1873, *Varietà*.

[54] Sulla relazione di Reina si sofferma EDOARDO BOUTET, *Rassegna drammatica. Gli addetti ai pubblici spettacoli e le provvidenze sociali*, in *Nuova Antologia*, 1° dicembre 1913.

4. La politica teatrale nel Piemonte sabaudo

Lo stato in cui versava l'industria dello spettacolo nella penisola italiana a metà Ottocento non poteva lasciare indifferenti quanti erano andati convincendosi dell'importanza nodale assunta dal teatro negli anni preunitari. Ora, un teatro prospero, svincolato dalle catene della sopravvivenza quotidiana, era una condizione indispensabile – almeno così si credeva – per mantenere viva la tradizione lirica italiana e, soprattutto, per resuscitare quella drammatica, a lungo languente dopo la straordinaria stagione goldoniana. Tale resurrezione avrebbe dovuto coincidere, in un rapporto di reciproca sollecitazione, con quella più generale – politica, economica, culturale – dello Stato italiano allora in gestazione. Ecco perché la «quistione drammatica» era divenuta «dopo la politica, la quistione più palpitante d'attualità»;[55] la sua funzione era in qualche modo paragonabile a quella ricoperta dalla nota vicenda del the per gli americani alle soglie della guerra d'indipendenza.[56]

Il teatro e la stampa erano ritenuti formidabili veicoli di emancipazione. Si legge in una corrispondenza indirizzata a Guglielmo Stefani e pubblicata sul periodico *Il Mondo Letterario*:

«Il teatro oggimai, come un mezzo politico, è un elemento di civiltà quanto la stampa. Il teatro è l'educatore più efficace di tutte le scuole comunali e di tutte le enciclopedie popolari. Il teatro è il giornale quotidiano in azione, a milioni di copie illustrate [...]; l'avviamento è dato ormai, e il teatro, come il giornalismo che abolì l'aristocrazia letteraria del libro, il teatro come il giornalismo, fattori di civiltà, sono due idee conquistate in Europa... e in Italia».[57]

E sulle pagine della medesima testata, alla vigilia dei grandi avvenimenti del 1859, si affermava:

«La drammatica è un'arte pratica più d'ogni altro genere di letteratura, anzi si può chiamare la letteratura, o meglio il giornale in azione. Nel teatro si legga il giornale, nel giornale si studi il teatro. Sono due grandi specchi onde si moltiplica il calore della luce riflessa; sono le due grandi tribune lasciate dai nuovi tempi alla parola dell'arte».[58]

Non sorprende, dunque, che il dibattito sul teatro si svolgesse con particolare fervore nel Piemonte sabaudo durante il cosiddetto «decennio di prepara-

---

[55] Come si legge in *Il Mondo Letterario*, 30 ottobre 1858, *Cronaca drammatica*.
[56] Anche per questa osservazione si veda *Il Mondo Letterario*, 1° gennaio 1859, *Il Mondo Letterario nel 1859*.
[57] *Il Mondo Letterario*, 3 luglio 1858, *Sulla riforma del teatro italiano*.
[58] *Il Mondo Letterario*, 1° gennaio 1859, *Il Mondo Letterario nel 1859* cit.

zione».[59] Qui già prima dell'Unità il problema della crisi del teatro piemontese era stato sollevato anche in Parlamento, suscitando una discussione sulla opportunità che il governo studiasse un piano d'intervento e di sostegno. Il 25 giugno 1858, alla Camera, Cavour, ministro dell'Interno, aveva presentato un progetto di legge in merito, allo scopo di «migliorare le condizioni del teatro drammatico nazionale».[60] Otto anni prima si era deciso, anche per ragioni di economia, di sospendere la sovvenzione governativa alla Compagnia Reale sarda, che era stata istituita nel 1820 allo scopo di promuovere col teatro drammatico l'istruzione popolare.[61] Senonché, come denunciava lo stesso Cavour nel preambolo al suo progetto di legge, negli anni successivi le scene avevano visto diminuire il numero dei buoni attori e aumentare le loro pretese; analogamente si era verificato un calo della produzione di commedie nuove: l'immediata conseguenza era stato l'inasprimento della concorrenza del teatro francese, «quantunque di non primi attori composto e non corredato di eletto repertorio». In questo sostanzialmente consisteva la crisi: la proposta di legge che vi intendeva porre rimedio prevedeva lo stanziamento di 50.000 lire all'anno – parte ad incoraggiamento degli autori, parte destinato a sovvenzionare una compagnia drammatica di alto livello; inoltre sarebbe stata istituita presso il ministero dell'Interno una «Commissione superiore dei teatri drammatici», composta da un presidente e sei membri, preposta alla direzione della compagnia drammatica prescelta.

Il progetto Cavour non ottenne l'approvazione della commissione parlamentare incaricata del suo studio. Il 28 giugno 1858 essa presentò una dura relazione in proposito: «improvvisato sotto l'impressione d'un commovente appello in favore dell'arte», il progetto – sentenziavano i relatori – risultava sotto molti

---

[59] Il 30 marzo 1850 Felice Romani inaugurava nella *Gazzetta Piemontese* la rubrica *Corriere teatrale*: era un passo inevitabile «in tempi, in cui il teatro viene universalmente riguardato siccome ottimo mezzo di sollazzo e d'istruzione ed è il perno dell'esistenza di tanti».

[60] Atti del Parlamento subalpino, Legisl. VI, Sess. 1857-58, *Discussioni*, tornata del 25 giugno 1858, p. 2485. La proposta di stanziare una somma a favore del teatro di prosa era stata sostenuta da Cavour e da Angelo Brofferio durante il dibattito sul bilancio del dicastero dell'Interno qualche giorno prima, il 21 giugno 1858, suscitando vivaci reazioni (*ivi*, pp. 2393-2401). Per una cronaca puntuale di questa discussione si veda GIGI LIVIO, *La scena italiana. Materiali per una storia dello spettacolo dell'Otto e Novecento*, Milano, Mursia, 1989, pp. 21-28, che si sofferma anche su quella del 13 e del 27 marzo 1852, sorta a proposito del rinnovo della sovvenzione alla Compagnia Reale sarda (*ivi*, pp. 14-21). Sull'argomento si legga inoltre FERDINANDO MARTINI, *La fisima del teatro nazionale*, in ID., *Al Teatro*, Firenze, Bemporand, 1895, pp. 113-172.

[61] Sulla Compagnia Reale sarda si consultino G. COSTETTI, *La Compagnia Reale Sarda e il teatro italiano dal 1821 al 1855*, Milano, Max Kantorowicz, 1893, LAMBERTO SANGUINETTI, *La Compagnia reale sarda (1820-1855)*, Bologna, Cappelli, 1963, e VANDA MONACO, *La Repubblica del teatro (Momenti Italiani 1796-1860)*, Firenze, Le Monnier, 1968, pp. 53-59.

aspetti difettoso e lacunoso. Innanzitutto, secondo i commissari, il sistema del sussidio, durato ben trentatré anni, dal 1820 al 1852 – anni senz'altro felici per l'arte drammatica –, era, in definitiva, fallito e la Compagnia Reale aveva visto negli ultimi anni cadere il suo prestigio. Ora, l'esperimento della – così veniva definita – «libera concorrenza» era durato solo sei anni: un periodo di tempo troppo breve per un'inappellabile condanna. In realtà allo sviluppo del teatro italiano si opponevano – proseguiva la relazione – ostacoli di ben altra natura: l'Italia, soprattutto, era da secoli un paese diviso in piccoli Stati, dominati «dallo straniero e dalla teocrazia» e privi, in tutto o in parte, delle condizioni economiche e sociali necessarie alla vita teatrale come a quella culturale; allo Stato sabaudo, perciò, conveniva non disperdere «in tentativi di minor rilievo quegli elementi di forza in cui l'avvenire d'Italia è riposto». Inoltre sembrava poco opportuno esporre i ministri piemontesi ad ulteriori «tentazioni», attribuendo loro anche l'amministrazione della cosiddetta palestra teatrale, come se il «concentramento amministrativo» non fosse già eccessivo. Infine, rispetto al 1852, le condizioni dell'erario pubblico non erano certo migliorate: progetti ben più importanti si era costretti ad accantonare.[62]

Ad ogni modo, quando ormai si profilava il fallimento del progetto Cavour, a Torino l'iniziativa passava dalle mani dei politici a quella dei privati. Guglielmo Stefani, dalle pagine del suo bel periodico, il già citato *Mondo Letterario*, da poco fondato, lanciava l'idea di dar vita ad una Società del Teatro drammatico italiano. Intorno a lui si raccoglievano Giacinto Battaglia, Domenico Berti, Niccolò Tommaseo, Giovanni Ventura e alcuni deputati – Angelo Brofferio, Carlo Alfieri, Cesare Correnti, Michelangelo Castelli. Il programma, diffuso alla fine di agosto, contemplava la formazione di una compagnia modello, ma – è qui la novità – sottolineava l'opportunità di rispettare i meccanismi della libera concorrenza e della «libertà di commercio»: bando, quindi, alle compagnie protette, privilegiate, create e gestite dai governi, via libera invece ad una buona compagnia finanziata dagli stessi cittadini tra loro associati, che guidasse la riforma del teatro italiano; per questo la compagnia – alla guida della quale si sperava di chiamare Gustavo Modena – avrebbe dovuto calcare le principali scene d'Italia, Torino e Milano in primo luogo, e poi Genova, Firenze, Venezia e Trieste. Nel programma si parlava anche di un radicale rinnovamento del repertorio teatrale, che avrebbe coinvolto a pieno titolo gli autori italiani, e si prospettava la fondazione di un ginnasio drammatico, la pubblicazione di un periodico (*Archivio del Teatro drammatico italiano*), l'apertura di una «Agenzia di tutela pei diritti degli autori drammatici». Insomma, come concludeva il manifesto di

---

[62] La relazione della commissione e il testo del progetto Cavour sono in Atti del Parlamento subalpino, Legisl. VI, Sess. 1857-58, *Documenti*, vol. II, pp. 1170-1173.

Stefani, «l'epoca dei Mecenati è quasi volta al tramonto; le arti non possono ormai più avere altro Mecenate che la nazione».[63]

Il progetto Stefani-Battaglia, come fu chiamato, accese l'interesse della stampa italiana, che espresse entusiasmo e speranza assai più che scetticismo.[64] Al progetto non mancò l'appoggio di Cavour,[65] nonché l'adesione di molti sottoscrittori: nel febbraio del 1859 erano stati raccolti i due terzi del capitale di partenza previsto dallo Statuto.[66]

Intanto, a conferma dell'eccezionale rilievo attribuito al ruolo del teatro alla fine degli anni Cinquanta, andrebbero ricordate le numerose iniziative sorte nel resto della penisola.[67] Ci basti ricordare la più significativa e, in qualche modo, anche la più clamorosa. Nel Lombardo-Veneto, nel 1858, fu lo stesso arciduca Massimiliano d'Asburgo, da pochi mesi governatore del Regno, a tentare di mettere in piedi una Compagnia teatrale stabile, nel quadro del programma riformatore a cui intendeva ispirare il suo governo anche nel settore della politica culturale.[68] Intanto il giornale viennese *Oesterreichische Zeitung* consacrava un lungo articolo alla riforma del teatro italiano, proponendo di attrarre i migliori attori della penisola nelle città di Milano e Venezia, per istituirvi una «scena-modello imperiale».[69] Anche nell'austriaco Lombardo-Veneto si fecero tentativi per cooptare il fiero repubblicano Gustavo Modena, il quale però ancora una volta oppose il suo diniego.[70]

---

[63] Per altri particolari si veda *Il Mondo Letterario*, 28 agosto 1858, *Società del Teatro drammatico italiano. Programma artistico-letterario*, oppure *Gazzetta Piemontese*, 28 agosto 1858, *Fatti diversi. Società del Teatro drammatico nazionale italiano*.

[64] Una rassegna dei principali interventi si può leggere nei seguenti articoli del *Mondo Letterario*: 24 luglio 1858, *Il Mondo drammatico*; 18 settembre, 25 settembre e 2 ottobre 1858, *Società del Teatro drammatico italiano. Giudizi della stampa italiana intorno al programma artistico-letterario del 25 agosto 1858*; 11 dicembre 1858, *Notizie drammatiche*.

[65] La sua lettera a Stefani si trova in *Il Mondo Letterario*, 4 dicembre 1858, *Società del Teatro drammatico italiano*. Nel gennaio 1859 il governo manifestò l'intenzione di mettere a disposizione della Società il Carignano (*Il Mondo Letterario*, 12 febbraio 1859, *Società del Teatro italiano*).

[66] *Ibidem*. Per gli aspetti economici e amministrativi del progetto si veda *Gazzetta Piemontese*, 18 dicembre 1858, *Appendice. Società del Teatro Drammatico Italiano*.

[67] Per una panoramica di tali iniziative si veda *Il Mondo Letterario*, 10 luglio 1858, *Il Mondo Drammatico*. Più avanti (cap. II, par. 4) si parlerà di quelle maturate in ambiente fiorentino.

[68] FRANCO DELLA PERUTA, *Massimiliano d'Asburgo governatore del Lombardo-Veneto (1857-59)*, in ID., *L'Italia del Risorgimento. Problemi, momenti e figure*, Milano, Angeli, 1997, pp. 289-305. L'iniziativa dell'arciduca austriaco aveva preso le mosse da un progetto proposto dall'attore Ernesto Rossi: sulla vicenda, dunque, si può leggere la versione dello stesso E. ROSSI nella sua autobiografia *Quarant'anni di vita artistica*, Firenze, Tip. Ed. di L. Niccolai, 1887, vol. I, p. 155, nonché *Il Mondo Letterario*, 18 settembre 1858, *Lettera di Ernesto Rossi a Guglielmo Stefani*. Si veda inoltre *Epistolario di Gustavo Modena* cit., p. 291 e pp. 439-440.

[69] La notizia è riportata da *Il Mondo Letterario*, 10 luglio 1858, *Il Mondo drammatico* cit.

[70] Su Modena si leggano: LUIGI BONAZZI, *Gustavo Modena e l'arte sua*, Perugia, Stab. Tipografico-librario, 1865; T. GRANDI, *Gustavo Modena attore patriota (1803-1861)*, Pisa,

Ma si era ormai agli inizi del 1859; a Torino, a Milano, a Vienna, affari ben più importanti urgevano. Guglielmo Stefani sospendeva la raccolta delle sottoscrizioni per il suo progetto e la pubblicazione del *Mondo Letterario*. Direttore ed editori, gli eredi Botta, firmavano nell'ultimo numero un *Avviso*[71] in cui solennemente si affermava:

«[...] tutto quello che in quest'anno non va in politica è fiato perduto, è forza nazionale dispersa e sprecata. La quistione del Teatro Italiano, che dominava sulle altre nel campo della letteratura, è messa *per ora* sotto il tappeto; mentre sovr'esso trovasi presentemente spiegata la quistione-madre».

Anche sul fronte parlamentare e governativo il problema fu accantonato: la proposta di legge per l'incoraggiamento al teatro «nazionale» cadde nel vuoto, né si presentò occasione di riparlarne, per ragioni facilmente intuibili, nei due anni immediatamente successivi. La vicenda dimostra che alla vigilia del processo che di lì a poco avrebbe condotto all'unificazione della penisola il tema del teatro era già familiare ai politici piemontesi, divisi però pressoché trasversalmente tra le tentazioni al dirigismo e all'ingerenza, venate di velleità pedagogiche e paternalistiche, e i princìpi liberali, che spesso sottintendevano tuttavia, e neppure velatamente, le sacre ragioni del bilancio: tale divisione – come meglio si spiegherà più avanti – riguarderà nel suo complesso l'intera classe dirigente liberale sino al fascismo. In questa occasione la simpatia per il regime di libera concorrenza, il timore di una concentrazione inopportuna di competenze e quindi di potere nelle mani dei ministeri, la previsione di spese meno superflue e più impellenti avevano finito per prevalere sulle ragioni dell'arte. Ma l'analisi che in fondo costituiva il presupposto delle conclusioni dei più individuava altrove il nocciolo della questione e invitava a far convergere attenzione e sforzi verso un ben diverso obiettivo, che a sua volta presupponeva metodi alternativi a quelli delle sovvenzioni pubbliche: una volta fondate le basi "materiali" della società, indispensabile preludio allo sviluppo spontaneo della cultura e dell'arte, il teatro italiano avrebbe autonomamente raggiunto la sua maturità. Insomma, come lo stesso Cavour avrebbe dichiarato: «Prima facciamo un'Italia, e poi facciamo un Teatro».

Nistri-Lischi, 1968 (che pure si sofferma sulla vicenda del progetto di Massimiliano d'Asburgo, pp. 177-178); V. MONACO, *La Repubblica del teatro (Momenti Italiani. 1796-1860)* cit., pp. 99-149; CLAUDIO MELDOLESI, *Profilo di Gustavo Modena. Teatro e rivoluzione democratica*, Roma, Bulzoni, 1971; *Scritti e discorsi di Gustavo Modena (1831-1860)*, a cura di T. GRANDI, Roma, Istituto per la Storia del Risorgimento Italiano, 1957, ed *Epistolario di Gustavo Modena* cit.
[71] Per il quale si veda *Il Mondo Letterario* del 26 marzo 1859.

5. Dopo l'Unità

Dopo il raggiungimento dell'unificazione politica del paese, negli ambienti dello spettacolo si ridestarono le speranze: per il teatro – era certo – si sarebbero spalancate prospettive più rose, se non altro in considerazione della sua presunta «utilità»[72] come veicolo di trasmissione e diffusione di valori, princìpi, lingua conformi ad un'identità nazionale che per il momento rimaneva un voto e un ideale di una cerchia assai ristretta di italiani. A Torino – erano i giorni in cui la deputazione toscana recava i risultati del voto per l'unione al Regno – il noto giornalista e critico teatrale Vittorio Bersezio dava sfogo al suo entusiasmo e alla gioia di essere «testimoni e parte ed attori in questi stupendi fatti»:

«Possa trasporsi ed attecchir qui l'eletta forbitezza del tuo popolo arguto, o Firenze! [...] Giunga ad addolcir il barbaro suono delle mozzicate parole del nostro rozzo dialetto, la melliflua melodia del tuo idioma divino!».[73]

Dal canto suo anche il critico Augusto Franchetti affermava che il rinnovamento del teatro italiano doveva attendersi «dalla generazione sorta a respirare le rinate auree di libertà, dalla formazione di costumi non più servili ma fortemente improntati del suggello nazionale», nonché da una capitale che unisse «in un fascio senza opprimerli, i fecondi sforzi dell'energia individuale e municipale».[74]

E, a proposito di speranze e aspettative, è già possibile individuare, nella babele di interventi di critici e uomini di cultura che in questi anni fioccarono sul tema del teatro, due principali istanze, che non sempre è agevole distinguere e circoscrivere perché finivano per accavallarsi e intrecciarsi talora contraddittoriamente o, come in un pendolo, costituivano i punti estremi di un atteggiamento oscillante, sia per opportunismo, sia per carenza di limpidezza teorica. Si trattava – si può dire – della stessa alternativa che divideva, come si è visto, i liberali al potere. La prima linea di tendenza, infatti, auspicava e sollecitava una politica di diretto, consapevole quanto mirato intervento da parte degli organi

[72] Come si legge in un articolo del periodico teatrale milanese *Frusta Teatrale* (5 febbraio 1863, *Alle Direzioni teatrali*).
[73] *Gazzetta Piemontese*, 6 settembre 1859, *Appendice. Varietà*. Sulle speranze di risorgimento del teatro italiano in ambiente toscano si veda *La Nazione*, 25 gennaio 1860, *Appendice. Sopra il teatro italiano moderno. Considerazioni dell'avv. Gherardo Nerucci*. Lo stesso Nerucci, novelliere popolare toscano, stretto parente di Collodi, aveva appena dato alle stampe *La critica e il Teatro comico italiano moderno in relazione dello stato politico attuale dell'Italia* (Firenze, Tip. Luigi Niccolai, 1859), in cui aveva sostenuto che le speranze nella rinascita della letteratura drammatica e della critica teatrale italiane erano legate alla emancipazione dalle «straniere potestà» (p. 5).
[74] *La Nazione*, 6 novembre 1861, *Rassegna drammatica*.

statali in materia teatrale, per poter sfruttare e piegare a scopi il più possibile edificanti le ricche potenzialità *in nuce* in quella realtà quanto mai eterogenea e non sempre fulgida, ma estremamente vivace che costituivano le scene italiane. L'altra tendenza, di contro, si appellava ad un più prudente liberismo e alle ragioni di una «saggia» diffidenza nei confronti del pericolo di una impropria ingerenza governativa.

Portiamo solo qualche esempio. Cesare Trevisani nel 1866 concludeva la sua nota opera sulla letteratura drammatica nell'ultimo ventennio con l'auspicio che il governo italiano, maturata la consapevolezza della «smisurata importanza del teatro nella nuova società» e dei suoi effetti «in bene e in male incalcolabili» in un paese in cui ogni sera gli spettatori teatrali erano più di 100.000 e di essi «forse la metà non ha altra istruzione», includesse nel suo programma l'intenzione di dirigere «questa imponente forza intellettuale verso il suo retto sentiero» utilizzando «tutti i legittimi mezzi».[75] Di ben altro genere le posizioni di un D'Arcais: il critico dell'*Opinione*, in un suo intervento sulla questione dei teatri di proprietà demaniale che il governo avrebbe voluto cedere ai municipi per liberarsi delle spese che comportavano, di fronte alle scandalizzate reazioni osservava:

«Costoro non intendono che i tempi sono mutati, che l'azione e l'influenza dei Governi vanno necessariamente restringendosi a quelle materie chè riguardano direttamente l'interesse dello Stato; che mentre si parla di discentramento, di libertà comunali e provinciali, e via discorrendo, sarebbe strano che lo Stato continuasse ad occuparsi di teatri»;[76]

e andava dimostrando come la protezione governativa sui teatri fosse, ormai da lungo tempo, inefficace e addirittura dannosa. Negli ultimi anni, ad esempio, i teatri che per primi avevano messo in scena le principali novità musicali non erano stati certamente i teatri demaniali, tra i quali figuravano la Scala di Milano e il San Carlo di Napoli, ma altri, meno prestigiosi, di proprietà privata o comunale;[77] in alcuni dei teatri regi, tra l'altro, si lamentavano gravi scandali,

---

[75] C. Trevisani, *Delle condizioni della letteratura drammatica italiana nell'ultimo ventennio* cit., pp. 190-191. Il pensiero dell'autore era strettamente connesso alla mentalità didascalica e moraleggiante propria di molti esponenti della generazione risorgimentale: preservare «la civiltà, la libertà, la coscienza, la famiglia, la patria», operare affinché «il bello si riannodi col vero e col buono in un amplesso finale» – questi gli imperativi, gli obiettivi fondamentali (*ibidem*).

[76] *L'Opinione*, 27 maggio 1867, *Appendice. Il Governo e i Teatri*.

[77] Come ricordava D'Arcais, era stato il Comunale di Bologna a far conoscere *L'Africana* di Meyerbeer, mentre l'opera *Dinorah*, sempre di Meyerbeer, era stata rappresentata per la prima volta al Pagliano di Firenze grazie a privati cittadini; sul palcoscenico del teatro bolognese aveva debuttato anche il *Don Carlo* di Verdi, mentre alla Scala ancora non si conosceva *La Forza del Destino* e sarebbero passati parecchi anni prima che si assistesse a

mentre era noto che la più sicura garanzia di ordine, disciplina e dignitose esecuzioni si poteva trovare in sale come il Comunale di Bologna, il Carlo Felice di
Genova, oppure il Regio di Torino, affidato al municipio: senza peraltro dimenticare che la governativa Compagnia Reale sarda aveva quasi sempre respinto i tentativi dei giovani autori italiani, per accogliere nel proprio repertorio «le traduzioni dei peggiori drammi francesi», come anche la Compagnia
privilegiata di Napoli. Scriveva ancora D'Arcais:

«Per molti anni le grasse doti ai teatri, i privilegi agli impresari e alle compagnie
drammatiche dispensarono il colto pubblico da qualunque briga per rendere omaggio alle signore Muse. Il Parnaso era occupato da ministri in uniforme, da generali
trasformati in direttori teatrali, da appaltatori ben pasciuti, da prefetti chiamati a
giudicare le prime donne, da ispettori a sicurezza pubblica incaricati di mantenere
l'ordine nel corpo di ballo».

Largo, in conclusione, al decentramento e alla iniziativa privata: alla «carità
pelosa» del governo sarebbe succeduta la «potente e feconda iniziativa dei municipi e dei privati», così il privilegio avrebbe ceduto il posto alla libera concorrenza.[78]

Ad ogni modo, nonostante la compresenza, se così si può dire, di queste
opposte filosofie, furono senza dubbio unanimi e assai vivaci la *vis* polemica e
lo spirito rivendicativo che gli operatori del settore dimostrarono nel primo
decennio postunitario. Dapprima furono voci diffuse ma isolate, poi i malumori, le aspettative, i bisogni presero corpo e andarono via via definendosi e
organizzandosi. Non si trattava solo di ottenere maggiori sovvenzioni, ma, soprattutto, di impostare un progetto organico per l'arte musicale e drammatica,
che almeno contemplasse una revisione della giurisprudenza dei teatri, una
maggiore attenzione al problema dell'istruzione, una convinta politica di incoraggiamento.

Alcune delle lacune individuate da critici, appassionati, esperti ed operatori
del settore dello spettacolo riguardavano sia il teatro musicale che quello di
prosa. Una di esse era relativa alla cosiddetta «giurisprudenza teatrale», che a
giudizio di molti era ancora insufficientemente sviluppata e, soprattutto, assai
poco rispettata. Si chiedeva, ad esempio, un regolamento più ferreo per i teatri,
in mancanza del quale la famiglia teatrale si era risolta di fatto a provvedere da

---

Un ballo in maschera; infine, se era vero che al grande teatro lirico milanese andava attribuito il merito di aver rivelato il *Faust* di Gounod, la stessa opera aveva ottenuto ospitalità
al San Carlo di Napoli solo nel 1867, dopo essere stata rappresentata persino nei teatri di
secondo ordine di tutta la penisola (per queste e altre considerazioni si legga *ibidem*).

[78] *L'Opinione*, 3 gennaio 1870, *Appendice. Rivista drammatico-musicale*. D'Arcais, a tale proposito, portava ad esempio e a modello l'esperienza di Genova, dove si era appena
inaugurata la sala Sivori, destinata a concerti.

sé. Così, alle leggi generali comuni a tutti i contratti, si era aggiunta quella delle consuetudini e degli accomodamenti, un ripiego che implicava l'agguato degli abusi: raramente una stagione teatrale trascorreva senza dissensi e litigi tra direzioni e imprese, tra imprese e artisti. Le controversie finivano nelle aule dei tribunali, quando non erano risolte dalla prepotenza degli impresari e dall'impotenza degli scritturati. Il ricorso ai tribunali era prassi abituale per tutti, in particolare per artisti e altri addetti; la «giurisprudenza dei giudizi» era però oltremodo «variabile», sia per l'ignoranza stessa delle consuetudini che regolavano i contratti teatrali da parte delle autorità giudiziarie, sia – come si denunciò – per «l'arbitrio della legge ermeneutica», consentita dalla mancanza di «leggi positive».[79] Occorreva, in particolare, impedire agli impresari di fuggire prima di aver tenuto fede ai propri impegni contrattuali, lasciando sul lastrico artisti e orchestrali, a bocca asciutta il pubblico e in credito gli editori:[80] episodi, questi, ancora frequenti, in particolare nei teatri di provincia. Non mancava però chi si lamentava anche delle licenze degli artisti, quando, ad esempio, letteralmente sparivano prima delle rappresentazioni, magari inseguendo il miraggio di una paga migliore altrove.[81] Come asseriva il critico musicale Girolamo Alessandro Biaggi – uno dei più noti e autorevoli della penisola[82] –, in teatro vizi ed abusi delle cosiddette masse erano «tenacissimi e difficili da estirpare»; sotto il palcoscenico del Teatro Regio di Torino – egli riferiva nel 1873 – si teneva aperta in tempi di prove e di rappresentazioni una vera e propria bettola,

[79] Sono considerazioni dell'avvocato milanese Pier Ambrogio Curti, impegnato a dibattere in tribunale molte cause intentate da lavoratori del settore teatrale e quindi specializzato in questo particolare ramo di diritto del lavoro (*Il Teatro Italiano*, 3 gennaio 1867, *Giurisprudenza teatrale*).

[80] A proposito della circolare del ministero dell'Interno dell'aprile 1874, che esortava i prefetti a sorvegliare le operazioni degli agenti teatrali per tutelare gli interessi degli artisti, soprattutto quelli scritturati all'estero, la *Gazzetta Musicale di Milano* (5 aprile 1874, *Corrispondenze*) affermava che essa avallava la necessità di «una legge speciale pei teatri», che assicurasse «gl'interessi non solo degli artisti, ma anche quelli degli impresari e degli autori, sì che la giustizia sia equamente distribuita» – legge oltremodo opportuna anche per arginare il fenomeno dell'inadempienza dei contratti e dei mancati pagamenti agli editori da parte degli impresari (*Gazzetta Musicale di Milano*, 19 aprile 1874, *Alla rinfusa*).

[81] Fu, ad esempio, lo stesso prefetto di Milano a segnalare, nel giugno 1863, una «grave lacuna» nella legge di Pubblica Sicurezza, laddove si negava alle autorità delegate «ogni potere discrezionale in questa materia», sopprimendo in tal modo «ogni garanzia di regolarità e d'ordine in questo servizio» e lasciando appaltatori e impresari in balìa «della malafede e dei capricci degli artisti»; certo restava la possibilità di appellarsi ai tribunali, ma «ognun vede quanto sia illusorio ed inefficace questo mezzo massime se trattasi come spesso è il caso di esercitarlo contro persone che nulla possiedono». Talora il pubblico era defraudato di un suo diritto, quello di assistere ad uno spettacolo annunciato, a causa di fughe repentine di impresari o cantanti e ciò, in qualche caso, era motivo di «perturbazione dell'ordine pubblico» (ACS, *M.I.*, *S.D.*, *Teatri*, b. 12, f. 4, il prefetto di Milano al ministro dell'Interno, 2 giugno 1863).

[82] Su Biaggi si consulti la voce redatta da VITTORIO FRAJESE in *DBI*, vol. IX, pp. 824-825.

con tanto di cucina e di cantina, dove coristi, comparse, corifei, macchinisti mangiavano, bevevano, fumavano e giocavano a carte: ebbene, dopo scandali inenarrabili, un tentativo di chiuderla fallì di fronte allo sciopero delle maestranze.[83] Così, a proposito della necessità di una buona legislazione teatrale, fiorirono in quegli anni progetti e pubblicazioni.[84]

Le critiche si rivolgevano anche ai criteri con i quali venivano scelti gli uomini preposti alla direzione di scuole musicali, quasi sempre del tutto estranei alla materia o, tutt'al più, dilettanti. Bastava consultare il personale degli Istituti musicali sull'*Annuario dell'Istruzione pubblica pel 1861-1865* – come osservava D'Arcais – per rendersene conto:

«[...] a capo del R. Conservatorio di Milano sta un conte, senatore del Regno; supplente alla Presidenza è un dottore, direttore dell'Amministrazione della Cassa di Risparmio di Lombardia. Il R. Collegio di Musica di Napoli ha tre governatori (nientemeno!) nessuno dei quali è maestro di musica. Nel R. Conservatorio di musica di Palermo le redini del Governo sono affidate ad un barone».[85]

Benché per lo più ricoperte a titolo gratuito, tali cariche erano tutt'altro che formali, poiché presidenti e governatori non si occupavano solo dell'amministrazione, ma «esercitavano un'ampia sorveglianza su tutto il personale inse-

[83] *La Nazione*, 26 agosto 1873, *Rassegna musicale*.
[84] Fra i trattati di giurisprudenza teatrale dati alle stampe in quegli anni ricordiamo innanzitutto quello pubblicato a Firenze nel 1858 dall'avvocato ERMANNO SALUCCI, intitolato *Manuale della giurisprudenza dei teatri, con appendice sulla proprietà letteraria teatrale*, Firenze, Bianchi e C. (se ne veda la recensione di Cesare Cattaneo, docente di diritto presso l'Università di Pavia, in *Cosmorama Pittorico*, 15 ottobre 1859, *Il codice teatrale*). Pochi anni più tardi si segnalò il *Progetto di legge teatrale* dell'avvocato mantovano Teodosio Puerari, pubblicato a Milano nel 1862 da Civelli (*Gazzetta dei Teatri*, 8 febbraio 1862, *Progetto di legge teatrale*) e in seguito sottoposto all'analisi dei funzionari ministeriali (*Gazzetta Musicale di Milano*, 10 giugno 1866, *Notizie*). Puerari, tra l'altro, era stato nel 1860, a Milano, tra i promotori della Società di Mutuo Soccorso per gli artisti di teatro. Si segnalano anche il lavoro dell'avvocato ed ex impresario NICOLA TINI, *Principi storico-pratici di giurisprudenza teatrale* (*Il Trovatore*, 8 ottobre 1863, *Novellette artistiche*), lo studio di PROSPERO ASCOLI, *Della giurisprudenza teatrale: studi* pubblicato a Firenze da Pellas nel 1871 (*L'Euterpe*, 8 giugno 1871, *Giurisprudenza teatrale*) e quello già citato dell'avvocato milanese E. ROSMINI, *La legislazione e la giurisprudenza dei teatri e dei diritti d'autore*, del 1872. Sulla necessità di un codice teatrale si veda *Cosmorama Pittorico*, 15 ottobre 1859, *Il codice teatrale* cit.. Ha come tema la giurisprudenza teatrale anche la lunga serie di articoli pubblicati da Amilcare Sangalli sulle colonne del periodico milanese *Don Marzio* e intitolati *I Teatri* (10 agosto, 6 settembre, 20 settembre, 11 ottobre, 22 novembre, 1° dicembre, 20 dicembre 1867 e 18 gennaio 1868). Sangalli tracciava un profilo della storia della legislazione teatrale in Inghilterra e in Francia, per poi passare a quella italiana, vale a dire ai «pochi frammenti di legislazione piemontese» che poi mano a mano «vennero portati nelle altre parti d'Italia» dopo l'Unità: la lacuna andava colmata, a suo avviso, guardando sì alle legislazioni straniere, ma senza imitarle pedissequamente, come richiedeva il «genio italiano» e le sue «condizioni speciali».
[85] *L'Opinione*, 28 agosto 1865, *Appendice. Rassegna musicale*.

gnante e sull'andamento degli studi».[86] Proprio alla presenza nei ruoli direttivi degli istituti musicali di uomini poco esperti di musica e di didattica erano da attribuirsi, a detta di molti, le disfunzioni e gli inconvenienti spesso lamentati: come il rilassamento della disciplina degli alunni, la molteplicità e l'incompatibilità dei metodi d'istruzione e, in definitiva, i risultati insoddisfacenti degli istituti stessi. E l'osservazione si poteva estendere alle direzioni dei teatri sovvenzionati con denaro pubblico, composte in molti casi da assessori municipali, consiglieri di prefettura, impiegati dei ministeri. Si invocava dunque una presenza e un peso maggiore di tecnici ed esperti, di uomini provvisti di adeguate competenze e in grado di rispondere alle proprie responsabilità.

Le preoccupazioni della critica, tuttavia, negli anni della costruzione dello Stato unitario, si rivolsero in misura precipua alla qualità e alla ricchezza di un repertorio teatrale e musicale che si desiderava acquisisse, o mantenesse, caratteri, per così dire, nazionali. L'attenzione si estese altresì alla fisionomia del pubblico – un pubblico ora divenuto italiano –, al livello degli studi specialistici, al valore della critica musicale e drammatica, ai progressi nel campo dell'allestimento scenico e della recitazione. Sotto questi aspetti, i presupposti – come diffusamente si rilevava – non erano affatto confortanti.

L'unità culturale italiana era ancora da raggiungersi. E ciò era vero, innanzitutto, per la musica: ancora a un decennio dalla proclamazione del Regno, era possibile concludere che essa vivesse di una «vita municipale» e che l'Unità politica non avesse ancora portato all'unità musicale.[87] Il *Don Carlos* verdiano, ad esempio – rappresentato a Bologna, Torino, Milano –, non aveva ancora raggiunto Firenze e Napoli, mentre *Virginia* di Mercadante, messa in scena da diversi anni con successo a Napoli, non aveva oltrepassato il Tronto; le opere di Meyerbeer e di Gounod, che senza problemi calcavano le scene dell'Italia centro-settentrionale, pagavano «gabella in moneta sonante di fischi» nel Sud della penisola; a Firenze e a Milano si recuperavano Mozart e Cimarosa, a Napoli non si andava più indietro di Donizetti. Si trattava, insomma, di evidenti discrepanze di gusto, di curiosità, di aspettative, di tradizioni, di abitudini. A questo si aggiungeva la crescente influenza esercitata dall'opera straniera – francese in particolare – e il cosiddetto esaurimento del repertorio lirico italiano: a fronte, cioè, di un numero crescente di opere musicali prodotte dai compositori della penisola, era sempre più esiguo quello che rimaneva nel repertorio dei teatri.[88]

Il discorso poteva essere esteso alla musica strumentale, a quella religiosa, a quella corale, coltivate poco e male. Si lamentava altresì la mancanza, sempre

---

[86] *Ibidem*. Sono dello stesso tenore le denunce di Filippo Filippi in *La Perseveranza*, 3 settembre 1865, *Appendice. Rassegna drammatico-musicale* cit.

[87] Per queste conclusioni si veda F. D'ARCAIS, *Rassegna musicale*, in *Nuova Antologia*, febbraio 1869.

[88] *Ibidem* e ANTONIO GHISLANZONI, *Questione Teatrale*, in *Gazzetta Musicale di Milano*, 6 gennaio 1867 e 13 gennaio 1867.

nel settore della musica, di «una vera e propria scuola di critica italiana»: in questo campo si procedeva «per via di epigrammi», per «frizzo inconcludente e scipito», vagando «nelle tenebre delle astruserie metafisiche» o, di contro, uniformandosi al gusto corrente, alla moda e al capriccio.[89] Si invocava una riorganizzazione dei Conservatori e l'istituzione di società per i concerti popolari.[90] Mentre, come si osservava, venti o trent'anni prima bastava a sostenere le sorti di un teatro qualche cantante di grido, con l'ultimo Donizetti, ma soprattutto con Verdi e con le opere straniere, le masse, vale a dire l'orchestra e il coro, avevano assunto un ruolo non secondario nel teatro musicale italiano; era diventata essenziale la presenza di una buona compagine orchestrale, completa, provvista di un gruppo nutrito di archi, di un grande coro, di un valido maestro del coro e, soprattutto, di un intelligente maestro concertatore, ormai una vera e propria colonna degli spettacoli lirici. Ecco perché occorreva investire nella formazione di cori e orchestre, più che contare sulla assunzione, spesso eccessivamente dispendiosa, di artisti di cartello.[91]

Anche le condizioni del teatro di prosa lasciavano a desiderare. Erano frequenti le analisi e i commenti che ne tratteggiavano un quadro desolante. Scriveva ad esempio *Il Mondo Artistico*, il periodico milanese fondato e diretto dal prestigioso critico musicale Filippo Filippi:

«I premi di *scoraggiamento* governativi. Poco studio e avventatezza in molti autori. Un pubblico, di cui minima parte è colta e il resto per la lunga abitudine [...] al teatro francese ha guasto il palato, sì che non sa più cosa si voglia. Un'ipocrisia spinta all'eccesso in questo medesimo pubblico, per cui applaudisce quando non si sente sferzato e fischia quando trova del coraggio e del *libero pensiero* in un autore. Una *critica* che per la massima parte è parziale, anche quando sembra imparziale. Il permesso accordato agli autori di molti giornali di far in essi inserire le proprie lodi *autobiografiche* [...]. L'inerzia della maggior parte dei comici. L'avidità di molti capocomici e degli impresari. Le *prove* poche che non *provano* nulla. Il suggeritore eternamente *primo attore* e [...], per ultimo, per finirla, il sistema sciocco, fatale degli *abbonamenti* che impedisce il miglioramento delle compagnie e una stabile riuscita dei lavori».[92]

A proposito dei critici teatrali del ventennio precedente l'Unità, anche Cesare Trevisani si era espresso in termini di biasimo, salvandone appena tre: il ge-

---

[89] Erano parole di Alessandro Biaggi (*La Nazione*, 24 luglio 1871, *Rassegna musicale*).

[90] Come per esempio in *Cosmorama Pittorico*, 26 novembre 1868, *Sullo stato attuale del Teatro italiano e sui mezzi per rigenerarlo*.

[91] Per queste considerazioni si veda *L'Opinione*, 25 luglio 1864, *Appendice. Il Municipio, il Teatro Regio e la Scuola di musica*. In particolare, a proposito del ruolo assunto dai cori e della condizione dei coristi, si legge l'interessante intervento di Giulio Roberti riprodotto in *Il Mondo Artistico*, 26 ottobre 1876, *I cori nei teatri d'Italia*.

[92] *Il Mondo Artistico*, 17 agosto 1867, *Il Teatro Milanese*.

novese Felice Romani – noto autore di libretti d'opera, per molti anni direttore e autorevole appendicista della *Gazzetta Piemontese* –, il piemontese Angelo Brofferio, che per 17 anni sulle pagine del *Messaggiere Torinese* aveva dato prova di grande coraggio intellettuale, e, soprattutto, il fiorentino Celestino Bianchi, al quale, sotto un governo come quello granducale quanto mai sospettoso e attento ad impedire che la letteratura si sottraesse al destino di rimanere una «elegante nullità», era riuscita l'ardua impresa di «sollevare l'acume della critica drammatica all'altezza di una funzione civilizzatrice»; per il resto, secondo Trevisani, il campo era stato abbandonato «agli scolari», che vi avevano portato tutti i difetti dell'inesperienza ma non «la forza di esser liberi e indipendenti». Solo di recente erano venuti alla ribalta giovani promettenti, come i toscani Eugenio Checchi, Augusto Franchetti e Luigi Capuana – che si erano formati alla scuola di Bianchi – e i "milanesi" Giuseppe Rovani, Filippo Filippi e Antonio Ghislanzoni, capaci di coniugare alla «profonda fede nell'arte» un giudizio «meglio determinato e indipendente».[93]

Quanto al livello culturale e professionale degli artisti di teatro, sulla stampa dell'epoca non si contano le testimonianze dell'indignazione di fronte alla «asineria» e alla scarsa preparazione degli attori italiani.[94] Carlo Lorenzini, più conosciuto come Collodi, nel 1860 critico teatrale della *Nazione*, ebbe parole durissime per le «turbe nomadi e raccogliticce balbuzienti un miscuglio babelico, dove fanno capo per diverse vie tutti i dialetti d'Italia colle loro respettive cantilene e sgrammaticature», per le «ferine emissioni di voce» e le «incomposte gesticolazioni» che adulavano «servilmente la corruzione del gusto».[95] Le critiche non risparmiavano neppure quel pugno di grandi e famosi artisti – come

---

[93] C. TREVISANI, *Delle condizioni della letteratura drammatica italiana nell'ultimo ventennio* cit., pp. 184-189. Di Romani, Brofferio, Bianchi si parlerà più avanti (cap. II). Su Checchi si consulti in *DBI*, vol. XXIV, pp. 399-403, la voce di PAOLO PETRONI; su Franchetti *ivi*, vol. L, pp. 67-70, la voce di NIDIA DANELON VASOLI; su Filippi *ivi*, vol. XLVII, pp. 693-695, la voce di NICOLA BALATA; su Ghislanzoni si può fare riferimento al relativo profilo biografico nel vol. III del *Dizionario enciclopedico universale della musica e dei musicisti. Le biografie*, Torino, Utet, 1986, vol. III, e al volume *L'operosa dimensione scapigliata di Antonio Ghislanzoni. Atti del Convegno di studio svoltosi a Milano, a Lecco, a Caprino Bergamasco nell'autunno 1993*, Milano, Istituto per la Storia del Risorgimento italiano; Lecco, Associazione Giuseppe Bovara, 1995. Alla rassegna di Trevisani non si può non aggiungere un nome già citato e che ricorrerà molto spesso nel corso di queste pagine: quello del livornese Pietro Coccoluto Ferrigni, meglio conosciuto con lo pseudonimo di Yorick, per molti anni critico della *Nazione* e vero protagonista del giornalismo del periodo (anche sulla sua figura si legga in *DBI*, vol. XLVII, pp. 173-176, la voce redatta da ALESSANDRA CIMMINO). Sulla critica teatrale del secondo Ottocento si veda GIOVANNI ANTONUCCI, *Storia della critica teatrale*, Roma, Edizioni Studium, 1990, pp. 19-24, e la bibliografia *ivi* riportata.

[94] Si prenda in considerazione, ad esempio, l'articolo di Leopoldo Marenco, autore e critico teatrale, nel quotidiano milanese *Il Sole*, 13 febbraio 1867, *Appendice Teatrale. Gli artisti drammatici in Italia*.

[95] *La Nazione*, 7 maggio 1869, *Appendice*. Analoghe considerazioni svolse Vittorio Bersezio in *Gazzetta Piemontese*, 29 ottobre 1859, *Varietà*.

Adelaide Ristori, Tommaso Salvini, Ernesto Rossi – accusati di lavorare solo per la propria gloria e di non contribuire al risorgimento del teatro italiano.[96] Si segnalava la scipitezza e la inverosimiglianza di molte messinscene: in un articolo del 1874, Filippi, per esempio, riconosceva sì gli innegabili progressi compiuti negli ultimi anni nell'allestimento e nella scelta dei costumi, ma ricordava che anche gli attori più seri come Luigi Bellotti Bon e Tommaso Salvini non avrebbero mai rinunciato ai loro «bei mustacchioni», che le direzioni teatrali facevano economia sulle scenografie, che molte compagnie primarie avevano ancora «la sfrontatezza di dare la *Pamela nubile* di Goldoni e *Le false confidenze* di Marivaux cogli abiti del nostro tempo».[97] Per quanto concerne poi gli spettatori, i critici lamentavano l'assenza di un pubblico "ammodo" nei teatri di prosa italiani; qualcuno la attribuiva al modico importo del biglietto, a cui già si è accennato.[98] La questione, tuttavia, era controversa. Anche nei teatri musicali, dove i biglietti erano più cari e il pubblico, di conseguenza, era più scelto, si riscontrava un «contegno distratto e chiassoso» che a volte impediva di ascoltare la musica a chi ne aveva intenzione; alla Scala, come denunciava il critico della *Perseveranza*, i palchi erano salotti di conversazione e la platea «addirittura la piazza pubblica».[99]

Si aggiunga che anche per il teatro drammatico erano valide le considerazioni svolte per quello musicale a proposito delle differenze nel gusto e nelle consuetudini tra i vari pubblici «italiani», per cui lo spettacolo che era apprezzato in una piazza spesso veniva fischiato in un'altra e viceversa.[100] Non tutti i criti-

---

[96] *L'Opinione*, 10 gennaio 1870, *Appendice. Rivista drammatica*.

[97] *La Perseveranza*, 23 gennaio 1874, *Appendice. Questioni teatrali*. Si pensi solo al fatto che, quando nel 1875 iniziò la pubblicazione per dispense dello studio riccamente illustrato di Giuseppe Soldatini, *La verità del costume applicato alla scena*, esso fu salutato come un'opera che colmava una lacuna: si era sempre lamentata la mancanza di un lavoro che con completezza ed «erudizione chiara ed esatta» illustrasse i costumi dei vari popoli nella storia e al quale i capocomici potessero attingere (*L'Arte drammatica*, 8 maggio 1875, *Notiziario*).

[98] Si leggano ad esempio le considerazioni di Vittorio Salmini (in *Monitore dei Teatri*, 11 ottobre 1874, *Del teatro di prosa*), secondo il quale l'aumento del costo dei biglietti era un provvedimento necessario e salutare anche per selezionare un pubblico di qualità: per quello più popolare, a suo avviso, erano sufficienti le rappresentazioni dei giorni festivi.

[99] Filippi parlava di «peripatetici», astanti con i cappelli a cilindro e il *paletot* stile Bismarck, di capannelli, discussioni, risate clamorose ed intenditori esibizionisti che per dimostrare di sapere qualcosa seguivano i motivi canterellando e zufolando (*La Perseveranza*, 23 gennaio 1874, *Appendice. Questioni teatrali* cit.).

[100] Si legga, a mero titolo esplicativo e tra i numerosissimi esempi, la cronaca di *Il Mondo Artistico* (28 gennaio 1872, *Antagonismo artistico*): «Chi prende interesse al progressivo rinascimento del nostro teatro drammatico non può che impensierirsi allo strano contrasto che offrono gli umori dei vari pubblici italiani. Due drammi dell'Aguillo [*sic*, ma D'Agnillo]: *Griselda* e *La Duchessa di Bracciano*, trassero al fanatismo i napoletani, ma caddero a Firenze; *La Lesina* del Costetti, caduta a Milano, risorse a Torino; *Una legge di Licurgo* di Suner, piaciuta a Trieste e a Torino, dispiacque a Firenze. Il vero antagonismo è però tra Firenze e Milano [...]. *Letture ed esempi*, comedia [*sic*] di Leopoldo Marenco piacque a

ci, peraltro, consideravano il fenomeno con severità: per Bersezio esso non era altro che un riflesso della «ricca molteplicità di centri regionali», ognuno con una «spiccata personalità»;[101] D'Arcais parlava di «molteplicità e indipendenza di giudizi».[102]

Di contro il lamento sulla scarsa consistenza del repertorio drammatico italiano era generale. Si ricordavano la «assoluta preminenza» dei lavori stranieri nel repertorio delle compagnie e il favore di cui godevano in Italia i comici francesi; si parlava di «morte» del genere comico; si registrava l'assenza di una «impronta originale» nella commedia e nel dramma.[103] Anche per l'arte drammatica, dunque, obiettivo precipuo – raggiunte l'indipendenza e l'unità politica del paese – era quello di costruire un «teatro nazionale» e, attraverso di esso, educare il popolo al «gusto e al culto della lingua».[104] Per questo motivo, a detta del critico dell'*Opinione*, c'era chi gridava allo scandalo e al municipalismo di fronte ad un fenomeno come quello, per esempio, del teatro popolare piemontese di Giovanni Toselli: esisteva il pericolo di perpetuare nel popolo «il malvezzo di servirsi del dialetto collo introdurne l'uso anche sulle scene».[105] Ma intanto il pubblico accorreva, attratto dalla verità di queste commedie e dalla naturalezza della recitazione.

Era stato il grande Gustavo Modena a suggerire a Toselli l'idea di creare una compagnia piemontese, ma non erano stati pochi gli ostacoli da superare: non esistevano gli artisti adatti, non esisteva un repertorio e di fronte al manifesto

---

Milano, a Firenze precipitò. *Le idee della signora Aubray*, commedia di Parmenio Bettoli, fu replicata a Firenze quattro sere di seguito: a Milano, applauditi i primi due atti, gli altri due furono poco meno che fischiati. *La moglie* di Achille Torelli ebbe dalla stampa fiorentina le più acerbe censure: a Milano la stampa la sostenne ad oltranza. *Triste realtà* dello stesso Torelli che a Firenze era completamente caduta, a Milano s'ebbe esito lietissimo; *Da galeotto a marinaro* di Bersezio, che a Firenze venne plaudita e replicata, a Milano s'ebbe patenti segni di disapprovazione [...]. Roma? Ma Roma fanatizzò per *Tutto per la patria* di Carlo D'Ormeville, che poi non piacque a Venezia; ma Roma fanatizzò – e ben a ragione – pel *Nerone* di P. Cossa, che poi venne accolto freddamente a Firenze». Persino la critica più seria non era immune da rancori campanilistici: il "fiorentino" Yorick si spinse fino ad accusare di impertinenza i colleghi e il pubblico milanesi, a suo avviso abituati a trasportare nel tempio dell'arte le «bizze» che agitavano il dibattito politico (*La Nazione*, 25 marzo 1872, *Rassegna drammatica*).

[101] *Gazzetta Piemontese*, 18 maggio 1872, *Appendice. Rivista drammatica*.

[102] *L'Opinione*, 3 gennaio 1870, *Appendice. Rivista drammatico-musicale* cit.

[103] *Gazzetta Ufficiale del Regno d'Italia*, 21 gennaio 1860, *Appendice. Rivista drammatica*. Gherardo Nerucci aveva addirittura affermato (nel suo studio *La critica e il teatro comico italiano moderno in relazione dello stato politico attuale dell'Italia* cit., pp. 7-8) che dalla morte di Goldoni, a parte qualche rara eccezione, nella penisola non si era più avuto un autore di «commedia *proprio italiana*».

[104] *L'Opinione*, 14 febbraio 1860, *Appendice. Rivista drammatica. Teatro popolare piemontese*.

[105] *Ibidem*.

che rendeva pubblico il progetto molti avevano alzato gli scudi. Cavour, per esempio, sembra lo avesse gettato in aria gridando: «Disapprovo, disapprovo formalmente!», rifiutando qualsiasi incoraggiamento, finché però una sera si lasciò condurre suo malgrado al teatro Gerbino e vi si divertì tanto che divenne «uno dei più assidui frequentatori del teatro piemontese».[106] Toselli aveva formato la sua compagnia raccogliendo attori che di teatro non sapevano nulla e che pure garantivano buone esibizioni proprio perché recitavano in dialetto: probabilmente, recitando in italiano, si sarebbero rivelati attori meno che mediocri.[107] A fronte di chi disapprovò che fosse innalzato «alla dignità di linguaggio» un dialetto «che, come tutti i suoi compagni, è destinato a perire, la cui scomparsa sarà un grande progresso nella vita nazionale italiana», altri ritennero opportuno non mostrarsi «schifiltosi».[108]

E, in effetti, il teatro dialettale piemontese decollò, raccogliendo via via consensi. Certo gli giovò l'ammissione che potesse «ammaestrare e redimere», ma ancor più ne fu ammirata la verità e la naturalezza.[109] Come si osservò, grazie a Toselli, Luigi Pietracqua, Federico Garelli, si era formato un repertorio di commedie piene di vita, che fornivano l'immagine, «se non dell'intera società nostra contemporanea, almeno dei costumi di una parte del popolo nostro»: un vantaggio, finché sarebbe mancato un teatro contemporaneo italiano autenticamente nazionale.[110] Due anni più tardi le medesime considerazioni erano ribadite con più forza: era

[106] La testimonianza è in *Il Mondo Artistico*, 31 maggio 1868, *Artisti drammatici*, a firma di Eugenio Torelli Viollier.

[107] *Ibidem*. Si veda anche la lettera di Vittorio Bersezio pubblicata da *L'Opinione* (1° marzo 1862, *Appendice. Risposta all'appendicista drammatico del giornale L'Opinione*), nella quale egli dichiarava che Toselli aveva creato attori e autori e aveva saputo trovare nella cerchia ristretta di un piccolo paese elementi tali da costituire una letteratura originale e vivace: prova che l'arte si creava non a suon di decreti governativi, ma «grazie alla illuminata iniziativa delle private individualità».

[108] «Le nostre scene – si legge in una appendice della *Gazzetta Ufficiale del Regno d'Italia*, 9 febbraio 1869, *Appendice. Rivista drammatica* – sono deturpate dalla esagerazione, dalla cantilena, dal manierismo [...]. Il teatro italiano intisichisce perché [...] non riflette la nostra vita contemporanea e da essa non toglie inspirazione»: con il teatro piemontese, invece, era sorta la «commedia popolare». Su Toselli si veda GUALTIERO RIZZI, *Il teatro piemontese di Giovanni Toselli*, Torino, Centro Studi Piemontesi, 1984.

[109] Scriveva per esempio il critico teatrale del quotidiano milanese *La Perseveranza* (7 marzo 1860, *Appendice. Teatri e concerti*) a proposito di una commedia di Pietracqua rappresentata dalla compagnia Toselli al teatro Re: «Queste produzioni piemontesi, belle intrecciate, scritte con affetto e molta verità, oltreché educare il popolo nella morale e mantenerlo nella giustezza del sentimento politico, sono quadretti di genere, forse affetti di soverchio realismo, che danno un'idea molto vera dei costumi sociali del popolo, specialmente in Piemonte. L'artigiano, il proletario torinese e i campagnoli piemontesi parlano, si muovono sulla scena, si lasciano guidare dalle buone e cattive passioni con mirabile naturalezza».

[110] *L'Opinione*, 14 febbraio 1860, *Appendice. Rivista drammatica. Teatro popolare piemontese* cit.

portato ad esempio il grande capocomico Luigi Bellotti Bon, il quale aveva messo in scena al Carignano e nei maggiori teatri della penisola un repertorio quasi esclusivamente italiano – per una scelta programmatica – riuscendo solo «a svelarci nuda la povertà del teatro italiano» che «insterilisce e si regge sulle grucce».[111]

In Italia – questo era il lamento generale – mancava una buona scuola di recitazione; qualche bravo artista si distingueva, ma era costretto a piegarsi alla tendenza imperante e il pubblico era il primo ad incoraggiare gli errori degli attori, concedendo l'applauso agli effetti convenzionali, tronfi e declamatori: tanto che alcune compagnie francesi in *tournée* nel nostro paese erano indotte a «dar nell'esagerato», a «caricare le tinte», pur di essere apprezzate.[112] Dunque, in un dialogo reale, sulle scene, spesso suonavano falsi l'accento, l'intonazione, la frase stessa: e questo perché il «dialogo familiare italiano» in realtà non esisteva, e nella penisola si discorreva correntemente in una lingua che differiva da quella italiana.[113] Inoltre:

«[...] la vera pronuncia italiana non è ancora precisata [...] e ciascun artista suole avere un accento proprio: l'italiano parlato da Salvini o da Ernesto Rossi suona allo stesso modo che l'italiano di Morelli, di Bellotti-Bon o quello anche più personale di Majeroni, di Belotti e di Calloud?».[114]

Vi era quindi chi sosteneva l'opportunità «di tanti teatri quanti sono i *principali* e più estesi dialetti italiani, convinto che per essi e su di essi si formerà il vero Teatro Nazionale pieno di vigore e di principii vitali».[115] Un simile sistema avrebbe contribuito – si diceva – alla formazione di buoni attori, avrebbe giovato al dialetto stesso, obbligandolo ad un linguaggio «più castigato, più puro, più nobile», avrebbe portato ad un affinamento del gusto e dell'educazione del pubblico, considerando che:

---

[111] *L'Opinione*, 27 gennaio 1862, *Appendice. Rivista drammatica*. Come scrisse pochi anni dopo Pacifico Valussi in una lettera alla *Gazzetta Ufficiale del Regno d'Italia* (27 novembre 1868, *Appendice. Del teatro italiano odierno*), il risorgimento del teatro italiano non dipendeva dalla questione «dialetto sì e dialetto no», ma dalla ricerca di soggetti «che possano interessare tutto il popolo italiano» e di personaggi che, buoni o cattivi che fossero, rappresentassero «il prodotto della nuova vita nazionale».

[112] *Il Mondo Artistico*, 31 maggio 1868, *Artisti drammatici* cit.

[113] *Ibidem*. Su questo punto concordavano anche certi detrattori del teatro in dialetto; anch'essi ritenevano che non fosse quello della lingua il vero nodo della questione, bensì i soggetti, i toni delle commedie di molti autori italiani: «I quali – scriveva *Il Secolo* – sembra rifuggano dal rappresentare sulle scene i fatti della vita reale come succedono, con tutta la loro prosa e la poesia; e delle passioni ricercano il parossismo, degli affetti l'esagerato, del discorso il convenzionale, e inlardellano il loro lavoro in siffatto modo che il pubblico lo applaude, ma per quanto l'affatichi non sa trovarne riscontro nella vita pratica. E la vera commedia, sia scritta in lingua o in dialetto, deve consistere nella rappresentazione vera, efficace, della vita reale» (*Il Secolo*, 4 agosto 1869, *Eco dei teatri*).

[114] *Il Mondo Artistico*, 31 maggio 1868, *Artisti drammatici* cit.

[115] *Il Mondo Artistico*, 1° settembre 1867, *Il teatro Milanese*.

«[...] a solleticare la sua curiosità al dì d'oggi nei teatri popolari si continua la somministrazione di vecchi drammacci, dove la magniloquenza del titolo e l'intreccio molteplice, vivo, strano, assurdo, rumoroso, spettacoloso, hanno tanto valore in sé da cattivarsene l'attenzione: tali spettacoli non sono quelli al certo che più giovano all'educazione delle masse. Ora la commedia vernacola non prende così arditi voli: essa si deve occupare delle vicende famigliari, delle cose comuni che tutti i dì cadono sotto gli occhi di tutti ed in queste produzioni di semplicità, di grazia, di naturalezza, il popolo nostro avrà molta materia da apprendere».[116]

Il successo del teatro dialettale fu un fenomeno che in quegli anni fece molto discutere. La questione si ripropose quando nella primavera del 1867 si affacciò il progetto del Teatro Milanese, dapprima accolto freddamente,[117] ma che poi si guadagnò i favori di gran parte della stampa, dei critici e degli autori.[118] Un anno più tardi, nella Firenze capitale del Regno – città in cui il dibattito sulla lingua, e su una lingua per il teatro, ferveva in misura particolare[119] – veniva lanciata la proposta di far nascere un «nuovo Teatro Drammatico toscano popolare», su iniziativa di intellettuali e uomini di teatro come Francesco D'Arcais, Giovanni Sabbatini, Paulo Fambri, Arnaldo Fusinato;[120] i firmatari confidavano soprattutto nell'autore e artista drammatico

---

[116] *Don Marzio*, 10 maggio 1867, *Un po' di polemica*; si veda anche *Don Marzio*, 20 marzo 1870, *Teatro Milanese.*

[117] *Il Secolo*, 17 maggio 1869, *Eco dei Teatri.*

[118] *Il Mondo Artistico*, 28 luglio 1867, *Il Teatro Milanese*; *Il Mondo Artistico*, 23 maggio 1869, *Cronachetta. Accademia del Teatro Milanese.* Un bell'intervento di Paolo Ferrari si legge in *La Lombardia*, 14 maggio 1867, *Appendice. Conversazioni artistico-letterarie.* Tra l'altro Ferrari citava l'esperienza della Società Operaia di Modena, che aveva creato una società di dilettanti drammatici per recitare solo commedie scritte appositamente per loro in modenese. I tentativi di emulare l'esempio torinese a Milano risalgono al 1862 (come si evince dalla testimonianza di Enrico Dossena in *L'Euterpe*, 24 giugno 1869, *Il teatro in dialetto milanese*). L'esperimento milanese risultava interessante e innovativo anche per motivi di carattere organizzativo: nel 1869, attraverso una sottoscrizione, fu fondata una società in partecipazione; i soci fondatori avrebbero avuto diritto ai dividendi, mentre i soci di turno, pagando una tassa mensile, avrebbero ricevuto per ogni recita cinque biglietti e per ogni festa da ballo tre biglietti. Tra gli scopi dell'istituzione vi erano quelli di costituire una compagnia stabile e di organizzare recite per il «popolo minuto» (*Il Mondo Artistico*, 21 novembre 1869, *Cronachetta e cose diverse. Teatro Milanese*; *L'Euterpe*, 20 maggio 1869, *Inaugurazione del Teatro Milanese*).

[119] Si consideri, ad esempio, la discussione suscitata dalla prefazione che l'autore teatrale fiorentino Luigi Alberti premise alla sua commedia *Pietro o La Gente nuova*: Alberti sosteneva che l'unico luogo in cui si potesse scrivere bene la commedia italiana era la Toscana, più propriamente Firenze; gli autori delle altre provincie avrebbero dovuto scrivere commedie nel proprio dialetto per poi farle tradurre dai fiorentini. Si trattava di una provocazione e come tale suscitò molte polemiche (si leggano *L'Opinione*, 19 ottobre e 3 novembre 1868, *Appendice. Rivista drammatico-musicale*, e *Gazzetta Piemontese*, 10 maggio 1869, *La settimana letteraria*, di V. Bersezio).

[120] La proposta era firmata anche da altri autori teatrali, critici e letterati fiorentini, quali il critico Eugenio Checchi, il linguista Pietro Fanfani – autore del *Vocabolario dell'uso tosca-*

Raffaello Landini, che aveva rilanciato con successo la maschera di Stenterello. Ma Stenterello divertiva il pubblico «colle sue scurrilità e colle sue abiettezze di plebeo abbrutito dall'antico dispotismo»: perché dunque – era la scommessa dei promotori – non togliere a Stenterello la maschera, perché non trasformarlo in un uomo vero e foggiare i caratteri della commedia popolare, tanto apprezzata dai pubblici italiani? Così si sarebbe contribuito a «distogliere gli scrittori dalle imitazioni straniere»; si sarebbe dato impulso alla commedia nazionale, perché «dal municipio infine si forma la nazione»; finalmente, dando vita alla commedia toscana, si sarebbe ovviato ai «cattivi effetti» dei lavori scritti nei dialetti che più si scostavano dall'«idioma nazionale».[121] Il progetto si rivelò velleitario e la montagna partorì un topolino: Landini due anni più tardi avrebbe inaugurato quella che doveva essere la stagione del nuovo teatro popolare toscano rappresentando niente meno che un lavoro del torinese Bersezio – *La fratellanza artigiana* – ma andò incontro ad un fiasco.[122]

Ad ogni modo, mentre – correva l'anno 1868 – si accendevano le discussioni sulla questione della lingua e si moltiplicavano gli sforzi per porre le basi di una unità linguistica,[123] il teatro in dialetto veniva sempre più apprezzato e sempre più applaudito, grazie anche alle *tournées* nella penisola di compagnie che recitavano in vernacolo, come quella del veneziano Angelo Morolin, che era stato –

no uscito a Firenze nel 1863 per i tipi di Barbèra –, lo scrittore, librettista e autore drammatico Napoleone Giotti, milanese di nascita ma fiorentino d'adozione, l'ex censore e commediografo Cesare Tellini (*L'Opinione*, 10 agosto 1868, *Appendice. Rivista drammatico-musicale*).

[121] Secondo i promotori dell'iniziativa, la commedia in dialetto era «più omogenea agli italiani» rispetto a quella scritta «con un linguaggio imbastardito dalle straniere imitazioni, o insterilito dalle convenzioni di scenico mestiere» (*L'Opinione*, 10 agosto 1868, *Appendice, Rassegna drammatico-musicale*; *La Nazione*, 12 agosto 1868, *Varietà. Proposta per l'istituzione d'un nuovo Teatro Drammatico toscano popolare*). Sul progetto di Landini si leggano anche le considerazioni di Valentino Carrera (svolte in una conferenza dal titolo *Il popolo e il teatro*, il cui testo fu ristampato in *Le commedie di Valentino Carrera*, Torino, Roux e C., 1887, vol. III): una compagnia toscana, a suo avviso, avrebbe potuto dare vita al «teatro popolare italiano», il quale a sua volta sarebbe risultato «il più efficace veicolo della lingua parlata» (la citazione si trova *ivi*, p. 51, ma sul teatro in dialetto in generale si veda alle pp. 45-56).

[122] Si trattava – commentò D'Arcais – di una «cattiva commedia del teatro piemontese che si tentò di trasportare a forza sulle scene fiorentine» (*L'Opinione*, 20 aprile 1870, *Appendice. Rivista drammatico-musicale*).

[123] *L'Opinione*, 8 e 10 marzo 1868, 12 aprile 1868, *Dell'unità della lingua e dei mezzi per diffonderla (relazione al Min. della P. I. proposta da A. Manzoni agli amici colleghi Bonghi e Carcano)*; Raffaello Lambruschini, *Dell'unità della lingua*, in *Nuova Antologia*, maggio 1868; *L'Opinione*, 18 maggio 1868, *Dell'Unità della lingua e dei mezzi per diffonderla (lettera di Giambattista Giuliani a Terenzio Mamiani)*. Sulla relazione di Manzoni si veda Marino Raicich, *Quaranta anni dopo: Manzoni, Firenze capitale e l'unità della lingua*, in *Quaderni dell'Antologia Vieusseux*, 1987, pp. 93-134, ora in Id., *Di grammatica in retorica. Lingua scuola editoria nella Terza Italia*, Roma, Archivio Guido Izzi, 1996, pp. 89-142. Raccontava il periodico teatrale *La Frusta*: «Alessandro Manzoni, ad onta de' suoi ultimi

come avrebbe osservato Valentino Carrera[124] – «non inutile testimonio» della nascita della compagnia piemontese.

Presto le commedie dialettali uscirono dall'ambito municipale per affrontare le platee di tutto il paese. Approdarono anche nella capitale dell'«idioma nazionale» e piacquero: segno che la ragione della loro fortuna stava, più che nella possibilità di essere comprese dal pubblico popolare che poco masticava la lingua italiana, nella vivacità dei soggetti e dell'interpretazione. Si legge in un articolo della *Nazione*:

«Chi ce lo avesse detto trent'anni fa che noi Fiorentini, noi che siamo in voce di pedanti e di spigolistri in fatto di lingua, noi così pronti a mettere in canzone il vernacolo di questa e di quella provincia italiana, noi così teneri del primato toscano [...], avremmo finito un bel giorno coll'avvezzare l'orecchio alle barbare cacofonie, alle costrizioni, ai singhiozzi, alle masticazioni di parole e di sillabe di tutti i dialetti d'Italia, e saremmo corsi al teatro ad applaudire successivamente gli attori piemontesi di Toselli, i comici napoletani di Petito, e gli artisti veneziani di Angelo Moro-Lin[...]!».[125]

Dunque il teatro in dialetto, anziché occasione di ulteriori divisioni tra le varie realtà culturali del nuovo Regno, si rivelò in qualche caso veicolo di conoscenza reciproca. Esso poteva così essere accettato a pieno titolo come «una forma transitoria dell'arte»: avrebbe infine dovuto cedere il campo al teatro «schiettamente italiano», ma intanto poteva contribuire a «isvincolarci dalla schiavitù in cui per tanti anni siamo vissuti rispetto al teatro francese».[126]

---

scritti sulla lingua unica, una di queste sere comparve al Teatro Re alla rappresentazione delle *Miserie di Monsù Travet*. Manzoni che in fatto di lingua è il più illustre maestro che vanti l'Italia, ruppe, a favore della compagnia piemontese, la sua abitudine trentennale di non por piede in teatro. E quanto egli si divertisse, quanto godesse di quelle scene di vita reale, lo si vedeva da' suoi atti, dalla sua attenzione, da' suoi battimani» (*La Frusta*, 27 giugno 1868, *Il teatro milanese*).

[124] V. CARRERA, *Le commedie di V. Carrera* cit., vol. III, p. 47.

[125] *La Nazione*, 8 aprile 1872, *Rassegna drammatica*. Anche *L'Opinione* (14 giugno 1869, *Appendice. Rivista drammatico-musicale*) parlava di «confusione delle lingue»: in meno di un anno il pubblico fiorentino del teatro delle Logge aveva udito commedie italiane, francesi, piemontesi e napoletane. Il pubblico romano a sua volta aveva mostrato di apprezzare le recite in piemontese della compagnia di Teodoro Cuniberti (come scrisse D'Arcais in *L'Opinione*, 13 gennaio 1873, *Appendice. Rivista drammatico-musicale*). Goldoni, del resto – osservò il critico teatrale Michele Castellini –, provava eclatantemente che l'esistenza dei dialetti non escludeva affatto la possibilità di scrivere commedie «universalmente accette», così come lo dimostravano molti noti e grandi attori italiani formatisi per lo più su un repertorio di opere straniere «tradotte in cattivo italiano»: insomma, il problema della lingua era sostanzialmente marginale (*Gazzetta Ufficiale del Regno d'Italia*, 30 ottobre 1868, *Rassegna teatrale*).

[126] *L'Opinione*, 19 maggio 1869, *Rivista drammatico-musicale*.

6. LA QUESTIONE DEI TEATRI REGI

Mentre il nuovo Regno muoveva i primi passi, negli ambienti teatrali si era manifestato con evidenza un sentimento di generale aspettativa rivolta ai governi e al Parlamento: benché in proposito idee e speranze fossero, come si è detto, tutt'altro che chiare e concordi, si attendevano positivi segnali di cambiamento nella politica per il teatro. Ma presto impazienza e delusione dovevano iniziare ad inquietare le penne di cronisti e commentatori. È ragionevole pensare che la maggior parte di essi avrebbe potuto, solo qualche anno più tardi, condividere questa amara conclusione:

«Eppure questi poveri teatri sembrano condannati ad entrare in un periodo di decadenza per impulso di coloro, i quali si assunsero l'impegno di provvedere alla grandezza e al lustro della patria».[127]

In effetti, tra il 1862 e il 1868, l'attenzione fu catalizzata dalla vicenda, a cui si è già accennato, dei teatri demaniali – vicenda che, insieme alla pressoché contemporanea introduzione di imposte destinate a gravare sulle imprese teatrali, compromise pesantemente il giudizio sull'intera politica teatrale dei primi governi italiani.[128]

Fin dal 1862 la commissione per il bilancio aveva discusso lungamente sull'opportunità di cancellare in buona parte le spese destinate al mantenimento di alcuni grandi teatri della penisola che il nuovo Regno aveva ereditato, con l'Unità, dagli Stati preunitari – spese che costituivano alcuni capitoli del bilancio del ministero dell'Interno e allora ammontavano a più di un milione di lire.[129] L'ipotesi avanzata e giudicata più semplicemente realizzabile era quella

---

[127] *L'Opinione*, 12 aprile 1863, *I sussidi ai teatri*. L'articolo non è firmato, ma si deve presumibilmente al critico del quotidiano torinese, Francesco D'Arcais.

[128] Sull'argomento si veda IRENE PIAZZONI, *La cessione dei teatri demaniali ai comuni: il caso di Milano (1860-1872)*, in *Storia in Lombardia*, 1994, n. 1, pp. 5-72.

[129] Il prospetto relativo si può leggere in AP, *Camera*, Legisl. VIII, Sess. 1861-63, *Documenti*, vol. IV, n. 183-E, *Allegato A*. Per la precisione erano previste: per i teatri di Napoli 472.708 lire, per quelli di Milano 408.398 lire, per il Regio di Parma 155.452, cifre che comprendevano le spese per il personale, per l'illuminazione, per il riscaldamento, per la manutenzione dei locali e, soprattutto, quelle assai elevate per le «dotazioni»; minori le spese per i teatri di Modena (15.000 lire), Torino (12.000 lire), Palermo (10.468 lire), Piacenza (8.000 lire), Firenze (5.480 lire), Borgo San Donnino (1.000 lire), Borgotaro (1.000 lire), Pontremoli (1.000 lire) e Massa (336 lire). In totale si prevedeva una spesa di 1.090.824 lire. Si trattava di cifre note attraverso la stampa (*Il Trovatore*, 30 settembre 1862, *Novellette artistiche. Quanto costano i teatri italiani al Governo*). Per il 1863 si prevedeva un aumento di circa 37.500: più specificamente 16.776 lire erano destinate al personale per la revisione delle opere teatrali, 175.136 al personale dei teatri demaniali, 3.323 alle spese d'ufficio, 48.871 alle spese diverse, 116.491 alla manutenzione dei locali e 776.012 alle doti; l'aumento era dovuto agli stipendi del personale dell'orchestra e della scuola di

di cedere la proprietà di tali teatri ai rispettivi municipi, «qualora essi – puntualizzava la commissione – non trovassero più conveniente, come alcuni comuni hanno fatto, di lasciare che i teatri vivano dei loro propri mezzi e che paghino lo spettacolo coloro che solamente lo godono». In questo modo si sarebbe favorito una sorta di decentramento delle funzioni e delle prerogative statali: il passaggio alle amministrazioni comunali delle competenze relative ai teatri costituiva, appunto, un passo in questa direzione; inoltre era quanto mai indispensabile operare delle serie economie. Sembra comunque che quest'ultima fosse la preoccupazione più sincera e condivisa.[130] Si preferì tuttavia attendere la riforma amministrativa e disposizioni che uniformassero la legislazione finanziaria relativa ai comuni – in particolare la legge sul dazio consumo – e quindi schiudessero ad essi nuove fonti di reddito.[131] La commissione per il bilancio dell'anno successivo non si discostò da questa linea, limitandosi all'ipotesi di operare un risparmio di quasi 138.000 lire, con l'auspicio che la proposta potesse servire di «avviamento a più radicali riforme nei futuri bilanci».[132]

La questione suscitò discussioni animatissime e l'abbandono del sussidio statale fu tutt'altro che scontato. Durante il lungo dibattito alla Camera del 10 aprile 1863 si levarono numerose voci duramente polemiche nei confronti del finanziamento statale; molte appartenevano a deputati della Sinistra, interessa-

ballo del Regio di Torino, fino all'anno precedente a carico dell'impresa (si veda la relazione della commissione per il bilancio del 1863 in AP, *Camera*, Legisl. VIII, Sess. 1861-63, *Documenti*, vol. V, n. 337-E).

[130] Sulla questione, in verità, non mancarono di manifestarsi in Parlamento prese di posizione più radicali: alla Camera per esempio, durante la seduta del 17 gennaio 1862, il deputato Antonio Gallenga, come vedremo meglio in seguito (cap. V), presentò un disegno di legge sottoscritto da altri deputati per un'imposta sui pubblici spettacoli, in considerazione del fatto che il divertimento non era altro che «un oggetto di puro lusso» e che in Italia era a tal punto diffuso che valesse senza dubbio la pena tassarlo (AP, *Camera*, Legisl. VIII, Sess. 1861-63, *Discussioni*, tornata del 17 gennaio 1862, pp. 716-718).

[131] La commissione suggerì, ad ogni modo, di limitare la quota del sussidio statale a quella più moderata stabilita nel 1859: nel 1861, in effetti, la luogotenenza generale di Napoli aveva deciso un aumento considerevole della dote al San Carlo e anche a Milano le spese per i teatri erano aumentate indebitamente (AP, *Camera*, Legisl. VIII, Sess. 1861-63, *Documenti*, vol. IV, n. 183-E cit.). Oltretutto nei teatri di Napoli si erano scoperte scandalose irregolarità: come denunciò un rapporto sul San Carlo giunto sulla scrivania del ministro dell'Interno, tra le masse, il cui numero era cresciuto in misura abnorme, vi erano ballerine ultrasessantenni, strumentisti improvvisati che facevano finta di suonare, oppure mediocri e indisciplinati, mimi e inservienti le cui paghe erano state aumentate «in modo esorbitante», insomma una «camorra organizzata» (ACS, *M.I.*, *S.D.*, *Teatri*, b. 12, *Relazione al Ministero dell'Interno: Abusi del Teatro S. Carlo di Napoli*, s.d., ma di poco precedente all'aprile 1863).

[132] La commissione aveva proposto di ridurre la dote al San Carlo di circa 100.000 lire: una riduzione maggiore avrebbe aggravato «la sproporzionalità esistente nelle imposte tra l'una e l'altra parte del Regno»; in altre parole il comune di Napoli – già «stremato» dalle spese «che il nuovo ordine di cose rende necessarie» – non avrebbe avuto a disposizione le risorse indispensabili per finanziare le stagioni del San Carlo (AP, *Camera*, Legisl. VIII, Sess. 1861-63, *Documenti*, vol. V, n. 337-E cit., p. 10).

ti a condurre un attacco alla politica finanziaria del governo nel suo complesso. Per la soppressione delle spese destinate ai teatri parlarono tra gli altri Curzio, Valerio, Gallenga, Saracco, Mellana; quest'ultimo si disse lieto di constatare come anche nel Parlamento del nuovo Regno qualcuno proseguisse «quella lotta intorno a questi sussidi ai teatri che per cinque o sei anni ho sostenuto nel Parlamento subalpino, e che ebbi il piacere di veder coronata di successo». Quanto all'intenzione del governo di rispettare gli impegni assunti per rispetto nei confronti delle provincie annesse, Mellana si espresse molto chiaramente:

«Ma appunto la debbono sentire questa diversità che passa tra un Governo assoluto che paga mimi e fa delle spese per effeminare le popolazioni (*Si ride*) ed un Governo libero. Le popolazioni debbono appunto sapere che diverso è il modo di governare di un libero reggimento da quello di uno assoluto. Questo deve assecondare certe passioni, accarezzare certe inclinazioni, il che non può fare un Governo libero».

La replica del ministro dell'Interno Ubaldino Peruzzi risulta altrettanto significativa:

«Il Governo che sorge da una rivoluzione violenta non rispetta niente, crea dei nuovi interessi, non considera gli antichi; ma noi non ci troviamo in queste condizioni; noi siamo sorti bensì da una rivoluzione, ma senza rinnegare i principii che sono stati causa del trionfo di questa rivoluzione e della formazione del Governo del Regno d'Italia. Noi abbiamo voluto procedere sopra la base di un rispetto scrupoloso a tutti quanti gl'impegni che furono assunti, particolarmente verso i terzi, verso i privati cittadini».[133]

Era chiaro però che anche per il ministro, come per altri deputati che intervennero per suggerire maggiore cautela, la soluzione migliore era quella di studiare il modo di liberarsi appena possibile della spesa per i teatri. Solo Pasquale Stanislao Mancini si spese in un lungo e appassionato discorso a sostegno delle ragioni «dell'arte e della civiltà italiana» e contro provvedimenti «degni di una nazione barbara e ignorante», affermando che i teatri dovevano essere conside-

---

[133] Peruzzi non dimenticò di sollevare anche il problema dei riflessi che avrebbe avuto sull'ordine pubblico una eventuale immediata soppressione del sussidio ai teatri: la popolazione di Napoli, «come quasi tutte le antiche residenze delle Corti cadute, dà veramente ai teatri una importanza che è esagerata forse per noi, ma che pur non ostante influisce sulla pubblica opinione grandemente, e può creare qualche volta degli imbarazzi abbastanza serii al Governo»; era dunque imprudente decidere di lasciare di punto in bianco in mezzo alla strada 700 o 800 lavoratori teatrali con famiglie numerose e bisognose a carico (AP, *Camera*, Legisl. VIII, Sess. 1861-63, *Discussioni*, seduta del 10 aprile 1863, p. 6181; per l'intero dibattito, pp. 6177-6196).

rati «mezzi di educazione e di coltura nazionale».[134] Invano, perché infine la Camera approvò il trasferimento delle spese per i teatri dal bilancio ordinario a quello straordinario.

Eppure, nonostante la piega e il tono inequivocabilmente ostili al sussidio ai teatri che aveva assunto il dibattito alla Camera, la commissione parlamentare istituita nel maggio 1863 perché studiasse il problema giunse a conclusioni opposte.[135] Nella relazione redatta da Pietro Torrigiani si legge:

«Se in un avvenire molto remoto [...] ci è dato concepire una condizione di cose, ove le forze dei cittadini liberamente associate potran bastare a molti scopi che oggi imperiosamente richiedono il concorso delle forze della Nazione, noi vivendo nel mondo presente, e non pascendoci d'illusioni, dobbiamo bensì procurare di restringere l'azione governativa, ma prima di farla cessare dobbiamo assicurare che gli ordini tutti de' cittadini abbiano progredito per modo da rendere sicura e proficua la loro sostituzione».

L'argomento fu oggetto di un acceso dibattito anche negli ambiti della critica e della stampa, a prescindere dalla vicinanza agli ambienti governativi. A fronte delle decise prese di posizione assunte da molti critici teatrali e musicali del periodo contro l'ipotesi del trasferimento ai comuni dei teatri statali – si leggano gli interventi di Antonio Ghislanzoni sulle pagine della *Gazzetta Musicale di Milano* o della *Gazzetta di Milano*, di Leone Fortis e Alberto Mazzuccato sul *Pungolo*, di Paolo Ferrari sulla *Lombardia*[136] – si levarono voci contrarie e manifestazioni di

---

[134] Anche Mancini mostrò di preoccuparsi delle possibili reazioni della cittadinanza partenopea alla notizia della soppressione del sussidio al San Carlo; a suo parere era invece esiziale evitare di «accrescere l'irritazione e il malcontento» e di «proseguire la sistematica ed inflessibile demolizione di tutti gl'interessi locali» (*ivi*, p. 6192). L'intervento di Mancini provocò la replica di Giovanni Battista Michelini, radicalmente avverso ad ogni «intervento governativo che non sia giustificato da necessità», in particolare per i teatri: in tale materia, a suo avviso, anziché tentare di emulare i governi francesi, «sempre molto intromettenti», occorreva lasciare il campo alla libertà e all'iniziativa privata (*ivi*, p. 6194).

[135] La commissione parlamentare era composta dai senatori Gustavo Ponza di San Martino e Carlo Taverna – quest'ultimo anche presidente del Conservatorio di Milano –, dai deputati Pietro Torrigiani, Giuseppe Torelli, Celestino Bianchi e Mauro Macchi e da Biagio Miraglia, allora a capo della divisione seconda del ministero dell'Interno, a cui competeva la materia relativa ai teatri demaniali. Per i verbali delle discussioni si consulti ACS, *M.I., S.D., Teatri*, b. 12. Il decreto di nomina della commissione – che porta la data del 14 maggio 1863 – le affidava il mandato di elaborare «un progetto pratico allo scopo di sgravare lo Stato dall'amministrazione e dalle spese relative ai Teatri», nonché – come meglio si vedrà nel cap. III di questo studio – quello di proporre un «più nuovo e più economico ordinamento della revisione teatrale» e di formulare «un progetto di disposizioni generali legislative e regolamentari intorno ai Teatri e Pubblici Spettacoli».

[136] *Gazzetta di Milano*, 16 aprile 1863, *Appendice. Rivista settimanale*; *Gazzetta Musicale di Milano*, 16 giugno 1867, *La soppressione della dote ai RR. Teatri*; *Il Pungolo*, 19 giugno 1867, *La questione della Scala*; *Il Pungolo*, 1° giugno e 3 giugno 1867, *Il Governo ed i Teatri*; *La Lombardia*, 4 giugno 1867, *Conversazioni artistico-letterarie*.

perplessità nei confronti del sussidio governativo ai teatri: quelle di un giornale teatrale come *Il Trovatore*, quelle del quotidiano milanese *Il Secolo*, quelle della *Gazzetta Piemontese*, quelle di D'Arcais sulle pagine dell'*Opinione*, il quale non esitò a rendere noto il disaccordo in merito con il direttore Giacomo Dina.[137] Si scontravano punti di vista diversi, i fautori dello Stato «mecenate», quelli per i quali un'eccessiva ingerenza statale negli affari artistici sapeva di *ancien régime*, quelli che auspicavano un rigoglioso fiorire della libera iniziativa, quelli, infine, che, favorevoli al «discentramento», vedevano nei municipi gli interlocutori più consoni: i municipi – si affermava – difficilmente si sarebbero rivelati più indifferenti del governo.[138] Negli anni successivi – come vedremo – tale contrapposizione si sarebbe riproposta anche in merito ad altre questioni di politica culturale.

Ad ogni modo, nella seduta del 17 giugno 1867, la Camera sancì, con 172 voti favorevoli e 90 contrari, la cessione dei teatri demaniali ai comuni. Come riferì Ferrari:

> «Fu una battaglia campale delle più furibonde: fu una zuffa così accanita che i combattenti dei due contrarj eserciti si confusero insieme, e si videro […] all'ultimo gli amici mitragliare gli amici, gli alleati gli alleati, e nella stessa fila gli avversarj accanto gli avversarj lanciarsi alla carica contro i respettivi consorti».[139]

L'onere del sussidio ai teatri musicali spettò da questo momento alle amministrazioni comunali, destinate a ricoprire in futuro un ruolo sempre più significativo nella promozione e nel sostegno alle iniziative cittadine nel settore del-

[137] *L'Opinione*, 11, 12 e 14 giugno 1867, *Questioni teatrali*. Si veda anche, in merito alla posizione di Dina, *L'Opinione*, 14 maggio 1863, *I teatri e le dotazioni*, e, sulla polemica tra D'Arcais e Dina, *L'Opinione*, 19 giugno 1867, *I sussidi ai teatri*. Peraltro, in un articolo del 1872, il medesimo quotidiano assunse una posizione decisamente contraria ai sussidi ai teatri: «[…] pochi, tranne alcuni fanatici, vorranno sostenere in principio l'utilità, nonché la giustizia di quella spesa» (*L'Opinione*, 29 marzo 1872, *I sussidii ai Teatri*). Furono numerose del resto, negli anni seguenti, le testate che si schierarono contro la dotazione ai teatri; fra queste il *Corriere della Sera*, secondo il quale «i giornali serii, indipendenti e non legati da pregiudizi o da vecchi e vieti sentimentalismi» dovevano proseguire la battaglia contro la dote ai teatri (*Corriere della Sera*, 3/4 marzo 1885, *Le dotazioni ai teatri*).
[138] *L'Opinione*, 14 giugno 1867, *Appendice. Questione teatrale*. A proposito del ruolo dei municipi appaiono inequivocabili le affermazioni contenute in una *Appendice* della *Nazione* (13 agosto 1862, *Dell'avvenire dell'arte musicale in Firenze* cit.): l'onere del finanziamento dei teatri non poteva né doveva essere sostenuto dal governo centrale – poiché «nella cultura delle arti […] l'azione governativa deve continuamente diminuire» –, né tanto meno dalle Accademie, poiché «la fortuna delle arti non deve rimaner nelle mani di una schiera di notabili per un ingiusto privilegio»; si trattava ora di «metter nelle mani del popolo ciò che in avanti era in quelle dei potenti e dell'aristocrazia» e tale compito non poteva che essere sostenuto dal municipio, il «vero interprete dei bisogni locali», unica istituzione in grado di farsi «patrocinatore degli interessi del popolo» e «iniziatore di una vera educazione civile».
[139] *La Lombardia*, 25 giugno 1867, *Appendice. Conversazioni artistico-letterarie*.

lo spettacolo. A prescindere dall'ammontare delle sovvenzioni, la questione della dote divenne per molti municipi una vera "grana": in un'epoca segnata dalla spada di Damocle dei disavanzi e dai crescenti bisogni, sborsare denaro per il passatempo dei ricchi – che costituivano il grosso del pubblico dei teatri lirici e, in particolare, la totalità dei proprietari di palco[140] – mentre si imponevano balzelli sul pane risultava inaccettabile agli occhi di una schiera sempre più numerosa di amministratori. Tra costoro inoltre andava facendosi strada un atteggiamento di insofferenza nei confronti dello stereotipo che voleva l'Italia la patria dell'arte e del belcanto, ma anche delle "trasteverine" e dei "pifferai";[141] si rivendicava la necessità assoluta di dare la precedenza alle ferrovie, ai canali, alle infrastrutture, alle scuole. A tale proposito le osservazioni svolte dal consigliere comunale Casimiro Favale – uomo appartenente alla Sinistra, da poco eletto deputato nelle elezioni del novembre 1870 – durante una seduta del Consiglio comunale di Torino del 4 gennaio 1871 – si discuteva del sussidio al teatro Regio – non potrebbero essere più eloquenti:

«Si è l'osservanza dei principii del risparmio, dell'economia che ha portato il sopravvento delle razze nordiche ed americane su quelle latine. [...] Non è questione di non spendere, ma bensì di spendere soltanto in spese produttive».

Un altro consigliere, Tommaso Villa, come Favale esponente della Sinistra, gli fece eco:

«Torino d'oggidì non è più la città capitale, la città per così dire cortigiana [...]. Essa tende a trasformarsi: non vuol esser più la città dei piaceri, dei fannulloni, ma la città del lavoro, dell'attività, delle utili iniziative».[142]

Avvenne così che il tema delle sovvenzioni ai teatri continuò a occupare e a preoccupare, nei decenni successivi, le amministrazioni e l'opinione pubblica.[143]

---

[140] Per gli sviluppi futuri della questione e, soprattutto, a proposito dei rapporti tra amministrazioni comunali e proprietari di palco si veda I. PIAZZONI, *Dal «teatro dei palchettisti» all'Ente autonomo. La Scala. 1897-1920*, Firenze, La Nuova Italia, 1996.

[141] Riguardo a questo atteggiamento si leggano le belle e note pagine del *Ritorno in Italia* di Henry James – scritte nel 1877 – in cui il grande romanziere americano ben coglie l'«onesta ira suscitata nel cuore dell'attuale giovane Italia dal fatto di essere considerata alla stregua di un pigmento solubile»: «L'Italia del domani, preoccupata per il suo futuro politico ed economico, deve essere davvero stanca di essere ammirata per la sua posa e per le sue ciglia» (la citazione è tratta dal volume HENRY JAMES, *Ore italiane*, a cura di ATTILIO BRILLI, traduzione di Claudio Salone, Milano, Garzanti, 1984).

[142] Per la cronaca della seduta si veda *Gazzetta Piemontese*, 5 gennaio 1871, *Cronaca cittadina*.

[143] Il problema, ad esempio, si ripropose nel 1875, quando «la misera condizione in cui furono posti i Comuni dalle esigenze del signor Ministro delle Finanze» li pose nella necessità di operare economie e aumentò il numero di quanti si ribellavano all'idea che il lusso

Nonostante l'evidente corresponsabilità della maggioranza del Parlamento, a prescindere dagli schieramenti, nel voto del 17 giugno 1867, sui governi della Destra storica si stese il velo di quella decisione – letta da molti, e non solo dai contemporanei, come un segnale di colpevole indifferenza nei riguardi delle sorti dei singoli teatri e, di riflesso, del teatro italiano nel suo complesso – offuscando non tanto la mai cessata, ma blanda politica di incoraggiamento agli autori drammatici, quanto l'attenzione costante e sotto molti aspetti proficua prestata ad aspetti nodali della materia teatrale – in primo luogo la legislazione sui diritti d'autore. Non dimentichiamo, inoltre, che soprattutto nel primo decennio postunitario l'amministrazione centrale si spese in una tanto rilevante quanto ardua opera di indagine sulla realtà teatrale e musicale del nuovo Regno: il censimento e la classificazione dei teatri, in primo luogo, di cui si è già parlato, ma anche la raccolta di notizie avviata nel 1865 sulle direzioni teatrali esistenti nelle varie provincie,[144] la relazione sulla letteratura drammatica italiana affidata nel 1866 a Cesare Trevisani, la statistica degli istituti, delle scuole di musica, delle società filarmoniche, delle società del Quartetto compilata tra il 1870 e il 1871.[145]

di una minoranza finisse per gravare su un'intera collettività (*Gazzetta Piemontese*, 4 novembre 1875, *I sussidi ai teatri*).

[144] La circolare del ministero dell'Interno del 27 luglio 1865 n. 6997 e il fascicolo relativo si trovano in ACS, *M.I.*, *S.D.*, *Teatri*, b. 12. La raccolta di dati aveva come obiettivo ufficiale quello di «riconoscere se e quali provvedimenti regolamentari convenga emettere circa le Direzioni teatrali».

[145] Tra la vasta bibliografia sul teatro italiano musicale e drammatico nel periodo postunitario, ricordiamo qui solo gli studi di carattere generale più strettamente attinenti ai temi trattati in questo volume: oltre a quelli già citati, si vedano ROBERTO ALONGE, *Teatro e spettacolo nel secondo Ottocento*, Roma-Bari, Laterza, 1988; GIOVANNI AZZARONI, *Del teatro e dintorni*, Roma, Bulzoni, 1981; *Teatro dell'Italia unita. Atti dei Convegni. Firenze 10-11 dicembre 1977, 4-6 novembre 1978*, a cura di SIRO FERRONE, Milano, Il Saggiatore, 1980; G. COSTETTI, *Il teatro italiano nel 1800 (Indagini e ricordi)*, Rocca di S. Casciano, Licinio Cappelli editore, 1901; *Il teatro italiano. La commedia e il dramma borghese dell'Ottocento*, a cura di S. FERRONE, Torino, Einaudi, 1979; SILVANA MONTI, *Il teatro realista della nuova Italia.1861-1876*, Roma, Bulzoni, 1972; ALESSANDRO D'AMICO, *Il teatro verista e il grande attore*, in *Il teatro italiano dal naturalismo a Pirandello*, Il Mulino, Bologna, 1990, pp. 25-46; *ivi* si veda anche S. FERRONE, *Teatro dell'Italia unita*, pp. 105-123; PAOLA DANIELA GIOVANELLI, *La Società teatrale in Italia fra Ottocento e Novecento. Lettere ad Alfredo Testoni*, Bulzoni, Roma, 1985-86; FIAMMA NICOLODI, *Il teatro lirico e il suo pubblico*, in *Fare gli italiani. Scuola e cultura nell'Italia contemporanea*, a cura di SIMONETTA SOLDANI e GABRIELE TURI, Bologna, Il Mulino, 1993, vol. I, pp. 257-304; JOHN ROSSELLI, *L'impresario d'opera. Arte e affari nel teatro musicale italiano dell'Ottocento*, Torino, Edt/Musica, 1984; YORICK, *Teatro e Governo*, Firenze, Tip. Mariano Ricci, 1888. Sulla letteratura e la cultura letteraria del periodo è altresì necessaria la consultazione di ROBERTO BIGAZZI, *I colori del vero. Vent'anni di narrativa: 1860-1880*, Pisa, Nistri-Lischi, 1978 (1ª ed. 1969), in particolare le pp. 74-99, dedicate al teatro. Altri contribuiti saranno citati nelle note dei prossimi capitoli.

CAPITOLO II

LA POLITICA DI «INCORAGGIAMENTO»

1. Prime iniziative

Nei mesi che seguirono la proclamazione del Regno, anche il settore della musica e del teatro furono investiti dal clima di operoso entusiasmo che allora pervase l'intera penisola.

Ne è una delle testimonianze l'opuscolo pubblicato a Milano nel novembre 1859 dai docenti del Conservatorio, in cui si proponeva una riforma dei programmi e degli ordinamenti: l'arte musicale italiana – vi si legge tra l'altro – doveva «trasmutarsi in severa e forte» e «di bella farsi grande»; alle «musiche individuali» dovevano subentrare quelle d'insieme; la «libera ammissibilità» era preferibile al sistema del convitto; infine occorreva integrare l'insegnamento scolastico con periodiche prove di studio.[1] Un'altra interessante iniziativa si registra, nel marzo 1861, a Torino, dove il municipio incaricò una commissione di studio, composta da quattro consiglieri comunali e da altrettanti maestri di musica, di mettere a punto un piano di riorganizzazione delle scuole musicali cittadine.[2] La commissione si riunì e stese un progetto, approvato poi dalla Giunta comunale, e le sue proposte furono discusse e commentate dalla stampa. Essa aveva auspicato per la città l'istituzione di due scuole, una corale e l'altra per strumenti ad arco, e una riorganizzazione generale dell'istruzione musi-

---

[1] *Osservazioni sul regolamento organico del Regio Conservatorio di musica in Milano, proposte dai varii professori del Conservatorio medesimo*, Milano, Ricordi, 1859; si leggano anche le considerazioni in merito di D'Arcais in *Gazzetta Piemontese*, 19 e 21 novembre 1859, *Appendice. Rassegna musicale*. La stampa milanese dedicò ampio spazio all'argomento: come ad esempio *La Lombardia*, 1, 10, 15 e 26 dicembre 1859, 7 e 12 gennaio 1860, *Dell'insegnamento musicale e del Conservatorio* (di Geremia Vitali).

[2] *L'Opinione*, 18 marzo 1861, *Appendice. Progetti musicali*.

cale, suggerendo di articolarla in inferiore e superiore – la prima affidata a licei musicali dipendenti dai comuni, la seconda ai Conservatori statali. Così si osservava nella relazione della commissione:

«Non è già per mezzo dei Conservatori, come vorrebbero taluni, che si ottengono presso altre nazioni quelle grandiose esecuzioni di musica collettiva, ma bensì con le scuole popolari di canto [...]. Coll'istituzione dei licei si deve diffondere lo studio della musica. [...] Si creerebbe un possente mezzo di educazione morale per il popolo, potendolo così sottrarre al vizio, ed alla dissipazione nelle sue ore di ricreazione, e procacciargli i mezzi di migliorare la sua condizione».[3]

La commissione torinese, inoltre, aveva denunciato l'assoluta necessità di una «radicale riforma» a favore della musica sia strumentale che lirica,[4] segnalando come prioritari una legge sui diritti d'autore, un regolamento che stabilisse da quale autorità dovessero dipendere i vari teatri italiani, un codice teatrale che supplisse alla mancanza «di buoni provvedimenti sotto il rapporto tecnico, sulla scelta e sull'andamento degli spettacoli, e sul personale artistico». Essa aveva anche raccomandato che le direzioni dei teatri fossero composte da uomini competenti, «preclari per ingegno, dottrina, cognizioni *pratiche* e probità, più che per un vano titolo aristocratico»,[5] e che il maestro concertatore divenisse espressione della direzione stessa, per censurare, quando fosse opportuno, l'operato di certi impresari. Il progetto della commissione fu alla base dell'istituzione del Liceo musicale torinese, decretata dal Consiglio comunale nel maggio 1862. Il Liceo fu inaugurato nel maggio del 1867; un anno più tardi il corpo di musica del Teatro regio divenne un'orchestra civica, dipendente a tutti gli effetti dall'amministrazione comunale. Come scrisse il critico musicale Gualfardo Bercanovich, «con queste due istituzioni ufficiali si dava pertanto un forte ed improvviso slancio al movimento musicale».[6]

Anche nel settore del teatro drammatico non mancò di manifestarsi un certo zelo riformistico. Sempre a Torino Giovanni Sabbatini – modesto drammaturgo, critico e giornalista, dal 1852 funzionario a capo dell'Ufficio centrale di censura (della sua figura si avrà occasione di parlare nel corso di questo studio) – pensò ad una petizione in Parlamento e ad un progetto così articolato: il governo avrebbe dovuto stanziare 150 mila lire a favore del teatro di prosa, in parte da ripartirsi tra i cinque principali comuni della penisola – Torino, Mila-

---

[3] *L'Opinione*, 1° gennaio 1862, *Appendice. Rivista musicale*. Si veda anche *L'Opinione*, 3 gennaio 1862, *Appendice. Rivista musicale*, in cui si esponevano le basi sulle quali si sarebbe dovuto fondare il progettato Liceo musicale torinese.

[4] *L'Opinione*, 30 dicembre 1861, *Appendice. Rivista musicale*. I maestri di musica responsabili del progetto erano Luigi Luzzi, Antonino Marchisio, Luigi Fabbrica, Angelo Villanis.

[5] *L'Opinione*, 1° gennaio 1862, *Appendice. Rivista musicale* cit.

[6] GUALFARDO BERCANOVICH, *Vita musicale*, in *Torino*, Torino, Roux e Favale, 1880, p. 700.

no, Firenze, Napoli e Bologna – perché ciascuno di essi scegliesse una fra le migliori compagnie per una serie di rappresentazioni, in parte da destinarsi alla fondazione di una scuola di declamazione a Firenze a cui ciascun capocomico delle cinque compagnie prescelte avrebbe dovuto inviare a proprie spese parecchi allievi, che in seguito gli sarebbero rimasti vincolati; Sabbatini proponeva inoltre la nomina di una Direzione centrale o di un Ispettorato che regolasse la materia teatrale.[7]

Questo progetto non fu risparmiato da critiche e manifestazioni di perplessità: esso, si osservò, avrebbe certamente sollevato opposizioni nelle città minori del Regno; inoltre, se attuato, avrebbe portato all'istituzione di alcune compagnie stabili, che molti ritenevano dannose per il teatro italiano: in Italia il pubblico era composto per lo più da abbonati ed *habitués* e tendeva ad affezionarsi agli attori, «cedendo man mano a personali simpatie od a lunghe abitudini». Quanto alle scuole di declamazione, vi era chi le riteneva del tutto inutili.[8] Tali polemiche non erano che il preludio a un dibattito che negli anni successivi si sarebbe fatto accesissimo.

A livello governativo l'iniziativa più importante partì alla fine del 1861 da Ricasoli, allora ministro dell'Interno oltre che presidente del Consiglio, che già durante il periodo in cui era stato a capo del governo toscano si era distinto per una particolare attenzione al settore dello spettacolo, istituendo un concorso annuo per i lavori drammatici e chiamando Francesco Dall'Ongaro – dopo il rifiuto di Gustavo Modena[9] – ad occupare la prima cattedra di critica drammatica in Italia. Nel gennaio 1862, i quotidiani pubblicarono la notizia dell'insediamento di una commissione presso il ministero dell'Interno, incaricata di studiare «i mezzi per promuovere l'incremento dell'arte drammatica e per dare organamento uniforme alla censura teatrale». A tale proposito Ricasoli si sarebbe così espresso:

«Il governo considera i teatri come cosa di gravissima importanza; ed oltre a ciò un governo civile non può non volere che anche i pubblici divertimenti sieno regolati da quelle norme di moralità, di libertà, di unità di concetto che regolano tutta la macchina dello Stato. Gli spettacoli possono esercitare una esiziale e corruttrice influenza sopra lo spirito delle moltitudini, e possono invece essere il più efficace tra i mezzi d'ingentilire i costumi e di rendere familiari e cari i sentimenti generosi e i

---

[7] Per articolare e mettere a punto il suo progetto, Sabbatini aveva spedito a numerosi autori drammatici una circolare, invitandoli a formulare osservazioni e proposte, e aveva coinvolto nella redazione del testo ufficiale Felice Romani, Michele Coppino, Giovanni Prati, Carlo Rusconi, Guglielmo Rusconi, Angelo Fava e Giuseppe Bertoldi (*La Fama*, 12 marzo 1861, *Notizie*; *L'Opinione*, 25 marzo 1861, *Appendice. Progetti e proposte per il teatro drammatico*).

[8] Altre osservazioni si possono leggere *ibidem*.

[9] *Epistolario di Gustavo Modena* cit., p. 444.

fatti magnanimi, ciò dipende dalla saviezza delle leggi che governano gli spettacoli; ed è per ciò che volli provvedervi col nominare una Commissione d'uomini, i quali [...] fossero in grado di tradurre in effetto l'intendimento del governo [...]. Il compito è duplice: perché non basta che una legge impedisca e punisca il male; ma ne abbisogna pur una che agevoli e favorisca il bene».[10]

Da tale discorso emergono con chiarezza il punto di vista e le convinzioni condivisi in quel periodo da una parte dei moderati a proposito del teatro: che esso fosse in grado di esercitare una notevole influenza, positiva o negativa, che potesse espletare un'utile funzione educativa, che fosse in grado di contribuire alla crescita della società civile e che servissero quindi a questo scopo disposizioni legislative che disciplinassero la materia e la piegassero a tali finalità e tali modelli. Segnatamente, nelle parole sopra citate, si avverte l'eco di quella «carica di vigore apostolico» – come è stata definita – che distingueva il liberalismo di Ricasoli e ne plasmava l'azione politica; essa scaturiva da una particolare concezione dello Stato, fortemente improntata al principio di una «etica civile» fondante: in quest'ottica va intesa e valutata la propensione comune a Ricasoli e ad altri esponenti della Destra storica ad identificare «amministrazione» ed «educazione» e, di riflesso, a demandare alla classe di governo il compito di attuare la «rigenerazione morale» e intellettuale dei cittadini.[11] Non si trattava, tuttavia, di una posizione sulla quale convergesse l'intero schieramento liberale, soprattutto sul terreno della concreta azione governativa; una certa diffidenza per il modello statale paternalista che ricordava quello assolutista e la simpatia per il pragmatismo anglosassone, ad esempio, erano parimenti diffuse. Di fatto, come vedremo, la politica impostata da Ricasoli nel settore del teatro non ebbe, dopo la sua uscita di scena, convinti sostenitori.

Per la commissione da lui ideata, il ministro aveva scelto uomini che provenissero da diverse provincie del Regno, affinché tutto il paese fosse rappresentato. Si trattava di personalità autorevoli: critici e giornalisti di fama come Felice Romani e Celestino Bianchi – fedele collaboratore di Ricasoli –, un letterato come Biagio Miraglia, entrato nei ranghi più elevati dell'amministrazione pubblica del nuovo Regno (era capo divisione al ministero dell'Interno), il direttore della Scuola di declamazione di Firenze Filippo Berti, i commediografi Paolo Ferrari e Tommaso Gherardi del Testa, il noto attore Luigi Domeniconi e Giovanni Sabbatini, che, come autore del progetto già ricordato, portò senz'altro un notevole contributo ai lavori.[12] Non si disdegnarono, comunque, le osserva-

[10] *La Nazione*, 14 gennaio 1862, *Fatti diversi*; *La Perseveranza*, 18 gennaio 1862, *Notizie varie*.

[11] Così argomenta GIOVANNI SPADOLINI, *Il barone, la Toscana e l'Unità*, ora in ID., *Firenze capitale*, Firenze, Le Monnier, 1971 (5ª ed.), pp. 262-263.

[12] Come attesta una sua lettera a Sabbatini del 3 gennaio 1862 (in ACS, *M.I.*, *S.D.*, *Teatri*, b. 14), Gherardi del Testa declinò momentaneamente l'invito perché ammalato e si li-

zioni e le proposte di vari uomini di teatro.[13] Da quanto si può capire scorrendo le loro richieste, capocomici e autori confidavano in un maggiore interessamento del governo al mondo dello spettacolo, mentre li trovava abbastanza indifferenti il problema della censura. È invece significativo il fatto che la commissione fosse stata insediata su iniziativa e sotto il patrocinio del ministero dell'Interno, che della censura si occupava, e non piuttosto del ministero della Pubblica Istruzione, al quale erano stati affidati gli affari generali relativi all'arte drammatica e musicale: sembra di capire che proprio la questione della revisione teatrale fosse considerata prioritaria.

Ad ogni modo durante le riunioni, che si svolsero tra l'11 gennaio e il 17 febbraio 1862,[14] la commissione non si occupò solo di censura, ma discusse e avanzò diverse proposte, tra le quali la creazione di una Direzione generale dei Teatri,[15] una sollecita discussione e appovazione in sede parlamentare del progetto di legge sulla proprietà letteraria e artistica appena redatto da una commissione governativa, l'istituzione di un «ginnasio drammatico» a Firenze e di altre tre scuole pubbliche di recitazione[16] – a Napoli, a Torino e a Milano –, la formazione di quattro o cinque compagnie sussidiate dal governo,[17] l'ampliamento delle basi del concorso annuale già in atto riservato al teatro drammati-

mitò a mandare per iscritto le sue riflessioni. Per l'insediamento della commissione si vedano anche, *ivi*, Luigi Domeniconi a Celestino Bianchi, 22 dicembre 1861; Biagio Miraglia al ministro dell'Interno, 26 dicembre 1861; Filippo Berti al ministro dell'Interno, 30 dicembre 1861.

[13] Ad esempio quelle di Cesare Perini (si trova *ivi* la sua lettera a Celestino Bianchi del 29 dicembre 1861), per quindici anni direttore teatrale a Cadice e a Lisbona, il quale aveva formulato un progetto globale per il teatro che sperava potesse essere presentato al ministero dell'Interno per mano dell'amico e deputato Paolo Simbaldi. Si veda anche, *ivi*, la lettera di Stanislao Ronzi al ministro dell'Interno, 5 febbraio 1863.

[14] I verbali di tali sedute si trovano in MCRR, b. 387, f. 52, *Commissione per la Riforma della Revisione Teatrale e pel miglioramento del Teatro nazionale. Processi verbali*. Qualche notizia sui lavori della commissione comparve anche sulla stampa (ad esempio in *La Perseveranza*, 25 gennaio 1862, *Notizie varie*).

[15] Come viene precisato nei verbali della commissione, la censura, la «sorveglianza amministrativa» dei teatri, il «riconoscimento» e la tutela delle proprietà teatrali sarebbero state di competenza di questo nuovo organo, che in più avrebbe dovuto fungere da «commissione d'estetica per quelle rappresentazioni per le quali il Governo avesse alcuna diretta giurisdizione» (MCRR, b. 387, f. 52, *Commissione per la Riforma della Revisione Teatrale* cit.).

[16] I programmi di tali scuole dovevano contemplare anche «l'insegnamento storico-letterario», la scherma, il ballo; secondo i calcoli della commissione, ognuna avrebbe pesato sul bilancio statale per 40 mila lire all'anno (*ibidem*).

[17] Esse avrebbero dovuto esercitare una «concorrenza vantaggiosa a benefizio del Teatro Nazionale», e per questo la commissione si era preoccupata di «tracciare un abbozzo» di capitolato che assicurasse «il buon gusto nella formazione dei Repertorii, l'avviamento dei giovani cultori dell'arte teatrale e un decoroso effetto di scena tanto nel personale, quanto nel materiale» (*ibidem*).

co.[18] Lo stanziamento previsto era elevato, anche se la commissione evitava di entrare nei dettagli: una prima spesa di 500 mila lire, quindi 400 mila lire all'anno in totale per il complesso di iniziative e di istituzioni avviate; tuttavia si nutrivano poche speranze sulla concreta possibilità che il Parlamento desse parere favorevole a questo ambizioso progetto.

Di particolare interesse risulta il lungo dibattito che sorse all'interno della commissione in merito al «carattere della ingerenza governativa nell'esercizio privato delle professioni liberali». In una riunione dedicata all'argomento prevalse infine una tesi che sembrava venire incontro ai propositi di Ricasoli:

«[...] massime nelle presenti condizioni in cui si trova l'Italia lasciar che l'arte e la letteratura drammatica si sviluppino per mezzo delle proprie forze ora che sono dispregiate e che ne è traviato l'indirizzo, è un prolungarne e forse peggiorarne la condizione».

Tuttavia la successiva asserzione lascia trapelare la preoccupazione di allontanarsi, suggerendo l'opportunità che l'esecutivo si impegnasse in una politica di intervento nel settore dello spettacolo, dai princìpi più schiettamente liberali.[19] In effetti si puntualizzava che:

«l'azione del governo non doveva né poteva essere quella d'un mecenate [che farebbe un'arte cortigiana ed eunuca],[20] ma quella bensì d'un provvido tutore del patrimonio nazionale, che agevola il modo pel quale tutte le forze produttive sieno efficacemente unite e saggiamente dirette».

I progetti della commissione Ricasoli erano destinati in gran parte a non decollare, ma avrebbero costituito materia di discussione nel ventennio successivo. Per il momento, ben più importante e urgente, a conti fatti, fu ritenuta la riorganizzazione della censura, mentre assolutamente improrogabile si sapeva il varo di una legge sulla proprietà artistica che adeguasse l'Italia ai livelli che aveva raggiunto questa normativa negli altri paesi europei. Piuttosto stancamente si trascinò invece la politica di incoraggiamento – pressoché insignificante quel-

[18] Si proponeva di premiare ogni anno le tre migliori opere rappresentate nei teatri italiani dalle compagnie sussidiate dallo Stato, secondo questi criteri: un primo premio a «quell'opera drammatica che sotto qualunque forma meglio risponda alle ragioni della letteratura e dell'arte», e un premio ciascuno a «quei due lavori che offrano un più efficace e nobile insegnamento alle classi meno culte del popolo» (*ibidem*).

[19] Intervenuto ad una delle sedute della commissione, il deputato Giovan Battista Giorgini si confessò poco convinto «d'una provvida influenza dell'azione governativa sulle lettere e sulle arti in genere» (*ibidem*).

[20] La proposizione posta tra parentesi quadre nel verbale risulta cancellata con un tratto di penna, probabilmente dal redattore stesso; si è però preferito riportarla perché chiarisce ancora meglio il significato dell'intero periodo (*ibidem*).

la spesa per la musica lirica e strumentale, più generosa quella a favore della prosa, concentrata sui concorsi a premi di Torino e di Firenze.

2. IL «CONCORSO A PREMI DELLE PRODUZIONI DRAMMATICHE». TORINO 1852-1865

Il governo italiano ereditò da quello sabaudo il concorso a premi per le produzioni drammatiche istituito con R.D. del 12 settembre 1852:[21] una clausola del contratto stipulato con il direttore della Regia compagnia drammatica Domenico Righetti il 2 marzo dello stesso anno prevedeva, oltre ad un sussidio di 15.000 lire per l'affitto del teatro Carignano, un premio annuo di 3.000 lire agli autori delle migliori commedie inedite che erano rappresentate su quel palcoscenico dalla Regia compagnia stessa. Le commedie dovevano essere giudicate da una giuria formata da un membro del Consiglio direttivo del teatro, da due letterati, da un artista comico e da Righetti stesso; essa venne fin dall'inizio presieduta dal già citato scrittore, poeta, traduttore e famoso librettista Felice Romani,[22] per molti anni, tra l'altro, direttore e critico della *Gazzetta Piemontese*. Avvenne tuttavia, come si è accennato, che il Parlamento subalpino negò il suo consenso al sussidio di 15.000 lire; con ciò, di fatto, la compagnia di Righetti cessò di essere «regia», benché ottenesse di mantenere tale appellativo. Il concorso, al contrario, fu confermato. Un successivo decreto del 29 maggio 1853 ne stabilì più dettagliatamente il regolamento, prevedendo tre premi «a titolo d'incoraggiamento», rispettivamente di 1.400, 1.000 e 600 lire secondo il numero degli atti in cui erano divise le opere in concorso; la nomina della commissione giudicatrice fu affidata al ministro dell'Interno. Infine, con il decreto del 27 luglio 1854, la classificazione basata sul numero di atti, che aveva complicato oltremodo il lavoro della giuria, venne eliminata e da quel momento i tre premi furono conferiti seguendo esclusivamente il criterio del merito.

Con l'Unità le norme del concorso furono ulteriormente modificate. In primo luogo il suo patrocinio e la sua organizzazione passarono dal ministero dell'Interno a quello della Pubblica Istruzione, così come altre pratiche inerenti al teatro: questo passaggio di competenze è chiaro indice del proposito di sottrar-

[21] Altre notizie in merito si trovano in ACS, *Ministero della Pubblica Istruzione, Direzione generale Antichità e Belle Arti* (d'ora in poi *M.P.I., Dir. gen. AA.BB.AA*), *Arte drammatica e musicale*, b. 1, f. 1, *Carignano (note sul concorso dal 1852 al 1865)*.

[22] Ricordiamo che fece parte del comitato per sei anni, fino all'ottobre del 1859, e vi svolse un ruolo importante Giovanni Ventura, chiamato poi a dirigere l'Accademia dei Filodrammatici di Milano (*ivi*, il ministro dell'Interno a Giovanni Ventura, 4 ottobre 1859). Su Felice Romani si vedano: *DRN*, vol. IV, *ad vocem*; *Dizionario enciclopedico universale della musica e dei musicisti. Le biografie* cit., vol. VI, *ad vocem*, e la bibliografia *ivi* riportata; *Felice Romani. Melodrammi, poesie, documenti*, a cura di ANDREA SOMMARIVA, Firenze, Olschki, 1996.

re il settore dello spettacolo ad un organismo pur sempre delegato al "controllo", come il dicastero degli Interni, per assegnarlo più opportunamente a quello preposto anche all'attività di promozione della cultura e dell'arte. Inoltre si stabilì di rendere pubblico il rapporto della giuria, sino ad allora destinato a rimanere segreto;[23] anche questa volontà di trasparenza – e indirettamente un'apertura alle discussioni e ai dissensi sui giudizi formulati dalla giuria – è un segnale significativo, a conferma che per il teatro si inaugurava senza dubbio una politica che, lasciate alle spalle amministrazioni, se non più grette, più vigili, prometteva di aprirsi a criteri ispirati ad un più autentico liberalismo. Infine il comitato, come era definito, delegato a giudicare le opere in concorso venne in parte ricomposto, con l'intento di comprendervi uomini provenienti da altre provincie del Regno.[24] Il concorso torinese, almeno nelle intenzioni, avrebbe dovuto così assumere un respiro nazionale.

Il regio decreto del 16 marzo 1861 chiamò a formare la nuova commissione giudicatrice il napoletano Camillo Caracciolo,[25] il piemontese Angelo Brofferio,[26] il fiorentino Niccolò Antinori[27] – membri, costoro, della Camera dei de-

[23] ACS, *M.P.I.*, *Dir. gen. AA.BB.AA.*, *Arte drammatica e musicale*, b. 1, f. 1, Felice Romani al ministro della Pubblica Istruzione, 17 giugno 1861.

[24] *Ivi*, il ministro della Pubblica Istruzione al deputato Giuseppe Massari.

[25] Era stato Massari – scrittore e pubblicista di origine pugliese allora deputato della Destra –, al quale per primo era stato proposto l'incarico, ad indicare il marchese Caracciolo, che avrebbe ben rappresentato le provincie napoletane (*ivi*, Massari al ministro della Pubblica Istruzione, 8 marzo 1861). Romani invece aveva in un primo tempo suggerito i nomi del prof. Pier Luigi Domini, «assai noto pel suo pregiato volgarizzamento di Plauto», dell'avvocato e deputato David Levi, «dotto giovane» e «assai pratico di cose teatrali», e di Michele Coppino, futuro ministro della Pubblica Istruzione e allora professore di letteratura italiana presso l'Università di Torino (*ivi*, Felice Romani al ministro dell'Interno, 5 gennaio 1861). Caracciolo, che alla Camera sedeva al centro, era stato coraggioso patriota, perseguitato e incarcerato dalla polizia borbonica. Entrato in diplomazia, sarebbe stato inviato straordinario e ministro plenipotenziario a Costantinopoli, Lisbona, Berna, Madrid e Pietroburgo e, con la salita al potere della Sinistra, sarebbe stato nominato prefetto di Roma. Sulla sua figura si veda in *DBI*, vol. XIX, pp. 319-321, il profilo biografico di FRANCESCO BARBAGALLO.

[26] Brofferio aveva partecipato, studente, ai moti del 1821; laureatosi in legge, aveva scritto per il teatro – tra l'altro una commedia satirica contro Cavour, *Il Tartufo politico* – e contemporaneamente aveva svolto un'intensa attività politica: nel 1830 era stato addirittura arrestato perché, scoppiata la rivoluzione a Parigi, aveva rivolto a Carlo Felice un indirizzo per chiedere riforme; altrettanto intensa era stata la sua attività giornalistica e di critica letteraria e teatrale. Alla Camera sedeva tra i banchi dell'estrema Sinistra ed era considerato il capo di quella cosiddetta «legalitaria», distinguendosi per la sua brillante e popolare oratoria. Sarebbe morto nel 1866. Anche su Brofferio si legga in *DBI*, vol. XIV, pp. 408-413, la voce redatta da ENZO BOTTASSO.

[27] Anche Antinori faceva pienamente parte della generazione risorgimentale: capitano della Guardia civica toscana, volontario nel 1848, si trasferì in Piemonte nel 1849 e di lì cooperò per mantenere vivo il sentimento nazionale in Toscana. Dopo la proclamazione del Regno, fu eletto deputato della Destra, per poi essere nominato, nell'ottobre 1861, se-

putati – e il letterato di origini bolognesi Carlo Rusconi,[28] mentre Romani era confermato alla presidenza. Tutti accettarono l'incarico, ad eccezione di Antinori, al posto del quale fu nominato il deputato Giovan Battista Giorgini.[29] Nel giugno del 1861 la commissione presentò al ministro la prima relazione sui risultati del concorso, che furono definiti negativi. I giurati espressero il desiderio che la relazione non fosse resa nota, ma furono costretti, su invito del ministro stesso, per motivi che i documenti non chiariscono, a ritirarla e a redarne una nuova versione.[30]

Già nell'anno precedente il rapporto steso dal comitato allora in carica era risultato poco lusinghiero nei confronti dei lavori esaminati. Forse proprio alla delusione dei giurati si doveva attribuire la causa del ritardo con cui erano stati distribuiti i premi, come aveva ironicamente azzardato *L'Opinione*, mettendo

gretario dell'Accademia fiorentina di Belle Arti (TELESFORO SARTI, *Il Parlamento subalpino e nazionale*, Terni, Tipografia Editrice dell'Industria, 1890, *ad vocem*).

[28] Rusconi accettò l'incarico e, ringraziando, aggiunse: «La letteratura drammatica è, purtroppo, in fondo in questo momento in Italia, come, forse, ogni altra specie di letteratura, ma penso non giovi a disperare di un paese che può ancora dimostrare al mondo uomini come Alessandro Manzoni, Giovan Battista Niccolini e Terenzio Mamiani» (*ivi*, Rusconi al ministro della Pubblica Istruzione, 19 marzo 1861). Bolognese ma esule in Piemonte dopo la caduta della Repubblica romana che lo aveva visto ricoprire incarichi di primo piano, Rusconi era scrittore, storico, autore di opere come *Giovanni Bentivoglio* e *L'incoronazione di Carlo V a Bologna*, e soprattutto traduttore di Byron, di Schiller, di Shakespeare: nel 1876 l'opera completa del drammaturgo inglese sarà pubblicata per i tipi della Libreria editrice di Milano con la sua ormai nota traduzione, allora apprezzata soprattutto per la fedeltà al testo inglese (come attesta, ad esempio, la recensione del quotidiano romano *Fanfulla*, 13 luglio 1873, *Biblioteca di Fanfulla*); sulla sua figura si consulti *DRN*, vol. IV, *ad vocem*, la scheda in F. DELLA PERUTA, *I democratici dalla Restaurazione all'Unità*, in *Bibliografia dell'età del Risorgimento in onore di Alberto Maria Ghisalberti*, vol. I, Firenze, Olschki, 1971, p. 339, e *Carlo Rusconi. Un protagonista della Repubblica romana. Atti del Convegno di studi. Pisa, 22 maggio 1993*, Pisa, Edizioni Offset grafica, 1995.

[29] ACS, *M.P.I., Dir. gen. AA.BB.AA., Arte drammatica e musicale*, b. 1, f. 1, il ministro della Pubblica Istruzione a Felice Romani, 22 marzo 1861. Giorgini, laureato in legge, insegnante di diritto criminale prima all'Università di Pisa e poi a quella di Siena, aveva collaborato con Montanelli, nel 1848, nella redazione del giornale patriottico *L'Italia* e aveva combattuto a Curtarone e a Montanara. Non condividendo la politica del triumvirato Guerrazzi, Montanelli, Mazzoni, fu rimosso dalla sua cattedra, ma tornò ad insegnare dopo la restaurazione del governo lorenese. Nel 1860 era stato l'oratore della commissione che aveva portato al re il risultato del plebiscito toscano. Sempre fedele alla Destra, la sua attività parlamentare fu attivissima; alla Camera pronunciò numerosi discorsi su questioni giuridiche, sull'istruzione, sulla cultura. Divenne anche collaboratore della *Nazione*, scrisse versi in italiano e latino e l'introduzione del famoso *Novo Vocabolario della lingua italiana*, alla cui compilazione diede il proprio contributo, promosso dal ministro della Pubblica Istruzione Emilio Broglio e da Alessandro Manzoni, che era suo suocero (per altri particolari, *DRN*, vol. III, *ad vocem*).

[30] ACS, *M.P.I., Dir. gen. AA.BB.AA., Arte drammatica e musicale*, b. 1, f. 1, il ministro della Pubblica Istruzione a Felice Romani, 22 giugno 1861.

poi addirittura in dubbio la reale competenza del comitato e le sue risorse intellettuali, di cui «ci diè tai meschine prove pel passato»: l'unico giudice – affermava il quotidiano torinese – rimaneva in sostanza Felice Romani; gli altri membri erano stati pressoché latitanti.[31] E, a proposito di latitanza, osserviamo che essa avrebbe costituito una costante anche negli anni successivi e per motivi comprensibili; la carica era puramente onoraria, quindi non prevedeva compensi; inoltre i componenti della giuria erano generalmente uomini molto impegnati nelle loro abituali attività ed era loro difficile sostenere con regolarità il peso della lettura degli innumerevoli copioni presentati e della partecipazione sia alle relative rappresentazioni sceniche, sia alle riunioni di commissione.[32]

Ad ogni modo, come veniva notato nel rapporto del 1860, i commissari non avevano riscontrato nelle opere in concorso «quei rilevanti pregi che manifestino un grande progresso dell'arte»: e tuttavia, «avuto riguardo alle non felici condizioni del teatro italiano», avevano deciso di «temperare la severità della critica» premiando *Marcellina* di Leopoldo Marenco, giudicata vacua nei contenuti ma vivace nello stile,[33] *Il libro dei ricordi* di David Chiossone, commedia talvolta poco plausibile e prolissa ma edificante e non priva di naturalezza,[34] e *Gli spostati* di Felice Uda. Quest'ultimo dramma – si legge nella relazione – aveva il merito di puntare l'attenzione su «una terribile piaga dell'odierna società», e cioè «quello scontentamento del proprio stato che affligge gli uomini e li spinge in traccia di ignoto o impossibile miglioramento».[35]

Così, anche nel concorso dell'anno successivo, quello del 1861, nessuno dei nuovi lavori presentati al Carignano aveva particolarmente soddisfatto la commissione appena eletta, che si era comunque risolta a seguire un criterio di giudizio comparativo anziché assoluto, anche in considerazione della straordinaria contingenza politica, in cui l'attenzione di tutti era senz'altro assorbita più dalla

[31] *L'Opinione*, 20 agosto 1860, *Appendice. Rivista drammatica. Il concorso drammatico*.
[32] Scriveva ancora *L'Opinione* dell'11 aprile 1864 (*Appendice. Rivista drammatica*) che la «stranezza dei giudizi» che aveva dato e avrebbe dato la commissione del concorso drammatico era «pienamente giustificata da questa non meno strana circostanza dell'essere essa composta di tali, che per ufficio o per ragioni private stanno la maggior parte dell'anno fuori Torino, e di altri che, pur essendo qui, ben rare volte onorano di loro presenza la rappresentazione dei lavori».
[33] «Una tal quale novità di genere, una lodevole vivacità di stile e non poche bellezze d'immagini e di verso, fanno dimenticare il vuoto della Favola, la soverchia semplicità dell'ordito e la stravaganza dello scioglimento» (ACS, *M.P.I.*, *Dir. gen. AA.BB.AA.*, *Arte drammatica e musicale*, b. 1, f. 1, la commissione al ministro della Pubblica Istruzione, 23 giugno 1860).
[34] «La moralità dello scopo, la regolarità dell'azione, il naturale procedere del dialogo» facevano perdonare «il difetto d'invenzione, la prolissità di parecchie scene, l'uniformità di alcune situazioni» (*ibidem*).
[35] Anche l'opera di Uda non mancava comunque di difetti: «molta esagerazione di caratteri e di passioni e quel cotale filosofismo che imitato dagli stranieri invade oggi giorno il campo dell'italiana letteratura» (*ibidem*).

stampa e dai dibattiti parlamentari che dalla bella letteratura, «elemento principalissimo della italiana nazionalità».[36]

Quell'anno il primo premio toccò alla tragedia di Ippolito D'Aste *Spartaco*, gradita anche per il merito di riuscire «non pure a dilettare e a commuovere, ma altresì ad istruire e ad educare».[37] Gli altri due premi furono assegnati al dramma storico di Gaetano Gattinelli *La caduta di una dinastia*, tratto da un episodio della Rivoluzione inglese del 1687 – lavoro assai disorganico e mal costruito ma apprezzabile per il «colore storico e locale abilmente ritratto» e per i mezzi scenici felicemente impiegati –, e la commedia di Achille Torelli *Dopo morto*, che si segnalava per vivacità e naturalezza, nonché per la giovane età dell'autore.[38]

Nel 1862 il concorso non ebbe vincitori. Fra le 37 nuove rappresentazioni dell'anno, nessuna aveva persuaso fino in fondo la commissione, la quale propose ed ottenne che il premio di 3.000 lire fosse cumulato a quello dell'anno successivo. La relazione al ministro era firmata solo da tre componenti: dal deputato Antonio Ranieri,[39] che nel frattempo aveva sostituito Rusconi, da Angelo Brofferio e dal presidente Felice Romani, il quale non mancò di segnalare che non si era potuto fare alcun assegnamento su altri due membri, Caracciolo, sempre occupato all'estero, e Giorgini, il quale, benché non avesse mai espressamente rinunciato all'incarico, tuttavia non era mai intervenuto né alle riunioni né alle rappresentazioni.[40] Sembra che la decisione della commissione dipendesse dal fatto che fino a quel momento i premi erano stati concessi, come già ricordato, a titolo di incoraggiamento più che per merito assoluto e che il ministro avesse invece consigliato una maggiore severità.[41] Si meditava inoltre una riforma del concorso stesso, ma il segretario generale del ministero, allora Francesco Brioschi, aveva consigliato di attendere: essa doveva essere studiata sulla base dell'esito dei lavori di un'altra commissione, quella insediata dal ministero dell'Interno, che si stava contemporaneamente occupando della riorganizzazione della censura e del «miglioramento dell'arte drammatica».[42]

---

[36] *Ivi*, la commissione drammatica al ministro della Pubblica Istruzione, 2 giugno 1861.

[37] *Ivi*, la commissione drammatica al ministro della Pubblica Istruzione, 15 agosto 1861.

[38] *Ibidem*.

[39] Napoletano, patriota, letterato amico di Leopardi, autore di romanzi e di opere storiche. Nel 1860 fece parte del Comitato dell'Ordine, vicino al Partito d'Azione. Insegnante di filosofia della storia all'Università di Napoli, presiedette la Società di Scienze, lettere e belle arti di quella città. Fu deputato dal 1861 al 1882, quindi venne nominato senatore. Per altre notizie si rimanda, oltre che alla voce relativa in *DRN*, vol. IV, all'introduzione di GIULIO CATTANEO ad ANTONIO RANIERI, *Sette anni di sodalizio con Giacomo Leopardi*, Milano, Garzanti, 1979.

[40] ACS, *M.P.I., Dir. gen. AA.BB.AA., Arte drammatica e musicale*, b. 1, f. 1, la commissione drammatica al ministro della Pubblica Istruzione, 18 dicembre 1862.

[41] *Ivi, Carignano* cit.

[42] *Ivi*, Brioschi a Felice Romani, 25 gennaio 1862.

La necessità di apportare alcune modifiche alle norme e alle modalità del concorso era forse dettata dalle numerose critiche che provenivano dalla stampa e dagli stessi autori drammatici. In una istanza al ministro, per esempio, il commediografo genovese Giuseppe Bianchi aveva fatto osservare che le clausole erano estremamente restrittive. Di fatto esse riducevano il numero dei concorrenti ai pochi che, abitando nella capitale e trovandosi in stretti rapporti con i capocomici, avevano la possibilità di rappresentare i propri lavori al Carignano; moltissimi ne venivano esclusi, magari pur mietendo successi sulle scene di altri teatri italiani. Infine la rappresentazione stessa spesso non era, ai fini del concorso, che un'operazione superflua, visto che i commissari finivano per maturare le proprie valutazioni attraverso ripetute letture dei copioni «nel silenzio del loro gabinetto».[43]

Si verificò poi in quel periodo, all'interno della commissione giudicatrice, il nuovo rimpasto tanto caldeggiato dai suoi membri effettivi: al posto di Caracciolo, nominato ministro plenipotenziario a Costantinopoli, e di Giorgini, che rinunciò formalmente all'incarico, vennero suggeriti i nomi di Celestino Bianchi e del giovane Antonio Pavan, allora funzionario presso il ministero delle Finanze.[44]

La figura di Celestino Bianchi, già più volte citato, merita di essere descritta più diffusamente per il ruolo cardinale che egli svolse, nel periodo della Destra ma anche in seguito, nella politica governativa per il teatro. Fiorentino, esordì come giornalista e scrittore, poi divenne autorevole uomo politico, vicinissimo, come si è detto, a Ricasoli, di cui fu considerato «la potente e discretissima 'eminenza grigia'»,[45] anche se, nel 1876, fu uno dei deputati toscani che votarono contro il ministero Minghetti. Nel periodo preunitario Bianchi si era distinto per una vivacissima attività in campo giornalistico ed editoriale, che svolse tra mille difficoltà e vicissitudini. Era stato, tra il luglio del 1847 e il novembre del 1848, uno dei più assidui e vivaci collaboratori e poi condirettore del giornale *La Patria* e, quando questo era stato soppresso, aveva fondato *Il Nazio-*

---

[43] *Ivi*, istanza di Giuseppe Bianchi al ministro della Pubblica Istruzione, 30 novembre 1861.

[44] *Ivi*, Felice Romani al ministro della Pubblica Istruzione, 25 gennaio 1863. Pavan accettò nonostante «la gravezza dell'incarico, in questi tempi che corrono sì poco propizi alle discipline letterarie» (*ivi*, Pavan al ministro della Pubblica Istruzione, 13 febbraio 1863). Letterato veneto, in gioventù aveva composto poesie giocose in dialetto; patriota, aveva preso parte ai moti liberali del 1848-1849 nel Veneto, quindi era andato in esilio a Genova, dove aveva conosciuto Terenzio Mamiani. Dopo la proclamazione del Regno era entrato come funzionario prima nel ministero della Pubblica Istruzione e poi in quello delle Finanze, continuando tuttavia a coltivare gli studi di estetica e di belle arti (ANGELO DE GUBERNATIS, *Dizionario biografico degli scrittori contemporanei*, Firenze, Le Monnier, 1879, p. 798).

[45] Si veda MICHELE RISOLO, *Celestino Bianchi, giornalista principe*, in *Rassegna Storica toscana*, luglio-dicembre 1972, pp. 161-181.

nale facendone un giornale autorevole, «agile, ardito e informato»;[46] anch'esso dovette interrompere le pubblicazioni il 18 maggio 1849, all'irruzione degli austriaci. Bianchi, tenace, tre giorni dopo fondò *L'Avvenire*, il quale peraltro, benché più cauto, fu costretto a sospendere la stampa nel luglio dello stesso anno; allora Bianchi resuscitò *Il Nazionale*, che subì pressioni e minacce, fu più volte sospeso e definitivamente soppresso nell'ottobre 1850.[47] Il giornalista fiorentino si dedicò allora alla storia, compilando testi scolastici, alla letteratura e al teatro, di cui era appassionatissimo: non a caso a Firenze fu tra i più validi sostenitori del Ginnasio drammatico e della Società d'incoraggiamento all'arte teatrale. Nel 1855 fondò *Lo Spettatore*, giornale di critica letteraria e teatrale, al quale collaborarono molti nomi poi famosi, quali Ruggiero Bonghi, che vi pubblicò le *Lettere critiche*, ovvero il celebre saggio *Perché la letteratura italiana non sia popolare in Italia*, e Pietro Coccoluto Ferrigni, che diverrà presto uno dei più prestigiosi giornalisti teatrali dell'Italia postunitaria. Bianchi si distinse per una critica che ora si direbbe "impegnata", nutrita com'era degli ideali comuni agli uomini della sua generazione, e che per di più era divenuta, data l'interdizione da un'aperta militanza politica, un efficace ripiego.[48] Così la riflessione letteraria finiva per coincidere con quella sulla identità culturale nazionale e, in definitiva, sul progetto di emancipazione politica.[49] Nel marzo del 1859 Bianchi diede alle stampe l'esplosivo opuscolo *Toscana e Austria* e assistette, nell'ufficio di Ricasoli, alla fondazione della *Nazione*; fu nominato segretario generale del governo provvisorio toscano, quindi partì in missione diplomatica

---

[46] *Ibidem.*

[47] Secondo Risolo (*ibidem*) i giornali di Bianchi «preludono alla grande stampa dei decenni venturi» e attestano l'estrema versatilità del loro animatore, ma anche la sua tempra autenticamente liberale. Su Bianchi si veda la voce di SERGIO CAMERANI in *DBI*, vol. X, pp. 73-75.

[48] Si leggano a questo proposito le parole di FERDINANDO MARTINI nel suo libro *Confessioni e ricordi. 1859-1892*, Milano, Treves, 1928 (prima ed. Firenze, Bemporad, 1922), p. 19: Bianchi, negli anni della restaurazione, «s'era dato su per i fogli letterari [...] a pronosticare e a promettere imminente la fioritura del nostro teatro drammatico: non tanto perché ci credesse, quanto perché ciò gli dava lecito modo di stampare due aggettivi *italiano* e *nazionale*, i quali a niun altro sostantivo la censura avrebbe sofferto si applicassero».

[49] Per citare le parole di Trevisani (*Relazione storica sulle condizioni della letteratura drammatica italiana nell'ultimo ventennio* cit., p. 188), Bianchi «sapeva da un'apparenza tutta letteraria tirar fuori il sentimento politico; guardando fissamente l'arte drammatica come lo strumento più potente del progresso sociale». E basti riportare, a conferma di questa tesi, un passo di uno degli articoli dedicati da Bianchi, negli anni preunitari, al teatro di prosa italiano: «Pensate a quanta gente il teatro tien luogo di lettura, e sia unico modo di educazione intellettuale e morale, e arguitene se non sia d'immensa rilevanza il rappresentarvi e correggervi i patrii costumi, farvi campeggiare idee sane e nobili espresse chiaramente ed elegantemente nella lingua patria; solo tesoro che insieme coll'indipendenza del pensiero possono serbare le nazioni decadute, solo segnale a cui riconoscersi e salvarsi dalla dispersione, solo vincolo col quale ricollegarsi e risorgere» (*Lo Scaramuccia*, 17 febbraio 1854, *Idee generali sul teatro drammatico in Italia*).

a Torino, presso Cavour che nutriva per lui grande stima. Nonostante l'impegno parlamentare, non cessò di scrivere per *La Nazione*, di cui assunse la direzione nel 1871. Di teatro si occuperà assiduamente, come si avrà modo di leggere, anche in qualità di uomo politico.

Poco prima dell'ingresso nella giuria torinese di Bianchi e Pavan, in base alle disposizioni di un decreto del 28 dicembre 1862, il concorso del 1863 era stato impostato su criteri di giudizio più rigorosi. Come in precedenza altri, anche il ministro della Pubblica Istruzione allora in carica, Michele Amari, nella sua relazione al Consiglio dei ministri aveva posto la ricorrente obiezione: fino a quel momento i premi erano stati conferiti alle opere giudicate migliori non tanto per merito intrinseco, ma comparativamente alle altre in concorso, per cui «l'incoraggiamento dato dal Governo all'arte drammatica mutavasi quasi in un atto di beneficenza agli scrittori teatrali».[50]

Si prospettavano inoltre ulteriori innovazioni. La commissione, in effetti, fu costretta a chiedere al ministro, per «allargare alquanto l'opportunità dei suoi giudizi», la facoltà di poter considerare l'anno 1863 estensibile alla notoriamente ricca stagione di Carnevale, che si concludeva il 9 febbraio 1864, e di ammettere al concorso anche le opere rappresentate negli altri teatri torinesi. Col passare degli anni – venne fatto notare – erano andate mutando le peculiarità del concorso. Esso, in origine, era stato istituito per la sola Compagnia Reale sarda, della quale il teatro Carignano era palcoscenico quasi esclusivo. Scioltasi la Compagnia, erano state chiamate a partecipare tutte quelle che avessero recitato al Carignano. Nel frattempo però era aumentato il numero delle sale torinesi e molte compagnie, anche di primo livello, avevano finito per trascurare il Carignano e calcare scene più consone «al numeroso e popolare uditorio», dove le spese erano spesso più contenute e i guadagni senz'altro più sicuri. Così la commissione aveva dovuto esaminare «una lista di produzioni fra cui non era certamente né largo né vario il numero delle elette».[51] In base a queste considerazioni, venne fatto osservare che i progressi della letteratura drammatica non si potevano argomentare da quell'esiguo numero di opere. Per questo la commissione propose al ministro di estendere, sebbene tardivamente, il concorso del Carignano a tutti i teatri della capitale, tanto più che Righetti si era già dichiarato d'accordo.[52] Più tardi i commissari rinnovarono la loro propo-

---

[50] ACS, *M.P.I.*, *Dir. gen. AA.BB.AA.*, *Arte drammatica e musicale*, b. 1, f. 1, il ministro della Pubblica Istruzione al Consiglio dei ministri, 28 gennaio 1863.

[51] *Ivi*, Brofferio, Bianchi e Pavan al ministro della Pubblica Istruzione, 25 maggio 1864.

[52] Si legga la sua lettera alla commissione, *ivi*, 4 marzo 1864, in cui lo stesso Righetti ammetteva che una tale decisione era dettata dalle «circostanze presenti dei nostri teatri, per le quali non è più consentito a uno solo di essi conservare la esclusività del detto concorso» e confessava che avrebbe così avuto termine «un ingrato malinteso»: forse «per difetto» del decreto che aveva istituito i premi, forse perché i giudici, nell'interpretarlo, erano stati «troppo mutevoli o troppo severi», fatto sta che quei premi erano stati «perpetuo motivo di imbarazzo» per lui, «di lagnanza» per gli autori e di «delusione per tutti».

sta, segnalando che due delle migliori compagnie italiane stavano per giungere a Torino per un programma di recite che però dovevano essere date al teatro Alfieri e al Gerbino.[53]

Anche per quell'anno la scelta delle opere migliori fu ardua, ma, dopo lunghe discussioni, la commissione fu del parere «che non fosse né decoroso, né conveniente per l'arte, il dichiarare per la seconda volta in faccia all'Italia, che nessuna produzione drammatica fosse degna di premiazione».[54] Così il primo premio fu assegnato a *La donna e lo scettico* di Paolo Ferrari, il secondo a *La figlia unica* di Teobaldo Ciconi, il terzo a *I martiri* di Ippolito D'Aste.[55] Si propose inoltre che la somma complessiva a disposizione – 6.000 lire – fosse divisa in «varie somme graduali» e assegnata «per merito comparativo» anche a quelle produzioni che meglio avevano corrisposto «alle volute condizioni dell'arte»: in questo modo si sarebbero premiate anche *La fasma* di Francesco Dall'Ongaro, *La dote* di Valentino Carrera, *Gli animali parlanti* di Benedetto Prado, *L'ultima delle code* di Giovanni Sabbatini.[56] La risposta del ministro fu, in questo caso, recisamente negativa: il decreto del 28 dicembre 1862 parlava chiaro, non si poteva ridurre un premio da distribuirsi a tre opere per merito assoluto a una sorta di molteplici «elargizioni d'incoraggiamento».[57] Fu invece accolta l'istanza di estendere il concorso governativo a tutti i teatri di Torino, con R. D. del 6 settembre 1864. Contemporaneamente fu deciso un altro rimpasto all'interno della commissione, con la nomina del friulano Prospero Antonini – patriota, storico e futuro senatore del Regno – e di Felice Scifoni, romano, ma da tempo esule prima a Firenze, poi in Francia, quindi in Piemonte, studioso, autore di

[53] *Ivi*, la commissione drammatica al ministro della Pubblica Istruzione, 21 agosto 1864.

[54] *Ivi*, Brofferio, Bianchi e Pavan al ministro della Pubblica Istruzione, 25 maggio 1864 cit.

[55] La commissione non stese in quella occasione alcun rapporto, cosa di cui si lamentò prontamente la stampa (per esempio *L'Opinione*, 19 luglio 1864, *Appendice. Rivista drammatica*).

[56] ACS, *M.P.I.*, *Dir. gen. AA.BB.AA.*, *Arte drammatica e musicale*, b. 1, f. 1, Brofferio, Bianchi e Pavan al ministro della Pubblica Istruzione, 25 maggio 1864 cit.

[57] *Ivi*, il ministro della Pubblica Istruzione a Ranieri, 6 luglio 1864. Ranieri era stato quello che più di tutti aveva caldeggiato la soluzione dell'incoraggiamento; in una sua lettera confidenziale al ministro (*ivi*, 4 luglio 1864) egli aveva fatto presenti l'imbarazzo e le difficoltà in cui i commissari si erano trovati a lavorare nello sforzo di trovare un lavoro decente a cui attribuire il premio senza dubbi e titubanze: con il sistema dell'incoraggiamento, invece, «sarebbe salva l'*Arte*, perché non si concederebbe *premio assoluto* a chi non ha saputo far nulla di veramente accettevole. E si eviterebbero molti lamenti, perché molti *mediocri* avrebbero pur qualche propino come *incoraggiamento a ben fare*, non come *premio del ben fatto*». Due giorni dopo, in una seconda lettera al ministro (*ivi*, 6 luglio 1864), Ranieri avrebbe ribadito il suo giudizio, decisamente pesante, sul concorso, concludendo amaramente: «Sciocchezze simili a tutto quello che si è fatto, *premiato* o *non premiato*, credo che mai l'Italia nostra abbia partorito o sia per partorire!».

tragedie e romanzi, mazziniano e convinto repubblicano anche negli anni postunitari.[58]

Fu quest'ultima commissione a giudicare le trentadue commedie rappresentate a Torino nel corso della stagione 1864-65,[59] secondo criteri che Celestino Bianchi formulò sinteticamente così: «le regole drammatiche e le esigenze della pubblica moralità».[60] Come risulta da un interessante verbale della riunione tenutasi in casa Pavan il 6 maggio 1865, la discussione mise il luce profonde divergenze di giudizio fra i vari commissari, che mi sembra utile illustrare.[61]

Brofferio dichiarò all'inizio della seduta che la migliore rappresentazione alla quale aveva assistito era stata quella della commedia scritta in dialetto piemontese, *Compare Bonomi*: vi trovava «ottima la condotta, facile il dialogo, naturale lo scioglimento» e «abilissimamente sostenuta» l'allusione ai recenti fatti accaduti a Torino. Suggeriva dunque di premiarla, anche se – teneva a precisare – per i suoi meriti intrinseci e non per ragioni politiche. La proposta di Brofferio non trovò consensi: secondo una rigorosa interpretazione del decreto di istituzione del concorso, i lavori dovevano rispettare la condizione di essere scritti in lingua italiana e la legge stessa, del resto, era informata dal presupposto fondamentale di stimolare e promuovere il miglioramento del teatro italiano. A questo proposito Scifoni osservò che era però un vero peccato non poter prendere in considerazione le commedie in dialetto piemontese, che avevano ottenuto un grande successo di pubblico e rimanevano encomiabili per «l'alto scopo morale» e per «la semplicità e la naturalezza del dialogo». Bianchi, da parte sua, fu categorico: egli, addirittura, avrebbe voluto vedere a poco a poco sparire persino la memoria dei dialetti, affinché si radicasse «la lingua unica di tutta Italia»; a suo avviso la commedia piemontese era tanto più pericolosa e nociva, quanto

---

[58] *Ivi*, il ministro della Pubblica Istruzione a Felice Romani, 22 gennaio 1865; *ivi*, Pavan a Bianchi, 23 dicembre 1864. Erano stati proposti anche i nomi di Pietro Stefano Zecchini, genero dell'editore torinese Giuseppe Pomba, e del prof. Vincenzo Scarpa. Accettarono volentieri l'incarico sia Antonini che Scifoni, il quale dichiarò: «Per quanto mi consentano le mie deboli forze, mi studierò di adoperarmi in servizio di una istituzione, che può riuscire di tanto profitto al Teatro italiano non nulla che alla moralità e civiltà della Patria comune» (*ivi*, Felice Scifoni al ministro della Pubblica Istruzione, 25 gennaio 1865; si veda anche, *ivi*, Prospero Antonini al ministro della Pubblica Istruzione, 25 gennaio 1865). Su Antonini si legga in *DBI*, vol. III, pp. 522-523, la voce di GIOVANNI COMELLI; su Scifoni si consulti *DRN*, vol. IV, *ad vocem*.

[59] Un elenco si trova in ACS, *M.P.I.*, *Dir. gen. AA.BB.AA.*, *Arte drammatica e musicale*, b. 1, f. 1. I lavori erano stati proposti dalle compagnie di Luigi Bellotti Bon, Alamanno Morelli, Gaspare Pieri ed Ernesto Rossi.

[60] *Ivi*, Bianchi al prof. Antonio Buonfiglio, 8 marzo 1865. Buonfiglio, professore di letteratura italiana al liceo di Novi, aveva richiesto il programma del concorso governativo.

[61] *Ivi*, *Atto verbale della tornata 6 maggio 1865 tenuta dal Comitato letterario pel Concorso delle produzioni drammatiche aspiranti al premio nell'anno 1864-1865*. Si veda anche, *ivi*, il Comitato letterario pel concorso delle produzioni drammatiche al ministro della Pubblica Istruzione, 14 giugno 1865.

più favore suscitava. Pavan, a sua volta, aggiunse che le commedie in dialetto erano comunque destinate ad essere comprese e gustate da un pubblico limitato ai confini di una provincia. La replica di Brofferio fu altrettanto decisa: nelle produzioni drammatiche si doveva tenere conto innanzitutto dello sviluppo e delle finalità, mentre la lingua non era altro che un accessorio, quindi un aspetto del tutto secondario. Inoltre l'istituzione dei premi governativi non era italiana, bensì piemontese; altre città della penisola avevano stabilito speciali concorsi. Per questo egli proponeva che fossero almeno menzionate nel rapporto le commedie *Compare Bonomi* e *Le miserie di mônssù Travet* di Vittorio Bersezio. Bianchi si oppose anche a questa semplice menzione.

Venendo ai voti, ottennero i maggiori consensi la commedia di Tommaso Gherardi del Testa *Il vero blasone*, quella di Giuseppe Costetti *Il figlio di famiglia* e *Un vizio di famiglia* di Achille Montignani. Il lavoro di Gherardi del Testa aveva acceso gli entusiasmi di tutte le platee italiane, con ben 120 repliche a partire dal maggio 1863 e nei primi tre atti poteva definirsi, secondo la valutazione della commissione, la commedia perfetta. Non si entrava nel merito delle altre opere, ma veniva ricordato il nome di Luigi Bellotti Bon, il direttore di compagnia più «accurato», che dal 1859 aveva fatto scrivere ed acquistare un centinaio di commedie originali italiane degli autori più meritevoli, svolgendo in questo modo una preziosa azione di promozione.

Questo del 1865 è l'ultimo rapporto della commissione del concorso governativo torinese. Nello stesso anno moriva Felice Romani. In seguito di questo concorso a premi, che aveva avuto un'eco solo sulla stampa locale, non si hanno più notizie. Con il trasferimento della capitale a Firenze, acquistò un'importanza ben maggiore, come era facilmente prevedibile, il concorso drammatico istituito nel capoluogo toscano. Si fa fatica a considerare quello torinese un concorso nazionale, innanzitutto perché ereditato dal Regno di Sardegna, inoltre perché limitato prima al solo Carignano e poi agli altri teatri torinesi: e tuttavia si intuisce l'intento di preservarlo dal rischio di un riduttivo e paludato municipalismo – sia chiamando in commissione uomini originari di varie provincie della penisola, sia coltivando l'ambizione di stimolare in qualche modo, nei contenuti e nella veste linguistica, un teatro "italiano". La scelta dei commissari era caduta, come abbiamo visto, in parte su uomini di lettere e in parte su uomini politici, quasi tutti parecchio pessimisti sullo stato della contemporanea letteratura drammatica italiana; ma un ruolo assolutamente preminente avevano ricoperto Felice Romani,[62] Angelo Brofferio e, dal 1862, Celestino Bianchi – uomo assai vicino agli ambienti governativi. I tre potevano senz'altro essere annoverati tra i più noti e autorevoli critici teatrali della penisola. Non si

---

[62] Come affermava FRANCESCO REGLI nel suo *Dizionario biografico dei più celebri poeti e artisti melodrammatici. 1800-1860*, Torino, Arnaldo Forni, 1860, p. 457, dalla commissione del concorso torinese «dovrebbero bandirsi le raccomandazioni e le cabale per ascoltare la sola sua voce».

registrano, ad ogni modo, posizioni divergenti o dissensi rispetto a quella che emerge senza sfumature di rilievo come la preminente concezione nutrita dalla giuria governativa a proposito del teatro: il teatro migliore era quello edificante, pedagogico, «nazionale», vale a dire invulnerabile alle nefande influenze di quello d'oltralpe, e, nello stile, votato alla naturalezza, alla verosimiglianza e al culto della corretta lingua italiana; se pure qualche voce si alzò a difendere e a rivendicare la maggiore fruibilità del teatro dialettale, essa rimase, come si è visto, isolata.

3. Il Concorso drammatico di Firenze

«Mi permetta la S. V. illustrissima di manifestarle il mio profondo rammarico, per la poca solerzia che mostra il Governo nell'adoperare i mezzi che sono a sua disposizione a vantaggio dell'arte drammatica. La Società d'incoraggiamento nulla ha ottenuto e nulla ottenne dal Governo e gravi e profondi sono i suoi mali, e più volte e sempre indarno lamentati. I concorsi drammatici vengono affatto obliati; già corse l'anno 1861-62 senza che ad essi fosse provveduto; quasi metà dell'anno 1862-63 si è compiuto e il Governo non ha ancora dichiarato se intenda o no aprire i concorsi stessi».[63]

Quella appena richiamata è una delle istanze della Società d'incoraggiamento all'arte teatrale di Firenze, firmata dal suo presidente Piero Puccioni, allora direttore del giornale fiorentino *La Nazione*. Dopo gli anni difficili del periodo preunitario, la Società, che, come più diffusamente si dirà, gestiva una scuola di declamazione,[64] aveva ottenuto in un primo tempo dal governo toscano, con il R.D. del 15 marzo 1860, la facoltà di istituire un concorso drammatico e la somma di 3.000 lire a questo fine, per due premi rispettivamente di 2.000 e di 1.000 lire. Tuttavia un decreto successivo, quello del 7 luglio 1860, precisò ulteriormente i termini del concorso, di fatto modificandoli: solo il premio di 1.000 lire fu messo per quell'anno a disposizione della Società. Il concorso fu immediatamente bandito, vi parteciparono numerosi autori, ma solo 13 opere furono ammesse, per essere recitate dagli alunni della scuola di recitazione annessa; una giuria composta da Atto Vannucci, dal maestro Pietro Romani, dall'ispettore dell'Accademia di Belle Arti fiorentina Jacopo Cavallucci, da Carlo Lorenzini e da Piero Puccioni assegnò il premio all'opera di Luigi Suner *I legit-*

---

[63] ACS, *M.P.I.*, *Dir. gen. AA.BB.AA.*, *Arte drammatica e musicale*, b. 1, f. 2, la Società d'incoraggiamento all'arte teatrale al direttore della segreteria della Pubblica Istruzione, 16 luglio 1862.

[64] Molti suoi allievi avevano abbracciato la carriera di attori e figuravano in compagnie famose (*ivi*, la Società di incoraggiamento all'arte teatrale al ministro della Pubblica Istruzione, 4 giugno 1862).

timisti.[65] Invece il premio di 2.000 lire venne riservato al migliore dei lavori messi in scena nei teatri pubblici fiorentini e il suo conferimento fu affidato ad un'altra commissione, nominata dal governatore della Toscana, della quale facevano parte uomini vicinissimi a Ricasoli: Celestino Bianchi, lo stesso Piero Puccioni, Emilio Frullani e il commediografo Francesco Dall'Ongaro.

Fu questa stessa commissione a porre le basi del concorso governativo, che non erano ancora state dettagliatamente definite, decidendo di aprirlo ad opere nuove per Firenze ma non necessariamente inedite e di ammettervi tragedie, drammi e commedie, compresa la commedia popolare o in maschera «purché conferisse all'educazione del popolo»; ne escluse invece i lavori che contassero meno di tre atti.[66] Anche in questo caso il concorso per il primo anno giunse in porto. I manoscritti inviati furono solo tre, dei quali fu esclusa la tragedia, rappresentata solo a Torino, *Bianca Cappello* di Dall'Ongaro, che si era dimesso dalla giuria perché figurava tra i concorrenti. Le altre due opere – il dramma *Marinella* di Giuseppe Pieri e la commedia di Tommaso Gherardi del Testa *Egoismo e buon cuore* – furono giudicate mediocri. Al successo di quella di Pieri, messa in scena durante l'estate all'Arena Goldoni, aveva contribuito il pubblico popolare che l'aveva applaudita: era quel genere di spettatori – si legge nella relazione sugli esiti del concorso – dal gusto «più corrotto dalle malefiche importazioni di drammi stranieri», portato ad apprezzare, più che le raffinatezze dell'arte scenica, «le strane aberrazioni degli scrittori e degli attori», le tinte forti, i facili effetti. *Marinella* assecondava questa preferenza e risentiva dei «vizi comuni ai Drammi modellati sulla falsa scuola francese»: personaggi inverosimili, versi intessuti di luoghi comuni, stile sciatto. Quanto all'opera di Gherardi del Testa, si trattava di una «commedia di carattere» – un genere nuovo per l'autore, specializzato nella commedia «di costumi» – pregevole solo sul piano stilistico, ma per il resto estremamente modesta: la bellezza della trama, in particolare, era compromessa da un «abuso di catastrofi», da una «tenerezza alquanto finta», dalla ricerca di «*effetti di scena*» quanto mai discutibili, a parere della giuria, se «accattati da circostanze accidentali». Infine si decise di assegnare a Gherardi Del Testa solo un premio di 1.000 lire a titolo di incoraggiamento.

Dopo questo primo esperimento, i decreti del governo toscano relativi ai concorsi drammatici furono ignorati. Da qui le proteste al ministero della Pubblica Istruzione, nuovo responsabile in materia, della Società d'incoraggiamento all'arte teatrale. Come attestano le parole di una sua relazione, la Società fiorentina sembrava consapevole dei limiti evidenti presenti nel programma origi-

[65] *Ibidem.*
[66] *Ivi*, rapporto al ministro della Pubblica Istruzione di Torino della commissione nominata dal Governatore generale della Toscana, 1° maggio 1861; si legga *ivi* anche il risultato del concorso del 1860.

nario del concorso: innanzitutto la clausola per la quale le produzioni drammatiche dovessero essere selezionate dalle compagnie prima ancora che dalla commissione giudicatrice e, in secondo luogo, la mancata distinzione tra i tre principali generi della letteratura del teatro di prosa – la tragedia, il dramma, la commedia – che rendeva assai arduo e imperfetto il giudizio comparativo. E tuttavia, secondo Puccioni, il concorso doveva ad ogni costo essere avviato: era indiscutibile l'esigenza di cogliere qualsiasi occasione per ridestare «negli Italiani il vero gusto dell'arte drammatica [...] dacché fin qui per uggia di sospettose tirannidi, per mancanza di utili intendimenti, per varia mania di fogge straniere, e infine per le voglie guaste e divise il buon teatro fosse tra noi presso a smarrirsi».[67] Per questo la Società diretta da Puccioni richiamava il governo al rispetto degli impegni assunti.[68]

La risposta dell'esecutivo a tale istanza fu positiva. Con decreto del 20 gennaio 1863 i concorsi furono nuovamente banditi; il ministero chiamò a giudicare le opere una commissione apposita, denominata Giunta drammatica governativa, composta da Emilio Frullani presidente,[69] Atto Vannucci,[70] Piero Puccioni, Antonio Ghivizzani, Pietro Romani e Zanobi Bicchierai consiglieri ed

[67] *Ivi*, la Società d'incoraggiamento all'arte teatrale al ministro della Pubblica Istruzione, 4 giugno 1862 cit.

[68] Essa aveva discusso e messo a fuoco i princìpi a cui si sarebbe attenuta nelle sue scelte: per quanto riguardava la tragedia, uno sguardo costante al passato e alle «splendide tradizioni del gusto antico italiano», con la certezza però che la tragedia moderna dovesse parlare un linguaggio ben diverso da quella classica, e l'attenzione all'universo etico della civiltà contemporanea, che «ci ispira fin dalla cuna la religione paterna, l'amore del nostro simile, e quello della patria»; anche la commedia avrebbe dovuto guardare alla grande tradizione comica del teatro italiano, al tipo di commedia «d'azione, d'intreccio e di carattere» (*ibidem*).

[69] Emilio Frullani era figlio di Leonardo, accademico della Crusca e ministro delle Finanze nella Toscana granducale. Aveva studiato legge a Pisa, dove aveva conosciuto Giuseppe Giusti e si era appassionato alla poesia (due volumi di sue liriche sarebbero stati pubblicati da Le Monnier nel 1863 e nel 1874). Patriota, prese parte ai moti liberali del '49 e del '59. Deputato all'Assemblea toscana, entrò quindi nel Consiglio comunale fiorentino. Presiedette la giunta drammatica governativa fino al 1877, quando fu colpito dalla malattia che due anni dopo lo avrebbe condotto alla morte (si veda la necrologia che porta la firma di Enrico Saltini in *La Nazione*, 26 ottobre 1879, *Il comm. Emilio Frullani*). De Amicis descrisse Frullani, che era uno dei frequentatori del salotto di Emilia Peruzzi, come un «poeta gentiluomo», «un buon vecchio toscano, in cui pareva che con gli anni fosse rinata una specie di timidezza d'adolescente, che lo faceva parlare a voce sommessa, volgendo intorno gli occhi guardinghi, anche quando parlava di letteratura, come se fosse diventata per lui una merce di contrabbando» (EDMONDO DE AMICIS, *Un salotto fiorentino del secolo scorso*, Firenze, Barbèra, 1902, p. 146).

[70] Intellettuale noto nell'ambiente fiorentino e pistoiese, membro dell'Assemblea toscana, poi senatore, Atto Vannucci è definito da ROBERTO FEDI (nel suo saggio *Cultura letteraria e società civile nell'Italia Unita*, Pisa, Nistri-Lischi, 1984, p. 49) un «neoguelfo» ma «neo-ghibellino politicamente». Storico e filologo, esperto di storia antica e di arte classica, eminente latinista, dal 1859 fu direttore della Biblioteca Magliabechiana, poi docente di

Enrico Saltini segretario.[71] Contemporaneamente venne confermato lo stanziamento annuo della somma di 1.000 lire, a disposizione della Società d'incoraggiamento all'arte teatrale perché premiasse i migliori lavori recitati sulle scene
del teatro annesso alla scuola di recitazione. Da quel momento i concorsi fiorentini furono dunque due: quello più propriamente dipendente dal ministero
della Pubblica Istruzione, di cui ci occuperemo, e quello affidato alla Società
d'incoraggiamento fiorentina, che ebbe a disposizione anche 840 lire elargite
dalla grande attrice e mecenate Adelaide Ristori.

Il concorso governativo poté avviarsi nel 1863. Va qui sottolineato che da
parte del ministero non vennero fornite né allora, né in occasione dei concorsi
attivati negli anni successivi norme, regolamenti, disposizioni, criteri di selezione e di valutazione, indicazioni programmatiche di alcuna sorta. La giunta fiorentina rimase libera di scegliere, o semmai di suggerire le regole del concorso;
soprattutto fu libera di seguire i parametri estetici e i princìpi degli uomini che
la componevano, quasi tutti occupati nella carriera politica o amministrativa
più che letterati di mestiere. Nella ricca documentazione archivistica relativa ai
concorsi drammatici governativi non si è riscontrato alcun indizio o attestato di
raccomandazioni a favore di un autore o di un'opera, né consigli o pressioni, né
manifestazioni di perplessità o disapprovazione di fronte ai giudizi e alle decisioni dei giurati. Neppure si può dire che essi rivestissero un carattere ufficiale:
nelle rassegne teatrali della stessa *Gazzetta Ufficiale del Regno d'Italia*, dove le
relazioni erano pubblicate, si possono leggere recensioni delle medesime opere
in concorso di segno differente se non opposto alle opinioni espresse in merito
dai giurati fiorentini. Dunque, se i rapporti stesi dalla giunta drammatica risultano comunque significativi perché testimonianza del gusto letterario e degli
ideali di una generazione vissuta in anni cruciali, di transizione politica e cultu-

letteratura latina presso l'Istituto di studi superiori di Firenze. Su Vannucci si veda anche
la nota introduttiva alla scelta dei suoi scritti redatta da PIERO TREVES nel suo *Lo studio del-
l'antichità classica nell'Ottocento*, Milano-Napoli, Ricciardi, 1962, pp. 725-738, nonché
GIACOMO ADAMI, *Atto Vannucci maestro di umanità e storico moralista*, Prato, Azienda autonoma di Turismo, 1968, e ANTONIO LA PENNA, *L'editoria fiorentina e la cultura classica*,
in *Editori a Firenze nel secondo Ottocento, Atti del Convegno (13-15 novembre 1981)*, a cura di ILARIA PORCIANI, Firenze, Olschki, 1983, pp. 127-138.

[71] Puccioni, nel '59 commissario del governo provvisorio toscano per le provincie di
Siena e Grosseto, dal '60, come si è anticipato, dirigeva *La Nazione*, ma negli anni precedenti si era occupato di teatro, collaborando, tra l'altro, allo *Scaramuccia* di Lorenzini; uomo della Destra, sarebbe stato eletto deputato nelle successive elezioni del 1865, dedican-
dosi così alla carriera politica (*DRN*, vol. III, *ad vocem*). Il lucchese Ghivizzani, vicino agli
uomini della Sinistra e futuro consigliere di Stato, era, tra l'altro, autore di libretti d'opera,
mentre Bicchierai, patriota toscano, letterato e giornalista, dirigeva allora la Scuola Norma-
le magistrale maschile di Firenze (su entrambi si veda *ivi*, vol. I e III, *ad vocem*). Quanto a
Saltini, si occupava principalmente di storia dell'arte (sue notizie biografiche in A. DE GU-
BERNATIS, *Dizionario biografico degli scrittori contemporanei* cit., pp. 910-911).

rale, della storia italiana, è improprio inferirne le coordinate di un progetto culturale definito elaborato in sede istituzionale.

Al concorso del 1863 vinsero a pari merito il giovane commediografo, e futuro ministro della Pubblica Istruzione, Ferdinando Martini, con *I nuovi ricchi*, e Gherardi del Testa con *Il vero blasone*, che, come già si è detto, era stato il successo dell'anno e avrebbe raccolto entusiastica approvazione anche nella giuria del concorso affine torinese: la commedia di Gherardi del Testa, come si scriveva nel rapporto steso dalla giunta fiorentina, aveva il merito di tracciare una «nuova e bella via», cioè di «porre da banda gli amoruzzi, gli equivoci e gli altri frivoli mezzi dell'arte, e di mirare a intento civile».[72] Frullani, a nome di tutti i componenti della commissione, manifestò il desiderio di rendere di pubblica ragione il rapporto.[73] Di fronte alle perplessità manifestate dal ministro in tale occasione sulla «convenienza» di attribuire in questo modo un carattere ufficiale al rapporto sul concorso fiorentino, la replica di Frullani fu pacata ma ferma: la giunta avrebbe pubblicato comunque la relazione, non solo perché stimava «necessità di tempi render palesi le ragioni che la mossero nel suo giudizio, ma ancora perché la indole istessa di questa istituzione sembrava domandasse una tale pubblicità».[74]

Il concorso dell'anno successivo fu compromesso da un incidente imprevisto: una burrasca nell'Adriatico aveva impedito alla compagnia di Luigi Bellotti Bon di raggiungere il capoluogo toscano, dove avrebbe dovuto mettere in scena due delle opere in concorso: *Gli amori di corte* di Achille Torelli e *Fede* di Ferdinando Martini. La giunta chiese invano una proroga, infine dovette limitarsi a decidere su una rosa di sole tre opere, giudicate scadenti e perciò indegne di un premio; il pubblico stesso, del resto, non ne era stato entusiasmato.[75] Anche le opere in concorso nel 1865 non piacquero ai giurati, che non aggiudicarono il premio.[76]

[72] ACS, *M.P.I.*, *Dir gen. AA.BB.AA.*, *Arte drammatica e musicale*, b. 1, f. 2, *Rapporto della Giunta eletta pel conferimento del premio drammatico governativo per il concorso di Firenze dell'anno 1863*.

[73] *Ivi*, Frullani al segretario generale del ministero della Pubblica Istruzione, 20 aprile 1864.

[74] Si vedano, *ivi*, il ministero della Pubblica Istruzione a Frullani, 29 aprile 1864, e la risposta di Frullani del 27 luglio 1864. La relazione venne fatta stampare sulle pagine del giornale *La Gazzetta di Firenze*.

[75] Si trattava di *Le rughe a vent'anni*, un dramma di Luigi Gualtieri, *Alessandro de Medici*, tragedia di Anton Gualberto De Marzo, e *Una società di tutti i colori*, commedia di Gaetano Lilla (*ivi*, *Rapporto della Giunta drammatica governativa di Firenze dell'anno 1864*). La lettera di Bellotti Bon a Frullani è del 27 dicembre 1864; *ivi* si trovano anche la richiesta di proroga di Frullani al ministro della Pubblica Istruzione, 30 dicembre 1864, e la risposta del ministro, 17 gennaio 1865.

[76] Furono ritenute degne di qualche considerazione la citata commedia di Martini, *Fede*, e quella di Torelli, *Gli onesti*. Concorreva quell'anno anche un lavoro che, come si vedrà (nel cap. III), fu oggetto all'epoca di un acceso dibattito: *Il caporale di settimana* di

Nel frattempo il concorso gestito dalla Società d'incoraggiamento all'arte teatrale languiva. Nel 1863 era stata premiata la commedia di Torelli *Missione di donna*: una scelta che non aveva lasciato margini a dubbi, visto che le altre opere non avevano soddisfatto le finalità del programma, «specialmente mancando di un fine morale o essendo scritte in lingua che non può chiamarsi italiana».[77] Osserviamo tuttavia per inciso che il lavoro di Torelli fu accolto freddamente dal pubblico fiorentino: il critico Augusto Franchetti attribuì tale insuccesso al «municipalismo letterario» e auspicò polemicamente che i giudizi formulati da una platea di una città in procinto di divenire la capitale del Regno fossero in futuro informati «a quell'altezza e a quell'imparzialità di gusto che sole possono attribuire all'arte un'indole nazionale».[78] Il premio attribuito a Torelli fu, dopo il concorso del 1860, il primo e l'ultimo conferito dalla Società fiorentina – non solo per gli scarsi meriti delle opere in concorso,[79] ma anche per le difficoltà che comportava la loro messinscena da parte degli alunni della scuola di recitazione.

Quanto alla giunta drammatica governativa, in quegli anni la sua composizione si era a più riprese modificata. Atto Vannucci, ritiratosi per motivi di salute, era stato presto sostituito da Ermolao Rubieri – anch'egli toscano, letterato, autore di studi sull'arte drammatica e di drammi, ma anche uomo politico[80] –, il quale a sua volta si era dimesso nel novembre del 1865: al suo posto era subentrato proprio Celestino Bianchi, «letterato distinto e delle cose drammatiche intendentissimo», come venne definito, già membro della commissione del

Paulo Fambri. Per la relazione si veda *Gazzetta Ufficiale del Regno d'Italia*, 9 febbraio 1866.

[77] ACS, *M.P.I.*, *Dir. gen. AA.BB.AA.*, *Arte drammatica e musicale*, b. 1, f. 2, Olinto Barsanti al ministro della Pubblica Istruzione, 15 luglio 1863.

[78] *La Nazione*, 6 febbraio 1865, *Rassegna drammatica*.

[79] ACS, *M.P.I.*, *Dir. gen. AA.BB.AA.*, *Arte drammatica e musicale*, b. 1, f. 2, la Società d'incoraggiamento all'arte teatrale al ministro della Pubblica Istruzione, 21 marzo 1866. Il ministro aveva apprezzato questo severo giudizio (*ivi*, la sua lettera alla Società d'incoraggiamento all'arte teatrale, 26 marzo 1866). Per il concorso del 1867 si legga *ivi*, Società d'incoraggiamento all'arte teatrale di Firenze, *Relazione della Commissione per il concorso drammatico del 1867*. Al concorso del 1867 parteciparono ben 59 commedie! Di esse 50 furono scartate alla prima lettura: vi mancavano, oltre che il «buon senso», anche «le regole più volgari dell'ortografia e della grammatica»; solo quattro delle rimanenti superavano il limite della mediocrità, ma non erano tali da contribuire al progresso del teatro italiano. A proposito del numero altissimo delle opere aspiranti al premio della Società fiorentina in quegli anni si veda *ivi*, la Società d'incoraggiamento all'arte teatrale al ministro della Pubblica Istruzione, 6 maggio 1867 e 22 aprile 1868.

[80] *Ivi*, Frullani al ministro della Pubblica Istruzione, s.d. (ma ricevuta il 7 gennaio 1864). Ermolao Rubieri, nato a Prato nel 1818, fin dal 1840 aveva pubblicato poesie epiche, tragedie e drammi, alcuni colpiti dalla censura; patriota, volontario nel biennio 1848-49, si era trasferito a Firenze. Era amico di Atto Vannucci e di Pasquale Villari, collaboratore di giornali come *Lo Spettatore*, *Il Nazionale*, *L'Archivio Storico Italiano*, scrittore di recensioni, memorie, saggi e di una *Storia della poesia popolare italiana*, pubblicata nel 1877.

concorso torinese e che quindi anche a Firenze si apprestava a ricoprire un ruolo importante.[81]

Nel 1866 il premio fu aggiudicato a *Pietro o La Gente nuova* di Luigi Alberti. Furono solo tre le opere in concorso – circostanza, come si alluse nella relazione, probabilmente dovuta alla guerra, che quell'anno aveva avuto ripercussioni non indifferenti sulla vita teatrale della penisola.[82] Che non si trattasse di capolavori lo si intuisce dall'*incipit* stesso della relazione, in cui ci si lamentava dei «gravi errori di concetto e di forma» commessi anche dai giovani commediografi più dignitosi, indice di una cultura linguistica e letteraria lacunosa. Ma era ben altro il motivo di allarme più grave per i giurati fiorentini: esso scaturiva dalla «dubbiezza sconfortante» che avevano seminato le cosiddette «scuole novatrici» nel campo della letteratura, «spinta da un lato fino ad uno schifoso naturalismo e ricacciata dall'altro nella più fantastica idealità». Come già i colleghi della commissione torinese, gli uomini che componevano la giuria del concorso drammatico fiorentino – tutti esponenti del moderatismo toscano – coltivavano l'ideale di un teatro lontano dagli artifici e dall'astrattezza, un teatro che ritraesse il «vero» e si attenesse al principio della naturalezza e della verosimiglianza, senza indulgere in un realismo messo in scena solo per assecondare i palati più grossolani. Come si avrà modo di constatare, non si trattava di una posizione pregiudizialmente conservatrice: semmai essa stava ad attestare, nell'attesa sospirosa che emergessero nuovi talenti e nuove "certezze", la sostanziale insoddisfazione per la produzione teatrale del momento e, insieme, il disorientamento critico generato dall'eclettismo che sembrava caratterizzarla. In fondo i modelli non mancavano: Alfieri, ma soprattutto Goldoni. Certo ogni epoca partoriva i propri capolavori e l'imitazione era una strada impraticabile;

Aveva svolto un ruolo importante negli avvenimenti del 1859 e del 1860 e aveva fatto una breve esperienza parlamentare; fu attivissimo consigliere comunale di Firenze. Sulla sua figura si consultino Apollo Lumini, *La vita e gli scritti di Ermolao Rubieri*, Firenze, Tip. C. Ademollo e C., 1883, e Aldo Petri, *Ermolao Rubieri* in *Prato e la rivoluzione toscana del 1859*, Prato, a cura dell'Amministrazione comunale, 1959, pp. 13-28. In particolare sulla *Storia* si veda Vittorio Santoli, *I canti popolari italiani. Ricerche e questioni*, Firenze, Sansoni, 1979³, pp. 183-191 e *passim*.

[81] ACS, *M.P.I.*, *Dir. gen. AA.BB.AA.*, *Arte drammatica e musicale*, b. 1, f. 2, la giunta drammatica governativa al ministro della Pubblica Istruzione, 16 novembre 1865.

[82] Sui riflessi che la guerra aveva avuto sull'attività teatrale a Firenze si sofferma *L'Opinione*, 9 luglio 1866, *Rassegna teatrale*. I comici avevano «portato le tende» nei teatri diurni e nelle arene. Artisti di chiara fama, come Gattinelli, avevano chiesto ospitalità all'Arena Nazionale, all'Arena Goldoni, all'Arena Garibaldi. Del resto – si informava nello stesso articolo – i direttori delle compagnie drammatiche, adattandosi alle platee popolari, avevano dato prova di maggiore coraggio rispetto agli impresari dei teatri musicali, che avevano addirittura abbandonato il campo, lasciando per mesi senza lavoro cantanti, ballerini, suonatori d'orchestra. I capocomici erano almeno riusciti a tenere insieme le proprie compagnie, spesso rispolverando il repertorio patriottico, o arricchendolo: come la compagnia Ciniselli, che aveva inventato «un genere di rappresentazioni politico-equestri».

tuttavia era chiaro per i giurati fiorentini, da quanto emerge dalle loro relazioni, che il teatro italiano aveva perso le fila del discorso impostato dai grandi del passato e ancora non si individuava la luce che facesse dileguare le tenebre. L'opera di Alberti era stata premiata perché si trattava di una non certo eccelsa, ma «buona commedia di casa nostra», che dimostrava, secondo le parole della relazione, come

«anche senza lambiccarsi il cervello, in cerca di violenti caratteri e strane combinazioni, e senza mettere in campo quella benedetta politica, quasi sempre uggiosa in scena, si può trovare un bello e comico soggetto, somministrare un civile ammaestramento ed educare divertendo».[83]

L'anno successivo suscitò grande entusiasmo e fu premiata la commedia di Achille Torelli *I mariti*: il ministro se ne rallegrò: finalmente il teatro italiano si era arricchito di un'opera nuova, che i giurati avevano giudicato «eccellente».[84] A dire il vero, essi avevano ammesso di essere stati condizionati dal grande successo ottenuto da Torelli; non c'è dubbio però che la commedia gli era proprio piaciuta, tanto da indurli a sbilanciarsi al punto da definirla un'opera che indicava una via «praticabile e opportuna per riformare il teatro nazionale». Dalla relazione traspare con evidenza che il vero pregio della commedia, tutt'altro che impegnativa nei contenuti, era quello di risultare, in una parola, godibile. Non si risparmiava però a Torelli un appunto severo a proposito della trasandatezza del suo stile – che anche negli anni seguenti i giurati fiorentini non avrebbero mai perdonato al commediografo napoletano.[85]

[83] La storia si svolgeva a Firenze e aveva come protagonista Pietro, apprendista nella bottega di un calzolaio, un buon giovane ma «traviato da cattive letture»; egli si innamora di una ragazza che non può corrisponderlo: quando è sul punto di rapirla, finisce per capitolare di fronte alle ragioni del bene. Le altre due opere in concorso – *Il dovere* di Giuseppe Costetti e *L'elezione di un deputato* di Ferdinando Martini – furono stroncate senza mezzi termini. La relazione della giunta non si è reperita tra i documenti del ministero. Se ne legga il testo in *Gazzetta Ufficiale del Regno d'Italia*, 11 maggio 1867.

[84] ACS, *M.P.I., Dir. gen. AA.BB.AA., Arte drammatica e musicale*, b. 1, f. 2, il ministro della Pubblica Istruzione a Frullani, 24 gennaio 1868.

[85] Anche la relazione sul concorso del 1867 fu pubblicata in *Gazzetta Ufficiale del Regno d'Italia*, 9 febbraio 1868. Su Achille Torelli si vedano *Il teatro italiano. La commedia e il dramma borghese dell'Ottocento* cit., tomo II, pp. 331-334, nonché l'introduzione di ERNESTO GRASSI al volume ACHILLE TORELLI, *Teatro scelto edito e inedito*, Edizioni per il club del libro, Milano, 1961. Sulla commedia *I mariti* si leggano le considerazioni di S. MONTI nel suo saggio *Il teatro realista della nuova Italia* cit., pp. 73-89. *I mariti* si può leggere nell'edizione uscita nel 1876 a Milano per i tipi dell'editore Barbini. Tra i lavori presentati al concorso e negativamente valutati dalla giunta vi erano anche opere di autori noti: come il dramma di Carrera *O l'una o l'altra* oppure la commedia di Raffaello Giovagnoli *Bando ai pregiudizi*, definita uno «sterile e indecentissimo intreccio» che procedeva stentatamente appigliandosi ai soliti luoghi comuni: l'autore, per dimostrare la convenienza dei matrimoni tra persone di religione diversa – sui quali la giuria sottolineava di non avere nulla in

Nel 1868 le opere in concorso furono la commedia-proverbio *Volere e potere* di Valentino Carrera, il dramma di Paolo Ferrari *Il duello*, la commedia *Un medico del cuore* di Francesco De Renzis, *Milton*, dramma storico di Gaetano Gattinelli, la commedia di Achille Torelli, *Fragilità*, la commedia di Jacopo Mensini *I critici*, e *La scuola del matrimonio*, un'altra commedia, di Enrico Montecorboli. A parte l'opera di De Renzis, su cui non si era espresso alcun giudizio poiché l'autore non aveva presentato il manoscritto, le altre furono scrupolosamente analizzate dai relatori. Non fu lusinghiero il parere sulla commedia di Carrera, autore noto alla commissione per il suo ingegno e la sua cultura, ma le cui opere non erano sembrate «sotto ogni aspetto lodevoli», perché «imperfette nel concetto e indeterminate»: anche in questa non vi era «ricerca del vero», «studio accurato e fedele dei caratteri e dell'intreccio», spontaneità; l'idea centrale – che un vero amore può richiamare l'uomo sul sentiero della virtù e dell'operosità – era abusata, anche se ribadirla poteva essere utile: senonché, in questo caso, mancava l'originalità espositiva e la favola camminava stentatamente, appesantita da digressioni e da noiose «moralità declamatorie».[86]

Anche il dramma di Gattinelli – che i giurati sapevano da molto tempo annoverato «tra i più valorosi artisti drammatici» – aveva come fine precipuo quello di «ridestare nel popolo gentili affetti e nobili proponimenti»; e qui la relazione non mancava di auspicare che opere come queste si sostituissero alle «volgari scene, alle fole romanzesche, alle colpe svergognate e ai delitti atroci» da cui erano «insozzate» le arene e i teatri popolari: le plebi italiane avevano bisogno di apprendere lezioni di virtù e di saggezza. Ma *Milton* presentava difetti evidenti sotto il profilo più prettamente stilistico, per l'eccessivo dominio del protagonista nell'azione, per la mancanza di attrattiva, di novità, di naturalezza; per trattarsi, infine, di un dramma storico, i personaggi non rispondevano in

contrario – metteva in scena un prete «ipocrita e lussurioso», che «condisce ogni scena di benedizioni e predicozzi, e furtivo accarezza lascivamente una vezzosa fanciulla, che vuole ad ogni costo maritare a certo suo nipote imbecille per averla in casa alle voglie sue, come più volte fa intendere con ributtante cinismo». Anche la commedia *La caccia alla dote* di Italo Fiorentino non raccolse consensi tra i giurati: essa trattava un tema tanto abusato «che non bastava un principiante a ringiovanirlo». A proposito della commedia di Torelli, notiamo che, nonostante le lodi ad essa tributate sulle pagine della *Gazzetta Ufficiale del Regno* dalla commissione drammatica governativa nel suo rapporto al ministero, il critico teatrale dello stesso giornale, Michele Castellini, non esitò a definirla un'opera mediocre e «informe» (si leggano le rassegne teatrali del 26 settembre 1868 e del 7 dicembre 1868). Castellini fu sempre severo anche con Ferrari: non gli perdonava le «azioni false», il mondo «immaginario», gli uomini «non in carne ed ossa» e le «tirate filosofiche-sociali» che si riscontravano nei suoi lavori drammatici (*ibidem* e 30 gennaio 1868, *Appendice. Rassegna teatrale*).

[86] ACS, *M.P.I., Dir. gen. AA.BB.AA., Arte drammatica e musicale*, b. 1, f. 2, *Rapporto della Giunta drammatica governativa al ministro della Pubblica Istruzione sul concorso di Firenze dell'anno 1868*, p. 5.

pieno a quelli originali:[87] la cultura letteraria e la sensibilità estetica dei giurati li portava a riconoscere nella fedeltà e nell'aderenza alla *Storia* elementi imprescindibili anche in un'opera d'arte.

Quanto al nuovo lavoro di Torelli, *Fragilità*, per la commissione era di gran lunga meno valido del precedente, *I mariti*. Esso si sviluppava, come di consueto nelle opere di Torelli, sulla base di una tesi di fondo, e cioè che anche un galantuomo ha il suo lato debole e che sono le occasioni, talora, a determinare certe cadute. Tesi plausibile, ma la commedia risultava disorganica e l'autore aveva abusato della mimica: il favore con il quale il pubblico l'aveva accolta era ascrivibile unicamente all'episodio d'amore.[88]

Nell'opera *I critici*, del giovane Jacopo Mensini, nonostante qualche scena discreta e la correttezza della lingua, argomento, intreccio, situazioni e alcuni personaggi erano privi di verità e di arte, mentre *La scuola del matrimonio* – anch'essa scritta da un giovane autore come Montecorboli – al di là di qualche scena felice e di qualche pennellata «franca e sicura» era per lo più un lavoro «di *maniera*», pieno di immaginazione, ma anch'esso lontano dalla verità e troppo fedele a certi modelli stranieri.[89]

Il premio come migliore opera in concorso era stato quindi attribuito a *Il duello* di Ferrari – autore già affermato soprattutto grazie alla commedia *Goldoni e le sue sedici commedie nuove* – ma questo dopo lunghe discussioni e con il voto contrario di Emilio Frullani ed Enrico Saltini, secondo i quali il lavoro di Ferrari era formalmente modellato sui «vecchi e condannati esempi di Francia», artificiale, zeppo di «concettuzzi tronfi», «colorito carico» e «metafore ossianesche». Ma era soprattutto l'ossatura etica a rendere perplessi i due commissari: il difetto più evidente e più grave del dramma era quello di aver riportato a soggetto una colpa «tollerata dalla società» e di non averla condannata severamente, lasciando gli spettatori nell'incertezza e costringendoli a conclusioni «che contraddicevano al principio della moralità».[90] Il resto della giunta ammetteva che Ferrari si fosse discostato da quella semplicità che era propria delle commedie familiari, per esplorare un terreno quasi nuovo per le scene ita-

[87] *Ivi*, p. 7. Il ruolo del poeta inglese durante il Lungo Parlamento e la restaurazione – si precisava nella relazione – non era stato così importante come appariva nell'opera di Gattinelli; anche i personaggi di George Monk e di Carlo II erano poco veritieri: l'uno era presentato sotto le spoglie di un soldato un po' rozzo, quando invece aveva dato prova di saggezza e prudenza, l'altro era dipinto come un giovane virtuoso, mentre nella realtà era frivolo e ozioso. La tragedia di Gattinelli si può leggere in GAETANO GATTINELLI, *Teatro drammatico*, Roma, Tip. Squarci, 1887, vol. I, pp. 427-528.

[88] ACS, *M.P.I., Dir. gen. AA.BB.AA., Arte drammatica e musicale*, b. 1, f. 2, *Rapporto della Giunta drammatica governativa al ministro della Pubblica Istruzione sul concorso di Firenze dell'anno 1868* cit., p. 9.

[89] *Ivi*, p. 10.

[90] *Ivi*, pp. 11-12. Il duello era «una prova sciagurata», in cui la ragione «sta sulla punta della spada, e il diritto nell'arte funesta di saperla adoperare».

liane; ammetteva altresì che la morale dell'opera non emergeva ovunque con limpidezza e che Ferrari camminava per così dire sull'orlo di un precipizio, al di là del quale rischiava di scivolare in uno stile falso e barocco, e tuttavia riteneva l'opera più delle altre in grado di contribuire allo sviluppo del teatro italiano, a cui aveva tentato di dare «un componimento d'indole sociale».[91]

Anche il concorso del 1869 condusse la giunta drammatica governativa – nella quale erano entrati Alessandro Ademollo e Giuseppe Checchetelli[92] – a decisioni assai controverse. Delle sette produzioni in gara, tre vennero ritirate dopo il primo esperimento sulle scene, presumibilmente fallimentare. La relazione si soffermava dapprima sulla leggenda drammatica *Il Re Nala*, una parte della trilogia di Angelo De Gubernatis tratta dal celebre poema indiano *Mahabharata*. È indicativo il fatto che nella relazione la giuria dichiarasse esplicitamente di non aver voluto indagare sulla leggenda in sé, bensì valutare se essa «rispondesse veramente agli intendimenti e ai bisogni del teatro italiano». Non si poteva negare a priori che la mitologia indiana potesse offrire temi convenienti al gusto drammatico, eppure – osservavano i relatori – non si doveva dimenticare il fine supremo dell'arte drammatica, vale a dire l'utilità e l'efficacia che «può e deve produrre nell'animo degli spettatori»: ecco perché alla tragedia e al dramma storico – secondo il parere della commissione – si confacevano di più gli «argomenti nazionali»; le usanze e i costumi «strani», così come «quel continuo aggirarsi nelle regioni del soprannaturale» risultavano sostanzialmente estranei alla cultura italiana.[93]

[91] *Ivi*, p. 18. L'opera di Ferrari suscitò tra i critici teatrali discussioni accanite, che coinvolsero Luigi Capuana, Leone Fortis e Ferdinando Martini. Un profilo biografico del noto commediografo modenese e la bibliografia sulla sua opera si trovano in *DBI*, vol. XLVI, pp. 643-650, voce redatta da Sergio Torresani.

[92] Fiorentino e di opinioni liberal-moderate, Ademollo aveva collaborato, con Lorenzini, a *Il Lampione* e, nel 1853, insieme a Giuseppe Revere e Ferdinando Martini, allo *Scaramuccia*, diretto dallo stesso Lorenzini. Nel 1860 fu nominato consigliere alla Corte dei Conti, ma continuò ad occuparsi di teatro, musica ed arte e delle tradizioni popolari toscane e italiane. Pubblicò saggi ed articoli di storia del teatro e di cronistoria teatrale in numerosi periodici, tra i quali la *Gazzetta Musicale di Milano* e *Fanfulla della Domenica*, dove si firmava con lo pseudonimo di *Nemo*. Sulla sua figura si veda la voce di Arnaldo D'Addario, *ivi*, vol. I, pp. 268-269. Giuseppe Checchetelli, invece, era nato a Roma; laureatosi in diritto, non aveva mai esercitato la professione di avvocato, preferendo svolgere l'attività letteraria. Scrittore di versi, tragedie, melodrammi, articoli, si diede poi alla politica: dopo la proclamazione del Regno, fu eletto deputato della Destra ed emigrò a Torino, per ritornare a Roma dopo la breccia di Porta Pia (per maggiori informazioni si consulti *ivi*, vol. XXIV, pp. 395-397, la voce di Fiorella Bartoccini).

[93] ACS, *M.P.I.*, *Dir. gen. AA.BB.AA.*, *Arte drammatica e musicale*, b. 1, f. 2, *Rapporto della Giunta drammatica governativa al Ministro della Pubblica Istruzione sul concorso di Firenze dell'anno 1869*, pp. 5-6. Il giudizio della giunta offese De Gubernatis, che replicò sulle pagine della rivista da lui diretta (*La Rivista Europea*, giugno 1870, *Il re Nala e la giunta drammatica governativa*).

La relazione si soffermava infine sull'ultimo lavoro in concorso, la commedia *La moglie*, ultima fatica di Achille Torelli, individuandone pregi e difetti: al centro, un motivo non propriamente originale ma «moralissimo», quello del confronto tra due donne, incarnazione, per così dire, l'una del vizio, l'altra della virtù. L'autore si atteneva ai princìpi formali e strutturali del proprio stile, la commedia dai molteplici episodi e dalle molteplici azioni, ma qui non tutti gli episodi, non tutte le azioni si giustificavano, riconducendosi coerentemente alla dicotomia che costituiva il cardine dell'intera vicenda: il secondo atto prevedeva mille incidenti che non portavano a nulla, mentre nel terzo e negli atti successivi si perdeva letteralmente il filo. Quanto alla forma, la lingua, benché ancora bisognosa «di lima e di studio», era molto migliorata, ma i dialoghi erano un vero disastro – artificiosi, lambiccati, sentenziosi, fioriti. Così ben tre commissari si dichiararono contrari al conferimento del premio a Torelli; esso, in definitiva, non venne aggiudicato.[94]

Intanto, nell'estate del 1869, era esplosa la questione degli spettacoli nelle arene, sollevata dalla stessa giunta governativa fiorentina, la quale aveva vivacemente protestato contro l'obbligo di assistere alle rappresentazioni dei lavori teatrali in concorso programmati all'Arena nazionale. Quell'anno, in effetti, quasi tutti gli autori delle opere in procinto di essere rappresentate nell'anfiteatro fiorentino avevano voluto partecipare al concorso, valendosi del resto di un diritto sancito: stando alla lettera del regolamento, un autore avrebbe potuto concorrere dall'Arena Goldoni come dal teatro Niccolini. Ma pochi anni prima chi avrebbe potuto immaginarsi che anche le più rinomate compagnie si sarebbero risolte – come si esprimeva D'Arcais – a cercare rifugio nelle arene, specialmente durante la stagione estiva? I palcoscenici delle arene erano sempre stati calcati da cosiddetti «guastamestieri» e da «servitori» di drammacci che si accontentavano di ricavarci poche lire. Ora, invece, recitavano nei popolarissimi anfiteatri le migliori compagnie italiane: quelle di Bellotti Bon, Morelli, Ciotti, Lavaggi, Peracchi, Vitaliani, Rossi, Salvini. Alcune si sforzavano di mantenere inalterata la dignità dell'arte, altri scendevano a patti con le circostanze. Ecco perché molti critici ritenevano che le arene costituissero un elemento che comprometteva pesantemente il progresso del teatro di prosa: gli attori recitavano enfaticamente, ingrossavano la voce, esageravano i gesti; gli autori, dal canto loro, andavano a caccia dell'effetto piuttosto che delle finezze del dialogo e dei sentimenti. C'era addirittura chi proponeva che dal concorso governativo

[94] Tra le opere in concorso figuravano anche la tragedia di Giuseppe Poggi *Girolamo Olgiato*, che per la giunta non aveva colto la realtà storica da cui prendeva spunto, e *Romolo e Remo* di Ascanio Ilario Massi, liquidata come un lavoro noioso (ACS, *M.P.I.*, *Dir. gen. AA.BB.AA.*, *Arte drammatica e musicale*, b. 1, f. 2, *Rapporto della Giunta drammatica governativa* cit.).

fossero escluse anche le opere rappresentate in teatri popolari, come ad esempio, a Firenze, l'Alfieri o il Nuovo.[95]

Nello stesso periodo la giunta governativa studiò il modo di rivedere le clausole del programma di concorso, accettando tra l'altro, su proposta ministeriale, di ammettere, oltre alle opere inedite, anche i lavori drammatici che fossero già stati messi in scena durante l'anno sui palcoscenici di qualsiasi teatro italiano, purché non avessero concorso ad altri premi. In questo modo il concorso acquisiva a tutti gli effetti un respiro nazionale. In secondo luogo i componenti della commissione chiesero che diventasse di loro prerogativa anche il conferimento del premio di 1.000 lire inizialmente destinato al concorso della Società d'incoraggiamento all'arte drammatica, che in quegli anni, come si è anticipato, aveva operato con difficoltà.[96] Il ministero diede la sua approvazione ad entrambe le richieste.[97]

Proprio in quei mesi aveva trionfato sui palcoscenici di tutta la penisola la tragedia storica di Stanislao Morelli *Arduino d'Ivrea*: un successo tale, che il ministero della Pubblica Istruzione aveva richiesto alla giunta drammatica informazioni e giudizi intorno ai pregi del lavoro, nell'intenzione di «porgere un segno non dubbio dell'approvazione governativa».[98] L'argomento del dramma – la vicenda di Arduino d'Ivrea «che osa levare la mano alla corona italica, infeudata vilmente dai Berengarii» e combatte coraggiosamente per difenderla finché, solo perché tradito, viene sconfitto e finisce i suoi giorni in un monastero – aveva interessato e commosso il pubblico, che vi leggeva «allusione e ricordi di più recenti gesta nazionali e non meno gloriose». Morelli era riuscito a conservare «il solenne carattere della storia», con un lavoro che possedeva inoltre indubbi pregi artistici: sapiente la tessitura, ben resi i caratteri dei personaggi, buono il verso, corretta la lingua, «elette, generose ed espresse con forza e chiarezza» le idee – per i più evidentemente apprezzabili.[99] Alla tragedia di Morel-

---

[95] «L'arte nobile e vera – sentenziava D'Arcais – non può essere democratica; tocca alla democrazia d'innalzarsi fino a lei, se vuol provarne i benefizi» (*L'Opinione*, 2 agosto 1869, *Appendice. Rivista drammatico-musicale*).

[96] In un suo dispaccio al ministero del 6 febbraio 1870 (ACS, *M.P.I.*, *Dir. gen. AA.BB.AA.*, *Arte drammatica e musicale*, b. 1, f. 2) la giunta fece presente che era stato un errore creare due concorsi; quello della Società d'incoraggiamento – «inceppato dal metodo stesso che volle imporsi» e dai «mezzi insufficienti» a disposizione – si era rivelato un fallimento.

[97] *Ivi*, la giunta drammatica governativa al ministro della Pubblica Istruzione, 30 marzo 1870. Il decreto relativo è del 6 aprile 1870.

[98] *Ivi*, la giunta drammatica governativa al ministro della Pubblica Istruzione, 7 aprile 1870.

[99] *Ibidem*. A Morelli non fu risparmiata in seguito l'accusa di essere un autore «moderato» e «consorte» che con il suo dramma aveva voluto fare la corte alla casa regnante dei Savoia (si vedano a questo proposito le osservazioni di Yorick, per il quale tale accusa era fondata su un «equivoco madornale», in *La Nazione*, 25 maggio 1874, *Rassegna drammatica* cit.). Lo stesso Morelli si difese nella prefazione aggiunta all'edizione stampata della sua

li, benché fosse fuori concorso, era stato così ugualmente attribuito un premio di 1.000 lire.[100]

Il concorso del 1870, dunque, si svolse seguendo i nuovi criteri. Alla giunta fiorentina, tuttavia, pervennero solo i copioni di due delle nove opere in lizza per un premio: del resto molte di queste – si osservò – erano state messe in scena «forse con troppa confidenza». I giurati furono dunque chiamati a decidere su *La quaderna di Nanni*, una commedia di Valentino Carrera, e *La donna d'altri*, di Luigi Gualtieri. Al lavoro di Gualtieri era stato di gran lunga preferito quello di Carrera. *La quaderna di Nanni* rappresentava un felice tentativo di commedia popolare, di cui più volte la giunta governativa nei suoi rapporti aveva lamentato la mancanza:

«Infatti si grida dovunque: educate, educate il popolo alla civiltà, e poi si lascia che apprenda del continuo da spettacoli immorali lezione di scostumatezza, di false e perverse dottrine, di vigliacca ipocrisia. A lui, ignorante, si tramutano sott'occhio le leggi della morale, i diritti e i doveri, la fede nella virtù, il sentimento del bene, la coscienza del male. A lui, caldo di passioni indomite, si distrugge col dubbio e con la disperazione l'idea sublime della Provvidenza, quella dolcissima della famiglia e della Patria, quella salutare del lavoro e del sacrificio. A lui infine che passa dalle officine alle arene per cercarvi nei dì festivi onesto ricreamento, si apprestano scene volgari o lubriche o stolte che lo rimandano al domestico focolare peggiore o più infelice di prima».[101]

L'autore di *La quaderna di Nanni* andava dritto a colpire il gioco del lotto, «piaga dolorosa che corrompe specialmente la plebe», in quanto la allontana dal lavoro e dal risparmio. Non si trattava di una commedia originale; l'azione era tanto semplice e lineare da rasentare la monotonia, alcuni caratteri erano appena abbozzati, ma la scena non mancava di verità e «l'ammaestramento» era efficace perché nasceva dai fatti, e non dalle declamazioni. Anche sotto il profilo formale e linguistico il lavoro appariva dignitoso, «cosa sopra tutto commendabile trattandosi d'autore non toscano». Alla commedia di Carrera,

---

tragedia, protestando di non aver «frainteso le ragioni dell'arte», né di averle «sacrificate alla libidine di volgari applausi» (STANISLAO MORELLI, *Arduino d'Ivrea*, Firenze, Tip. e Libreria Teatrale Galletti, Romei e C., 1870, p. VI). In effetti, a leggere il dramma, la metafora appare scoperta, tuttavia Morelli, più che dimostrarsi filosavoiardo, sembra sfoderare, più generalmente, il consueto repertorio della retorica patriottica e risorgimentale: si leggano ad esempio i riferimenti alla «lotta antica contro la supremazia Germanica», a quella «tra la potestà civile e quella teocratica», al «sorgere delle plebi a dignità di popolo», ecc.

[100] Il decreto ministeriale relativo è in ACS, *M.P.I.*, *Dir. gen. AA.BB.AA.*, *Arte drammatica e musicale*, b. 1, f. 2.

[101] *Ivi*, *Rapporto della Giunta drammatica governativa a S. E. il ministro della Pubblica Istruzione sul concorso di Firenze dell'anno 1870*, 5 maggio 1871.

che aveva raccolto il favore del pubblico e quello della critica,[102] la giunta propose di conferire il secondo premio di 1.000 lire, mentre non assegnò ad alcuno il primo di 2.000 lire.

Al concorso del 1871 il numero dei lavori presentati – ben quindici – superò di molto quello degli anni precedenti, segnale senza dubbio positivo. E tuttavia solo quattro di essi avevano catturato l'attenzione dei giurati, così come quella del pubblico fiorentino. *I dissoluti gelosi* era una commedia di Giuseppe Costetti rappresentata durante quella stagione in molti teatri della penisola, non priva di difetti, a giudizio dei giurati, ma particolarmente raccomandabile per la «disinvolta orditura», alcuni personaggi «ben intesi», il dialogo e la «moralità del concetto»: la storia del dissoluto conte Airoldi, che quasi compromette e poi sposa la virtuosa Luisa per ridurla infine sfiduciata e disingannata a rifugiarsi dal padre, «sa cogliere il lato debole della nostra società [...], richiama la scena al suo nobile ufficio (tanto oggidì posto in non cale) correggere cioè, dilettando, il costume».[103]

La commedia di Leo Castelnuovo – pseudonimo di Leopoldo Pullè – *Fuochi di paglia* ruotava intorno ad un motivo non certo originale – la sospirata unione di un uomo e una donna che si amano fin da fanciulli ma che ostacoli e malintesi dividono – e si concludeva con uno scontato lieto fine, ma era in definitiva così spiritosa e godibile che divertiva il pubblico e rivelava la spontanea vena comica di un giovane e promettente autore.

Ugualmente apprezzabile era stato giudicato il lavoro di Leopoldo Marenco, il dramma in versi *Il falconiere di Pietra Ardena*, una leggenda molto semplice, esile nell'intreccio, che non aveva quasi nulla di storico e non era neppure propriamente un dramma: eppure riusciva a tener desto l'interesse del pubblico e, soprattutto, a commuoverlo fino alle lacrime. Il suo merito stava principalmente nella «moralità delle scene di famiglia, nella dipintura fedele degli affetti più cari, nella ingenuità dei dialoghi casalinghi, nella fede sincera e spontanea che vi signoreggia».[104]

---

[102] Anche i critici avevano scorto nell'opera di Carrera un dignitoso esempio di commedia popolare, che avrebbe potuto gettare i semi di una prossima fioritura di questo genere allora così apprezzato. La commedia era stata rappresentata per la prima volta la sera del 26 marzo 1870 al teatro Alfieri di Firenze: come avrebbe affermato il suo autore, essa era stata scritta «di getto, dopo qualche anno di cura letteraria alla scuola del popolo meno amico della rettorica e più sensibile alla comicità»; Carrera la giudicava «per l'intendimento civile, il primo saggio, cronologicamente, della moderna commedia popolare». *La quaderna di Nanni* si può leggere in *Le commedie di Valentino Carrera* cit., vol. I, pp. 1-59, da cui è tratta la citazione (p. 3). Le speranze alimentate nella critica teatrale da Carrera dovettero essere, nel giro di pochi anni, deluse. Sul commediografo fiorentino si consulti la voce redatta da LAURA POSA in *DBI*, vol. XX, pp. 741-742.

[103] ACS, *M.P.I., Dir. gen. AA.BB.AA., Arte drammatica e musicale*, b. 1, f. 2, *Rapporto della Giunta drammatica governativa al Ministro della Pubblica Istruzione sul concorso di Firenze dell'anno 1871*, p. 9.

[104] *Ivi*, p. 13.

La relazione passava quindi all'analisi del dramma di Paolo Ferrari *Cause ed effetti*. Nei suoi primi tre atti la giunta individuava «uno dei parti migliori della presente letteratura drammatica», mentre molto più deboli erano gli ultimi due, dove «l'azione inciampa e subentrano scene d'uno strano *realismo*»:[105] l'opera si trasformava bruscamente in un «dramma di cattivo genere», risultando infine disomogenea. Soggetto del lavoro di Ferrari era il matrimonio d'interesse tra un uomo che ha consumato la propria gioventù nel vizio e una giovane donna inesperta, bella e innocente. Si trattava ancora una volta di un dramma a tesi, con una morale sottesa che la giunta aveva prontamente colto: «Maritaggi siffatti [...] sono le cause violente de' più miserabili effetti che turbano la pace delle famiglie, la moralità della generazione presente, la vita rigogliosa delle avvenire». Ferrari aveva scelto dunque di procedere «in mezzo a schifosi pantani», anche se – si ammetteva nella relazione – aveva mantenuto «accortezza e garbo». A *Cause ed effetti*, in conclusione, fu attribuito il primo premio: nonostante le pecche evidenti, vi si riconosceva un'opera destinata a rimanere nel repertorio del teatro italiano, come di fatto avvenne nel decennio successivo, mentre il secondo premio fu conferito a *I dissoluti gelosi*.

La relazione sul concorso del 1872 si apriva con un prologo. Rivolgendosi al ministro, la giunta drammatica, nella quale il principe Lorenzo Corsini aveva da poco sostituito il dimissionario Alessandro Ademollo,[106] aveva sentito il bisogno di illustrare, anche se brevemente, le coordinate essenziali che aveva seguito nei dieci anni della sua attività:

[105] Ci si riferiva in particolare ad alcune scene ad effetto che potevano turbare il pubblico: come nel quarto atto quella in cui la bambina di Anna, la protagonista, dopo pochi mesi di vita stentata «giace moribonda nella sua culla, proprio sugli occhi degli spettatori» (*ivi*, p. 18). E pensare che Ferrari – come egli stesso confessò nella prefazione ad una delle edizioni della commedia (PAOLO FERRARI, *Cause ed effetti*, Milano, Barbini, 1881) – teneva particolarmente a questa parte dell'opera, per la quale si era ispirato ad una disgrazia famigliare appena consumata, la morte della sua primogenita Carlotta. Sulla scena in questione, così poco apprezzata dai giurati fiorentini e contestata anche da qualche critico, Croce formulò un giudizio lusinghiero, asserendo che essa «dà al dramma un aspetto triste e melanconico – quasi di precorrimento dei celebri *Spettri* ibseniani» (BENEDETTO CROCE, *La letteratura della nuova Italia. Saggi critici*, Bari, Laterza, 1929 [3ª ed.], vol. I, p. 326). Lo stesso critico, d'altra parte, ammise che la consumata abilità di Ferrari, la sua scaltrezza nel servirsi di «tutte le furberie teatrali» finirono per procurargli «sconfitte, o piccole vittorie parziali e sconfitta conclusiva» (*ivi*, p. 325); allo stesso modo l'accusa di inverosimiglianza spesso mossagli, come si è visto, era, a ben vedere, pertinente, poiché «quel biasimo, che parrebbe ingiusto, si traduce nel biasimo giustissimo della mancanza di coerenza estetica» (*ivi*, p. 328).

[106] ACS, *M.P.I, Dir. gen. AA.BB.AA, Arte drammatica e musicale*, b. 1, f. 2, la giunta drammatica governativa al ministro della Pubblica Istruzione, 15 gennaio 1872. Ademollo, ragioniere alla Corte dei Conti, era stato costretto per ragioni d'ufficio a trasferirsi nella nuova capitale del Regno. Era stato Frullani a suggerire di sostituirlo con Lorenzo Corsini, «noto alle lettere ed all'arte drammatica per la sua bella traduzione di alcuni capi-lavori di Molière» (*ivi*, Frullani a Giulio Rezasco, direttore capo della divisione prima del ministero della Pubblica Istruzione, 9 gennaio 1872).

«Tempi maggiormente propizi al vero risorgimento dell'arte teatrale che il nostro non sia, le porgeranno aiuti più sicuri ed efficaci: basti a noi il conforto d'aver potuto offrire in nome dello Stato a chi la coltiva con frutto alcuna pubblica testimonianza di lode, temperata anche da quella critica onesta che, poste da banda le astruserie metafisiche, mira ai più sani princìpi dell'arte e non s'arresta a certi fatti e a certi tempi, ma fa suo pro del nuovo, purché buono sia, e cammina come ogni epoca umana».[107]

Si passava quindi all'analisi dei lavori. Nove erano inizialmente le opere in concorso, cinque quelle di cui era pervenuto il manoscritto: le altre, evidentemente, erano state severamente giudicate dal pubblico e i loro autori avevano rinunciato al concorso. La giunta iniziava con il liquidare anche la commedia di Jacopo Mensini *Le donne han ragione*, che a suo avviso a teatro era stata accolta con eccessiva indulgenza, e *Capitale e mano d'opera* di Valentino Carrera, trattandosi né più né meno del lavoro presentato dallo stesso autore l'anno precedente – *Mastro Paolo* – eccettuati il titolo e qualche variante nell'intreccio.

Altre due opere erano appena accettabili. Il tema della commedia *Volere è potere?* di Giovanni Tessero non era certo originale, anche se non risultava del tutto privo «d'opportunità e di sentimento», e cioè che l'amore della donna può rendere l'uomo angelo o diavolo; non vi mancavano scene abbastanza riuscite, ma in definitiva l'ordito generale dell'opera, caratteri, situazioni erano assolutamente inverosimili e la commedia lasciava a desiderare anche sul piano della forma e della lingua. Anche *Renata*, dramma del fiorentino Napoleone Giotti, autore allora piuttosto noto ma nuovo ai concorsi drammatici, aveva deluso per la sua indiscutibile modestia: qualche scena d'effetto non bastava a riscattare un'opera «poco verosimile nell'intreccio, reprensibile assai nei caratteri [...] e infelicissimo nella chiusura».[108]

La relazione si soffermava infine lungamente su *Il ridicolo* di Ferrari, che la giunta aveva fatto oggetto di un'accesa discussione. Ancora una volta i giurati si erano divisi su un'opera del commediografo modenese, chi negando addirittura al lavoro «ogni pregio di concetto e di forma», chi trovandovi «bellezze non comuni»: nella relazione si era scelto di tenere conto dei diversi punti di vista. Anche in questo caso il cardine dell'opera era costituito da una tesi di fondo, che, secondo il giudizio dei componenti della giuria, non mancava di verità: il senso del ridicolo, appunto, che suscita, soprattutto negli ambienti dell'alta società, un marito tradito dalla moglie. Ferrari affrontava questo tema nei modi consueti, cosicché di primo acchito la commedia, «passando dinanzi allo spettatore rapida e viva, lo affascina con la natura del caso, con la potenza di certi

[107] *Ivi, Rapporto della Giunta drammatica governativa al Ministro della Pubblica Istruzione sul concorso di Firenze 1872*, p. 3.
[108] *Ivi*, p. 6.

effetti toccanti, con molta destrezza, con le bellezze abbaglianti della sceneggiatura». Ma, ad una seconda visione, il fascino si perdeva ed emergevano difetti nient'affatto trascurabili. Le fila della commedia, innanzitutto, erano assai esili: persino l'evento che costituiva il nodo della vicenda, il tradimento, si svolgeva sulla base di presupposti a dir poco improbabili. Ancora una volta quindi – osserviamo – era la verosimiglianza una delle coordinate fondamentali della filosofia critica della commissione drammatica fiorentina. Secondo la giunta, inoltre, Ferrari aveva ancora una volta superato il limite di un realismo, per così dire, onesto, indulgendo, alla ricerca di facili effetti, in un «*realismo* disgustoso», a proposito del quale così si esprimeva la relazione:

«Non tutto il vero in arte è possibile, perché non tutto il vero risponde alle ragioni dell'arte; e in questo errore massimo, che oggidì ottenebra le menti e le allontana dal bello e dal buono, incappa da un pezzo e senza scusa il Ferrari».[109]

Nonostante l'opportunità di queste critiche severe, all'opera di Ferrari non potevano però essere negati alcuni pregi, in particolare nello sviluppo della trama – motivo per cui si era deciso di attribuirle almeno il secondo premio. Anche in questa occasione, come nell'anno precedente, nessuna delle opere in concorso fu ritenuta degna del primo.

Nel 1873 la giunta governativa assegnò il primo premio a Tommaso Gherardi del Testa per la sua commedia *La vita nuova*.[110] Le altre quattro opere in concorso non erano piaciute per nulla.[111] Ancora una volta era stato premiato

---

[109] *Ivi*, p. 13. Si legga l'opera di Ferrari nell'edizione pubblicata a Milano per i tipi di Amalia Bettoni nel 1874. Osserviamo qui per inciso che le commedie di Ferrari, così come quelle di Torelli, furono premiate sempre con notevoli riserve. Se ne accorse *L'Arte Drammatica*, che a proposito del concorso del 1872 aveva scritto: «È già il secondo anno che, mentre conferisce il premio a Ferrari, [*la giunta drammatica*] vuol dargli sempre la frustatina» (11 ottobre 1873, *Notiziario*). Dunque è a mio avviso azzardato affermare che questi autori fossero sostenuti dalla giunta governativa perché «uomini d'ordine» (come si legge in S. MONTI, *Il teatro realista della nuova Italia* cit., p. 11): sebbene premiati per la loro abilità e per i pregi letterari di alcune opere, non furono risparmiati da critiche su aspetti non certo marginali del loro stile.

[110] Anche per il concorso del 1873 la relazione della giunta drammatica non si è reperita nei documenti del ministero. Se ne legga il testo in *Gazzetta Ufficiale del Regno d'Italia*, 5 settembre 1874.

[111] Con il dramma storico *Il Carmagnola* Carlo Azzi aveva forse ambito audacemente a superare Manzoni, ma aveva finito per scrivere un'opera pallida, confusa, priva di agganci con la realtà storica; Paolo Minucci del Rosso si era invece lanciato nel genere della commedia storica con *Il segreto dell'orafo Cennini*: scritta con garbo, concedevano i giurati, ma «povera d'effetto» e di *vis comica*; Gaetano Lilla aveva portato in concorso la «commedia sociale» *La donna misteriosa*, una storia assolutamente inverosimile con la quale l'autore dimostrava di essere rimasto ai tempi delle «commedie a soggetto antigoldoniane»: altro che commedia «sociale»! Infine il dramma *Michelangelo Buonarroti* del notissimo Paolo Giacometti, nonostante fosse opera di «egregia e ingegnosa penna», aveva deluso i giurati perché discontinuo, poco omogeneo e compromesso da grossolani anacronismi (*ibidem*).

un lavoro già consacrato dal successo sulle scene: *La vita nuova* era un'opera pregevole non per il tema, alquanto banale, che affrontava – quello del lavoro come fonte di rigenerazione – ma per la maestria con cui erano costruiti alcuni personaggi e il tentativo di recuperare la lezione di Goldoni. I giurati fiorentini tornavano ad insistere: era necessario dimenticare «le gonfiezze e le esagerazioni» del teatro francese e coltivare le «forme estrinseche» proprie della tradizione teatrale italiana.[112]

La relazione sul concorso del 1874 fu invece fatta pervenire con grave ritardo e dopo la sollecitazione del ministro stesso, che si lamentò soprattutto del fatto che il giudizio della giunta fosse ormai noto da tempo al pubblico e alla stampa.[113] Primo premiato era stato Felice Cavallotti con la sua tragedia *Alcibiade*, nonostante fosse stata rappresentata all'Arena Nazionale il 14 aprile 1874: particolare che, in questo caso, non doveva aver influito negativamente né sulla qualità dello spettacolo né sul giudizio dei giurati. Il secondo premio era andato alla commedia di Napoleone Panerai *L'eredità di un geloso*, rappresentata nel gennaio dello stesso anno al Teatro delle Logge.

Degli undici lavori in concorso, cinque non avevano sostenuto, come si esprimevano i relatori, la prova della scena, mentre *Amici e rivali* di Paolo Ferrari era stata esclusa perché l'autore aveva consegnato il manoscritto dopo il termine stabilito. Un giudizio assai poco indulgente aveva subìto *Intrighi elèganti*, la commedia del giovane ma promettente autore Giuseppe Giacosa, già noto al pubblico per altri lavori teatrali; certamente gli si riconoscevano ricchezza di immaginazione, disinvoltura e scioltezza nella costruzione della trama, ma nel suo lavoro regnava la confusione: molto intrigo e poca eleganza, per richiamarsi al titolo stesso e alle intenzioni.

Letteralmente stroncata fu la commedia di Luigi Alberti *Zia Teresa*: una favola fin troppo prevedibile – così era definita nella relazione – e per di più «cincischiata di ninnoli»; vi si intuiva la nobile ambizione di ispirarsi a Goldoni, ma il risultato era tutt'altro che all'altezza per la povertà dell'argomento, la scipitezza dei caratteri, la mancanza di originalità delle scene e delle situazioni, che avevano annoiato il pubblico. E altrettanto impietosamente era stata giudicata *Le compensazioni*, di Giuseppe Costetti: nient'altro che un assunto filosofico tradotto in commedia, che i membri della giunta ritenevano ormai una moda che guardava allo «stile francese». In questo caso, il paradosso, o, per meglio dire, il «sistema sbagliato» di cui l'autore si era servito per dare vita al suo lavoro aveva partorito, nei fatti, una commedia falsa. Si legge nella relazione:

---

[112] D'Arcais definì tali considerazioni «verità sacrosante»: tanto più che a suo avviso «nelle forme estrinseche sta appunto, in gran parte, il carattere nazionale dell'arte» (*L'Opinione*, 7 settembre 1874, *Appendice. Rivista drammatico-musicale*).

[113] ACS, *M.P.I., Dir. gen. AA.BB.AA., Arte drammatica e musicale*, b. 1, f. 2, il ministro della Pubblica Istruzione a Frullani, 5 novembre 1875: «Solo il Ministro non ne ha notizie ufficiali che gli appartengono e non può quindi rispondere alle molte domande che gli vengono mosse a tal proposito».

«Ciò serva a provare anche una volta che un'idea più o meno filosofica, una massima più o meno morale, una teoria più o meno possibile non bastano a fare una buona commedia. Sieno o no da tentare queste produzioni teatrali che in sé racchiudono, secondo lo stile francese, un problema sociale da svolgere, si converrà almeno con noi della necessità che questo problema sia universalmente accettato e di civile e pratica utilità».[114]

Il secondo premio alla commedia *L'eredità di un geloso* era stato attribuito per incoraggiare il giovane autore, che ai giurati parve una possibile promessa del teatro italiano. La sua opera mostrava difetti evidenti, non ultimo quello di essere costruita prendendo in prestito qua e là – da Scribe, da Sardou, da Ferrari – e abilmente rabberciata. Tuttavia il dialogo era toccante, ricco, vivace, i personaggi verosimili, l'azione essenziale, senza inutili divagazioni e «ammennicoli».

Lusinghiera fu la critica alla prima premiata, l'opera del deputato radicale Cavallotti, che venne giudicata «lavoro originale e in sé compiuto, il quale sotto molti rispetti onora le scene italiane». *Alcibiade* era una tragedia di argomento storico organizzata in scene e quadri indipendenti ma nella quale veniva rispettata l'unità d'azione, che sostanzialmente coincideva con il dipanarsi della vita pubblica del protagonista. Se un'osservazione andava fatta, essa riguardava lo stile e il linguaggio, piuttosto trascurati e assolutamente non all'altezza del dramma. Per il resto l'autore mostrava di possedere, secondo i giurati fiorentini, «studi non comuni», una «scienza storica non volgare», nonché «quello squisito sentimento dell'arte» che permetteva di interpretare la storia e le grandi figure della storia facendole rivivere e scolpendole con efficacia. Al centro dell'attenzione di Cavallotti era un periodo nodale della civiltà greca, ma egli, nonostante fosse un uomo politico, aveva mantenuto il senso della misura senza trasformare inopportunamente la scena in cattedra e in occasione di «vane tiritere morali» o di «politiche declamazioni da piazza». Nei quadri – proseguiva la relazione della giunta drammatica – non vi era nulla di superfluo, in essi la dottrina storica si coniugava al gusto, all'eleganza, all'abilità drammaturgica. E i tempi richiedevano sì che il teatro mettesse in scena «proprio tutto», ma «con riserbo di modi e di forme»:

«Strana e severa legge del teatro contemporaneo, il quale, del resto, come la società, non s'offende alla vista del vizio, purché tu sappia ricoprirne la schifosa nudità e temperarne a tempo l'odore sinistro».[115]

[114] *Ivi, Rapporto della Giunta drammatica governativa a Sua Eccellenza il Ministro della Pubblica Istruzione sul concorso di Firenze dell'anno 1874*, 9 novembre 1875, p. 7.
[115] *Ivi*, p. 13. L'opera di Cavallotti, che lo spettatore odierno difficilmente potrebbe apprezzare, fu pubblicata per la prima volta a Milano, da Barbini, nel 1875.

Così, in conclusione, i giurati – uomini che, come si è visto, appartenevano a pieno titolo all'area moderata – non esitarono a premiare senza riserve un autore che era tra i rappresentanti più in vista dell'Estrema sinistra. Né la stampa mostrò di stupirsene. Certo il radicalismo di Cavallotti non aveva lasciato tracce evidenti nella sua opera,[116] e tuttavia il successo senza scalpori da lui raccolto nella giunta drammatica come tra i critici indica una disposizione diffusa a distinguere tra valutazione artistica e pregiudizi di parte.[117]

A leggere le analisi e le valutazioni contenute in questa relazione, emerge altresì con evidenza, a proposito dei criteri e dei valori stessi che avevano da sempre ispirato il giudizio della giunta drammatica fiorentina, un elemento di novità che non può sfuggire: ai reiterati riferimenti alla sfera della morale, agli apprezzamenti nei confronti dei propositi di ammaestramento che talora portavano a chiudere un occhio sui reali meriti artistici di un'opera, si era andato sostituendo quasi un moto di insofferenza per il genere della commedia «a tesi» e comunque per i lavori che gli intenti etici e pedagogici, spesso neppure sinceri, finivano per trasformare in una noiosa prosopopea che con l'arte e, soprattutto, con il "diletto" non avevano nulla a che vedere. È un'eco, questa, del dibattito allora in corso – come più avanti si dirà – sul tema "morale e teatro", e, più ampiamente, sul realismo: i componenti della giunta l'avevano prontamente raccolta, dimostrando di aver rielaborato i termini della questione senza preconcetti, anzi aderendo, pur con moderazione, alle tendenze recenti della critica, che molti ancora giudicavano spregiudicate e, alla lunga, pericolose.

Nel 1875 fu ancora Ferrari il vincitore del concorso governativo, ma, anche in questa occasione, con il voto favorevole di quattro giurati su sette: gli altri, di cui non si fa il nome nella relazione consueta, erano stati irremovibili nel loro giudizio negativo sull'opera presentata dal commediografo modenese, un altro grande successo del periodo: *Il suicidio*. La commedia di Ferrari era costruita con la solita abilità ed era piaciuta per il dialogo vivace e per gli efficaci effetti scenici; mostrava tuttavia difetti che venivano puntualmente segnalati: la «favo-

---

[116] Benché Croce affermi che Cavallotti compose opere teatrali «perché era uomo colto, di buoni studi, e aveva nella memoria assai reminiscenze di poeti, e possedeva la facilità del verseggiare e rimare; onde pensò di fare propaganda anche con le seduzioni del verso e con gli spettacoli del teatro» (B. Croce, *La letteratura della nuova Italia* cit., vol. II, p. 169); nell'*Alcibiade*, in particolare, «sono evidenti le tracce delle passioni del Cavallotti, per esempio, nelle punte contro i sacerdoti ateniesi» (*ivi*, p. 176).

[117] Il successo al concorso governativo colmò di soddisfazione Cavallotti, che scrisse in proposito: «Erano (parmi ancora vederli!) due bellissimi biglietti bianchi, da mille... quasi nuovi... e quel che agli occhi non mi sembrava vero, eran proprio denari dello Stato: così per una volta ò potuto provare anch'io la ineffabile consolazione di cibarmi alla greppia del bilancio! Di quanti soldi per vivere l'arte mi à fruttato poi – non ne rammento che m'andassero come quelli in tanto sangue!» (Felice Cavallotti, *Opere*, vol. V, Milano, Tip. Sociale, 1884, p. XIX; sulla genesi di *Alcibiade* si veda, *ivi*, la prefazione dello stesso autore). Su Cavallotti drammaturgo si legga Alessandro Galante Garrone, *Felice Cavallotti*, Torino, UTET, 1976, pp. 285-305, 359-369, 443-448, 507-515, 619-626.

la» «d'invenzione barocca», così inverosimile, la «manifesta esagerazione» dei caratteri dei personaggi, il finale *à sensation* e il verismo «eccedente», particolarmente sgradito, come si è potuto notare, ai giurati.[118] Il secondo premio era stato diviso tra le altre due opere in concorso, due piacevoli sorprese: la leggenda drammatica di Giuseppe Giacosa *Trionfo d'amore* e la commedia di Enrico Montecorboli *A Tempo*.[119]

Nel 1876 la giunta proseguì stancamente il proprio lavoro.[120] Poi in pratica si sciolse, soprattutto in seguito alla richiesta di dimissioni e al successivo ritiro, per motivi di salute, di colui che ne era stato il fulcro, Emilio Frullani. Subito dopo si erano dimessi anche Bianchi, Puccioni, Corsini e Checchetelli. Senz'altro non è un caso che questo che potremmo definire il preludio ad una grave crisi dell'istituzione ideata da Ricasoli sedici anni prima coincida con la caduta della Destra: benché i documenti non siano né generosi né espliciti, è facile inferirne il generale disorientamento che colse da quel momento gli uomini che per molti anni avevano bene o male prestato in questo settore la loro opera. Seguirono nei mesi successivi lunghe trattative con l'obiettivo di ricomporre la commissione drammatica fiorentina. Il ministro in carica, Michele Coppino, significativamente chiedeva per la presidenza «un uomo di lettere e di spiriti liberali».[121] Furono consultati alcuni rappresentanti del mondo della cultura della città – come il professor Giambattista Giuliani, letterato e storico della letteratura, tra i protagonisti del dibattito sulla lingua, il direttore dei Musei di Firenze Aurelio Gatti, lo stesso Ferdinando Martini – e fu coinvolta anche la prefettura. Tra i nomi suggeriti figurano quelli di Francesco Finocchietti, di

[118] Nella commedia di Ferrari il protagonista, Umberto Camporegio, medico e scienziato, è spinto al suicidio da una serie di colpe «non lievi»; appresa la notizia, la giovane moglie perde la ragione e i figli orfani crescono nella miseria. Senonché Camporegio dopo vent'anni ricompare: si viene a sapere che non è morto, ma è stato salvato e guarito «per una sequela di stranissimi casi». Egli dunque ritorna dall'America, dove ha fatto fortuna, per vedere con i propri occhi le conseguenze del suo gesto. L'opera si concludeva con un lieto fine (P. FERRARI, *Il suicidio*, in *Opere drammatiche di Paolo Ferrari*, Milano, Libreria Editrice, 1879).

[119] La prima era tratta da una leggenda di origine orientale che già aveva ispirato la *Turandot* di Carlo Gozzi: una storia d'amore che si seguiva senza fatica. La seconda era un proverbio in un atto – genere particolarmente di moda in quegli anni – e raccontava di una gentildonna che, mentre, «quasi involontariamente, sta per cadere in fallo», è salvata *a tempo* dal suo figlioletto: anche questo era un «lavoretto» brioso. Per la relazione sul concorso si veda *Gazzetta Ufficiale del Regno d'Italia*, 19 gennaio 1877.

[120] Quell'anno non fu conferito alcun premio per la mediocrità delle opere in gara (ACS, *M.P.I.*, *Dir. gen. AA.BB.AA.*, *Arte drammatica e musicale*, b. 1, f. 3, *Verbale* dell'adunanza della giunta drammatica governativa, 12 aprile 1877).

[121] *Ivi*, il ministro della Pubblica Istruzione al prof. G. Giuliani, 22 marzo 1877. Sia Corsini che Puccioni avevano declinato l'invito a recuperare le redini della giunta drammatica assumendone la presidenza, anzi avevano espresso l'intenzione di dimettersene a loro volta (*ivi*, il prefetto di Firenze al ministro della Pubblica Istruzione, 4 marzo 1877).

Augusto Franchetti, di Ermolao Rubieri, di Pietro Bastogi, di Carlo Lorenzini, del deputato Giovanni Puccini.

In un primo tempo la presidenza della nuova giunta drammatica fu affidata a Finocchietti;[122] l'uomo piacque, ma non piacque il fatto che fosse stato nominato all'insaputa dei membri superstiti della vecchia giuria, per cui poco mancò che la nuova crisi mandasse tutta l'operazione a monte.[123] Lo stesso Finocchietti entrò subito in aspra polemica con il ministero. Egli avrebbe gradito chiamare a comporre la commissione giudicatrice Pietro Bastogi, Augusto Franchetti, l'autorevole critico teatrale fiorentino e collaboratore della *Nuova Antologia*, e Carlo Lorenzini, che, ricordiamo, si era distinto negli anni Sessanta per le sue sapide e graffianti recensioni sulle pagine della *Nazione* e da molti anni era impiegato alla prefettura di Firenze:

«La Giunta sente il bisogno d'avere nel suo seno della gente autorevole e che delle cose del teatro italiano s'intenda convenientemente, e ciò perché i suoi giudicati conservino appresso l'universale titolo di competenza e di considerazione».[124]

Finocchietti comprese però ben presto che Coppino intendeva muoversi in piena autonomia e lo accusò di voler imporre, quali possibili membri, propri candidati senza consultarlo:

«Fedele ai miei propositi di decentramento non saprei concordare un fatto che se ne discosta completamente, né rinunziare a prerogative gerarchiche, per quanto di poca importanza, poiché in esse sono quelle condizioni di ordine, senza le quali non può aversi, a senso mio, una retta amministrazione».[125]

Altrettanto recisa fu la risposta del ministro: una giuria responsabile di un incarico così importante non poteva «farsi da sé», perché in tal caso il principio del decentramento avrebbe danneggiato l'arte, assoggettandola a interessi di parte:

«Non è decentramento, ma oligarchia, e io sento l'arte essere molto più larga e avere il diritto di pretendere sino a priori giudici sicuri e indipendenti da ogni angusto spirito di scuola o di corporazione».[126]

---

[122] Fu appunto Giambattista Giuliani a indicare il nome di Finocchietti (*ivi*, Giuliani al ministro della Pubblica Istruzione, 27 aprile 1877). Pisano, Finocchietti era stato prefetto per un breve periodo, dopo la proclamazione del Regno, prima a Siena quindi a Pavia, per poi essere nominato senatore nel 1868; a Firenze aveva ricoperto diverse cariche amministrative (T. SARTI, *Il Parlamento subalpino e nazionale* cit., *ad vocem*).

[123] È riferito da Aurelio Gatti al ministro della Pubblica Istruzione (ACS, *M.P.I.*, *Dir. gen. AA.BB.AA.*, *Arte drammatica e musicale*, b. 1, f. 3, lettera del 24 luglio 1877).

[124] *Ivi*, Finocchietti al ministro della Pubblica Istruzione, 31 luglio 1877.

[125] *Ivi*, Finocchietti al ministro della Pubblica Istruzione, 31 agosto 1877. Il ministro, a quanto pareva, avrebbe approvato il nome di Augusto Franchetti, ma preferito, al posto di Bastogi e di Lorenzini, Rubieri e Puccioni (*ibidem*).

[126] *Ivi*, il ministro della Pubblica Istruzione a Finocchietti, 6 settembre 1877.

Finocchietti replicò sottolineando la necessità che una commissione destinata a premiare le migliori opere drammatiche fosse il più possibile omogenea per princìpi, studi ed esperienze, e dichiarò:

«Se di tale omogeneità, trasonnata forse per intromissione del governo, si fosse tenuto più conto non sarebbero stati conferiti premi a produzioni mediocrissime, le quali approvate dalla Commissione vennero censurate dal giudizio concorde del pubblico».

E, piuttosto di accettare l'umiliazione di vedere respinte le sue prime proposte, rassegnò le dimissioni.[127]

Pochi giorni dopo si dimise, profondamente sfiduciato, anche un altro dei componenti della vecchia giunta drammatica governativa, Lorenzo Corsini, ormai in dubbio «rispetto alla natura di una tale istituzione che, se poteva per avventura sembrare, fino al suo nascere, meno opportuna ed efficace, apparisce adesso, dopo una esperienza di non pochi anni, e può ritenersi da molti, non rispondente allo scopo».[128]

Era un pessimismo che il ministro non condivideva: il teatro italiano aveva ancora bisogno di un concorso governativo.

Un parere su come uscire da questa *impasse* fu richiesta, nell'ottobre 1877, a colui il quale per ben quattordici anni era stato l'assiduo segretario della giunta drammatica, Enrico Saltini.[129] Egli rese manifeste, in una lettera al ministro, le

[127] *Ivi*, Finocchietti al ministro della Pubblica Istruzione, 9 settembre 1877. Nella sua replica Finocchietti ribadiva altresì la sua fiducia nel decentramento e così polemizzava: «[...] nelle località, anziché nel centro, stimo siano più condizioni a giudicare rettamente delle persone e delle cose del luogo. Né il decentramento, così inteso è a senso mio oligarchico, o quando lo fosse preferisco quella che, per le ragioni su esposte, proviene dall'elemento locale, anziché quella che emerge dal governo del centro».

[128] *Ivi*, Corsini al ministro della Pubblica Istruzione, 19 settembre 1877. Nella sua risposta il ministro ribadì il proprio ottimismo sulla funzione che i concorsi a premi governativi erano in grado di svolgere: «Se l'essere di cotesta Giunta non le pare ora sì opportuna come quando fu istituita (e certo allora le condizioni del teatro italiano ne facevano sentire maggiore il bisogno) convenga V. S. che nondimeno essa può recare ancora qualche vantaggio all'arte» (*ivi*, il ministro della Pubblica Istruzione a Corsini, 25 settembre 1877). Intanto avevano declinato l'invito a far parte della nuova giunta drammatica sia Ermolao Rubieri, per motivi di carattere privato (*ivi*, Rubieri al ministro della Pubblica Istruzione, 27 settembre 1877), sia Augusto Franchetti, al quale l'incarico sembrava incompatibile con la sua attività di recensore (*ivi*, Franchetti al ministro della Pubblica Istruzione, 2 ottobre 1877).

[129] Anche Saltini era stato sul punto di ritirarsi quando l'amico Frullani aveva lasciato la presidenza della giunta drammatica, ma dopo la nomina di Finocchietti aveva riacquistato l'entusiasmo e la fiducia perduti. Quando lo stesso Finocchietti ebbe rinunciato all'incarico, Saltini, preso atto della crisi ormai definitiva della commissione drammatica governativa, rassegnò le proprie dimissioni, che il ministro però respinse (*ivi*, Saltini al ministro della Pubblica Istruzione, 12 settembre 1877, e il ministro della Pubblica Istruzione a Saltini, 22 settembre 1877).

difficoltà che ci si poteva attendere di incontrare nel delicato intento di ricomporre le fila perdute del concorso governativo: era necessario escludere quanti non potessero garantire una assoluta indipendenza di giudizio, quindi sia autori che critici teatrali, e individuare uomini esperti di teatro «per pratica e per teorica», riconosciuti universalmente tali – considerato il fatto che talora i verdetti della commissione erano stati messi in discussione, soprattutto dalla stampa, e che in futuro non c'era da aspettarsi diversamente. D'altra parte le persone che, senza essere critici o autori e risiedendo a Firenze, di teatro se ne intendessero davvero, una volta esclusi appunto Frullani, Puccioni, Corsini, Bianchi, erano davvero poche. Saltini suggerì quindi di proporre, ancora una volta, a Celestino Bianchi il compito di formare

«una nuova Giunta drammatica vera e propria, la quale comprendendo bene lo spirito dell'istituzione, cerchi che il premio di incoraggiamento risponda allo scopo di rialzare possibilmente l'Arte scaduta tra noi».[130]

Il concorso del 1877, intanto, si era svolto comunque, ma in modo a dir poco irregolare. Le opere erano state giudicate da quattro commissari soltanto, di cui tre – Bianchi, Corsini, Bicchierai – dimissionari, e in pratica Saltini era rimasto quasi solo a disimpegnare le pratiche:[131] fu a quel punto che il ministro aveva dichiarato formalmente sciolta la giunta drammatica.[132] Era quindi «urgentissimo» provvedere e «uscire da questo stato di incertezze e di espedienti che pone in compromesso la istituzione dei premi drammatici in cotesta città,

[130] *Ivi*, Saltini al ministro della Pubblica Istruzione, 19 ottobre 1877.

[131] I giurati avevano apprezzato e premiato *Le due dame* di Ferrari, una commedia non priva di «mende», ma «tra le migliori che abbia scritto l'autore»: anche il dialogo era spontaneo e «molto più purgato di quel che suole all'autore». Anche in questa occasione Giacosa fu criticato: la sua opera, *Il fratello d'armi,* venne giudicata ineguale e a tratti trascurata nella forma. Fu controversa l'attribuzione del secondo premio, per il quale venne proposto *Esopo*, di Riccardo Castelvecchio (*ivi, Resoconto sul Concorso di Firenze dell'anno 1877*, 15 giugno 1878). Per le polemiche in merito si veda *La Nazione*, 1° agosto 1878, *Fra un'Appendice e l'altra. Corriere drammatico.*

[132] ACS, *M.P.I., Dir. gen. AA.BB.AA., Arte drammatica e musicale*, b. 1, f. 3, Saltini al ministro della Pubblica Istruzione, 23 dicembre 1877, nonché il ministro della Pubblica Istruzione al comm. Pasquale Villari, s.d. (ma giugno 1878): a Villari, allora docente presso l'Istituto di Studi superiori di Firenze, il ministro si era rivolto per un consiglio sugli uomini adatti a comporre la nuova commissione. Fu nuovamente interpellato anche Ferdinando Martini, il quale propose dodici nomi: Lorenzo Corsini – il più adatto ad assumere la presidenza – Enrico Saltini, Augusto Franchetti, lo stesso Pasquale Villari, Celestino Bianchi, Giulio Piccini – lo *Jarro* critico teatrale e scrittore –, Zanobi Bicchierai, Ernesto Levi, Aristodemo Cecchi, lo storico della letteratura italiana Adolfo Bartoli, Pietro Bastogi, Tommaso Salvini: «C'è di tutto: letterati, critici, buongustai [...] ma nominate presto la Commissione» (*ivi*, Martini al ministro della Pubblica Istruzione, s.d., ma luglio 1878).

che pure ha recato buoni frutti».[133] Si moltiplicavano inoltre le richieste di chiarimenti e le sollecitazioni da parte degli autori drammatici, che scrivevano direttamente al ministro affinché egli invitasse i membri della giunta ormai sciolta ad assistere comunque alla rappresentazione delle loro opere per poi riferirne.[134]

Ricordiamo che in quegli anni, negli ambienti ministeriali, ci si interrogò spesso sull'efficacia reale dei premi governativi, ma in genere finì per resistere, nonostante il palpabile scetticismo, la volontà di proseguire l'esperienza. Da Firenze il prefetto scriveva osservando che «qui, come altrove, prevale l'opinione che questi *premi* drammatici non sieno, a prova fatta, di alcun vantaggio al vero incremento del teatro italiano»; forse a questo si doveva – suggeriva il prefetto – la grandissima difficoltà che si incontrava nel tentativo di «mettere insieme una Commissione di sei persone responsabili e serie», che si sobbarcassero gratuitamente un impegno non privo di molestie e di «perditempi» e del quale si incominciava a disconoscere «la pretesa importanza dei risultamenti».[135] Il ministro rispondeva salomonicamente: «Se alcuni credono all'inefficacia dei premi drammatici, altri invece non vi credono. E la quistione non è facile a sciogliersi, molto più che l'ordinamento dei premi è generale nella pubblica istruzione».[136]

Nel 1879 una commissione ministeriale presieduta da Celestino Bianchi, designata, come meglio si dirà, per studiare il riordinamento della Scuola di Declamazione di Firenze, fu pure incaricata di valutare l'opportunità dei concorsi drammatici e di proporre, semmai, le necessarie riforme. Anche tale commissione finì per raccomandare al ministro della Pubblica Istruzione la ripresa del concorso. I premi – si legge nella sua relazione – potevano fornire agli scrittori

---

[133] *Ivi*, il ministro della Pubblica Istruzione a Celestino Bianchi, 19 luglio 1878: nella sua lettera il ministro si rivolgeva a Bianchi «pregandolo e scongiurandolo di veder modo di dare uno stabile assestamento» all'ardua, finora insoluta questione della commissione.

[134] De Sanctis, per esempio, si era personalmente interessato alla commedia di Paolo Ferrari *Le due dame*, come faceva osservare l'autore drammatico Stefano Interdonato (si legga, *ivi*, la sua lettera al ministro della Pubblica Istruzione, 6 giugno 1879), che tra l'altro aggiungeva: «Indipendentemente dall'interesse mio personale, che è poca cosa, la E. V. comprenderà come sia strano che esista un concorso bandito senza che esista una commissione per giudicare i concorrenti». A De Sanctis si rivolse anche Giacosa, che nel 1880 stava raccogliendo applausi nelle platee della penisola con il dramma *Il conte rosso*; egli denunciò che, con la sospensione del concorso, ai commediografi era sottratto un diritto sancito da una legge dello Stato (*ivi*, Giacosa a De Sanctis, 19 giugno 1880). Si vedano anche, *ivi*, il telegramma di Bellotti Bon al ministro della Pubblica Istruzione, 28 gennaio 1879, nonché le lettere del ministro della Pubblica Istruzione rispettivamente a Celestino Bianchi, 30 gennaio 1879, e al prefetto di Firenze, 9 dicembre 1880. Anche da parte delle prefetture giungevano al ministero numerose richieste di chiarimento sul "giallo" del concorso drammatico (*ivi*, il ministro della Pubblica Istruzione al prefetto di Firenze).

[135] *Ivi*, il prefetto di Firenze al ministro della Pubblica Istruzione, 23 luglio 1880.

[136] *Ivi*, il ministro della Pubblica Istruzione al prefetto di Firenze, 3 agosto 1880.

giovani o esordienti un valido sostegno economico e un veicolo di pubblicità.[137] Bastava scorrere l'elenco degli autori premiati al concorso governativo o a concorsi di istituzioni private: vi si potevano ritrovare tutti i nomi di cui il teatro italiano andava orgoglioso e «tutti, tranne forse pochissimi, sono nomi di giovani»; molti lavori premiati erano ancora rappresentati ad anni di distanza. Inoltre – proseguiva la relazione – la speranza di un premio, che per le clausole del programma non si poteva ottenere se non «da un'opera pensata con senno e scritta con gentile schiettezza di forma», sarebbe bastata «forse non di rado» a stimolare le capacità dei giovani autori.[138] La commissione raccomandava infine che il premio fosse conferito per merito assoluto e che fosse diviso fra un massimo di tre opere.[139] Si trattava di proposte «ragionevoli», ma inutili in mancanza di uomini che si assumessero il compito di «trarre qualche frutto da una istituzione, la quale, se non è ottima, è certamente buona».[140]

Nel dicembre 1880 anche Zanobi Bicchierai, incaricato di mettere insieme una commissione drammatica, doveva gettare la spugna, ammettendo che l'operazione si era rivelata più ardua di quella necessaria a comporre un ministero e che egli aveva «naufragato in porto»:[141] pertanto era giocoforza attendere «i

---

[137] A tale riguardo si leggano le parole di F. MARTINI nel suo *Confessioni e ricordi* cit., p. 20. Nel concorso fiorentino del 1863 Martini, all'epoca giovane commediografo, vinse insieme a Gherardi Del Testa il primo premio di 3.000 lire, che fu diviso tra i due in parti uguali: «Millecinquecento lire nella parsimoniosa Firenze del 1863 – egli scrive – erano somma tale che permetteva a un giovanotto [....] di cavarsi più d'un capriccio», tanto più ragguardevole se confrontata ai modesti compensi offerti dal lavoro «di penna e d'inchiostro»: *La Nazione*, ad esempio, «quando le piaceva, ogni tanto scialare» pagava appena quindici lire un'appendice letteraria. Così Martini spese le 1.500 lire per compiere il sospirato viaggio a Parigi.

[138] Per la relazione della commissione, in particolare per i paragrafi dedicati ai concorsi drammatici, si veda *La Nazione*, 24 e 25 settembre 1879, *La Regia Scuola di Declamazione in Firenze*.

[139] Come si legge nell'appunto *Premio drammatico a Firenze*, s.d. (ma febbraio 1883) in ACS, *M.P.I.*, *Dir. gen. AA.BB.AA.*, *Arte drammatica e musicale*, b. 1, f. 3. Anche Giacosa si espresse per il mantenimento del concorso, anzi sollecitò una sua «pronta ripresa» (come attesta la sua istanza a De Sanctis del 19 luglio 1880, che si trova *ivi*).

[140] *Ivi*, il provveditore capo per l'Istruzione Artistica al ministro della Pubblica Istruzione, 2 luglio 1880.

[141] La rosa dei nomi che il prefetto di Firenze aveva proposto e sulla quale Bicchierai aveva cercato di lavorare comprendeva, oltre allo stesso Bicchierai, Giovanni Puccini – deputato della Destra fino al 1876, poi passato dalla parte della maggioranza ministeriale, segretario generale del ministero della Pubblica Istruzione per qualche mese nel 1879 –, l'avvocato Federico Valsini, direttore dell'Istituto dei ciechi, Jacopo Cavallucci, professore di storia all'Accademia di Belle Arti, e Giuseppe Rigutini, linguista, accademico della Crusca, autore con Pietro Fanfani del *Vocabolario della lingua parlata*, stampato per la prima volta nel 1873, e di molte altre opere, anche didattiche (*ivi*, il prefetto di Firenze al ministro della Pubblica Istruzione, 14 novembre 1880), ma, soprattutto, di una importante traduzione delle commedie di Plauto stampate in tre volumi da Le Monnier tra il 1870 e il 1876: Rigutini, abbandonando la secolare tradizione di tradurre i comici latini in endecasillabi sciolti,

benefizj del tempo». Il prefetto di Firenze dovette concludere che la formazione di una nuova giuria nel capoluogo toscano, «per le condizioni speciali di questa città», si andava rivelando «assai più difficile di quel che a prima vista» non sembrasse.[142] Certo, a dieci anni di distanza dal trasferimento della capitale a Roma, Firenze non era né appariva più in quel momento il baricentro politico e culturale della penisola. Proseguì comunque, faticosa e delicatissima, attraverso la mediazione della prefettura e un fitto carteggio tra Roma e Firenze, l'opera di ricomposizione della giunta. Nel 1883 la "patata bollente" dei concorsi drammatici governativi sarebbe passata nelle mani della commissione permanente per l'arte drammatica e musicale da poco costituita, come si riferirà, dal ministro della Pubblica Istruzione Guido Baccelli. Anche in quella sede si sarebbe tornati ad interrogarsi sul futuro di una modalità di incoraggiamento tanto discussa.

In effetti, mentre il concorso governativo non cessò di suscitare la curiosità e la partecipazione degli autori di teatro di tutta la penisola, la stampa, i critici, gli osservatori ne avevano accompagnato gli sviluppi con molte riserve, se non con indifferenza. Innanzitutto l'interesse suscitato nell'opinione pubblica dal concorso, stando al numero piuttosto scarso di articoli dedicati all'evento sia dai periodici specializzati sia dai quotidiani politici, era limitato, in particolare fuori Firenze. Semmai, se la stampa ne parlava, era per annunciarne semplicemente le clausole, o per rendere noti stralci della consueta relazione.

Si contestava soprattutto l'effettiva utilità dei concorsi in generale: «[...] i danari spesi ogni anno dal Ministero della Pubblica Istruzione nei premi alle migliori commedie rappresentate sui teatri italiani son denari buttati via», sentenziava lapidario il quotidiano romano *Fanfulla*. E ancora: «Il premio è una buffonata»: duemila lire all'anno non erano altro che «un'irrisione».[143]

In qualche caso si entrava nel merito dei criteri con cui venivano selezionati e premiati i lavori drammatici, spesso contestandoli. Ancora *Fanfulla* si chiedeva se avesse un senso attribuire il secondo premio e non il primo: se una commedia è degna di premio, perché non del primo? E, a proposito del premio attribuito a *Il ridicolo* di Ferrari, pesantemente censurata, come si è visto, dalla

---

aveva optato per la lingua fiorentina viva (A. La Penna, *L'editoria fiorentina e la cultura classica* cit., pp. 165-168). Le ragioni del fallimento di Bicchierai rimangono oscure; come egli, senza sbilanciarsi, spiegò al ministro: «Superate, non senza fatica, molte resistenze che la vicaria dei passati Ministri aveva suscitate nell'animo dei più valenti, i quali se ne sentivano esautorati, io aveva finalmente potuto ricomporla con persone di gran merito e superiori ad ogni eccezione; ma queste, saputo quali altre ne dovessero far parte, hanno apertamente dichiarato che non accetterebbero se non ne fossero escluse due. L'una, perché non reputata idonea; l'altra, perché creduta per varie ragioni più atta a scemare che a crescere autorità alla Giunta» (ACS, *M.P.I.*, *Dir. gen. AA.BB.AA.*, *Arte drammatica e musicale*, b. 1, f. 3, Bicchierai al ministro della Pubblica Istruzione, 27 dicembre 1880).

[142] Si veda, *ivi*, la sua lettera al ministro della Pubblica Istruzione, 9 marzo 1881.

[143] *Fanfulla*, 15 ottobre 1873, *La Commissione drammatica*.

stessa giunta drammatica, si chiedeva il quotidiano romano: «Che sugo c'è a premiare una commedia che merita così anche acerbe censure?».[144] Non parliamo poi di considerazioni più, diciamo così, campanilistiche, nel caso di produzioni premiate perché applaudite a Firenze, ma poi poco apprezzate in altre città, come successe a *I dissoluti gelosi* di Costetti, sonoramente fischiata dal pubblico milanese del Teatro Re.[145]

Manifestazioni di perplessità riguardo alle decisioni della commissione governativa si registrano sia tra la critica legata agli ambienti dell'opposizione radicale, sia a quella per così dire filogovernativa. L'autorevole *Pessimista*, pseudonimo di Felice Cameroni, noto critico teatrale e letterario milanese, coltissimo e caustico redattore del quotidiano milanese *Il Sole* e del periodico *L'Arte Drammatica*, benché vicino alle posizioni dell'Estrema, così si esprimeva a proposito del secondo premio conferito in due occasioni al "moderato" Paolo Ferrari:

«Non basta [*alla commissione governativa*] sentirsi impotente all'incremento dell'arte e per la natura stessa della sua istituzione e per la meschina somma di cui può disporre? [...] Non già ch'io reputi *Cause ed effetti* ed *Il ridicolo* capolavori di perfezione. Ohibò! Ma se a produzioni di quel merito, incontrastabilmente superiori alla media comune della nostra letteratura drammatica, si nega il primo premio, accordando loro con lesineria soltanto il secondo, fa d'uopo concludere che, per distribuire il primo premio, la Giunta drammatica aspetta il Messia della commedia di là da venire».[146]

D'altro canto anche *L'Opinione* si trovava talvolta a stigmatizzare il lavoro della commissione fiorentina. Per il concorso del 1867, per esempio, rimproverò la discutibile indulgenza nei confronti di *Caccia alla dote* di Italo Fiorentino e, di converso, l'eccessiva severità verso le opere di Carrera e di Giovagnoli, rilevando le frequenti contraddizioni tra le valutazioni della giuria e quelle del pubblico e della stampa.[147]

Due anni più tardi, ancora sull'*Opinione*, si potevano leggere parole molto dure nei confronti del concorso:

«[...] il teatro italiano non progredisce, anzi da qualche anno a questa parte è cagione di disinganno per tutti coloro che speravano di vederlo fiorire. La qual cosa dimostra che i concorsi ed i premi non hanno alcuna efficacia e tutt'al più son mezzi empirici, dei quali si potrebbe fare a meno».[148]

---

[144] *Ibidem.*
[145] La stampa milanese in quella circostanza gridò allo scandalo, preferendo di gran lunga *Il Falconiere di Pietra Ardena* di Leopoldo Marenco, secondo qualcuno «caduto in disgrazia del *regio* ministero» (*L'Arte Drammatica*, 16 febbraio 1872, *Corrispondenze*).
[146] *L'Arte Drammatica*, 18 ottobre 1873, *Il secondo premio governativo*.
[147] *L'Opinione*, 11 febbraio 1868, *Appendice. Rivista drammatico-musicale*.
[148] *L'Opinione*, 29 luglio 1878, *Appendice. Rivista drammatico-musicale*.

Correva l'anno 1827 ed in un teatrino di famiglia posto in Borgo San Nicolò a Firenze un gruppo di giovani andava «ingannando le ore delle lunghe sere invernali» recitando commedie.[149] Si trattava di dilettanti, ma non «della peggior risma» e Filippo Berti, attore e autore drammatico, aveva accettato l'incarico di dirigerli. È da queste pionieristiche premesse che inizia il percorso dapprima convulso e poi sempre più lineare che porterà alla creazione, con l'Unità, della prima Scuola di recitazione statale.

Il pubblico accorreva numeroso agli spettacoli, tanto che ben presto il modesto teatrino non fu più sufficiente e, nel 1829, venne fondata una Società filodrammatica che si esibiva nel teatro della Piazza Vecchia: vi facevano parte, tra gli altri, Giampietro Vieusseux, Giovan Battista Niccolini, Gino Capponi, Pietro Giordani; essa si sciolse tuttavia tre anni più tardi. Berti però continuò la sua attività di insegnante, diresse alcuni gruppi di filodrammatici del patriziato fiorentino, poi viaggiò nel resto della penisola, in Svizzera, in Francia. Quindi fu chiamato ad insegnare in una scuola privata di declamazione, nata a Firenze nel 1845. Qui l'insegnamento si articolava in «letteratura e pronunzia», «recitazione civile», «declamazione teatrale»; gli iscritti erano 27, quasi tutti studenti dell'Accademia di Belle Arti. Per realizzare il desiderio di esibirsi pubblicamente, nel 1850 venne fondata la Società d'incoraggiamento e perfezionamento dell'arte teatrale, che durante i quattro anni successivi diede molti spettacoli in Corso dei Tintori e giunse ad annoverare 300 soci e 92 alunni, alcuni dei quali godevano tra l'altro di uno stipendio mensile. Gli obiettivi dell'istituzione – come suggeriscono le inequivocabili parole di Celestino Bianchi, che era alla testa della Società – erano di grande respiro: reclutare adepti tra «gli amatori della letteratura nazionale, […] fare propaganda del teatro drammatico italiano; […] a poco a poco formare il pubblico, formare gli attori, incoraggiare e sostenere gli scrittori».[150]

Tuttavia la Società era sempre assillata da problemi finanziari, tanto che nel 1855 la scuola fu costretta a chiudere e a rifondarsi su altre basi. Si trovarono

---

[149] Per queste notizie e quelle che seguono si veda *La Nazione*, 12 e 13 gennaio 1862, *Appendice. Società di incoraggiamento all'arte teatrale*. Altre informazioni in *Lo Scaramuccia*, 23 dicembre e 27 dicembre 1853, *Società d'incoraggiamento e di perfezionamento dell'arte teatrale*, 17 febbraio 1854, *Idee generali sul teatro drammatico in Italia* cit., 21 febbraio 1854, *Idee generali sul teatro drammatico in Italia*, 11 agosto e 13 ottobre 1855, *Filippo Berti e i suoi alunni*.

[150] *Lo Scaramuccia*, 21 febbraio 1853, *Idee generali sul teatro drammatico in Italia* cit. Fino al gennaio del '53 si erano messe in scena, in 81 serate, 16 commedie di Goldoni, una di Antonio Sografi, una di Angelo Brofferio, una sola traduzione dal francese e ben 14 opere nuove di autori italiani: ogni spettacolo era replicato per tre sere, per 300 spettatori in totale che così «udivano […] cose nostre, idee nostre, in lingua nostra» (*ibidem*).

una settantina di sottoscrittori, furono invitati alcuni attori dilettanti, si procedette alla nomina di un comitato di lettura e di un consiglio d'amministrazione. La vita della nuova istituzione non si rivelò facile, poiché si presentarono difficoltà di ogni sorta; tuttavia non mancarono soddisfazioni: l'attrice Adelaide Ristori nel 1856 offrì 2.000 lire per un premio ad una produzione drammatica e tre premi ai migliori alunni della Scuola. Intellettuali e uomini politici fiorentini – oltre a Celestino Bianchi, anche Piero Puccioni, Ferdinando Martini, Giuseppe Aiazzi – sostennero questo ennesimo esperimento, fino a quando, nell'aprile del '59, quando molti alunni e soci imbracciarono il moschetto, la scuola dovette sospendere l'attività.

Nel febbraio 1860 il ministero della Pubblica Istruzione del governo della Toscana in una lettera alla Società fiorentina manifestò l'intenzione di accordarle un nuovo locale e un sussidio. Un mese dopo, con il decreto del 15 marzo, il governo diede vita alla Regia Scuola di Declamazione, del tutto indipendente dalla direzione delle Scuole musicali: «[...] l'Arte della declamazione – vi si dichiarava – deve essere più specialmente coltivata nel paese che alle altre provincie dell'Italia è norma nell'uso più perfetto della lingua nazionale»; era del resto opportuno «associare all'opera del Governo quella delle benemerite Società private». Per questo la Scuola era autorizzata a valersi dell'appoggio e dei mezzi della Società d'incoraggiamento all'arte teatrale, ma rimaneva da essa autonoma.[151]

Gli iscritti alla neonata Regia Scuola di Declamazione, diretta dallo stesso Filippo Berti, nell'anno scolastico 1860-61 furono 59: 27 maschi dai 14 ai 40 anni e 32 femmine dagli 8 ai 22 anni.[152] Tra gli alunni non si contavano solo giovani «iniziati puramente allo studio di alcuna arte o disciplina scientifica», quanto già laureati o «iscritti nell'Albo degli esercenti una professione»;[153] tra le allie-

---

[151] A detta di Puccioni, tuttavia, tale intervento aveva reso più penosa la condizione della Società, che si era trovata legata alla R. Scuola di Declamazione – istituzione governativa – «senza che questa prendesse i caratteri di un vero e proprio istituto drammatico». Si sollevava così una questione assai delicata: la fondazione di una scuola teatrale superiore era, secondo Puccioni, di incontestabile e generalmente riconosciuta necessità, tanto che era stata proposta dalla commissione riunitasi a Torino per incarico del ministero dell'Interno all'inizio del 1862. Nell'eventualità che quel progetto fosse realizzato, pareva difficilmente discutibile che Firenze, culla della lingua italiana, fosse tra le sedi più indicate di un ginnasio drammatico e che la Società di Puccioni avesse ormai acquisito «il diritto a speciali riguardi» da parte del governo (ACS, M.P.I., Dir. gen. AA.BB.AA., Arte drammatica e musicale, b. 1, f. 2, la Società d'incoraggiamento all'arte teatrale al ministro della Pubblica Istruzione, Rendiconto del concorso drammatico del 1862, 4 giugno 1862 cit.). Nel 1862 la Società d'incoraggiamento era presieduta da Olinto Barsanti. Vi facevano parte uomini di lettere fiorentini quali Eugenio Checchi, Piero Puccioni, Aleardo Aleardi, Silvio Pacini, Guido Corsini, Pietro Fanfani, Augusto Franchetti.

[152] Ivi, b. 4, f. 21, Berti al ministro della Pubblica Istruzione, 6 maggio 1861.

[153] Così riferisce il critico Leto Zini in La Nazione, 29 gennaio 1861, Appendice drammatica. Società d'incoraggiamento all'arte drammatica.

ve figuravano «graziose giovanette, appartenenti a famiglie spettabilissime per cittadine virtù, e per larghissimo censo».[154] Dalla Scuola era bandito «tutto ciò che è contrario al buon gusto» e «che osta a educazione civile»; la produzione goldoniana godeva di un particolare favore: tale scelta non aveva nulla a che vedere – come si teneva a puntualizzare – con un ritorno ai dialetti, «sorgente ricchissima, benché devastatrice, della patria lingua», semmai voleva indicare un ritorno «al vero e al bello». Facevano parte del *curriculum* di studi il corso di storia antica e moderna e quello di mitologia.

La Scuola prometteva di divenire «un semenzaio di attori educati con intelligenza ed amore»: tuttavia, come osservava Augusto Franchetti, essa non avrebbe raggiunto il suo scopo se non fosse stata affiancata da altre istituzioni. A prescindere dall'intervento governativo, occorreva promuovere in tutto il Regno «lo stabilimento di una vasta associazione privata» che gettasse le basi «di quella tradizione drammatica, che le divisioni, le colpe e le sventure ci tolsero finora di possedere».[155] Era, quello di Franchetti, un progetto auspicabile, ma sostanzialmente chimerico.

Negli anni successivi la Scuola continuò a lavorare attivamente grazie al sussidio governativo e al tenace impegno di Berti. Questi era universalmente descritto come uomo «perseverante, insistente, ostinato», «di ingegno non comune e di instancabile operosità».[156] Era convinto che gli aspiranti attori dovessero possedere una «appropriata cultura», guardava con attenzione al repertorio italiano, rivendicava all'arte drammatica quella libertà e quella dignità «compromesse dalle consuetudini» e dagli interessi.[157] Quando con decreto del 22 agosto 1863 la sua Scuola venne posta sotto la vigilanza dell'Accademia di Belle Arti,[158] Berti protestò, dichiarando di non poter riconoscere, in qualità di «supremo» direttore della Scuola, «il Sindacato di nessun'altra autorità». Dal canto suo la presidenza dell'Accademia chiese istruzioni sulle modalità con cui il ministero intendeva fosse esercitato il controllo sull'istituto di Berti, che aveva fino a quel momento goduto della più ampia indipendenza ed era stato mantenuto «più che altro con i mezzi di una privata Società», quella d'incoraggiamento all'arte teatrale. I chiarimenti richiesti non giunsero mai. Berti fu sempre coerente con la sua protesta, tanto che cinque anni dopo il presidente dell'Ac-

---

[154] Si sarebbe in tal modo accresciuto – proseguiva Zini – il numero delle «ottime madri famiglia, non superbe per vanità, non tristi per ignoranza» e il teatro non sarebbe più stato «un mestiere od un traffico», ma sarebbe diventato, «quale deve essere, scuola santissima di ogni morale e civile ammaestramento» (*ibidem*).

[155] *La Nazione*, 31 ottobre 1861, *Rassegna drammatica*.

[156] Si legga la necrologia in *La Nazione*, 7 aprile 1872, s.t.

[157] *La Nazione*, 24 settembre 1879, *La Regia Scuola di Declamazione di Firenze*.

[158] Nel decreto in questione si stabiliva altresì che la Scuola avrebbe continuato «a valersi de' mezzi e de' soccorsi che porge all'arte la Società d'incoraggiamento». Il ministero, dunque, non voleva né poteva rinunciare al sostegno finanziario di una società privata, ma teneva ad assicurare sulla Scuola il controllo di una istituzione statale.

cademia di Belle Arti poteva assicurare che «nessun rapporto di fatto è potuto fino ad ora esistere fra i due Istituti».[159]

Con il trasferimento della capitale a Firenze, la Scuola venne sfrattata e Berti dovette lottare per procurarle una sede adatta.[160] Iniziarono le pratiche per ottenere maggiori finanziamenti dal governo: servivano una sala per esercitazioni e saggi, soldi per gli scenari, l'illuminazione, il riscaldamento, che il direttore stesso doveva talora anticipare. Spesso gli alunni non potevano recitare perché i locali erano gelidi; tali disagi certo non contribuivano a mantenere elevato il numero delle iscrizioni.

Nonostante queste difficoltà, la scuola procedeva. A Berti erano stati affiancati altri due insegnanti di recitazione, mentre erano previste lezioni di letteratura drammatica tenute da Francesco Dall'Ongaro.[161] Il ministero stanziava 4.000 lire a favore dell'istituto, ma il sussidio era insufficiente, per cui Berti si risolse ad aggregare alla Scuola una Società di filodrammatici fiorentina che si manteneva con mezzi propri. L'esperimento ebbe successo e si formò una discreta compagnia. I saggi degli allievi erano accolti con simpatia dalla stampa cittadina e la qualità della loro recitazione riceveva attestati di lode dalla critica.[162]

La Scuola, tuttavia, era priva di un vero e proprio regolamento: come dichiarava nel febbraio 1871 il ministro della Pubblica Istruzione Cesare Correnti, il governo non vi aveva ancora provveduto poiché era stato «sempre suo pensiero riformarla», senonché «più gravi negozi» lo avevano impedito.[163] A dire il vero una commissione apposita – istituita con decreto del 19 agosto 1869 e presieduta dal direttore dell'Istituto musicale fiorentino Luigi Casamorata – era stata incaricata di studiare la questione e, in particolare, di verificare l'ipotesi di un coordinamento tra la Scuola di Declamazione e l'Istituto musicale. Essa era composta da critici e uomini di teatro come Girolamo Alessandro Biaggi, Francesco D'Arcais, Francesco Dall'Ongaro, Gaetano Gattinelli, Giuseppe Costetti, Luigi Brunet, Luigi Suner e lo stesso Berti. L'Istituto musicale, dopo «discreta prova» di parecchi anni, era stato riordinato di recente, mentre la Scuola di Declamazione risultava

---

[159] ACS, *M.P.I.*, *Dir. gen. AA.BB.AA.*, *Arte drammatica e musicale*, b. 4, f. 21, il presidente della R. Accademia delle Arti del disegno al ministro della Pubblica Istruzione, 12 marzo 1867.

[160] Si trovano *ivi* le sue proteste all'indirizzo del ministero, 16 aprile 1867 e 22 aprile 1870.

[161] Sembra però che Dall'Ongaro fosse particolarmente inviso a Berti, che tanto fece per boicottarne l'insegnamento, che il corso di letteratura drammatica finì per essere disertato dagli alunni (come racconta De Gubernatis in *La Rivista Europea*, febbraio 1873, *Francesco Dall'Ongaro*).

[162] Si legga ad esempio *La Nazione*, 9 marzo 1868, *Rassegna drammatica*, di L. Capuana.

[163] ACS, *M.P.I.*, *Dir. gen. AA.BB.AA.*, *Arte drammatica e musicale*, b. 4, f. 21, il ministro della Pubblica Istruzione a (nome illeggibile), 11 febbraio 1871.

«incompleta e quasi in istato d'embrione sì dal lato didattico che amministrativo»; tuttavia ad essa andavano riconosciuti il vanto di una «eccellente» scuola di lettura e il merito di aver rappresentato per la prima volta i lavori di autori italiani in seguito apprezzati dal pubblico e dalla stampa.[164] La commissione propose la fusione dei due istituti in uno solo, sottoposto ad un'unica direzione e articolato in due sezioni, una musicale e l'altra drammatica; per quest'ultima si richiedeva la formazione di un corpo accademico e di un Consiglio direttivo analoghi a quelli dell'Istituto musicale. I criteri di composizione dei due organi dovevano rispondere ad un principio fondamentale: l'equilibrio tra l'insegnamento teorico e quello pratico. Inoltre la commissione – non reputando «né giusto né opportuno» che il governo, direttamente o indirettamente, sussidiasse una Società privata a scapito delle altre – proponeva, «in nome della libertà economica», di eliminare questo elemento, per così dire, estraneo. L'istituto non doveva diventare una «miniera di maestri ed attori»,[165] bensì provvedere all'insegnamento della musica e dell'arte drammatica «nel senso più lato» e alla diffusione di questi «due mezzi potenti di educazione popolare». Il governo avrebbe dovuto sfruttare una scuola come quella di Declamazione per formare il gusto e diffondere «i princìpi di estetica». A tale riguardo la commissione proponeva la conferma della cattedra di letteratura drammatica antica e moderna integrata con l'insegnamento «dell'arte poetica applicata al teatro», raccomandava l'istituzione di una cattedra di «mitologia e storia» con «analisi comparativa degli usi e costumi dei vari popoli», sottolineava l'importanza della già esistente «scuola di lettura artistica» come fondamento di una buona recitazione: essa poteva riuscire efficacissima – in un periodo in cui ferveva la discussione sull'unità della lingua – nell'intento di ottenere almeno sulle scene l'unità di pronuncia e di prosodia; inoltre avrebbe potuto preparare – aspetto non secondario – maestri di lettura per le scuole elementari. Al corso di lettura andava affiancato un corso di recitazione e una direzione scenotecnica che si occupasse degli esperimenti teatrali. Si era anche discusso sull'opportunità di una cattedra di «fisiologia degli affetti umani» e sull'insegnamento del ballo e della scherma. Infine la commissione auspicava che i libri posseduti dalla Scuola costituissero il nucleo di una futura Biblioteca teatrale.

I suggerimenti della commissione rimasero per il momento lettera morta. Nell'aprile del 1872 moriva Filippo Berti. Durante la sua lunga malattia la Scuola era andata languendo e si rischiava così di perdere il frutto del lavoro, dell'esperienza, delle risorse finanziarie spese in quegli anni. Il ministero decise rapidamente: un decreto del 16 maggio 1872 riconobbe conveniente che la Scuola si associasse alla nota accademia fiorentina dei Fidenti, presso la quale già funzionava una scuola di recitazione. La soluzione era stata caldeggiata dal-

---

[164] *Ivi, Relazione al ministro della Pubblica Istruzione* della commissione, 16 settembre 1869.

[165] Occorreva evitare, secondo i commissari, di fuorviare «le modeste disposizioni degli alunni con promesse chimeriche», mandandoli incontro a «fatali disinganni» (*ibidem*).

lo stesso Correnti, allora ministro, che ben conosceva i Fidenti. Lo scopo era di «riunire le forze divise, e formare un tutto che desse all'insegnamento drammatico un impulso gagliardo e regolare»; in secondo luogo l'unione delle due istituzioni avrebbe consentito un risparmio della spesa statale, come si sottolineava nello stesso progetto di fusione steso dagli accademici, ai quali già si concedeva un sussidio annuo di 1.000 lire.[166] Comunque il ministero mantenne interamente la cifra già stanziata in bilancio per la sola Regia Scuola di Declamazione – cifra che a quell'epoca ammontava a circa 10.000 lire annue.

L'Accademia dei Fidenti era nata nel 1851 ed era presto divenuta una delle più prestigiose accademie filodrammatiche. Essa organizzava ogni anno un concorso drammatico, possedeva una sala in via Ghibellina capace di 400 posti e, dal 1861, manteneva a proprie spese una scuola di recitazione gratuita diretta da Stefano Fioretti. Nel 1868 tale scuola contava circa 70 alunni e dava non meno di 12 saggi all'anno.[167] Poiché l'attività, sostenuta dall'autotassazione degli accademici, comportava una spesa notevole, più volte era stato richiesto un sussidio al ministero, finalmente accordato in via ordinaria dal 1870.[168] Del resto la scuola dei Fidenti era in espansione, tanto che nel 1870 gli alunni erano saliti a 100;[169] un anno dopo il presidente dell'Accademia, Pietro Giuseppe Gabrielli, dichiarò di trovarsi nella condizione di respingere «nuove e incessanti» domande di iscrizione: era necessaria una nuova sede. Fu dunque avanzata richiesta di un locale demaniale o di un aumento del sussidio che consentisse l'affitto del Teatro delle Logge.[170] Il ministro Correnti promise un aumento del sussidio e l'Accademia si trasferì alle Logge.[171]

[166] *Ivi*, il ministro della Pubblica Istruzione all'Accademia dei Fidenti, 9 gennaio 1873.

[167] Le lezioni erano serali e festive, duravano da due a quattro ore, vi erano ammessi giovani di entrambi i sessi appartenenti a famiglie di «civil condizione» che avessero compiuto 12 anni e sapessero leggere e scrivere. Le classi erano due: una di avviamento e l'altra di perfezionamento. L'obiettivo era quello di provvedere efficacemente alla «coltura delle masse» e di giovare «a molte classi» (*ivi*, l'Accademia dei Fidenti al ministro della Pubblica Istruzione, 22 ottobre 1869). Per più ampi particolari sul programma si veda *ivi*, *Accademia dei Fidenti. Programma per la scuola di Recitazione*, 7 dicembre 1868. Tale programma era stato approvato dal Provveditorato centrale per la istruzione primaria e popolare il 23 febbraio 1869.

[168] Fin dal 1867 il Comitato per l'istruzione primaria e popolare del ministero della Pubblica Istruzione in una circolare agli ispettori scolastici del 15 aprile 1867 (il testo si trova *ivi*) aveva manifestato l'intenzione di provvedere con regolarità – riconosciuta l'opera prestata «dai maestri nella istruzione popolare» – ad un sussidio, accordato in ragione del numero degli alunni, della condizione delle sedi, della durata della scuola su proposta degli ispettori stessi.

[169] *Ivi*, l'Accademia dei Fidenti al ministro della Pubblica Istruzione, 6 agosto 1870.

[170] *Ivi*, l'Accademia dei Fidenti al ministro della Pubblica Istruzione, 11 luglio 1871. Arnaldo Fusinato, proprietario del Teatro delle Logge, aveva chiesto un canone annuale di 4.500 lire, mentre per la sede di via Ghibellina l'Accademia sborsava 1.400 lire (*ivi*, l'Accademia dei Fidenti al ministro della Pubblica Istruzione, 29 settembre 1871).

[171] Il sussidio promesso ammontava a 2.500 lire (*ivi*, il ministro della Pubblica Istruzione all'Accademia dei Fidenti, 7 ottobre 1871 e 19 ottobre 1872; l'Accademia dei Fidenti al

In seguito alla fusione con la Regia Scuola di Declamazione gli alunni salirono a 120 nel 1872. Le lezioni proseguirono nella vecchia sede di via Laura sotto la direzione di Paolo Fabbri, «persona coltissima nelle drammatiche discipline» e attore della compagnia del napoletano Teatro dei Fiorentini,[172] e di Fanny Bonci.[173] Dopo il trasferimento di Francesco Dall'Ongaro a Napoli, Fabbri aveva ereditato anche la cattedra di letteratura drammatica. Nel 1873 Gaetano Gattinelli venne chiamato ad insegnare declamazione.

La soluzione adottata da Correnti non mancò di suscitare, soprattutto negli anni seguenti, qualche perplessità. Durante il dibattito parlamentare svoltosi nel febbraio 1875 sul bilancio della Pubblica Istruzione, furono addirittura avanzate forti riserve sull'utilità stessa della Regia Scuola di Declamazione fiorentina.[174] I Fidenti – come avrebbe scritto il critico della *Nazione*, cogliendo, al di sopra delle polemiche, la sostanza del problema – erano «bravi giovani», diretti da «un ottimo signore» appassionato di teatro e assolutamente onesto e disinteressato: tuttavia si trattava di cittadini costituitisi in associazione privata, che spendevano del proprio per divertirsi; era perciò prevedibile che l'istituto governativo finisse per trasformarsi in un teatrino di dilettanti, «con tutte le puerilità e tutti i difetti del dilettantismo».[175] Il ministero, ad ogni modo, ritenne opportuna una «minuta ispezione» – improvvisa perché risultasse inattesa alla Direzione della Scuola[176] – che affidò a Emilio Frullani, allora presidente della giunta drammatica governativa. Dal rapporto conclusivo[177] risultò che l'Accademia esercitava una «attiva e ben intesa sorveglianza» sull'amministrazione dei fondi e sulla condotta degli allievi. Nel 1873 gli alunni che frequentavano regolarmente i corsi erano stati 85, l'anno successivo 89, mentre nel 1875 erano saliti a 110. Fabbri e Gattinelli svolgevano un buon lavoro, i saggi avevano spesso una scadenza settimanale e i risultati erano senz'altro positivi.

ministro della Pubblica Istruzione, 16 dicembre 1872). L'Accademia fu tuttavia costretta a sollecitarlo più volte: al ministero mancavano i fondi necessari. La questione fu infine risolta con un *escamotage*, vale a dire utilizzando dei resti sul fondo assegnato ai premi per i concorsi governativi.

[172] *Ivi, Promemoria* al ministro della Pubblica Istruzione, s.d. (ma maggio 1873).

[173] *Ivi*, l'Accademia dei Fidenti al ministro della Pubblica Istruzione, 21 settembre 1872.

[174] Era stato Francesco De Renzis a mettere in discussione l'utilità di una scuola di recitazione, affermando che l'unica «vera, sola, possibile» scuola era il teatro, il solo maestro il pubblico, «il quale è quello che dà il gusto e l'educazione». Il ministro della Pubblica Istruzione in carica, Ruggiero Bonghi, aveva così promesso di considerare l'ipotesi di cancellare dal bilancio le spese della scuola fiorentina (AP, *Camera*, Legisl. XII, Sess. 1874-75, *Discussioni*, tornata del 10 febbraio 1875, pp. 1141-1142).

[175] *La Nazione*, 15 dicembre 1879, *Rassegna drammatica*.

[176] ACS, *M.P.I., Dir. gen. AA.BB.AA., Arte drammatica e musicale*, b. 4, f. 21, il ministro della Pubblica Istruzione a Frullani, 19 febbraio 1875.

[177] Si trova *ivi* e porta la data del 15 dicembre 1875; la richiesta d'ispezione da parte del ministero risaliva al 15 febbraio dello stesso anno.

Anche nella relazione di Frullani veniva riaffermato l'obiettivo precipuo di una buona scuola pubblica di recitazione, cioè quello di essere «uno dei molti mezzi di civile educazione», e si auspicava l'apertura di analoghi istituti nelle principali città della penisola: a questo scopo era indispensabile servirsi di «certi elementi che il paese offre spontaneo». La relazione, inoltre, segnalava i difetti della Scuola fiorentina e i necessari provvedimenti: era necessario ripristinare al più presto il corso di lettura e cercare un «valente maestro toscano», «fornito di studj letterari», che insegnasse a leggere i classici con garbo, ma, soprattutto, che guidasse alla loro comprensione e fornisse le nozioni basilari di letteratura drammatica. Anche le lezioni di scenotecnica non dovevano trascurare, secondo Frullani, l'analisi delle opere scelte per lo studio o per la rappresentazione, offrendo su di esse spunti di riflessione e di critica, anche «accomodandosi all'intelligenza di coloro che non son forniti di molti studj». Era altresì indispensabile un regolamento che, senza porre ostacoli o limiti alla libertà d'insegnamento, definisse con più precisione i doveri di ciascuno e fosse un'ulteriore garanzia sia per il governo che per l'Accademia. Ad ogni modo la Scuola di Declamazione – si concludeva nella relazione – meritava di essere sostenuta e incoraggiata.

Essa poté dunque proseguire la sua attività fino a quando, a causa della morte di Gabrielli nel dicembre del 1878, rimasero vacanti la presidenza dell'Accademia e la direzione della Scuola. In quel frangente nuovi reclami indussero il ministro della Pubblica Istruzione Coppino a ordinare una seconda ispezione ufficiale nel febbraio 1879. Rispetto a quattro anni prima le cose erano cambiate: si trovò che «la parte didattica» era «assai trascurata e similmente la disciplinare».[178] Il ministero si risolse a nominare un'altra commissione – alla quale si è già accennato – presieduta da Celestino Bianchi, incaricata di valutare se la spesa sostenuta per la Scuola e per i concorsi drammatici fosse giustificata dai risultati ottenuti.

Come si leggeva nella premessa del suo rapporto, trasmesso nell'agosto 1879 e diffuso un mese dopo dalla stampa,[179] durante il ventennio trascorso dalla fondazione della Scuola le condizioni della vita pubblica erano indubbiamente mutate: le abitudini parlamentari erano «profondamente penetrate nei costumi del popolo», si era fatta «più frequente, più larga, più universale» la partecipazione di ogni classe di cittadini alla discussione del «pubblico interesse», alla «volgarizzazione di certi studi», alla pubblicità dei dibattimenti giudiziari; mentre l'accesso ad alcune cariche era diventato possibile a tutti. Per quest'ordine di motivi, l'arte dell'oratoria e il suo insegnamento erano ormai indispensabili.

---

[178] Si veda, *ivi*, il *Rapporto a sua Eccellenza il Ministro della Pubblica Istruzione sulla scuola di Declamazione di Firenze e sui premi drammatici*, 20 ottobre 1879.

[179] Il testo della *Relazione* per la parte che concerne la Scuola fiorentina si può leggere in *La Nazione*, 25, 27 e 28 settembre 1879, *La Regia Scuola di Declamazione di Firenze*.

La Scuola fondata da Berti, già allora cogliendo con lungimirante perspicacia questa nuova esigenza, prometteva di dedicare attenzione alla «recitazione civile»; lo stesso decreto del 15 marzo 1860 dimostrava che l'importanza di tale clausola non era sfuggita al Governo della Toscana. Non si trattava di sprecare i soldi dei contribuenti per assecondare le cosiddette vocazioni teatrali o per fornire i mezzi per divertirsi a signorine e giovanotti desiderosi di essere applauditi da amici e parenti, bensì di «preparare la nuova generazione alle necessità dei tempi nuovi», di completarne la formazione attraverso un'educazione «civile ed artistica», e così di «rendere dei servigi al paese».[180] Senonché – continuava la relazione – tale obiettivo era stato poi disatteso, complice non solo la diffusione ancora scarsa di questa sensibilità, ma anche il legame tra la Scuola e istituzioni private, più che altro interessate ad essa come fonte di onesto passatempo e palestra per futuri attori. Sotto questo profilo non andavano disconosciuti gli ottimi risultati ottenuti, che bastavano a «giustificare largamente» le spese sostenute dalle finanze statali.

La commissione, tuttavia, era del parere che fosse giunto il momento di proporre una definitiva separazione della Regia Scuola di Declamazione dalla Accademia dei Fidenti. L'istituto avrebbe dovuto formare uomini politici, insegnanti, maestri elementari, scienziati, giudici, avvocati, segretari, membri di consigli d'amministrazione, capitani d'industria, direttori d'officina, poiché in uno stato «retto come il nostro a libertà» la parola era «lo strumento di lavoro, l'arme di combattimento, il mezzo di persuasione e di propaganda»: senza l'arte della parola, in un paese libero, le «classi colte» non avrebbero potuto «conquistare l'influenza a cui hanno diritto». Purtroppo – si faceva notare – in Italia non esisteva una sola scuola che insegnasse l'arte della parola. Come avevano sostenuto, tra i commissari, il piemontese Chiaves e il modenese Ferrari, era giusto che una istituzione simile avesse sede a Firenze, culla della lingua italiana. Si suggeriva poi di collegarla all'Istituto musicale fiorentino – come peraltro la precedente commissione aveva suggerito dieci anni prima – ma in modo tale che ciascun istituto non perdesse «colla sua autonomia il carattere speciale che ha e che giova conservare»: i due istituti dovevano «porgersi reciproco aiuto», le rispettive discipline dovevano servire di complemento e di perfezionamento. La relazione terminava con un abbozzo dello Statuto e dei programmi di studio.

Le proposte della commissione nominata da Coppino furono accolte con favore.[181] Nel frattempo però a Coppino erano succeduti prima Francesco Paolo

[180] *La Nazione*, 22 dicembre 1879, *Rassegna drammatica*.
[181] Il Provveditore capo per l'Istruzione artistica nel suo rapporto al ministro della Pubblica Istruzione del 20 ottobre 1879 (ACS, *M.P.I.*, *Dir. gen. AA.BB.AA.*, *Arte drammatica e musicale*, b. 4, f. 21 cit.) asseriva di trovarle accettabili e suggeriva di nominare professore di declamazione del nuovo Istituto Luigi Alberti – raccomandato dal deputato Paulo Fambri –, il quale avrebbe potuto dirigere provvisoriamente la Scuola supplendo all'assenza di Gattinelli, in aspettativa per motivi di salute.

Perez,[182] quindi De Sanctis, il quale aveva raccolto tutti i documenti sulla que-stione dichiarando di volerla risolvere a modo proprio.

Intanto in quegli anni negli ambienti del teatro e della critica si era molto di-scusso di istruzione drammatica. Neanche in questo caso – come su altri con-troversi punti che alimentavano il dibattito in materia di musica e di teatro – i pareri erano unanimi. Vi era chi invocava un investimento da parte dello Stato per la formazione di attori dotati di cultura e di mestiere[183] e proponeva la fon-dazione di un «Liceo drammatico»[184] o di un «Istituto drammatico nazionale», come lo stesso Gattinelli, autore di un progetto in questa direzione presentato prima per il solo Piemonte a Cavour, Brofferio e Farini nel 1858, quindi, modi-ficato, nel 1876.[185] Altri replicavano che «attori si nasce» o, perlomeno, che lo si diventava con l'esperienza, calcando le scene. Altri ancora si lamentavano del gran numero di attori e di aspiranti attori che contava l'Italia e ritenevano che la loro formazione dovesse essere lasciata alle numerosissime Società filodram-matiche o alle scuole private che andavano nascendo in molte città della peni-sola.[186] Altri infine propugnavano la necessità di introdurre l'arte del dire nel-

---

[182] Nel breve periodo della sua permanenza al ministero, Perez dapprima trascurò la relazione della commissione, quindi nominò direttore della futura istituzione un impiegato del ministero della Guerra, che formulasse un nuovo ordinamento senza tenere conto delle conclusioni raggiunte da Bianchi e dai suoi colleghi (si leggano a questo proposito le rea-zioni indignate di Yorick in *La Nazione*, 15 dicembre 1879, *Rassegna drammatica*).

[183] «L'artista, se istrutto, può diventare apostolo di civiltà» – affermava ad esempio Amilcare Sangalli in *L'Euterpe*, 7 gennaio 1869, *L'istruzione degli Artisti Teatrali in Italia*.

[184] *L'Arte Drammatica*, 9 novembre 1878, *Il Liceo drammatico*.

[185] *L'Opinione*, 31 ottobre 1876, *Appendice. Rivista drammatico-musicale*. Gattinelli fu un convinto propugnatore dell'insegnamento pubblico dell'arte recitativa, il fine principa-le del quale era a suo avviso quello di «mettere in attività» il pensiero dei giovani, stimolan-done le capacità di riflessione e di giudizio: «unico modo quello per avere a poco a poco in Italia *Autori, Attori, e Pubblico*» (si veda la sua istanza al ministero della Pubblica Istruzio-ne in ACS, *M.P.I., Dir. gen. AA.BB.AA., Arte drammatica e musicale*, b. 7, f. 55). Nel 1868 Gattinelli aveva proposto la costituzione di una Società promotrice dell'arte rappresentati-va e della letteratura drammatica a Firenze (il progetto relativo si trova *ivi*, f. 24). Anche Ernesto Rossi non si stancò mai di sostenere l'utilità delle scuole di recitazione: egli tra l'al-tro, sollecitato da De Sanctis, suo ammiratore, elaborò un progetto di riordinamento della Scuola di declamazione di Firenze, che però fu affossato da Baccelli, subentrato a De Sanctis al ministero della Pubblica Istruzione (E. ROSSI, *Quarant'anni di vita artistica* cit., pp. 235-240). Sette anni più tardi, Rossi sarebbe stato nuovamente interpellato dal ministe-ro, guidato da Paolo Boselli, per fornire un suo parere sul regolamento della Scuola fioren-tina, ma questa volta le sue proposte sarebbero state accolte (come attesta E. ROSSI, *Discor-so pronunciato per l'apertura del corso triennale alla R. Scuola di recitazione in Firenze. Il giorno 22 ottobre 1888*, Firenze, Tip. di L. Niccolai, 1888).

[186] Come a Torino la Scuola di Declamazione di Giuseppe Salvati, in cui si imparava «la retta pronunzia della lingua» e «l'arte del bel porgere» (*Gazzetta Piemontese*, 23 luglio 1878, *Cronaca*), a Milano la scuola di Paolo Bordoni e di Genesio Morandi, che ottenne i sussidi del ministero e della Deputazione provinciale (*La Perseveranza*, 13 febbraio 1871, *Istituto drammatico Bordoni*), a Bologna quella di Francesco Sterni. Non era raro che i mu-

l'insegnamento quale «ausiliaria, *potente*, necessarissima nella coltura generale della Nazione» – come si esprimeva Giuseppe Soldatini che fin dal 1872, incoraggiato da Martini e da Alamanno Morelli, avanzò una proposta in tal senso e iniziò a pubblicare studi e manuali di retorica.[187] Nell'aprile 1881 un articolo sull'argomento comparso sul quotidiano milanese *Il Pungolo* procurò «una quantità di lettere di adesione e di consiglio» – «fatto notevolissimo», perché provava che l'idea di introdurre nell'insegnamento scolastico quello della retorica era «entrato nelle convinzioni generali».[188]

Il ministero della Pubblica Istruzione, da parte sua, finì per raccogliere i suggerimenti della commissione Coppino, anche se solo tre anni più tardi. Alla Scuola fiorentina – che cambiò il nome in Regia Scuola di Recitazione – venne restituita la propria autonomia. Il programma fu riordinato e la direzione affidata al fiorentino Luigi Rasi – «giovane colto e studioso», già allievo di Filippo Berti – la cui nomina fu accolta dal generale consenso.[189]

5. L'«INCORAGGIAMENTO» ALL'ARTE MUSICALE

Non si hanno notizie di concorsi governativi a favore della musica strumentale e del teatro musicale analoghi a quelli per la letteratura drammatica. L'impegno del governo a favore della musica risultava in quel momento pressoché totalmente assorbito, finanziariamente parlando, dalle spese tutt'altro che trascurabili per i teatri lirici demaniali e per i Conservatori.

Fino al 1864 la somma stanziata per gli istituti di istruzione musicale nel bilancio del ministero della Pubblica Istruzione era di circa 408.000 lire, di cui poco meno di 250.000 lire erano destinate al mantenimento del personale e il resto al materiale. Quell'anno il ministro in carica Michele Amari propose al

---

nicipi venissero in aiuto alle scuole di recitazione cittadine: come scrisse la Giunta amministrativa di Livorno nel concedere un sussidio al Ginnasio drammatico della città intitolato a Gustavo Modena, il genere d'insegnamento impartito serviva «mirabilmente all'interesse morale della società», in quanto ne promuoveva l'educazione e distraeva i giovani «da pericolosi e immorali passatempi» (ACS, *M.P.I.*, *Dir. gen. AA.BB.AA.*, *Arte drammatica e musicale*, b. 7, f. 30, estratto del verbale della riunione della Giunta di Livorno, 12 novembre 1866).

[187] *Il Pungolo*, 20/21 aprile 1881, *Bibliografia*.

[188] Si leggano gli interventi a tale riguardo di Giovanni Salvestri e di Antonio Minto in *Il Pungolo*, 28/29 aprile 1881, *Bibliografia*. Si veda anche *La Perseveranza*, 29 marzo 1881, *Pensieri sull'arte del dire e sull'insegnamento di essa*. Minto aveva presentato nel 1861 alla presidenza dell'Istituto filarmonico drammatico di Padova e nel 1868 al ministero della Pubblica Istruzione un *Piano d'istruzione recitativa* per i ginnasi e i licei. Nel 1867 e nel 1873 egli poté applicare il suo piano in due educandati femminili di Padova (*Il Pungolo*, 29/30 aprile 1881, *Bibliografia*).

[189] *La Nazione*, 24 aprile 1882, *Rassegna drammatica*.

Parlamento un aumento di 20.000 lire; si trattava di attuare un decreto firmato due anni prima dal predecessore Carlo Matteucci per venire incontro all'esigenza di aumentare gli stipendi dei professori del Conservatorio di Milano. Amari però si trovò di fronte al parere recisamente contrario della commissione per il bilancio: essa aveva contestato, in primo luogo, la regolarità della procedura seguita dal ministero, che aveva utilizzato un decreto legge per dare il via libera agli aumenti delle paghe senza attendere l'esito del dibattito in aula; inoltre era parso inopportuno approvare la proposta anche in vista dell'attuazione della riforma amministrativa, «in forza della quale poteva darsi che alcuni di quest'istituti passassero alle amministrazioni comunali e provinciali». La commissione, tuttavia, trovò pane per i suoi denti. Fu immediata la levata di scudi a favore dell'aumento, soprattutto da parte di tre autorevoli deputati milanesi: Cesare Cantù, Mauro Macchi e Tullo Massarani. Venne fatto osservare che prima del decreto Matteucci gli insegnanti del Conservatorio di Milano percepivano lo stesso onorario, in molti casi miserabile, stabilito quando l'Istituto era nato e che l'aumento stesso era stato estremamente contenuto. Massarani, in particolare, difese con forza un altro importantissimo provvedimento stabilito dallo stesso decreto, vale a dire la riorganizzazione del piano di studi con l'istituzione di alcune discipline nuove, ormai indispensabili anche in un tipo di istruzione a torto considerata meramente tecnica, quali la letteratura drammatica, la storia, la storia dell'arte. Egli inoltre invitò a non trascurare il patrimonio culturale italiano, del quale la musica era parte fondamentale, e a non rinunciare alla sua tutela e al suo incremento.[190] Ad ogni modo, negli anni successivi, di trasferimento agli enti locali degli istituti musicali non si parlò più, benché l'aspirazione serpeggiante allora in qualche settore della classe politica ad un governo centrale alleggerito da alcune funzioni finisse talora per coinvolgere anche il settore dell'istruzione musicale.

A parte il mantenimento dei Conservatori, l'«incoraggiamento» governativo alla musica si limitava al conferimento *una tantum* di borse di studio ad allievi musicisti per viaggi all'estero a scopo di perfezionamento. Per portare un esempio, nel 1863 il ministero della Pubblica Istruzione concesse ad Arrigo Boito e Franco Faccio, allora giovani e promettenti allievi del Conservatorio di Milano, una «pensione straordinaria» di un anno perché potessero studiare in Francia e in Germania. Ritornati in Italia, i due compositori presentarono ognuno un melodramma, frutto della loro esperienza. Fu lo stesso ministero ad interessare al caso quello dell'Interno e la prefettura di Milano. Sarebbe stato un vero peccato – si osservava – se le fatiche di due giovani promesse fossero rimaste prive della possibilità di una rappresentazione ed era altresì difficile che le imprese teatrali si lanciassero spontaneamente in operazioni arrischiate come la messa

[190] AP, *Camera*, Legisl. VIII, Sess. 1863-64, *Discussioni*, seduta del 1° giugno 1864, pp. 4872-4874.

in scena di opere prime.[191] A giudicare dalle brillanti carriere di Boito e di Faccio, non si trattò, in questa occasione, di un investimento infelice.

Altre iniziative partirono dagli stessi istituti musicali o dagli ambienti ad essi legati. Sempre a Milano va segnalato il progetto per l'istituzione di un «teatro lirico e sperimentale», abbozzato nel 1865 dall'attivissimo direttore del Conservatorio Lauro Rossi e dai professori Francesco Lamperti e Bartolomeo Prati. Rossi partiva dalla constatazione dell'inferiorità dei Conservatori italiani rispetto a quelli di Parigi e di Vienna e dalla carenza di nuovi compositori. A tale proposito osservava che tale carenza, «più che all'esaurimento, anche temporario [sic] del genio musicale italiano», era da attribuirsi «alle difficoltà contro cui devono troppo spesso lottare i nuovi creatori d'opere per la sete di speculazione e l'invidia». Si avvertiva quindi l'esigenza di una palestra accessibile a tutti i giovani musicisti per il perfezionamento della loro formazione.[192] A questo progetto Rossi lavorò per parecchi anni senza però ottenere risultati apprezzabili.[193]

Esistevano poi dei concorsi banditi da istituti musicali, il cui esito era generalmente assai poco confortante. Si può citare ad esempio la relazione stesa dai professori dell'Istituto musicale fiorentino chiamati a giudicare le opere presentate al concorso indetto, negli anni successivi all'Unità, dall'Accademia degli Immobili: le partiture prese in esame offrivano «una prova irrefragabile della trascuranza in cui sono tenuti presso i giovani compositori gli studi dell'armonia e del contrappunto», così come dell'arte del canto. Era dunque auspicabile che si estendesse anche alla musica «quella reazione salutare che sembra adesso vada ovunque operandosi contro la invalsa rilassatezza nei severi studi di qualsivoglia disciplina».[194]

[191] Si veda l'intera documentazione in ASM, *Prefettura*, b. 224, *Teatri Regi*, il ministro della Pubblica Istruzione al ministro dell'Interno, 2 febbraio 1863; il ministro dell'Interno al prefetto di Milano, 17 febbraio 1863; il prefetto di Milano alla Direzione dei RR. Teatri, 17 marzo 1863.

[192] *Le Muse*, 10 dicembre 1865, *Progetto per l'istituzione d'un teatro lirico e sperimentale*. A Rossi aveva promesso un sostegno finanziario «quell'emerito mecenate delle arti belle» che era Antonio Gavazzi (*Gazzetta Musicale di Milano*, 30 maggio 1869, *Una proposta artistica*).

[193] Rossi fu in seguito tra i promotori dell'Associazione dei maestri compositori, nata nel 1876 allo scopo di sostenere le opere dei giovani autori e alla quale diedero la propria adesione altri insigni maestri come Casamorata e Platania. Ma si trattò anche questa volta di un sostanziale fallimento (*Il Secolo*, 29/30 aprile 1876, *Eco dei teatri*).

[194] *La Nazione*, 4 aprile 1864, *Appendice. Relazione e giudizio nel concorso aperto dalla R. Accademia degli Immobili nell'anno 1864 [...]*. Si veda anche *La Nazione*, 30 settembre 1864, *Appendice. Relazione sul concorso del R. Teatro della Pergola*; *La Nazione*, 17 settembre 1865, *Appendice. Commissione giudicante nel terzo concorso del R. Teatro della Pergola*. Il concorso era nato nel 1863: in quell'anno il municipio fiorentino aveva accettato di portare la dote annua al Teatro della Pergola da 45.000 lire a 75.000 lire, a patto che 3.000 lire fossero destinate a un premio per un'opera nuova di un compositore esordiente. Per un bilancio del concorso si consulti *La Nazione*, 14 aprile 1872, *Rassegna musicale*.

È evidente dunque che la carenza di compositori di talento e la qualità della formazione impartita negli istituti musicali statali erano considerate questioni strettamente connesse. Lo dimostra anche una vicenda che suscitò un certo scalpore in quegli anni e vide protagonisti il grande Rossini e il ministro della Pubblica Istruzione Emilio Broglio.[195] Chiamato nell'ottobre del 1867 a reggere il dicastero della Pubblica Istruzione, che guidò nei due gabinetti Menabrea fino al maggio del 1869, Broglio si era distinto soprattutto per l'invito ad Alessandro Manzoni a svolgere in una relazione le sue riflessioni sul problema della lingua e ne aveva patrocinato il *Novo Vocabolario*. Nel marzo 1868 Broglio inviò a Rossini, che aveva incontrato a Parigi nel 1863, una lettera nella quale esordì dichiarando esplicitamente di voler ritentare la felice impresa della collaborazione con Manzoni e si confessò appassionato ma incompetente ascoltatore di musica. Il suo obiettivo era quello di rimediare alla «sterilità» che si individuava nella produzione musicale italiana: ad esso ci si poteva avvicinare solo «riprendendo da capo l'educazione dei cantanti – impresa lunga e difficilissima» – e aprendo la strada ai giovani compositori, «soffocati in fasce» dalle esigenze e dalle aspettative nutrite dal pubblico, affamato di «opere mastodontiche». Da qui l'idea di Broglio: quella di creare una grande associazione musicale composta da dilettanti e amatori di musica, che egli avrebbe voluto chiamare Società Rossiniana, con un proprio statuto e comitati nelle varie città italiane. Riunendo un numero di 2000-2500 sottoscrittori, ognuno dei quali avrebbe versato la cifra di 50 lire, si sarebbe costituito un primo fondo di 10.000 lire, ulteriormente incrementato dal ricavato dell'esecuzione di musiche inedite di Rossini stesso. Con questa somma si sarebbero potute trovare le forme più opportune di intervento a favore dell'arte musicale. Quindi, una volta che la società fosse decollata, Broglio prevedeva la possibilità di radicali trasformazioni:

«Io, come ministro della istruzione pubblica, ho quattro o cinque conservatorii o istituti musicali, con una spesa approvata in bilancio di 400 circa mila lire. C'è, in Parlamento, ed è naturale che ci sia, un'opinione contraria a codesta curiosa ingerenza governativa nel libero svolgimento dell'arte; sarebbe dunque facile ottenere che lo Stato si lavasse le mani di questa roba, cedendo i conservatorii, col loro materiale, e una parte dell'assegno affidato in bilancio, alla nuova Società, che si sostituirebbe così, molto opportunamente, al Governo in questa parte».[196]

---

[195] Ricordiamo che Broglio, milanese, esperto di diritto amministrativo e di economia, si era laureato in legge a Pavia ed era divenuto segretario delle ferrovie lombarde. Nel 1859, dopo l'esilio piemontese, diresse *La Lombardia*, quindi fu eletto deputato nelle file della Destra e iniziò la sua carriera politica. A Roma avrebbe presieduto l'Associazione Costituzionale, nonché l'Accademia musicale di Santa Cecilia. Sulla sua figura si veda la voce redatta da NICOLA RAPONI in *DBI*, vol. XIV, pp. 434-437.

[196] *La Nazione*, 14 maggio 1868, *Varietà. Dal «Regno d'Italia» la lettera di Broglio a Rossini del 29 marzo 1868.*

Il progetto di Broglio, come emerge con evidenza, raccoglieva e assecondava istanze e auspici condivisi da buona parte del mondo politico: un alleggerimento delle funzioni statali e una minore ingerenza dell'esecutivo nel campo del teatro e della musica, la nascita di istituzioni dotate di autonomia nell'ambito della società civile stessa.

L'iniziativa del ministro della Pubblica Istruzione, che ancora una volta tentava di coinvolgere, dopo Manzoni, un altro altissimo rappresentante della cultura italiana dell'Ottocento, suscitò vivaci reazioni, in qualche caso entusiaste, più spesso perplesse o polemiche, se non ostili.

D'Arcais per esempio trovò la proposta di Broglio apprezzabile e interessante: certo, nella sua lettera andavano distinte la sostanza e la forma e, se quest'ultima poteva lasciare a desiderare per qualche parola infelice, non vi era da dubitare sulle generose intenzioni del progetto. Esso era stato contestato dal *Movimento* di Genova e, in generale, dai giornali dell'opposizione, compresa *L'Unità cattolica*, che gridavano: «Abbasso il ministro Broglio!» non perché avesse scritto la lettera a Rossini, ma perché faceva parte del gabinetto Menabrea.[197] Denunciava D'Arcais:

«Quando mai quei giornali hanno esaminato seriamente una questione musicale? Dove sono gli articoli del *Movimento* in favore del teatro italiano? Ora si vorrebbe che la musica servisse di mantello alla politica. Su questo terreno non discendo».[198]

Il Movimento aveva in particolare sottolineato l'implicita offesa al nome di Verdi, dimenticato nella lettera di Broglio. Verdi stesso, del resto, se l'era presa e, in questa controversia, aveva ovviamente ottenuto l'appoggio della *Gazzetta Musicale di Milano* di Ricordi, editore, come è noto, delle sue opere. Secondo D'Arcais, era più plausibile e naturale che qualche speculatore di fronte alla proposta di Broglio facesse «il viso dell'armi», meno comprensibile era la levata di scudi di alcuni artisti. Con il suo intervento piccato Verdi aveva recato «danno gravissimo» all'arte:

«Crede egli che la musica italiana sia in fiore, come trent'anni or sono, perché le sue opere furono rappresentate in tutti i teatri del mondo? [...] Ma, di grazia, non s'avvede che mentre noi avevamo un giorno sei o sette maestri che tenevano alla bandiera della musica italiana, ora egli è solo?».

---

[197] Anche Filippi parlò di «demolizione politica» e di «denigrazione personale» di Broglio, che invece aveva dimostrato lodevoli intenzioni (*Il Mondo Artistico*, 31 maggio 1868, *Una parola sulla Lettera del Ministro Broglio a Rossini*). Quanto alla proposta del ministro, Filippi la giudicò «attuabile e di una utilità pratica per l'arte» (*Il Mondo Artistico*, 5 luglio 1868, *La nuova lettera di Rossini al maestro Lauro Rossi*).
[198] *L'Opinione*, 25 maggio 1868, *Appendice. Rivista Musicale.*

Secondo D'Arcais, Verdi avrebbe dovuto conoscere le condizioni dei giovani compositori: egli stesso non avrebbe forse scritto *Un ballo in maschera* e *Don Carlos* se non avesse trovato aiuto e protezione per far rappresentare il *Nabucco*.[199]

Broglio fu caldamente difeso anche dalla *Nazione*. In un commento sulla questione si tracciava un quadro impietoso delle condizioni della musica in Italia, si ricordavano la decadenza dell'arte del belcanto, l'abbandono della musica religiosa e cameristica, la mancanza di progressi nel campo degli studi teorici, lo scadimento dei Conservatori. Broglio aveva però commesso due errori: quello di coinvolgere nella decadenza anche Mercadante, Pacini, Donizetti, Bellini e quello di dimenticare il nome di Verdi. Ma erano errori dettati «dalla fretta di una lettera privata». Per il resto l'intervento del ministro era una mossa azzeccata. Intanto la Società Rossiniana aveva già tenuto due adunanze e formulato un programma di massima,[200] accogliendo osservazioni e idee comunicate da Rossini stesso.

La *Gazzetta Piemontese*, dal canto suo, auspicava il depennamento della spesa per i Conservatori – che, ricordiamo, ammontava a 410.000 lire circa – dal bilancio statale; le provincie, più ragionevolmente, avrebbero potuto farsene carico, perché:

«e la giustizia distributiva e il savio principio del decentramento e il bisogno massimo di effettuare delle economie richiedono del pari che lo Stato venga esonerato dalle spese delle scuole musicali».[201]

---

[199] D'Arcais criticava aspramente anche l'intervento di Boito sulle pagine del *Pungolo*: «Al Boito rispondano gli innumerevoli suoi colleghi che mentre egli, per un caso strano, otteneva larga ospitalità alla Scala, bussavano invano alle porte del Carcano e del Santa Radegonda» (*ibidem*). Sempre D'Arcais, in un articolo di qualche giorno prima (*L'Opinione*, 18 maggio 1868, *Appendice. Rivista drammatico-musicale*), aveva ricordato che far rappresentare un'opera nuova era privilegio di chi aveva «3 o 4 mila lire da spendere», mentre la musica fioriva in Italia quando i giovani compositori non erano costretti a esordire con opere in quattro o cinque atti sui palcoscenici più prestigiosi, ma facevano un lungo tirocinio in teatri minori con lavori di piccola mole. Il problema dei maestri esordienti era avvertito da qualche anno: in un articolo successivo, sempre D'Arcais citava il progetto di un Ginnasio di esperimento per i giovani compositori di musica formulato da Giacomo Servadio, poi divenuto deputato, pubblicato a Firenze nel 1852 e caldamente incoraggiato da Rossini – progetto avviato, ma poi fallito (*L'Opinione*, 15 giugno 1868, *Appendice. Rivista drammatico-musicale*).

[200] Il programma prevedeva l'istituzione di teatri ordinati a repertorio, che alternassero rappresentazioni di capolavori «specialmente italiani» a opere di esordienti, e la creazione di due scuole annesse ai teatri, una di belcanto e una corale; inoltre si sarebbe dedicata particolare attenzione all'opera buffa, a quella semiseria e alla farsa «perché forme dell'arte essenzialmente italiane e più convenienti ai principianti» (*La Nazione*, 17 giugno 1868, *Rassegna musicale*; si veda inoltre *L'Opinione*, 22 giugno 1868, *Appendice. Rivista drammatico-musicale*).

[201] *Gazzetta Piemontese*, 27 maggio 1868, *Italia. Varietà*.

Una secca bocciatura del progetto Broglio giunse invece, sulle pagine del *Secolo*, dal critico musicale Antonio Ghislanzoni, scandalizzato dalle parole del ministro a proposito dei Conservatori, infastidito dall'«appello alla borsa dei privati» e divertito persino dalla scelta del destinatario, «questo immortale bontempone», Rossini, che da anni viveva all'estero e dalla sua villa di Passy assisteva con ironica indifferenza ai trionfi della sua musica e alle fatiche titaniche dei suoi meno divini successori:

> «Infatti la risposta mandata dall'illustre maestro e più ancora la subita offerta del *Canto dei Titani* come mezzo per creare i primi fondi di cassa, hanno il sapore umoristico di una cavatina del *Barbiere* e ricordano la famosa promessa che lo stesso Rossini fece ai Pesaresi, di volerli regalare nel suo testamento».[202]

Secondo il critico del *Secolo*, i ministri avrebbero dovuto essere «più positivi»: il progetto della Società rossiniana era invece assolutamente utopistico; inoltre, anziché chiamare a raccolta «tutte le cospicue notabilità d'Italia», Broglio le aveva disconosciute e vilipese. Infine l'iniziativa dei privati non dava garanzie di equità e imparzialità: «[...] se negli istituti governativi il favoritismo e l'intrigo portano infiniti danni, nelle associazioni private queste due pesti si sviluppano doppiamente esiziali».[203]

Fortemente critica fu anche *La Gazzetta di Milano*: se proprio intendeva giovare alla musica, il ministro poteva cominciare ad «emancipare il Conservatorio da qualunque ingerenza autoritaria», ad informarsi sulle iniziative dei privati già in atto, a favorirle con incoraggiamenti e sussidi, ma, soprattutto, doveva astenersi dalle ingerenze inopportune, perché «la protezione officiale» provocava «l'effetto del caldo di stufa sulle piante».[204] Se quindi il quotidiano milanese approvava l'idea del ministro di «sottrarre gli istituti musicali alla tutela governativa», deplorava lo stile, il tono, il contenuto della lettera di Broglio, rimproverandogli di «insultare [...] impunemente l'arte nazionale».[205]

---

[202] *Il Secolo*, 6 giugno 1868, *Appendice del Secolo. Questione musicale*; si veda anche *Il Secolo*, 28 maggio 1868, *Appendice del Secolo. Questione musicale*.

[203] *Ibidem*. Ghislanzoni fece notare che l'idea di lasciare i Conservatori ad un'associazione di privati non era affatto nuova; qualcosa di simile era stato progettato dall'onorevole Mancini, «uomo dotato di vero gusto per l'arte e di questa studiosissimo cultore», senonché quella di Mancini «era buona, facilmente attuabile e suscettiva di immenso sviluppo. L'on. Broglio, appropriandosela, la rende eunuca e ottiene di farla abortire» (*Il Figaro*, 21 maggio 1868, *Povero ministro!*).

[204] «Guai alle cose fatte per mano e per opera intiera del governo» – sentenziava il critico del quotidiano milanese, paventando «la smania solita e deplorabile del nostro governo di mettersi sempre attraverso l'iniziativa privata invece di ajutarla» (*Gazzetta di Milano*, 2 maggio 1868, *Appendice. Rivista settimanale*).

[205] La decadenza della musica italiana – come ribadiva in un intervento caustico, polemico e decisamente antigovernativo l'appendicista della *Gazzetta di Milano* – era cominciata quando Broglio e i suoi «amici» avevano voluto «imporre all'Italia la loro mediocrità

Arrigo Boito invece, in un articolo estremamente tagliente e dal tono a dir poco irriverente, criticò proprio le allusioni di Broglio a proposito del futuro assetto dei Conservatori: era assurdo, a suo avviso, «porre la musica in istato di vagabondaggio e di mendicità abbandonandola alla volubilità di mecenati molto ipotetici». Gli artisti e i giovani maestri, secondo Boito, avrebbero dovuto soprattutto viaggiare, come bene aveva compreso De Sanctis quando nel 1862 aveva ricoperto la carica di ministro della Pubblica Istruzione.[206] Più tardi, in una lettera accorata a Ricordi pubblicata sulla *Gazzetta Musicale di Milano*, D'Arcais tentò, in qualità di membro della commissione incaricata di studiare e preparare le basi della Società Rossiniana, di dissipare dubbi ed equivoci: nei suoi interventi alle riunioni della commissione, Broglio aveva liquidato qualsiasi sospetto sull'intenzione di sbarazzarsi dei Conservatori,[207] ma aveva confermato che una parte della Camera era contraria alla sovvenzione statale degli istituti di educazione musicale e c'era chi meditava di introdurre economie in questo settore.[208]

Dopo aver dunque sollevato un gran polverone sulle pagine dei quotidiani, il progetto languì e non se ne fece più parola. Velleitaria forse, come era stata definita, senz'altro improvvisata e non priva di ingenuità, la proposta di Broglio, ma meditata sulla base di umori e indirizzi nella cerchia parlamentare e governativa tutt'altro che aleatori; essa ebbe senz'altro il merito di accendere e di estendere un dibattito che fino ad allora aveva coinvolto qualche critico musicale e si era svolto costante ma sommesso.

Negli anni seguenti, a dire il vero, i toni accesi della campagna a favore dei compositori esordienti andarono smorzandosi. Anzi in molti casi la simpatia lasciò il posto al giudizio severo e all'ironia. Qualche critico iniziò a ricordare come le vie del successo nel teatro musicale fossero sempre state irte di ostacoli e ciò non aveva impedito a molti geni di farsi strada. I giovani compositori avevano la loro parte di colpa: erano ambiziosi e poco consapevoli delle proprie capacità, volevano iniziare dove un tempo si era soliti finire, con quel «vezzo» per le grandi opere tragiche in quattro o cinque atti, si davano arie di riformatori e redentori della musica, ma dopo qualche studio mettevano il tetto e si da-

presuntuosa sotto pretesto di voler fare una rivoluzione nel mondo dell'arte; quando il governo che si caccia dovunque colla sua ingerenza burocratica e letale, di coteste mediocrità eunuche ha fatti non solo degli inoffensivi crocesegnati, ma dei professori di Conservatorii, dei consiglieri, dei giudici» (*Gazzetta di Milano*, 11 maggio 1868, *Il ministro Broglio, Rossini e la musica*).

[206] Per il testo della lunga lettera di Boito si veda *Il Pungolo*, 21 maggio 1868, *A sua Eccellenza il ministro della istruzione pubblica. Lettera in quattro paragrafi di Arrigo Boito*.

[207] Rossini confermò che nella sua corrispondenza con Broglio non era mai stata fatta alcuna allusione in proposito (*Il Mondo Artistico*, 28 giugno 1868, *Una nuova lettera di Rossini*). Le medesime assicurazioni diede *L'Opinione*, 29 giugno 1868, *Appendice. Rivista drammatico-musicale*.

[208] *Gazzetta Musicale di Milano*, 14 giugno 1868, *Questioni musicali*.

vano da sé la laurea. In realtà mai si erano visti tanti compositori, mai erano state rappresentate tante opere nuove: ai tempi di Rossini, Mercadante, Donizetti esse erano otto o dieci all'anno, intorno al 1840 erano salite a venti, all'inizio degli anni '70 erano in media più di quaranta e i compositori raggiungevano un numero assai elevato: dai 150 ai 200, secondo i calcoli di Biaggi, che arrivava persino a proporre premi di «scoraggiamento». La povertà della musica e del teatro melodrammatico, secondo il critico fiorentino, scaturivano «dal basso concetto in che han l'arte i nostri giovani musicisti e i loro precettori e maestri», «dal predominio degli spiriti mercantili», «dai viziosi e scarsissimi studi».[209]

6. LE COMMISSIONI CORRENTI

Le polemiche seguite alla proposta di Broglio, la sfortunata vicenda della Società Rossiniana e la questione dei compositori esordienti vanno inseriti nel più ampio contesto del dibattito che in quegli anni si accese intorno alla questione degli studi musicali.

Così si legge, a proposito di istituti e società musicali, in *L'Italia Economica nel 1873*:

«La musica [...] ebbe in questi ultimi anni un incremento e una diffusione, che direbbesi strana, ove non si fosse osservato che al crescere dell'operosità in una parte dell'attività umana, ricevono incremento e si ringagliardiscono anche tutte le altre».[210]

Gli istituti musicali statali erano cinque: il Conservatorio di Musica di Milano, il Collegio di Musica di S. Pietro a Maiella di Napoli, l'Istituto musicale di Firenze, il Collegio musicale del Buon Pastore di Palermo e la Scuola di Musica dell'Ospizio delle Arti di Parma. Essi tuttavia non rappresentavano «che in piccola parte» l'attività musicale in Italia, dove negli ultimi dieci anni si erano aperte numerose scuole,[211] sia private che municipali. Nell'anno scolastico

---

[209] *La Nazione*, 14 aprile 1872, *Rassegna musicale* cit. Biaggi proponeva l'istituzione di un «teatro-scuola», che rispolverasse le opere buffe e semiserie degli antichi maestri e si aprisse per questo genere di opere agli esordienti; l'idea era sostenuta anche da Luigi Casamorata, direttore dell'Istituto musicale fiorentino (*La Nazione*, 7, 8 e 9 ottobre 1872, *Appendice. De' compositori esordienti e di un Teatro-scuola*). Sulle condizioni dei compositori esordienti si veda anche *La Nazione*, 6 marzo 1877, *Rassegna musicale*.

[210] *L'Italia Economica nel 1873*, Roma, Tipografia Barbèra, 1874, p. 276.

[211] La tabella riportata *ivi*, p. 277, risulta eloquente: nel primo decennio del secolo si contavano nella penisola 7 nuove scuole, 16 ne erano sorte dal 1811 al 1820, 17 dal 1821 al 1830, 31 dal 1831 al 1840, 36 dal 1841 al 1850, 36 dal 1851 al 1860 e ben 96 dal 1861 al 1870.

1871-72 erano in totale 267:[212] oltre ai 5 istituti statali, erano state aperte 150 scuole dai municipi, 24 da privati, 23 da istituti di beneficenza, 9 da società filarmoniche, mentre una era a spese di una provincia e 55 a spese di municipi, provincie e privati insieme. Nel 1872 vi insegnavano 896 professori, gli alunni iscritti erano 8863 – 8003 maschi e 860 femmine –, dei quali solo 695 frequentavano le scuole statali.

Su quest'ultime, tuttavia, si concentrava quasi esclusivamente l'attenzione di critici ed esperti musicali. Quando, come si è visto, per un equivoco si parlò di una loro «abolizione», si levarono voci scandalizzate. Filippi dichiarò che i Conservatori erano «troppo vessati e calunniati da coloro che pretesero farne delle fabbriche di genii», mentre non erano che «un eccellente e proficuo vivaio d'artisti esecutori e di docenti».[213] Non si mancò mai di registrare le esperienze positive, di accompagnare i progressi delle singole scuole. Si ammetteva, ad esempio, che il Conservatorio milanese fosse un'istituzione non priva di «mende» ma dignitosa e «tale da far onore all'Italia»[214] e che il giovane Istituto fiorentino procedesse «egregiamente».[215] Tuttavia i giudizi negativi, le critiche, le denunce finivano per relegare in secondo piano i motivi di soddisfazione.

Così si osservava che, a fronte del sensibile aumento di scuole e di allievi registrato in Italia, i frutti dell'istruzione musicale erano scarsi. Le responsabilità andavano attribuite all'insegnamento privato[216] come a quello impartito nei Conservatori.[217] I saggi di studio annuali erano seguiti con estrema attenzione dai critici e fornivano occasione ricorrente di bilanci, osservazioni, censure che trovavano spazio abbondante anche sulle pagine dei quotidiani e nelle recensioni dei critici più autorevoli – da Biaggi a Filippi, da Caputo a D'Arcais, da Florimo a Casamorata. Erano ricorrenti i lamenti sul livello scadente delle scuole di canto e di alcuni corsi di strumento, nonché sui programmi dei saggi, nei quali era impossibile trovare il segno «di un concetto primordiale e ordinatore, di un disegno prestabilito, di un intento determinato»: confusi con Bach e Palestrina si potevano ascoltare gli autori di cavatine e i «canzonettai».[218] Si ac-

---

[212] Erano escluse le bande musicali e le scuole di canto annesse a Chiese, cappelle e altri stabilimenti (*ibidem*).

[213] *Il Mondo Artistico*, 14 giugno 1868, *Una prima parola in difesa dei Conservatori di musica*.

[214] A. BIAGGI, *L'anno musicale in Italia*, in *Nuova Antologia*, gennaio 1873.

[215] Come si legge, ad esempio, in *La Nazione*, 4 novembre 1863, *Appendice. Pubbliche prove di studio date dagli alunni del R. Istituto musicale di Firenze*, così come in *La Nazione*, 29 agosto 1870, *Rassegna musicale*, che stilava un bilancio dell'attività dell'Istituto nei primi dieci anni di vita.

[216] Si consideri a tale proposito, tra i numerosi interventi, quello di Michele Carlo Caputo in *Gazzetta Musicale di Milano*, 19 luglio 1874, *Lo studio privato della musica in Italia*.

[217] Sul quale Biaggi diede un giudizio pesantemente negativo nello studio pubblicato in *Nuova Antologia*, aprile 1871, *I Conservatori di musica in Italia ed il loro ordinamento*.

[218] *La Nazione*, 1° settembre 1874, *Rassegna musicale*.

cusavano le direzioni di plagiare «servilmente i gusti e i capricci» di un pubblico di amici e parenti,[219] di ricorrere alla *claque* e alla *réclame*,[220] di corrompere gli allievi, che non portavano più rispetto ai maestri, di procedere con larghezza nelle ammissioni, di non rimediare all'«empirismo» dell'insegnamento, alla «anarchia pedagogica», alla «indisciplina»,[221] di non insistere sulla necessità che gli alunni conoscessero la lingua e la poesia, la declamazione, la storia, di accrescere, alfine, a spese dello Stato il numero di «inetti» con «l'allettamento di un'istruzione gratuita, ma imperfettissima e abborracciata».[222]

Oltre al livello dei saggi, anche i risultati dei concorsi e la qualità degli spettacoli attestavano che la musica viveva un momento di decadenza. Poiché l'Italia non mancava «di cultori, né di attitudini naturali, né di scuole, né d'istituzioni d'incoraggiamento», era lecito attribuirne la causa soprattutto alla carenza di «buoni e congrui studi».[223] Il teatro musicale non ne era che una «vittima, anche troppo obbediente». Dunque era necessario adottare «un sistema di educazione più vasto, più in armonia coll'odierno incivilimento»;[224] la didattica aveva «urgentissimo bisogno di riforma e di ravviamento».[225]

Complessivamente il mondo della musica in quegli anni diede segnali di «grande preoccupazione e di grande inquietudine» e non mancò di avvertire tale esigenza. Già si è detto delle iniziative del Conservatorio di Milano nel novembre del 1859 e di quella del municipio torinese del marzo 1861. Ma anche negli anni seguenti, per ammissione dei critici stessi, gli uomini preposti alla direzione degli istituti musicali parvero «animati dal convincimento» che l'arte musicale italiana «aspettasse da loro la sua resurrezione» e mostrarono una «sana e commendevole operosità».[226] Si rispolveravano vecchi metodi e se ne sperimentavano di nuovi, si aggiungevano cattedre, si aprivano concorsi, si registrava, insomma, «un gran movimento», anche se «un non so che di affrettato e d'incomposto» impediva alle buone intenzioni di tradursi in risultati tangibili[227] e non si registravano di contro i progressi auspicati.

Tra gli esperti vi era chi insisteva sulla necessità di assicurare uomini preparati alla guida degli Istituti piuttosto che discutere sugli ordinamenti. Altri facevano notare che maestri come Lauro Rossi, Saverio Mercadante, Luigi Casamorata, Alberto Mazzuccato fossero figure di indiscusso prestigio: non mancava-

---

[219] *La Nazione*, 8 settembre 1874, *Rassegna musicale*.
[220] *La Nazione*, 30 settembre 1874, *Rassegna musicale*.
[221] *La Nazione*, 5 agosto 1879, *Rassegna musicale*.
[222] *La Nazione*, 13 settembre 1867, *Rassegna musicale*.
[223] A. Biaggi, *I Conservatori di musica in Italia ed il loro ordinamento*, in *Nuova Antologia*, aprile 1871 cit.
[224] *La Nazione*, 15 giugno 1865, *Rassegna musicale*.
[225] *La Lombardia*, 1° dicembre 1859, *Appendice. Dell'insegnamento musicale e del Conservatorio*.
[226] *La Nazione*, 2 settembre 1873, *Rassegna musicale*.
[227] *La Nazione*, 23 luglio 1864, *Rassegna musicale*.

no, perciò, validi professionisti, bensì la disciplina e l'unità di direzione. Come osservava D'Arcais, uno dei «vermi roditori» dei Conservatori italiani era la separazione tra direzione artistica e direzione amministrativa e la scarsa autorità del direttore artistico sul corpo insegnante. Un'altra piaga era l'esiguità dello stipendio degli insegnanti, costretti ad «arrotondare» con le lezioni private o le intermediazioni tra allievi e agenti teatrali: il posto di docente al Conservatorio era in genere ambito proprio perché procurava clientela.[228] Ugualmente si discuteva sulla alternativa tra il sistema a liceo – in favore del quale si era tra l'altro espresso anche il Congresso dei musicisti tenutosi a Napoli nel 1864 – e il sistema a convitto, tenacemente propugnato, ad esempio, da Biaggi.

Quando alla morte di Mercadante la direzione del Collegio musicale di Napoli rimase vacante, il ministro della Pubblica Istruzione Cesare Correnti, di fronte alle numerosissime candidature – ben 27 –, al chiasso e alla confusione delle campagne di stampa dei diversi patrocinatori e ai lamenti sullo stato dell'istituto, diede ascolto al suggerimento che da più parti giungeva: cogliere l'occasione per studiare un riordinamento generale dei Conservatori. Egli chiamò a formare la commissione di studio esperti ed esponenti autorevolissimi del mondo musicale italiano: Giuseppe Verdi, come presidente – già autore di una serie di proposte rese note in una lettera a Francesco Florimo, archivista del Collegio musicale di Napoli –, Luigi Casamorata, direttore dell'Istituto musicale fiorentino, Alberto Mazzuccato, insegnante del Conservatorio milanese e suo vero «motore»,[229] Paolo Serrao, professore a Napoli. Erano stati esclusi rappresentanti della critica e della stampa e si era preferito ridurre il più possibile il numero dei membri: «pochi ma buoni», come affermò Filippi, «tutti maestri, uomini istrutti, competenti», disinteressati, provenienti dai vari istituti del Regno. Scrisse in proposito il critico della *Perseveranza*:

«Il Correnti, colle sue pronunciate tendenze a tutto ciò ch'è letterario ed artistico, esercita il suo ufficio con ogni migliore intenzione di cooperare allo sviluppo dell'intelligenza, in qualsiasi ramo del bello; egli non bada tanto a grettezze didattiche, quanto a più larghe vedute in tutto ciò ch'è produttività artistica e letteraria».[230]

A Correnti stesso si attribuivano interessanti proposte: quella di trovare un «mezzo termine» tra la tutela ad oltranza della musica italiana e l'«oltremonta-

---

[228] *L'Opinione*, 16 gennaio 1871, *Appendice. Il Conservatorio di Napoli*. Per *Il Secolo* (26 gennaio 1871, *Amenità*) un professore di Conservatorio era, al contrario, un privilegiato, perché lavorava due ore al giorno per sei mesi all'anno. Sulla necessità di una direzione unica si soffermava anche *L'Opinione*, 30 gennaio 1871, *Appendice. Rivista drammatico-musicale*.

[229] Così lo definiva *Il Secolo*, 13 marzo 1871, *Musica*, mentre per il critico della *Perseveranza* Mazzuccato era «erudito insigne, esperto degli organismi e regolamenti» (*La Perseveranza*, 27 marzo 1871, *Appendice. Rassegna musicale*).

[230] *Ibidem*.

nismo», concentrando a Napoli «tutte le tradizioni italiane» e istituendo a Milano un grande Conservatorio internazionale con insegnanti di vari paesi; oppure quella di subordinare il mantenimento dei Conservatori da parte del governo all'impegno dei rispettivi municipi in una gestione meno gretta e distratta dei teatri lirici.[231]

La commissione, ad ogni modo, si riunì nel marzo 1871, con l'incarico di compilare un regolamento che potesse adattarsi a tutti gli istituti musicali governativi. Al termine dei lavori essa produsse, accompagnandolo con una relazione, un regolamento[232] che era in alcuni punti «calcato sulle forme di altri precedenti», ma in sostanza poggiava «su basi in gran parte nuove». L'obiettivo – si affermava – era quello di ripristinare «una scuola essenzialmente italiana, identica nei metodi e nello scopo»: si auspicava perciò una omogeneità di indirizzi, programmi, ordinamenti e inoltre la stretta sorveglianza da parte del ministero sulle scuole non governative.[233] Sulla questione della scelta tra il sistema del convitto e quello del liceo i pareri dei commissari si erano divisi. La proposta finale fu il risultato di un compromesso: l'adozione, vale a dire, di un sistema misto. Fu invece concorde l'insistenza sull'importanza dell'educazione letteraria nella formazione dei futuri cantanti e musicisti. Infine la commissione prese posizione contro la «assurda esclusione» dell'elemento femminile nelle classi degli istituti musicali, augurandosi che cessasse definitivamente anche in quelli ordinati a convitto.

Le proposte e gli studi prodotti in quella occasione non furono il preludio di un globale riordinamento generale dei Conservatori italiani. Del resto anche su questo punto le opinioni erano discordanti: non mancava chi sosteneva che le tradizioni così differenti degli istituti musicali italiani rendessero opportuni regolamenti speciali per ciascuno di essi. Ad ogni modo il regolamento redatto dalla commissione Correnti fu effettivamente applicato, con qualche emendamento, solo nel Collegio napoletano, alla direzione del quale venne nominato, dopo il rifiuto di Verdi,[234] Lauro Rossi. Polemiche e lamenti non per questo cessarono. Anzi, la nomina di un direttore artistico dalle ampie facoltà andò a ferire consuetudini ed interessi consolidati, facendo rimpiangere a Rossi la quiete di Milano.[235] Le conclusioni della commissione quindi, anziché porre fi-

---

[231] *Ibidem.*

[232] *Sulla riforma degli Istituti Musicali. Relazione al Ministro della Pubblica Istruzione*, Firenze, Regia Tip., 1871.

[233] Il regolamento prevedeva un direttore musicale – «anima e incarnazione dell'Istituto», «l'ispiratore, il moderatore, l'unificatore» di tutti i suoi elementi, «con libera azione così tecnica come disciplinare» –, un presidente, che rappresentasse il ministero esercitando una funzione di controllo e vigilanza, e un Consiglio direttivo (*ibidem*).

[234] Si veda la lettera di Verdi a Florimo in *L'Opinione*, 21 gennaio 1871, *Lettera del maestro Verdi*.

[235] Come dimostra la sua lettera pubblicata da *L'Opinione*, 21 ottobre 1872, *Rivista drammatico-musicale*.

ne al dibattito sugli studi musicali, contribuirono ad alimentarlo. Nel 1873 alla Camera prima Augusto Righi il 31 gennaio, poi Giacomo Servadio e Camillo Casarini il 6 febbraio[236] avevano sollevato – nell'ambito del dibattito sul bilancio del ministero della Pubblica Istruzione – l'argomento della scarsità di musicisti valenti e della sterilità delle scuole musicali italiane: la questione era stata accolta «con insolito interesse» in sede parlamentare e aveva suscitato «un'eco simpatica in tutto il paese».[237] I tre oratori, grandi appassionati ed esperti di musica,[238] avevano espresso i propri punti di vista, peraltro divergenti, sull'indirizzo che in Italia la musica e gli studi musicali avrebbero dovuto seguire, chi, come Righi, disquisendo sull'influenza delle scuole straniere e sostenendo la necessità di difendere la tradizione musicale nazionale,[239] chi, come Casarini, invitando a non innalzare «muraglie della China intorno ai templi dell'arte».[240] Il ministro della Pubblica Istruzione Scialoja aveva replicato che era inopportu-

---

[236] AP, *Camera*, Legisl. XI, Sess. 1871-72, *Discussioni*, tornata del 31 gennaio 1873, pp. 4513-4516, e tornata del 6 febbraio 1873, pp. 4695-4698.

[237] *La Perseveranza*, 13 febbraio 1873, *Teatri e notizie artistiche*.

[238] Casarini, ex sindaco di Bologna, si era occupato per lungo tempo degli spettacoli del Teatro Comunale; Servadio, toscano, maestro di musica, giornalista teatrale, era stato autore, come già si è ricordato, di un progetto di Ginnasio di esperimenti per i giovani compositori di musica, proposto e pubblicato nel 1852 a Firenze (*L'Opinione*, 15 giugno 1868, *Appendice. Rivista drammatico-musicale*).

[239] Righi, in particolare, aveva denunciato il cosiddetto «stranierismo», vale a dire l'imitazione dell'opera francese e tedesca a suo parere prevalente non solo nei teatri musicali, ma anche nei Conservatori: «Io non posso dimenticare, o signori, – affermò il deputato veronese – che se noi da uno smembramento e da un servaggio secolare ci troviamo qui tutti riuniti liberi rappresentanti di una libera nazione, non possiamo in maniera alcuna dimenticare che questo risultamento, che questa suprema soddisfazione lo dobbiamo in gran parte all'arte ed alla letteratura italiana» (AP, *Camera*, Legisl. XI, Sess. 1871-72, *Discussioni*, tornata del 31 gennaio 1873, p. 4515). Alcuni critici approvarono (*La Nazione*, 11 febbraio 1873, *Rassegna musicale*), altri accusarono Righi di aver reso omaggio «ai luoghi comuni di un esagerato *chauvinisme* musicale» (*La Perseveranza*, 4 febbraio 1873, *Teatri e notizie artistiche*; si legga anche l'interessante intervento di Filippi in *La Perseveranza*, 31 marzo e 1° aprile 1873, *Appendice. La musica alla Camera dei deputati*). D'Arcais da parte sua scrisse che l'indirizzo dell'insegnamento musicale «più che dal governo dev'essere determinato dall'opinione pubblica» (*L'Opinione*, 3 febbraio 1873, *Appendice. Rivista drammatico-musicale*). In un altro articolo (*L'Opinione*, 10 febbraio 1873, *Appendice. Rivista drammatico-musicale*) D'Arcais sottolineò come i deputati avessero discusso di musica e teatro con «benevolenza»: si trattava, a suo dire, di un significativo e positivo «mutamento di disposizioni».

[240] Per Casarini il vero pericolo che correvano gli studi musicali in Italia era quello di chiudersi in «una specie di isolamento contemplativo, in una specie di estasi e di accasciamento asiatico» (AP, *Camera*, Legisl. XI, Sess. 1871-72, *Discussioni*, tornata del 6 febbraio 1873, p. 4695). Servadio si era limitato a sollecitare un maggiore interesse per la musica e per il teatro drammatico (*ivi*, pp. 4695-4696); anche Paolo Ercole era intervenuto, lamentando che il teatro di prosa italiano era stato lasciato «senza indirizzo nazionale» e che la spesa a suo favore, 15 mila lire, era irrisoria: Broglio aveva però replicato che non si era mai «speso tanto» (*ivi*, p. 4697).

no invocare l'ingerenza governativa in una materia prettamente artistica, osservando che del resto questi erano «grandi rivolgimenti, o signori, e ad evitarli o ad arrestarli non molto valgono i maestri, poco o nulla il ministro».[241]

Negli anni seguenti altre materie avrebbero fornito occasione di confronto: i nuovi statuti per il Collegio di Napoli – quello firmato da De Sanctis nel 1876 e quello firmato da Coppino nel 1879[242] –, le proposte sull'istituzione della Scuola musicale di Pesaro,[243] le vicende dell'Accademia di Santa Cecilia.[244] Ulteriori ispezioni si resero necessarie, altrettante commissioni furono istituite: queste – come ebbe ad osservare Biaggi – «benché composte di uomini egregi» finivano per fallire perché «poste sempre in condizioni scabrosissime»: una volta individuati «le piaghe», «gli sconci e gli abusi», una volta compreso, insomma, «dove e come mettere la falce», esse si trovavano anche in faccia alle «vittime», padri di famiglia a cui togliere il pane, musicisti valenti a cui togliere l'amor proprio.[245]

Quello che tuttavia importa qui notare è che, dopo il tentativo alquanto maldestro di Broglio, l'esperimento di Correnti fu il primo concepito con più ampio respiro e serietà d'intenti. Il ministro progettava, in effetti, l'istituzione di una consulta permanente per la musica presso il dicastero della Pubblica Istruzione: un'idea per il momento prematura, ma che sarà ripresa, come si vedrà, dieci anni più tardi. La stampa inoltre sottolineò che Correnti fu il «primo Ministro italiano che la soluzione di quesiti artistici sottoponesse al giudizio di egregi artisti, escluso il così detto elemento burocratico»,[246] accattivandosi la loro simpatia e quella dei critici e coinvolgendoli, allo stesso tempo, nella sfera delle scelte e dei progetti.[247] In verità la formula era già stata sperimentata, co-

---

[241] *Ibidem.*

[242] *L'Opinione*, 5, 6, 8, 12 febbraio 1880, *La questione del Collegio di Musica di Napoli.*

[243] F. D'ARCAIS, *L'eredità di Rossini*, in *Nuova Antologia*, 15 ottobre 1879; *La Nazione*, 2, 3 e 26 marzo 1881, *Gli studi musicali in Italia.*

[244] *L'Opinione*, 11 luglio 1881, *Appendice. Rivista drammatico-musicale. La R. Accademia di S. Cecilia.*

[245] *La Nazione*, 21 giugno 1881, *Rassegna musicale.*

[246] A. BIAGGI, *L'anno musicale in Italia*, in *Nuova Antologia*, gennaio 1873 cit.

[247] Fu per iniziativa di Correnti che Francesco Dall'Ongaro (a cui – ricordiamo – già Ricasoli aveva affidato una cattedra di letteratura drammatica a Firenze ma che poi era stato confinato a dare lezioni alla Scuola di declamazione diretta da Berti) venne chiamato all'Università di Napoli per un corso di critica e di letteratura drammatica, una cattedra – come avrebbe affermato in un suo discorso in Parlamento Francesco De Renzis – creata per l'occasione e che «nel silenzio generale di questo ramo della scienza, fece pure qualcosa» (AP, *Camera*, Legisl. XII, Sess. 1874-75, *Discussioni*, tornata del 10 febbraio 1875, p. 1138). Dall'Ongaro era morto poco più tardi. Un profilo biografico di questo drammaturgo allora assai noto – più volte citato nel presente studio – si trova in *DBI*, vol. XXXII, pp. 138-143, voce di GRAZIELLA PULCE. Anche per Correnti si consulti *ivi*, vol. XXIX, pp. 476-480, la voce redatta da LUIGI AMBROSOLI.

me si è riferito, durante il terzo ministero Menabrea: in quel caso però si tratta-va di discutere una questione – quella della Scuola di Declamazione di Firenze – particolare, legata, più che altro, ad una realtà culturale locale. Di contro quelli sottoposti da Correnti all'esame degli esperti erano temi di ben maggiore rilievo e di interesse generale, destinati a provocare un'eco più vasta. È il caso di un'altra commissione a cui è legato il nome di Correnti: quella chiamata nel 1872 a relazionare sulle «condizioni presenti del teatro drammatico italiano e dei mezzi più acconci a promuovere il suo risorgimento».

Anche per i destini del teatro, del resto, la conquista di Roma aveva rappre-sentato, per le sue implicazioni simboliche e per il bagaglio di aspettative ad es-sa connesso, un traguardo significativo, «fecondo di gravi conseguenze». A Ro-ma – affermava D'Arcais – non si poteva andare «colle idee grette» che erano prevalse fino ad allora «rispetto alle arti belle»: il «sentimento artistico», già «vivace» nella capitale provvisoria, sarebbe diventato «irresistibile» in quella definitiva.[248] Finalmente esisteva il tanto agognato «centro»: qui si poteva spe-rare che anche l'arte tornasse ad essere «prettamente e schiettamente italiana», che il repertorio musicale ritrovasse radici e tradizioni da tempo neglette, che quello drammatico potesse prima o poi attingere agli spunti, ai tipi, ai motivi offerti da una società nazionale e non più regionale e municipalistica. A Roma si imponeva a maggior ragione la necessità di discutere di nuovi ordinamenti e di riforme per i teatri.[249] Ministro della Pubblica Istruzione del governo Lanza, Correnti mostrò di recepire e di condividere queste nuove istanze.

La seconda commissione Correnti, quella per il teatro drammatico, era pre-sieduta dal letterato Giuseppe Revere[250] e composta dai deputati e autori tea-trali De Renzis e Fambri, dai drammaturghi Pietro Cossa, Achille Montignani, Giuseppe Costetti e dal critico Francesco D'Arcais. La loro relazione fu pub-blicata solo un anno più tardi, nel marzo 1873.[251] I commissari avevano con-centrato la propria attenzione su due questioni, vale a dire le insufficienze della legge sulla proprietà letteraria e del suo regolamento, varati pochi anni prima, e l'opportunità di istituire nella capitale una compagnia stabile e una scuola ad

---

[248] L'Opinione, 26 settembre 1870, Appendice. L'arte a Roma.

[249] L'Opinione, 7 agosto 1871, Appendice. Rivista drammatico-musicale.

[250] La scelta di Revere destò qualche perplessità; ebreo triestino, patriota, poeta e auto-re di racconti, critiche letterarie, articoli – che aveva pubblicato su La Concordia, fondata a Torino da Lorenzo Valerio –, dello studio Frate Girolamo Savonarola ed il suo tempo e di drammi storici, Revere era considerato da qualcuno un outsider. Le sue opere drammati-che, destinate alla letteratura più che alla scena, erano da tempo bandite dal repertorio ita-liano; egli avrebbe potuto apportare al lavoro della commissione la sua imparzialità, non certo la sua esperienza. Per queste considerazioni si veda La Nazione, 6 maggio 1872, Ras-segna drammatica. Sulla figura di Revere si consulti Enciclopedia dello Spettacolo, vol. VIII, Roma, Le Maschere, 1961, ad vocem, e la relativa bibliografia.

[251] Se ne leggano le anticipazioni in L'Opinione, 24 aprile 1872, Il teatro drammatico; il te-sto completo si trova in L'Opinione, 24 marzo 1873, Appendice. Teatro drammatico italiano.

essa annessa, che fossero punto di riferimento e modello per autori e attori di tutta la penisola.[252] Su entrambi i temi si avrà modo di parlare ampiamente nel corso di questo studio. Basti qui riferire che Correnti, a quanto pare, mostrò di concordare con le conclusioni della commissione e manifestò l'intenzione di presentare progetti di legge che ne accogliessero le proposte.[253] Senonché egli di lì a poco dovette dimettersi e della relazione si poté discutere solo «come ipotesi».[254] Tuttavia, come si vedrà, il lavoro della commissione Correnti non andò certo perduto: negli anni successivi le questioni nevralgiche che essa aveva colto furono materia di infuocate discussioni come di concrete iniziative sia da parte dei governi sia da parte degli ambienti teatrali.

[252] La Compagnia, «stretta da vincoli e patti rigorosi», avrebbe dovuto raccogliere i più valenti attori italiani, recitare tutti i generi della letteratura drammatica, rispolverare opere ingiustamente dimenticate, curare la qualità delle rappresentazioni. Essa avrebbe inferto «un gran colpo» alla cosiddetta «arte nomade», una delle piaghe del teatro italiano. Lo stato avrebbe dovuto sborsare circa 40 mila lire annue e chiedere la collaborazione del municipio capitolino.

[253] *Fanfulla*, 24 aprile 1872, *Nostre informazioni*; *L'Arte Drammatica*, 27 aprile 1872, *Il teatro drammatico*.

[254] *La Nazione*, 21 aprile 1873, *Rassegna drammatica*.

CAPITOLO III

LA CENSURA

1. Premesse e legislazione

Dalla proclamazione del Regno al 1864 tutta la materia che riguardava la censura teatrale fu regolata dal decreto del 21 dicembre 1850 e dalla legge di Pubblica Sicurezza del 13 novembre 1859.[1] Il compito della revisione dei manoscritti era affidato al ministero dell'Interno, presso il quale era stato costituito un Ufficio centrale di revisione teatrale, ma a Firenze, Napoli e Palermo continuarono a funzionare uffici decentrati, creati dai governi provvisori. In origine la loro giurisdizione si estendeva a tutte le provincie rispettivamente toscane, napoletane e siciliane, in seguito fu ristretta nei limiti delle sole provincie in cui avevano sede.

Il regolamento emanato l'8 gennaio 1860 per l'esecuzione della legge 13 novembre 1859 stabiliva che nessuna produzione teatrale – opera drammatica, tragedia, commedia, farsa, azione mimica, prosa o poesia che fosse – potesse essere rappresentata o declamata se non era stata approvata dall'Ufficio centrale di revisione teatrale. Una tale disposizione era stata esplicitamente dettata dalla preoccupazione di assicurare l'uniformità della censura teatrale in tutte le parti del Regno. Senonché, poco più tardi, in una circolare del 35 novembre 1860, il ministro dell'Interno ammise che la normativa, nel caso della declamazione di prose e poesie, eccedeva i limiti «d'una ragionevole centralizzazione nell'interesse dell'ordine pubblico»: si trattava di produzioni così brevi e destinate ad occasioni particolari che le sole autorità politiche locali potevano valu-

---

[1] Sulla censura in Italia nel periodo postunitario si veda CARLO DI STEFANO, *La censura teatrale in Italia (1600-1962)*, Bologna, Cappelli, 1964, pp. 93-100.

tarne la convenienza e l'opportunità. E perciò il relativo permesso, o divieto, fu delegato agli intendenti generali e ai governatori.[2]

Ad ogni modo le norme a cui attenersi, le direttive che indicavano, per così dire, le linee generali di condotta in ambito censorio, restavano quelle già stabilite per il Regno di Sardegna ed elencate nella circolare n. 21 del 1° gennaio 1852, che portava la firma del ministro dell'Interno allora in carica, Filippo Galvagno.[3] E a questa stessa data risalivano gli elenchi, ancora validi all'indomani dell'unificazione, delle opere approvate o proibite.

La premessa alle istruzioni ne sottolineava brevemente l'obiettivo precipuo: quello che i teatri del Regno potessero:

«elevarsi al grado di una civile istituzione, la quale a un tempo si concilii colle nostre guarentigie politiche e colle esigenze della moralità e dell'ordine pubblico».

Seguivano le istruzioni vere e proprie, a cominciare dal capitolo sulla religione. Gli autori teatrali erano liberi di mettere in scena vicende e personaggi che avessero a che vedere col culto purché «nulla vi fosse in odio alla religione dominante» né a quelle tollerate nel Regno; inoltre era proibito rappresentare le cerimonie liturgiche, profanare i simboli del culto, mettere in scena personaggi religiosi che potessero generare odio e disprezzo nei confronti della religione stessa, oppure vestirli con costumi dai quali si potesse evincere con esattezza il grado di appartenenza ai vari ordini della gerarchia ecclesiastica. Dal contesto – si puntualizzava ad ogni buon conto – doveva chiaramente emergere «il rispetto e la venerazione dell'autore per quanto v'ha di sacro e di rispettabile».

Il secondo capitolo delle istruzioni riguardava la «morale». Le prime righe – è d'obbligo una citazione integrale – così recitavano:

«Le produzioni teatrali, che ora godono di un maggiore credito, sono generalmente informate da un pernicioso scetticismo intorno al principio della domestica autorità, o da una male intesa ammirazione per tutti gli atti delle passioni più sfrenate quando sieno fornite di certo prestigio fantastico, o quando tendono ad acca-

---

[2] Come prescriveva la circolare del ministero dell'Interno, Divisione II, n. 75 del 25 novembre 1860. La delega alle autorità politiche locali di vietare in casi particolari un'opera era già stata attribuita dalla circolare n. 1047 del 16 febbraio 1857 (ASM, *Prefettura*, b. 628).

[3] Se ne legga il testo in *Gazzetta Piemontese*, 5 gennaio 1852. In un articolo sulla censura pubblicato su *Nuova Antologia* nel 1912, Ugo E. Imperatori ebbe parole estremamente lusinghiere a proposito di questa circolare: alla revisione teatrale era stato dato da Galvagno «un indirizzo sicuro insieme e liberale», era stato «finalmente fissato un criterio direttivo e un limite agli abusi dei revisori», era stata «riconosciuta l'opportunità di tutelare la morale piuttosto che perseguitare la allusione politica»; così, mentre nel resto d'Italia la censura teatrale seguiva «gli antichi sistemi viziati di preconcetto», in Piemonte il teatro muoveva «il primo passo sicuro verso la libertà!» (Ugo E. Imperatori, *Teatri e Libertà*, in *Nuova Antologia*, 16 marzo 1912).

rezzare piuttosto che a correggere i pregiudizii del popolo e le false convenienze sociali».

I palcoscenici – proseguiva la circolare – abbondavano di drammi che facevano l'apologia dei duelli, del suicidio, dell'adulterio, vale a dire delle passioni più abbiette e indegne dell'uomo. Bandirli completamente e all'improvviso non era possibile, né saggio; ma neppure si poteva correre il rischio di ricalcare le impronte delle censure dei governi dispotici, tanto eccessive e rigorose quando si trattava di temi politici e sociali, quanto disposte a chiudere gli occhi su tutto ciò che tendeva ad «ammollire i costumi e a distrarre gli animi dagl'interessi politici». Insomma, sulla questione della pubblica morale, la censura teatrale di un paese che – come orgogliosamente si sottolineava – «pel primo in Italia seppe mantenere le politiche guarentigie», doveva attenersi alla regola dell'equilibrio e del buon senso, senza rischiare di cadere nel ridicolo o di suscitare «vane ed incomode dicerie» proibendo le opere molto note o quelle sul punto di essere dimenticate. Erano vietate, in conclusione, le produzioni che contenessero personali allusioni esplicite o implicite, «qualora nel toccare qualche fatto di pubblica notorietà si agevolasse la conoscenza della persona, che si volle offendere», e quelle che mostrassero «cose offensive al pudore, o soverchiamente atroci o cinicamente scellerate, o che offendessero l'umana dignità».

Tanto brevi quanto chiare erano le istruzioni in materia di censura politica. Erano proibite opere, discorsi e frasi che potessero offendere la monarchia, il governo e le sue istituzioni o che solo accennassero «alla persona inviolabile del Re e della sua famiglia», o che potessero offendere capi di Stato stranieri. E questo è quanto, fatta salva la possibilità di intervenire qualora l'argomento o le battute di un'opera presentassero «grande analogia con qualche transitoria e grave contingenza in cui si trovasse il paese».

Seguiva quindi un lungo paragrafo sotto il titolo di *Norme generali*, dal quale emerge, in primo luogo, il motivo, di stampo paternalistico, del ruolo formativo che lo spettacolo avrebbe dovuto rivestire nei confronti del cosiddetto «popolo», unendo, come si dice, l'utile al dilettevole, e insieme quello della funzione tutrice e civilizzatrice che lo Stato avrebbe dovuto assumere. Il pubblico – si affermava – doveva trovare negli spettacoli «quel diletto, che è come a dire l'espressione ultima della civile educazione del popolo». E più avanti:

«Quindi alla pubblica Autorità d'un Governo libèrale, che deve essere eminentemente educatore, corre obbligo di vegliare perché il teatro agevoli co' suoi mezzi la via a correggere costumi e ad un tempo sia eccitamento e risultato di civiltà».

La circolare, inoltre, non mancava di condensare in poche righe il succo della filosofia del bello che aveva ispirato i legislatori:

«Le ragioni supreme del bello sono intimamente collegate con quelle del vero e del buono».

La revisione avrebbe dovuto giovare alla letteratura drammatica e all'arte scenica svincolandole dalle pastoie del dispotismo ma altresì tutelandole dalla speculazione, dall'ignoranza o dalla «malizia degli intriganti che vorrebbero fare complice il teatro delle loro mene e delle loro cospirazioni contro l'ordine pubblico». E così la revisione teatrale di un governo liberale, una volta che fosse saldamente ancorata alle istanze e ai criteri formativi ed estetici, avrebbe dovuto propendere, in caso di dubbio sulla opportunità o meno di permettere un'opera, per la libertà piuttosto che per la severità.

In ordine di importanza, la severità andava applicata anzitutto di fronte ai temi religiosi, «perché più dannose sono le conseguenze sociali delle offese al principio religioso di un popolo», poi a quelli morali,[4] e infine a quelli politici: «[...] un Governo sinceramente liberale acquista maggiore fiducia nel mostrare che sopra basi troppo sicure egli è fondato per temere qualche aspirazione radicale d'un dramma». Vedremo che le circostanze particolari in cui si sarebbe realizzata l'Unità avrebbero contribuito a minare questa sicurezza.

2. GLI UFFICI DI REVISIONE TEATRALE

Prima della riforma e della riorganizzazione della censura teatrale nel 1864, continuarono a funzionare, come si è detto, oltre all'Ufficio centrale presso il ministero dell'Interno a Torino, quelli locali di Firenze, Napoli e Palermo.

Tra i documenti ufficiali del ministero, trapela qua e là qualche notizia a proposito degli uomini chiamati a comporli, e quindi a sobbarcarsi la delicata responsabilità di interpretare le disposizioni ministeriali e l'oneroso, ingrato compito di leggere, approvare, respingere, giudicare un grande numero di manoscritti, esposti alle pressioni di impresari, capocomici, autori e agli strali della stampa.

Di certo si può evincere che i censori fossero mal pagati. Dai due impiegati dell'Ufficio napoletano, Pasquale Colucci e Pietro Micheletti, giungevano al ministro appelli pressanti – regolarmente non raccolti – per un aumento di stipendio, che essi ritenevano assolutamente inadeguato al servizio prestato: ricevevano rispettivamente 90 e 40 lire al mese con la ritenuta del 12,5%.[5] Venne respinto anche il reclamo di Micheletti, che chiedeva di poter cumulare lo sti-

---

[4] La circolare sottolineava la necessità di riservare particolare attenzione ai programmi dei teatri popolari, a quei drammi che contemplavano omicidi ed esecuzioni capitali e promuovevano «simpatie pel delitto, togliendo il ribrezzo alle punizioni, eccitando la compassione pei rei e l'odio per la magistratura». Questo abuso – proseguiva la circolare – era dovuto a quegli autori e direttori di compagnie per i quali il teatro era, più che un'arte, un traffico e che avrebbero fatto di tutto per eccitare clamorosi applausi.

[5] ACS, M.I., S.D., Teatri, b. 14, il ministro dell'Interno al prefetto di Napoli, 15 dicembre 1862; la divisione IV del ministero dell'Interno alla divisione II, 16 aprile 1862.

pendio di revisore e la pensione di giustizia di 25,50 lire al mese.[6] Del resto, nel novembre del 1862, il ministero pregò il prefetto di Napoli di raccogliere informazioni sui due censori: era giunta voce che non si comportassero «molto lodevolmente» e che non facessero il proprio dovere; in particolare era urgente verificare se non reclamassero da parte di capocomici e impresari «o tasse o altre indebite prestazioni di qualunque natura».[7] Le informazioni fornite dal prefetto a proposito dei due revisori ne suggeriscono in qualche modo un profilo. Pasquale Colucci, ex insegnante di letteratura, poi, dal 1848, compilatore del giornale ufficiale, era definito un uomo «istruito ed onesto».[8] Micheletti, tra l'altro anche autore teatrale, era a capo di una numerosa famiglia e perennemente in difficoltà economiche; egli aveva l'abitudine – rivelava il prefetto – di «togliere talvolta delle somme di denaro dagli Impresari o capo comici a titolo di prestito, ma che poi non restituisce così volentieri, e l'altra di ricorrere ancora, non ostante che goda dello stipendio governativo, alla pietà degli Amici».[9] Il ministero, ad ogni buon conto, stabilì, a proposito dell'Ufficio di censura napoletano, che da quel momento le rappresentazioni teatrali fossero poste sotto l'immediata responsabilità del prefetto, che i decreti di approvazione portassero la sua firma e che gli eventuali divieti fossero da lui emanati: a meno che non si trattasse di un'opera cosiddetta «di attualità», vale a dire che contenesse allusioni «alle questioni politiche del giorno che tengono agitati i partiti», perché in quel caso meglio era trasmetterla direttamente al ministero, il quale ne avrebbe più opportunamente valutata la convenienza.[10]

Quanto all'Ufficio di revisione toscano, esso era stato inizialmente formato dall'archivista del Senato toscano e bibliotecario della Rinucciniana Giuseppe Aiazzi, dal conte Mario Carletti e dal direttore della Scuola di declamazione Fi-

---

[6] *Ivi*, il prefetto di Napoli al ministro dell'Interno, 30 giugno 1863, e il direttore della divisione I del ministero dell'Interno al direttore capo della divisione II, 2 settembre 1863. Insieme alle richieste di uno stipendio più elevato i revisori napoletani proponevano la pubblicazione di un giornale a cura dell'Ufficio di revisione, «per manifestare le ragioni dell'approvazione o disapprovazione delle opere teatrali»; ma anche questa istanza non venne accolta (*ivi*, Micheletti al ministro dell'Interno, s.d., ma giugno 1863).

[7] *Ivi*, il ministro dell'Interno al prefetto di Napoli, 6 novembre 1862.

[8] *Ivi*, il prefetto di Napoli al ministro dell'Interno, 8 dicembre 1862; si veda anche, *ivi*, Colucci al ministro dell'Interno, 11 giugno 1862.

[9] «La censura teatrale può dirsi dagli attuali Revisori sia esercitata con moderazione bensì, ma senza rilasciatezza, né si crede che dagli stessi si riscuotano tasse od altre indebite prestazioni dagli impresari». Questo il giudizio, sostanzialmente positivo, del prefetto di Napoli nella sua lettera al ministro dell'Interno dell'8 dicembre 1862 cit., che si trova *ivi*.

[10] *Ivi*, il ministro dell'Interno al prefetto di Napoli, 26 gennaio 1863. Dal canto loro i revisori napoletani non cessarono di far pervenire ai superiori le proprie lamentele. Ancora nel dicembre 1864 Colucci denunciava l'amministrazione della Stamperia nazionale che non aveva pagato ai revisori il solito compenso di 42,50 lire assegnato per Natale: così, mentre egli credeva di «ottenere maggior compenso, per le innumerevoli opere italiane e francesi da lui esaminate e corrette, si vede tolte anche le sottoscritte poche lire» (*ivi*, lettera di Pasquale Colucci, s. destinatario, 24 dicembre 1864).

lippo Berti; anche Carlo Lorenzini, in qualità di aggregato e aiutante, come lo indicano i documenti, compare tra i membri dell'Ufficio di Firenze.[11] Aiazzi era già censore durante il governo granducale; per autori e capocomici si trattava del «più grande persecutore del nome di Dio sulla scena», da lui sostituito con i più disparati sinonimi:[12] «sapientemente» il governo toscano aveva provveduto ad affiancargli «due uomini liberali», quali Carletti e Berti, dai quali gli autori teatrali potevano attendersi decisioni improntate ad una «onesta libertà».[13] Senonché, dopo pochi mesi, a Carletti giunse la nomina a prefetto, così il peso del lavoro di revisione cadde su Berti, occupato quotidianamente presso la Scuola di declamazione, su Lorenzini, e soprattutto su Aiazzi, che se ne lamentò finalmente nel marzo 1863, chiedendo di essere beneficiato per i tre anni trascorsi delle 300 lire annue che costituivano il suo precedente stipendio e pretendendo che il suo compenso futuro fosse adeguato a quello dei censori pari grado dell'Ufficio torinese.[14] Dal canto suo Berti si era già lamentato di avere fino ad allora prestato gratuitamente la sua opera di revisore e aveva chiesto un indennizzo.[15]

Ma non navigavano in acque tanto migliori gli impiegati dell'Ufficio di censura teatrale centrale, Giovanni Sabbatini – coordinatore e direttore – Spirito Ravelli, Giovanni Peruzzini,[16] coadiuvati da Cesare Tellini, Pietro Rossi, Vincenzo Tucci, Bartolomeo Operti.[17] Sabbatini e Ravelli già da alcuni anni rico-

---

[11] Il decreto di nomina della commissione di censura toscana fu pubblicato da *La Nazione*, 3 febbraio 1860, *Atti governativi*; nella circolare allegata del 1° febbraio 1860, firmata da Ricasoli, si leggeva: «Non è un sindacato politico che si chiede alla Commissione, ma una tutela efficace per tutto ciò che è sacro e rispettabile nel concetto di tutti gli uomini onesti». Sull'impiego di Lorenzini alla prefettura di Firenze si legga RENATO BERTACCHINI, *Il padre di Pinocchio. Vita e opere del Collodi*, Milano, Camunia, 1993, pp. 133-137.

[12] Quelli più frequenti erano *Numi, Cielo, Stelle*: «Cosicché – ironizzava Francesco Dall'Ongaro – se le opere del tempo fossero un dì consultate per cercarvi gl'indizi della nostra credenza, noi passeremmo per fatalisti e pagani, tutto per merito del signor Aiazzi e de' suoi *sinonimi*!» (*La Nazione*, 30 dicembre 1863, *Varietà*).

[13] Sono sempre parole di Dall'Ongaro (*ibidem*).

[14] ACS, *M.I., S.D., Teatri*, b. 14, il ministro dell'Interno al prefetto di Firenze, 18 aprile 1863. Si vedano anche, *ivi*, b. 12, le numerose istanze di Aiazzi del gennaio 1862 e i dispacci del prefetto di Firenze al ministero dell'Interno del 15 e del 19 gennaio 1862.

[15] *Ivi*, b. 14, Berti al ministro dell'Interno, 13 giugno 1862.

[16] Su Peruzzini, veneziano, librettista, poeta, redattore del periodico milanese edito da Francesco Lucca *L'Italia Musicale*, si consulti F. REGLI, *Dizionario biografico dei più celebri poeti e artisti melodrammatici* cit., p. 405.

[17] Tellini, di origine toscana, era anche giornalista e autore di drammi e commedie. «In casi speciali ove si avveda l'opportunità», dal marzo del 1863 fu previsto che fossero chiamati a far parte dell'Ufficio torinese come «membri giurati» anche Felice Romani e Marco D'Arienzo, direttore capo di divisione al ministero delle Finanze (ACS, *M.I., S.D., Teatri*, b. 14, decreto ministeriale del 21 marzo 1863). La revisione teatrale era competenza della sesta, poi seconda, divisione del ministero dell'Interno, in particolare della prima sezione, a capo della quale era posto Sabbatini; Ravelli e Peruzzini erano applicati, l'avv. Pietro Rossi, tra l'altro dilettante commediografo, era «volontario», mentre Tucci e Operti erano

privano questa funzione e garantivano così un elemento di assoluta continuità con la politica censoria del Piemonte sabaudo.

Di costoro il più noto e importante è senz'altro Sabbatini. Patriota, modenese e a Modena, nel 1848, segretario del governo provvisorio, già autore di pubblicazioni per ragazzi, cosiddette «educative»,[18] giornalista e critico teatrale, Sabbatini aveva esordito come drammaturgo nel 1844, sulle scene del teatro comunale della sua città, con il dramma storico *Alessandro Tassoni*. Trasferitosi esule a Torino dal luglio del '48, vi consumò la sua carriera di autore teatrale, scrivendo tra le altre un'opera di grande successo, *Masaniello*, che Alamanno Morelli replicò per trenta sere consecutive al Teatro Nazionale di Torino, e *Gli spazzacamini della Valle d'Aosta*, un dramma che entrò nel repertorio di Gustavo Modena.[19] Fu critico teatrale della *Gazzetta Ufficiale*, per la quale scrisse «brillanti appendici drammatiche»[20] e allacciò contatti con i più grandi commediografi del suo tempo. Quindi accettò l'incarico di revisore. Scrisse a questo proposito Giuseppe Costetti, il quale gli dedicò un affettuoso ritratto,[21] che a Sabbatini non parve chiara in un primo momento quella incompatibilità tra revisore e commediografo che gli avrebbe in seguito procurato «tante e non meritate amarezze».[22] Anzi, nelle sue speranze, quel ruolo gli sarebbe stato oltremodo utile a procurargli le simpatie e la buona accoglienza dei capocomici: ma egli non aveva fatto i conti con la sua innegabile e incontestata rettitudine[23]

---

impiegati *extra ordinem*. La sezione si occupava anche dei teatri demaniali e delle scuole di ballo ad essi annesse, nonché della sorveglianza sui teatri; a partire dal 1864, con il conferimento dei compiti di revisione alle prefetture, essa sarà comunque ridimensionata e si limiterà ad occuparsi, in materia di censura, solo di ricorsi.

[18] Aveva tra l'altro pubblicato, tra il 1844 e il 1848, la rivista *L'Educatore Storico*, ed era stato tra i protagonisti, a Modena, degli eventi rivoluzionari del '48, fondando *L'Italia Centrale*, giornale ufficiale del governo provvisorio. Su Sabbatini si legga PIO SABBATINI, *Della vita e degli scritti di Giovanni Sabbatini*, in *Memorie della R. Accademia di Scienze, Lettere e Arti di Modena*, vol. I, serie III, 1898. Altre informazioni biografiche si possono trovare in F. REGLI, *Dizionario biografico dei più celebri poeti e artisti melodrammatici* cit., pp. 472-473.

[19] La critica fu con lui assai meno indulgente. Lo stesso appendicista della torinese *Opinione*, per esempio, non esitò a rilevare, prendendo spunto dalla rappresentazione al Gerbino del dramma *Il giuoco del lotto*, gli scopi morali sì, ma anche la modestia dell'autore (*L'Opinione*, 30 gennaio 1860, *Appendice. Rivista teatrale*). Sabbatini se la prese e reagì con una accorata protesta (*L'Opinione*, 6 febbraio 1860, *Appendice. Rivista drammatica*).

[20] *Il Mondo Artistico*, 22 novembre 1870, *Commemorazioni artistiche*.

[21] *Fanfulla della Domenica*, 10 ottobre 1880, *Figurine della scena di prosa. Giovanni Sabbatini*.

[22] È senz'altro vero che non furono risparmiate a Sabbatini frecciate anche velenose, come – un esempio per tutte – questa lanciata dal periodico teatrale *Il Trovatore* (24 dicembre 1863, *Un censore bascià*): «Ove qualche artista o capocomico non gli abbia voluto accettare qualcuno de' suoi aborti drammatici, se ne piglia le vendette o col non voler opporre il *visto* a certe produzioni note *lippis et tonsoribus* e rappresentate in tutto il mondo o col ritardare l'invio dei manoscritti tanto per inceppare l'andamento degli spettacoli».

[23] Costetti riferisce che, parlando di lui, Cavour era solito chiamarlo, sorridendo, «l'onesto Sabbatini» (*Fanfulla della Domenica*, 10 ottobre 1880, *Figurine della scena di prosa. Giovanni Sabbatini* cit.).

e finì per svolgere il suo lavoro secondo coscienza, senza approfittare del suo potere. Del resto continuò a mantenere stretti rapporti con il mondo del teatro; tra l'altro corrispondeva con Modena, suo amico, e ciò fece scrivere a Leopoldo Pullè, che rievocava quel legame apparentemente bizzarro: «[...] ... via confessiamo che questo regio censore tutto pane e cacio coll'attore repubblicano, doveva pur essere una gran buona pasta... di zucchero».[24]

Costetti definisce Sabbatini «sincero liberale e sincero credente», di «manica larga» in qualità di censore ma attento a mantenersi entro i limiti ben tracciati delle direttive ministeriali, sempre al verde e pieno di debiti e, in fin dei conti, un vero *travet*. Egli lavorava in strettissima collaborazione con Spirito Ravelli, «uomo eccellente ma collerico all'eccesso», dal carattere «sanguigno da commedia goldoniana» e dal «cuore largo»: temperamento che ben trapela persino dai rapporti che portano la sua firma.[25] In Sabbatini, comunque, a poco a poco il censore finì per screditare l'autore teatrale. Egli scrisse ancora qualche commedia, dall'intreccio semplice e dallo scopo, al solito, edificante, ma il successo non gli arrise. Divenne bibliotecario del Consiglio di Stato, quindi si ritirò presso l'amico Giuseppe Basini, nella villa di questi a Scandiano; lì morì colpito da una violenta polmonite nel 1870.

È ancora Costetti a narrare un episodio relativo all'attività censoria dell'Ufficio torinese, che contribuisce a presentarla in termini inediti. Era l'inverno del 1860, quando sui tavoli dei censori torinesi capitò il manoscritto di *I misteri dell'Inquisizione di Spagna*, un dramma «fuori dalla grazia di Dio», come tanti di quelli che confezionavano in quel periodo i due autori, Luigi Gualtieri in collaborazione col capocomico Antonio Scalvini, pronti ad assecondare con la loro «teratologia d'occasione» gli umori del pubblico. I due sapevano bene che così com'era l'opera non avrebbe potuto passare indenne la revisione, quindi provvidero a preparare un secondo copione, molto più moderato e alleggerito dalle battute demagogiche e anticlericali:[26] sotterfugio, questo, che doveva co-

---

[24] LEOPOLDO PULLÈ, *Penna e spada. Memorie patrie di Armi, di Lettere e di Teatri*, Milano, Hoepli, 1899, pp. 205-206; ma si vedano inoltre, *ivi*, pp. 116-117 e pp. 245-247. Anche Paolo Giacometti corrispondeva con Sabbatini e gli esponeva il suo programma, imperniato sulla battaglia contro «ogni specie di oppressione» (come si legge in *La Nazione*, 4 settembre 1882, *Paolo Giacometti*). Valentino Carrera, dal canto suo, abbozzando un ritratto di Sabbatini, scrisse che come censore era «assai migliore della fama» (*La Rivista Europea*, dicembre 1870, *Rivista drammatica*).

[25] Un esempio: «È un lavoro di chi non conosce né le scene né le convenienze sociali, né le lingue, né tutto ciò in fine che richiedesi per un lavoro letterario. In esso trattasi Pio IX come un fanatico, si fanno delle teorie che nessuno è buono a capire, insomma è tal lavoro che lo scrivente crede di fare un servizio all'Autore proponendone la proibizione» (a proposito del dramma *Le stragi di Perugia nel 1859*, in ACS, M.I., S.D., *Teatri*, b. 14, revisione del 19 gennaio 1863).

[26] È senza dubbio questa la redazione che fu data alle stampe nel 1896 dall'editore milanese Carlo Barbini nella sua «Galleria Teatrale» (n. 843, s.d.).

stituire ai tempi una pratica tutt'altro che infrequente. Benché diffidenti, ma assolutamente impotenti di fronte a tale candore, i due censori rilasciarono il permesso di rappresentazione. Passò un po' di tempo prima che il dramma raggiungesse i teatri torinesi, ma nelle altre provincie del Regno si applaudiva e si replicava a furor di popolo, tanto che giunsero sul tavolo del ministro dell'Interno richieste di chiarimento. Sembra quindi che il capo divisione avesse chiamato a colloquio Sabbatini e Ravelli, i quali non fecero che mostrargli il manoscritto in loro possesso, vidimato e rimasto agli atti. Quando il dramma venne finalmente rappresentato all'Alfieri – proprio nel periodo cruciale dell'impresa garibaldina nel Mezzogiorno – i due censori non si curarono neppure di assistere alle prime rappresentazioni. Vi si recarono solo quando videro il chiasso che lo spettacolo stava sollevando, la folla che attirava ogni sera, i commenti della stampa. E allora tutto fu chiaro:

«Erano violente tirate contro S. Domenico in persona, messe a sproposito in bocca di re Sebastiano di Portogallo: il re Filippo v'era dipinto come uno di quegli orsi del polo che girano su e giù ferocemente entro le sbarre di una *ménagerie*. [...] Venne ben presto la scena in cui il grosso frate briaco fradicio si lascia sorprendere dal padre guardiano; e, cadutagli di mano la corona e il superiore ordinatogli di raccoglierla, ci si prova invano e finisce collo stramazzare per terra fra le risate e gli applausi del rispettabile pubblico».[27]

Furibondi, il mattino seguente Sabbatini e Ravelli stesero un rapporto coi fiocchi al ministro. Ma tutto finì lì: il dramma era stato già fin troppo rappresentato e applaudito per proibirlo o mutilarlo. E c'erano in quel momento ben altre preoccupazioni: si aspettava la notizia dell'entrata di Garibaldi in Napoli.

Quello che Costetti nel suo bozzetto non dice a proposito di Sabbatini è che egli fu anche attivissimo protagonista di quel processo di organizzazione degli autori, che avrebbe condotto infine, come meglio vedremo in seguito, alla costituzione della Società degli Autori, fondando e presiedendo prima a Torino nel luglio del 1850, quindi a Firenze, nel giugno 1865, la Società degli Autori drammatici. Inoltre egli fu promotore, nel marzo del 1861, dell'iniziativa a cui si è già accennato, che non sortì alcun esito, ma che è indice della sua intraprendenza e della dimestichezza con gli ambienti letterari e con quelli politici. Infine, anche in veste di funzionario del dicastero degli Interni, ebbe un ruolo di primo piano, come si vedrà, nel lavoro di ripensamento e di revisione del sistema censorio che avrebbe impegnato i vertici ministeriali negli anni immediatamente successivi all'Unità.

[27] *Fanfulla della Domenica*, 10 ottobre 1880, *Figurine della scena di prosa. Giovanni Sabbatini* cit.

3. I CASI DI CENSURA

Durante i mesi in cui progressivamente andò compiendosi il processo di unificazione, le scene dei teatri italiani, di quelli popolari soprattutto ma anche di quelli frequentati dal pubblico borghese, furono letteralmente invase da opere confezionate per sfruttare l'eccezionalità della congiuntura politica: farse, scherzi, drammi e commedie di bassa qualità, persino copioncini per i teatri di burattini, ma anche tragedie storiche di una certa ambizione, nelle quali si distinguevano autori come i già citati Luigi Gualtieri e Gaetano Gattinelli, che i critici giudicavano tanto sinceri quanto modesti. Capocomici e commediografi, pur di raccogliere applausi ed incassi sicuri, si diedero un gran daffare a sfruttare l'attenzione, l'entusiasmo, l'eccitazione generali suscitati dalla straordinaria contingenza politica.[28] Il ministero ne era consapevole e preoccupato, come attesta una circolare inviata ai prefetti di Firenze e di Napoli nell'agosto 1862: i lavori drammatici «di circostanza», «eccitando pericolose passioni e gare di partiti, non possono a meno di traviare il giudizio delle masse poco istruite» e talvolta portare a disordini «che ora più che mai sono da evitarsi»; per questo motivo solo l'Ufficio di censura teatrale di Torino era in grado di «meglio apprezzare la convenienza di permettere» o no le opere teatrali di soggetto politico.[29]

In quel frangente, dunque, il problema della censura era inscindibile da quello delicatissimo del mantenimento dell'ordine pubblico. Le sale erano consueti ritrovi, i luoghi deputati per le manifestazioni di protesta o di esultanza, in modo particolare per gli studenti;[30] la lunga consuetudine alla censura, inoltre,

---

[28] Sulla produzione teatrale del tempo e, più in generale, sul teatro patriottico nel periodo risorgimentale si legga in *Teatro e Risorgimento*, a cura di FEDERICO DOGLIO, Bologna, Cappelli, 1972, il saggio introduttivo del curatore, nonché i riferimenti bibliografici riportati alle pp. 49-51. Dedicato ad una realtà locale, ad ogni modo emblematica della temperie del periodo, è il recente volume *Risorgimento e teatro a Bologna. 1800-1849*, a cura di MIRTIDE GAVELLI e FIORENZA TAROZZI, Bologna, Patron Editore, 1998, di cui si veda, in particolare, il saggio introduttivo di MARINA CALORE, *Dalle premesse giacobine alla rivoluzione del 1848*, pp. 7-74. Va comunque detto che il mondo del teatro, negli anni in questione, diede sì modo di dimostrare un sincero entusiasmo patriottico, ma anche un disinvolto opportunismo. Si legga ad esempio la testimonianza del già citato Giuseppe Ricciardi (commediografo, esule nel periodo preunitario, quindi entrato in politica nelle file della Sinistra), forse dettata da un sentimento di rancore, ma non priva di verità, a proposito di Adelaide Ristori che, timorosa di compromettersi con il governo austriaco, rifiutò nel 1855 di interpretare *La Lega Lombarda*, oppure a proposito di Adamo Alberti, il quale «sempre ad unica norma ebbe il vento che spira, e però, dopo essersi molto inchinato ai Borboni, vestiva, nel 1860, la sua paura dei Garibaldini, allor frequentissimi in Napoli, d'un sorriso di gioia patriottica» (GIUSEPPE RICCIARDI, *Le tribolazioni d'un autore drammatico*, s.l., s.e., 1874, pp. 2-3 e p. 6).

[29] ACS, *M.I.*, *S.D.*, *Teatri*, b. 14, il ministro dell'Interno ai prefetti di Firenze e di Napoli, 23 agosto 1862.

[30] Un episodio di cronaca verificatosi a Torino nel dicembre 1871 può dare un'idea della funzione che il luogo teatrale rivestiva all'epoca per i giovani di una certa classe socia-

aveva affinato l'orecchio del pubblico italiano, che era pronto a cogliere ogni allusione.[31] Le cronache del periodo, così come quelle dei giorni delle crisi di Aspromonte e di Mentana, riportano numerosi episodi di manifestazioni spontanee, che regolarmente culminavano con le note dell'inno di Garibaldi. Le dimostrazioni degeneravano in disordini allorquando dalle questure giungeva l'ordine di proibire il canto dell'inno: come a Napoli, nel dicembre del 1860, quando al Teatro Nuovo si ritrovarono tra gli altri anche gli ufficiali dell'esercito garibaldino che applaudivano e gridavano «Abbasso Farini!».[32]

Nel dicembre 1862 la questione fu anche oggetto di una richiesta di chiarimento al ministro dell'Interno, avanzata dal deputato della Sinistra Giuseppe Lazzaro in merito a un fatto di cronaca analogo, anche questo accaduto a Napoli, al San Carlo. Era successo che durante una rappresentazione del *Poliuto* alcuni spettatori, approfittando delle manifestazioni di disapprovazione dello spettacolo da parte del pubblico, avevano gettato dal palco cartellini che riproducevano il ritratto di Garibaldi. Allora parecchi studenti seduti in platea avevano interrotto la recita chiedendo a gran voce l'esecuzione dell'inno di Garibaldi: a quel punto le autorità di Pubblica Sicurezza avevano fatto sospendere

le. Alcuni studenti, interpretando come dirette al loro indirizzo alcune parole che il capocomico della compagnia in scena al teatro Rossini aveva rivolto a chi si era permesso qualche interruzione durante lo spettacolo serale, la mattina seguente avevano affisso sui muri delle aule universitarie inviti alla volta dei compagni per ritrovarsi tutti quanti al Rossini la sera stessa. L'appello fu accolto: un'ottantina di studenti si accalcarono in platea per fischiare sonoramente lo sventurato capocomico; lo spettacolo fu interrotto e dovette intervenire la questura (*L'Opinione*, 8 dicembre 1871, *Notizie interne e fatti vari*). Nei centri urbani come in provincia il teatro era luogo nevralgico per la vita delle comunità cittadine e attorno allo spettacolo teatrale e lirico ruotava l'attenzione generale: a Chiavari nel dicembre 1871 si scatenò un «tumulto popolare» contro la direzione provinciale, che non gradiva la compagnia Cottin e l'aveva invitata a fare fagotto; poco mancò che non si giungesse ad un «sanguinoso conflitto» tra chi voleva lo spettacolo e chi lo impediva, tra la folla e le guardie (*La Riforma*, 31 dicembre 1871, *Fatti varii. Tumulto in teatro*).

[31] Il critico della *Nazione* raccontava che durante gli anni della Restaurazione «la vita nuova, che serpeggiava nascosta e ancora titubante dappertutto, si manifestava largamente e liberamente in teatro. La censura aveva un bell'affannarsi a segnare colla matita rossa le frasi più innocenti e le parole meno peccaminose», perché la sera della recita «tutto diventava pretesto a pericolose allusioni» e una frase sfuggita al censore «svegliava in platea gl'improvvisi entusiasmi dei patrioti camuffati da spettatori. Erano lunghi applausi, grida altisonanti, interiezioni ardite» (*La Nazione*, 31 marzo 1879, *Rassegna drammatica*). Come è stato scritto a proposito del rapporto di sintonia e complicità tra il pubblico e il palcoscenico negli anni risorgimentali: «Una rete sottile ed invisibile lentamente avvolge tutta la penisola e la polizia non riesce a sciogliere la trama» (GIOVANNI CALENDOLI, *Il Risorgimento nel teatro*, in *Il Risorgimento italiano nel teatro e nel cinema*, a cura di DOMENICO MECCOLI, Roma, Editalia, 1961, p. 32).

[32] *La Nazione*, 7 dicembre 1860, *Ultime notizie*. Sul pericolo di disordini nei teatri in questi anni si vedano i rapporti della questura di Milano al Santa Radegonda e al Re Vecchio in ASM, *Questura*, b. 134, f. 5, e b. 135, f. *Santa Radegonda*: in genere il pubblico esigeva l'esecuzione dell'inno di Garibaldi, oppure si scatenava in applausi agli improvvisati riferimenti a «Napoleone il piccolo».

la rappresentazione e gli studenti, usciti dal teatro, avevano percorso via Toledo cantando, per poi sciogliersi pacificamente, presso largo della Carità, all'intervento della Guardia Nazionale. Tutto si era concluso con l'arresto di tre studenti. A cosa si doveva attribuire la causa di questa inopportuna manifestazione – aveva protestato Lazzaro – se non alla decisione di proibire l'inno di Garibaldi? E aveva aggiunto:

«Questo fatto combinato con l'altro dell'arresto di studenti che gettano degli innocui cartellini, e con altri che accadono in altri punti del Mezzogiorno, mi prova come si continui a Napoli in quella via la quale potrebbe condurre a gravissimi sconci».[33]

Al governo Farini – il quale, ricordiamo, era appena subentrato a quello di Rattazzi, dimessosi proprio in seguito alla crisi di Aspromonte – Lazzaro aveva chiesto, polemicamente, se intendesse rimuovere nelle provincie meridionali le ragioni di tale «attrito disdicevole», per ristabilire l'ordine attraverso le leggi ordinarie. Il ministro dell'Interno in carica, Ubaldino Peruzzi, in quella occasione si era astenuto dal rispondere, con il pretesto di non aver ancora ricevuto rapporti particolareggiati, e la Camera, anziché affrontare un confronto sul tema spinoso dell'ordine pubblico nel Mezzogiorno, aveva spento la discussione in un «mormorio». La risposta del ministero dell'Interno giunse pochi giorni più tardi, attraverso una circolare ai prefetti del 22 dicembre 1862. Più in generale, la materia della tutela dell'ordine pubblico, in quei mesi in fase di studio da parte di una commissione della Camera, sarebbe stata oggetto di un progetto di legge presentato dallo stesso Peruzzi il 7 agosto 1863: progetto che l'Ufficio centrale del Senato, probabilmente a causa dello stato di estrema tensione che il paese stava vivendo, nella sua relazione, presentata il 16 gennaio 1863, avrebbe addirittura proposto di modificare, pur approvandolo, con emendamenti restrittivi «di notevole gravità».[34]

La circolare del 22 dicembre 1862, in particolare, intendeva venire incontro alle esigenze delle prefetture, che, poste di fronte al rischio diffuso di disordini

---

[33] AP, *Camera*, Legisl. VIII, Sess. 1861-62, *Discussioni*, tornata del 15 dicembre 1862, pp. 4744-4745.

[34] Così li definisce ALDO BERSELLI nel suo *Il governo della Destra. Italia legale e Italia reale dopo l'Unità*, Bologna, Il Mulino, 1997, p. 465; sul progetto Peruzzi, presentato il 7 agosto 1863 e, in generale, sulla questione della legislazione relativa alla Pubblica Sicurezza, si veda *ivi*, pp. 461-489. La relazione dell'Ufficio centrale del Senato è in AP, *Senato*, Legisl. VIII, Sess. 1863-64, *Documenti*, n. 63-A, *Relazione fatta al Senato il 16 gennaio 1864 dall'Ufficio centrale composto dei senatori Gamba, Vigliani, De Foresta, Sella F.M. e Di S. Martino sul progetto di legge per l'estensione a tutto il regno della legge di pubblica sicurezza*. Secondo la proposta dell'Ufficio, all'autorità di Pubblica Sicurezza andava attribuita la facoltà di «vietare, nell'interesse dell'ordine pubblico, le riunioni in siti pubblici, od aperti al pubblico, o prescrivere le disposizioni da osservarsi in occasione delle medesime» (*ivi*, p. 1497).

nei teatri, avevano chiesto istruzioni chiare e precise; al ministero stesso, del resto, premeva tracciare una linea di condotta il più possibile uniforme. Nella premessa, la circolare ostentava sicurezza e ottimismo: erano passati – così vi si legge – i tempi in cui i governi della penisola, «paurosi di qualunque sebbene innocente manifestazione di vita, riguardavano un tumulto di teatro quasi come una seria minaccia alla propria esistenza». Manifestazioni di questo tipo non potevano incutere timore a un governo «che si gloria di riconoscere l'origine dal suffragio della Nazione», tanto più che non mancavano ai cittadini mezzi legali e dignitosi per esprimere «i loro legittimi voti e desiderii»: era quindi necessario ridimensionare questi episodi e non attribuirgli «una gravità e un'importanza che evidentemente non hanno». Tuttavia il governo aveva il dovere di procurare che essi non si rinnovassero «con scapito alla fama di civiltà del nostro Paese e con certa diminuzione dell'autorità della legge», per tutelare il «diritto dei più», quello di godersi in pace uno spettacolo. Apertasi sotto il segno di una tranquilla indulgenza, la circolare si chiudeva con un'indicazione improntata alla più assoluta intransigenza: le autorità demandate alla tutela dell'ordine pubblico nei teatri dovevano impedire che questo ordine fosse turbato «sotto qualsiasi pretesto» e garantire che gli spettacoli si svolgessero «senza variazioni di programmi».[35]

Non mancò, nei confronti del dilagare delle opere di circostanza, una reazione di protesta anche da parte della critica teatrale più autorevole. Sotto la bandiera dei drammi patriottici – si disse – una vera «orda di barbari» aveva invaso le platee della penisola. L'appendicista della *Nazione* Augusto Franchetti non si stancò mai di deplorare

«il destino della letteratura drammatica, la quale, uscita appena di sotto le tenaglie dell'Inquisizione e alle cesoie della Censura tirannica, or sia caduta sotto il dominio della politica, e nella libertà medesima riconquistata abbia trovato argomento di servitù».[36]

Come osservava ancora Franchetti, poeti e scrittori non erano più costretti a ricorrere alle allusioni: era più decente e più nobile che parlassero a viso aperto, con buona pace della politica e soprattutto dell'estetica, che «restaurerebbe il suo legittimo dominio nel campo che le è stato usurpato», mentre «il pensiero non sarebbe più schiavo delle passioni popolari».[37]

---

[35] ASM, *Prefettura*, b. 628.

[36] *La Nazione*, 25 settembre 1861, *Rassegna drammatica*. L'articolo recensiva *Silvio Pellico* di Gualtieri e *Il duca di Reichstadt* di Giulio Pullè.

[37] In questo caso Franchetti faceva riferimento al dramma storico di Gaetano Gattinelli *La caduta di una dinastia* – premiato a Torino e applaudito anche a Firenze, come si è detto – esprimendo la speranza che quei giudici «benevoli» avessero voluto premiare più che i meriti letterari «i patrii sensi e i politici concetti» di cui quell'opera era intessuta. Gli ap-

All'emergenza innescata dalle eccezionali circostanze di politica interna – i rapporti con l'opposizione, ma presto soprattutto il brigantaggio – si sommava poi quella altrettanto allarmante generata dai difficili rapporti con i cattolici e il Papato. Erano gli anni delle trattative, dei tentativi di conciliazione di Cavour e dei suoi successori, della convenzione con Napoleone III. Inoltre la ricerca di una collocazione del neonato Stato unitario all'interno del concerto europeo rendeva particolarmente delicati anche i rapporti diplomatici internazionali. Si può dunque immaginare in quale misura il compito degli organi di censura teatrale dovesse essere improntato all'attenzione e alla cautela.

Aggiungiamo infine un'altra considerazione. Nonostante la fortuna dei drammi storici, il teatro del periodo si nutriva volentieri anche di episodi della cronaca e dell'attualità. Ne è testimonianza quanto mai efficace un fatto narrato da Ferdinando Martini[38] e risalente al 1867, quando la vicenda di una spedizione punitiva degli inglesi contro l'imperatore abissino Teodoro, che aveva fatto imprigionare i loro connazionali, fu seguita anche in Italia con grande interesse. Letta la notizia, l'attore Giuseppe Peracchi, in crisi di idee per il suo repertorio, propose allo stesso Martini e ad altri due noti commediografi, Francesco Coletti e Luigi Alberti, di scrivere in una settimana «un *Teodoro*», perché era quello che ci voleva per risollevare le sorti della stagione: un dramma di attualità come quello, «con personaggi parte bianchi, parte neri, con gran sfoggio di vestiario a piacimento e scenarii con architetture fantastiche e alberi tropicali, gli avrebbe gremito l'Arena». Fu in effetti quello che avvenne. È chiaro che una inclinazione come questa degli autori teatrali dell'epoca non poteva che rendere ancora più improbo il lavoro dei censori.

Dall'ottobre 1859 al 31 marzo 1861 furono respinte, cioè furono segnate dall'assoluto divieto di rappresentazione, 110 opere teatrali; dal 1° gennaio 1860 al 31 dicembre 1863 ne furono proibite 205.[39] Assai numerose, inoltre, furono quelle permesse ma a condizione di modifiche.

---

plausi da essa riscossi, secondo Franchetti, erano «una tacita ed opportunistica protesta contro le dottrine della curia romana, che persiste a *confondere in sé due reggimenti*» (*La Nazione*, 9 ottobre 1861, *Rassegna drammatica*). Il repertorio cosiddetto «di circostanza» non si esaurì rapidamente. Ancora nel 1882 alcuni giornali (per esempio *Il Pungolo*, 20/21 ottobre 1882, *Un veto giusto*) a proposito delle parziali censure a un dramma intitolato *Fate la carità*, in programma al Politeama di Roma, approvarono l'intervento della prefettura denunciando il fenomeno, ancora frequente soprattutto nei teatri popolari, «delle rappresentazioni di drammi a gran cassa» nei quali non si faceva che «rimpicciolire le figure più splendide della nostra gloriosa rivoluzione».

[38] F. MARTINI, *Confessioni e ricordi* cit., pp. 243-248.

[39] Si vedano gli elenchi relativi in ASM, *Prefettura*, b. 628. Anche da una rapida scorsa dei titoli è agevole intuire le ragioni del divieto; emerge in particolare la massiccia presenza di lavori a soggetto politico. Numerosi manoscritti risultano anonimi. Ricordiamo che non erano soggette a revisione le opere di Francesco Albergati Capacelli, Vittorio Alfieri, Camillo Federici, Carlo Federici, Ugo Foscolo, Carlo Goldoni, Scipione Maffei, Alessandro Manzoni, Stanislao Marchisio, Carlo Marenco, Pietro Metastasio, Silvio Pellico, Vincenzo

Tra le opere censurate per ragioni politiche, costituivano un congruo numero quelle che più o meno velatamente mettevano in scena personaggi viventi, Garibaldi e il re *in primis*, o che contenevano comunque pesanti allusioni a fatti della cronaca militare e politica. I più esposti erano i lavori che avevano come soggetto le imprese garibaldine. Uno dei primi casi fu sottoposto agli uffici della censura milanese nel gennaio 1861. Nel dramma dal titolo *Il poliziotto*, opera di Orlando Cantù, un ex poliziotto fugge da Napoli con i due figli e si rifugia a Venezia, dove il figlio maschio, vedendosi preclusa «ogni via onorata pel nome e per la carica del padre», è indotto a farsi complice delle trame di un commissario austriaco che «nel servire il Governo cerca di trafficare sulle sue vittime»; il revisore, convinto che «gli spionaggi di questi due» si riferissero «ai probabili o possibili disegni dei Garibaldini e di Garibaldi per una guerra d'insurrezione nella Venezia», propose il divieto: non era conveniente «portar sulla scena aspirazioni e propositi che costituiscono l'oggetto delle attuali agitazioni interne»,[40] per giunta «con mezzi per nulla estetici».[41] Nel febbraio 1861, al governatore di Milano fu sottoposto un altro caso simile: riguardava una poesia intitolata appunto *Garibaldi*, che si sarebbe dovuta declamare sul palcoscenico del Teatro Re. Al questore sorse il dubbio che potessero apparire inopportune le similitudini tra Garibaldi e *Cristo*, come l'appellativo di «spergiuro» rivolto al *Prete*, l'espressione *Sorgere e vendicar Roma* e, più in generale:

«il sentimento che vi predomina di mettere nelle mani di Garibaldi le sorti della Nazione, ingenerando l'idea ch'esso ne sia l'arbitro, mentre invece importa che ognuno sia convinto stare il Governo a capo del Movimento Nazionale e da lui solo dipendere ogni iniziativa».

In questa circostanza e dàta la situazione in quel momento estremamente fluida dei rapporti con i democratici, il governatore cautamente si limitò a suggerire di «cambiare qualcuna delle frasi più esagerate».[42] Più tardi si arrivò alla risoluzione di colpire con assoluto divieto di rappresentazione – come ingiunse la circolare n. 2422 del 2 agosto 1862 – le opere che contenessero allusioni a Garibaldi.[43]

Nello scherzo comico di Cesare Vietti *Roma*, ad esempio, i nomi fittizi celavano malamente personaggi reali: *Don Pietro* per il Papa, *Mr Bonnet* per Napoleone III, *Miss Jenny* per l'Inghilterra, *Giuseppe* per Garibaldi, *Cesare* per il re, *Lucrezia* per la città di Roma. Certo – ammetteva il revisore – il fine dell'autore

Monti, Alberto Nota (*ivi, Elenco delle opere teatrali stampate permesse senza varianti dal 1° ottobre 1859 al 31 dicembre 1863*).

[40] ACS, *M. I.*, *S.D.*, *Teatri*, b. 12, f. 6, revisione del 23 gennaio 1861.

[41] *Ivi*, revisione del 24 gennaio 1863.

[42] ASM, *Prefettura*, b. 628, il questore al governatore di Milano, 10 febbraio 1861.

[43] Si tratta di 30 titoli (l'elenco si trova *ivi*).

era quello «che tutti gl'Italiani anelano», ma nella sua commediola l'Inghilterra, la Francia, il Papa facevano una figura ben meschina e ciò avrebbe potuto «elevare impacci al Governo suscitando dimostrazioni clamorose».[44] Fu respinta anche, una volta con il titolo di *Padre Giacomo* e una seconda con quello di *Era veglia e sonno*, una commedia in cui apparivano, oltre al protagonista – il confessore di Cavour –, personaggi come «l'avvocato Onesti, il Rinaldo, il Goffredo», eccetera, in cui facilmente si potevano identificare Ricasoli, il re, Garibaldi, Napoleone III e via dicendo.[45]

Il divieto assoluto di rappresentazione toccò anche ad opere dignitose e meditate, a detta degli stessi rapporti di censura, nelle quali però i censori avessero rilevato indizi di «partigianeria»: come nel dramma *Patria e famiglia*, in cui un giovane abbandona la madre morente e la sorella maggiore per seguire Garibaldi nella spedizione in Sicilia e al suo ritorno trova che la madre è ormai defunta e la sorella è priva di ogni risorsa; affranto e incapace di guadagnarsi da vivere, il poveretto si dà al gioco, ma, quando Garibaldi chiama volontari per andare a Roma, egli parte, per poi morire eroicamente in Calabria. Scritto con la passione dell'uomo di partito, il dramma, secondo il revisore, narrava a modo suo gli episodi della rivoluzione italiana e pareva decisamente critico nei confronti «del partito che avversa l'ultimo moto garibaldino».[46]

[44] ACS, *M.I.*, *S.D.*, *Teatri*, b. 13, revisione del 16 ottobre 1863.

[45] *Ivi*, b. 15, revisione del 2 dicembre 1863. La clausola che vietava la rappresentazione di personaggi viventi non interessava solo quelli famosi: *Antonietta Camicia* di Carlo Benvenuti fu proibita perché la protagonista era vivente (*ivi*, b. 13, revisione del 4 agosto 1863) e così *Il trasporto delle ceneri di Napoleone I* (*ivi*, b. 14, revisione del 9 marzo 1863). Per ragioni analoghe fu vietata *Il furto di £. 850.000 a Genova* perché gli attori vi interpretavano i responsabili del famoso furto Parrodi, oltre tutto prima ancora che questi fossero processati (*ivi*, b. 13, revisione del 20 gennaio 1863). Anche la trama della commedia *Un duello di nuovo genere* si ispirava ad un recente episodio di cronaca: secondo il revisore, si trattava di un'allusione «senza spirito e senza velo» ad un autore drammatico e appendicista torinese che sarebbe stato immediatamente riconosciuto perché protagonista di un aneddoto che aveva fatto un certo chiasso nell'ambiente artistico e teatrale (*ivi*, b. 14, revisione del 10 agosto 1863). Tra i drammi di soggetto garibaldino, una censura totale fu decretata per *Marsala*, di Cesare Levetti, perché vi compariva Garibaldi (*ivi*, b. 13, revisione del 10 ottobre 1863). Per il medesimo motivo furono proibiti, di anonimo, *Lo sbarco di Garibaldi in Sicilia* e *La battaglia di Solferino*, opera nella quale in verità Garibaldi non figurava, ma «si scorge subito dagli spettatori ch'egli debb'essere il Generale Cucchiari», tanto che ad un certo punto si gridava «Viva il Re, viva Cucchiari!». Come se non bastasse il dramma era «un continuo insulto all'Austria, al suo imperatore, e insulti così bassi e triviali che un vincitore che si rispetti non terrà mai contro il vinto». I manoscritti di *Lo sbarco di Garibaldi in Sicilia* e *La battaglia di Solferino* erano stati trasmessi dalla prefettura di Bologna: dovevano essere rappresentati nel locale Teatro Garibaldi (*ivi*, revisione del 4 febbraio 1862).

[46] «I personaggi poi che sono contrari nelle idee al suo protagonista pone in motteggio, e così li ingiuria che i ceti delle persone a cui fannosi appartenere questi personaggi non possono a meno che esserne offesi. Gli ufficiali poi della Pubblica Sicurezza che si fanno comparire sono equiparati ai satelliti di un governo dispotico» (*ivi*, b. 14, revisione del 25 aprile 1863). Così anche nel dramma di anonimo *Amore e patria*, benché si sbandierassero

Non erano dispensati dall'intervento della censura neppure i balli di soggetto patriottico in cui in genere comparivano, come in *La notte dei morti*, «Vittorio Emanuele II, Luigi Bonaparte, l'ombra di Cavour, il Sacro Collegio, il Redentore».[47] Venne proibito senza mezzi termini anche l'allestimento del ballo *Il sogno del bersagliere*, perché il finale prevedeva che si mostrassero al pubblico le immagini coronate di alloro di Vittorio Emanuele II e di Garibaldi, intorno alle quali si sarebbe intrecciata una danza.[48]

Nei confronti dei teatri di marionette si procedette con minore intransigenza. Il 9 gennaio 1861 il censore torinese Ravelli negò il permesso di rappresentazione ad uno spettacolo dal titolo *Il bombardamento di Palermo* destinato a quelle scene, perché vi comparivano personaggi viventi.[49] Lo stesso Ravelli proibì una *Battaglia di Calatafimi*; benché il protagonista fosse qualificato solo col titolo di «Generale», il censore non credeva di «doversi lasciare illudere»: si trattava dello stesso Garibaldi. Immediato giunse l'altolà del ministero: per i teatri delle teste di legno era inopportuno «tenere troppo rigorosamente la massima cui s'appoggia la sezione», poiché «dove si porta in scena anche il Verbo Incarnato può ben prodursi un Generale ancora che negli abiti designi l'Eroe del giorno».[50]

Il fenomeno del successo delle opere a soggetto garibaldino si rivelò comunque difficilmente arginabile e i casi di infrazione o, addirittura, di tolleranza erano tutt'altro che rari.[51]

i sentimenti patriottici degli italiani, i revisori individuarono «il caso d'inopportune emozioni», che rischiavano di provocare disordini (*ivi*, revisione del 21 febbraio 1863). Analogamente nell'opera *I misteri della polizia borbonica* di Antonio Bertanzon Boscarini si celava in realtà l'episodio dell'insurrezione di Palermo e per questo essa venne proibita (*ivi*, revisione del 30 gennaio 1863), mentre per *Daniele Manin*, che narrava le vicende della rivoluzione del 1848 a Venezia, il censore subordinava il *nulla osta* al taglio del finale, in cui si prevedeva l'entrata in scena di Garibaldi nell'atto di liberare Venezia (*ivi*, revisione del 16 gennaio 1863). *Daniele Manin* era un dramma regolarmente rappresentato prima del 1860, senonché l'autore, in una ristampa del 1862, aveva modificato la scena conclusiva, allo scopo, a detta del ministero dell'Interno, di «accampare le passioni del giorno» (*ivi*, b. 15, il ministro dell'Interno al prefetto dell'Umbria, 18 maggio 1863) e di suscitare nel pubblico la richiesta della marcia garibaldina (*ivi*, il prefetto dell'Umbria al ministro dell'Interno, 11 maggio 1863). Come si è osservato, molto spesso i riferimenti al grande condottiero erano impliciti ma facilmente smascherabili: come in *Roma redenta*, in cui, a parte la chiarezza programmatica del titolo, compariva un condottiero «con spada nuda e possibilmente vestito di rosso»:.modificata opportunamente, fu riproposta come *Il profetico sogno d'Italia* (*ivi*, b. 14, revisione del 30 gennaio 1863).

[47] *Ivi*, b. 15, revisione del 15 giugno 1863.
[48] *Ivi*, revisione del 30 maggio 1863.
[49] *Ivi*, b. 13, revisione del 9 gennaio 1861.
[50] *Ivi*, revisione del 29 gennaio 1861, e, *ivi*, il ministro dell'Interno al questore di Torino, 30 gennaio 1861.
[51] Si veda ad esempio *La Nazione*, 1° agosto 1861, *Fatti diversi*. Nell'articolo si denunciava che da qualche giorno, al Politeama fiorentino, era in scena una pantomima in cui

Negli anni immediatamente successivi all'Unità, anche i numerosi spettacoli che portavano in scena il dramma del brigantaggio misero a dura prova gli Uffici di censura. Non per nulla pure in questo caso si giunse alla risoluzione estrema di «non permettere sulle scene fatti che abbiano relazione col brigantaggio».[52] Sulla materia i revisori intervennero con mano pesante. Fu proibita per «inopportunità» la commedia *Lo scherzo rintuzzato*: l'argomento non era certo eversivo,[53] ma in molte scene «si discorre del brigantaggio e delle provincie del Mezzogiorno». Anche la messinscena di *Il maino della spinetta*, opera ricavata da un vecchio dramma proibito in passato per via della «aureola di generosità e quasi di gloria, onde l'autore ha circondato il protagonista, assassino famigerato», appariva quanto mai inopportuna nel 1863: come annotava il censore, «questa specie di apostrofe ad un assassino sarebbe tanto più sconveniente oggidì, mentre infierisce il brigantaggio».[54]

Ad altri manoscritti invece, benché sospetti e sottoposti ad attenta lettura, non si poteva che concedere il via libera. Così accadde all'operetta di Paolo Diamanti *La distruzione dei masnadieri*, scritta in parte in dialetto bolognese, in cartellone da quasi trent'anni nelle arene di Bologna: «un aborto mostruoso – così si esprimeva il revisore – senz'ombra di buon senso né letterario né artistico», dove l'episodio narrato poteva sì «verificarsi nei fasti del brigantaggio napolitano», ma l'autore non gli aveva dato alcun «colore politico».[55]

Se Garibaldi e il brigantaggio costituivano per il ministero dell'Interno soggetti di ben definita e oltremodo attuale pericolosità, più sfumate e per questo

compariva il personaggio del re: «Noi che abbiamo notato come la censura sia stata e sia assai schifiltosa nel permettere che si pongano in scena cogli abiti loro preti e frati, non sappiamo come essa abbia dato il suo consenso a che si vegga il re».

[52] ACS, *M.I.*, *S.D.*, *Teatri*, b. 13, la divisione II del ministero dell'Interno a proposito di *I briganti napoletani*, 18 marzo 1863.

[53] Un buon uomo di campagna si reca in città da un avvocato per ottenere un consiglio che gli possa servire in caso di emergenza. Approfittando della sua bonomia, l'avvocato gli scrive su un pezzo di carta una massima: «Ciò che puoi fare oggi non lo rimandare a domani». Sarà il suggerimento che l'uomo terrà presente quando suo figlio e la figlia dell'arrogante avvocato gli chiederanno il permesso di sposarsi (*ivi*, b. 14, revisione del 28 gennaio 1863).

[54] *Ivi*, revisione del 24 aprile 1863. Più evidenti ma dello stesso ordine erano le ragioni della censura di *La famiglia dell'esule* di Ferdinando Resasco, in cui un giovane volontario garibaldino partito da Napoli è sorpreso e catturato dai briganti; senonché, proprio quando ha ormai perduto ogni speranza di salvezza, trova un liberatore in uno dei briganti, che poi scoprirà essere il fratello creduto morto. Secondo l'autore della revisione, l'argomento in sé non avrebbe fornito motivo sufficiente di veto, ma il quadro che veniva rappresentato del brigantaggio «è così truce e ributtante che il senso morale del pubblico non può che rimanerne offeso». Tanto più, aggiungeva il censore, per la presenza del personaggio di un prete, quasi «capo di quella masnada brigantesca, rotto ad ogni libidine sanguinaria e feroce, il quale compie i più efferandi misfatti con in bocca il nome di Dio e le massime più sante del Vangelo» (*ivi*, revisione del 15 marzo 1863).

[55] *Ivi*, b. 15, revisione del 1° settembre 1863.

152

più discutibili si offrivano altre occasioni di censura politica. Prendiamo ad esempio la commedia di Alessandro Annaratone *Siamo in campagna*, che il censore definiva «aristofanica»: vi si parlava delle «mene elettorali di un farabutto per riescire deputato in Parlamento» e della «corruzione probabile degli elettori del Collegio», «della malafede di un membro della Giunta Provinciale del luogo» e di un «sindaco babbeo». Alla fine, è vero, i «cattivi» erano smascherati, ma la commedia poteva comunque rivelarsi «oltre ogni dire offensiva» e provocare delle dimostrazioni «che potrebbero tradursi in conflitti da reprimere». Evidentemente l'opera alludeva – non si sa se con qualche fondamento o per una semplice operazione di satira politica – a realtà locali agevolmente identificabili; a prescindere da ciò, al censore stava a cuore salvaguardare l'immagine e la dignità delle istituzioni politiche.[56] In effetti venne ugualmente vietata la commedia di Vittorio Curto *Lo scacco matto*, «essendo in essa posti in cattivo aspetto e ambasciatori e Ministri e tutto ciò che concorre a stabilire un Governo».[57] E così anche *I deputati, ossia Destra, Centro e Sinistra*: il solo titolo bastava a far scattare il divieto, «essendo in essa posti in ridicolo i deputati della Nazione».[58]

Se era d'obbligo tutelare la dignità del Parlamento, delle autorità e delle istituzioni politiche, a maggior ragione si imponeva l'imperativo di difendere l'onore delle forze armate. Furono proibite farse, come *Guardia Nazionale immobile provvisoria* o *Una notte in un corpo di guardia*,[59] che mettevano in ridicolo la Guardia Nazionale, e opere, come *Il soldato del papa*, che in qualche modo offendevano l'esercito o qualche suo componente.[60] Inoltre i personaggi che eventualmente comparissero in scena nel ruolo di militari non potevano esibire distintivi che potessero identificarne il grado. Tale disposizione, a dire il vero, non mancò di suscitare perplessità nelle stesse autorità prefettizie.[61]

---

[56] *Ivi*, b. 13, revisione dell'11 febbraio 1863.

[57] *Ivi*, revisione del 19 gennaio 1863.

[58] *Ivi*, b. 15, revisione del 29 novembre 1863.

[59] *Ivi*, b. 13, revisione del 30 gennaio 1863 e revisione del 10 marzo 1863. Così si esprime il redattore del rapporto a proposito di *Una notte in un corpo di guardia*: «[...] non è altro che un accozzamento di piccoli aneddoti, i quali pongono in ridicolo la istituzione più nobile e più cara ad ogni cittadino: la Guardia Nazionale».

[60] Secondo il revisore, *Il soldato del Papa* conteneva «insulti al nostro esercito, denigrando la fama di quelli che già avendo servito altro governo per effetto delle annessioni, ora si trovano a militare nell'esercito nazionale» (*ivi*, revisione del 26 ottobre 1863).

[61] In occasione, ad esempio, della recita della commedia *La figlia unica* da parte della compagnia di Cesare Dondini, il comando militare della provincia di Lucca ricorse al prefetto perché non fosse più permesso l'uso dell'uniforme militare, ma Dondini si rifiutò di obbedire poiché «l'assise [*sic*] adoperata dai suoi comici era mancante degli ordinari distintivi di qualsiasi grado, senza l'impronta sui bottoni dello stemma reale» (*ivi*, b. 14, Sabbatini al direttore capo della Sezione I del ministero dell'Interno, 11 settembre 1863). Il prefetto di Lucca, a sua volta, si rivolse al ministero per chiedere chiarimenti e norme precise per il futuro: a suo avviso non era stato ancora ben definito se si dovesse permettere o

La censura era applicata anche nel caso in cui in un manoscritto comparissero o si adombrassero riferimenti a lotte e scontri tra classi sociali o tra «partiti» opposti. Ad esempio, secondo la revisione, lo scopo della commedia *Le fils de Voltaire* era quello di «gettare biasimo contro la classe borghese ed operaia non che ai princìpi dell'89, che sono quelli che reggono in oggi l'Italia»: qui il legittimismo e i clericali erano posti sull'altare e i loro oppositori gettati nel fango. Per questo la commedia fu colpita dalla censura.[62] Allo stesso modo fu proibito il dramma *Vittime e carnefici* di Enrico Montazio, tratto da un romanzo di Charles Dickens, in cui tra l'altro era messo in scena il periodo del Terrore secondo modalità che finirono per provocare l'indignazione del censore:

«Popolo ubriaco d'ira, sitibondo di sangue contro i nobili, tribunale rivoluzionario, Bastiglie, carnefici, spionaggio, accuse pubbliche, sprezzo su tutte le aristocrazie [...] il pubblico non potrebbe a meno, se educato, di irrompere compreso d'orrore».

Ma se, al contrario, il pubblico fosse stato incline a «concitarsi per vere e supposte ingiustizie», avrebbe potuto infuriarsi «contro la casta dei nobili, contro le aristocrazie in genere».[63]

Fu proibito anche il dramma *Silenzio, canaglia!*, di Massimiliano Valvasone, perché – come si legge nella revisione – vi traspariva la tendenza a «ispirare avversione e odio fra le diverse classi dei cittadini». La trama in estrema sintesi era questa: un conte napoletano seduce sotto falso nome la sorella di un giovane pittore e poi l'abbandona; lo stesso pittore diventa vittima di una donna «da conio delle più spudorate», una contessa, la quale «s'irride della passione ispirata» e a sua volta lascia il giovane per gettarsi proprio nelle braccia del conte. Alla fine la povera giovane popolana muore di angoscia e di vergogna, «i nobili trionfano», mentre il pittore, alla vista del cadavere della sorella, corre alla finestra per «intimar silenzio ai canti erotici del seduttore e della spudorata contessa», condensando in una imprecazione la morale della storia: «Silenzio, canaglia!».[64]

meno l'uso dell'assisa militare, sebbene «da tempo immemorabile» la si sfoggiasse abusivamente sui palcoscenici, a patto naturalmente che non fosse indossata da un personaggio che la disonorasse. Ricordava inoltre il prefetto «come in Francia la si adoperi di continuo, e nel preciso costume, non che in Austria, ma con qualche modificazione» (*ivi*, il prefetto di Lucca al ministro dell'Interno, 5 settembre 1863).

[62] *Ivi*, b. 13, revisione del 2 dicembre 1863.

[63] *Ivi*, b. 14, revisione del 24 settembre 1863.

[64] *Ivi*, b. 13, revisione del 2 febbraio 1861. Sabbatini precisava che in questo dramma la classe nobile era «messa in odio dall'autore non tanto per le sue parole quanto pel fatto, in guisa da non poter subire alcuna modificazione». Per ragioni analoghe venne rifiutato il permesso di rappresentazione anche al dramma di anonimo *I figli della colpa e gli assassini in guanti gialli*. Vi si narrava di un colonnello che approfittando della sua posizione seduce, rende madre e poi abbandona due giovani donne. Vent'anni più tardi i suoi due figli illegittimi, entrambi delinquenti e ricercati dalla polizia, meditano la vendetta. Nel dramma,

154

L'origine d'un gran Banchiere del già citato Enrico Montazio aveva per tema «la lotta di un ebreo di Francoforte tra il bene e il male», fra il dovere di uomo onesto e la cupidigia di denaro: in questo caso l'autore fu invitato a modificare il suo manoscritto, «dettato in odio degli Israeliti», magari trasformando il protagonista in un usuraio qualunque. La circolare del 1° gennaio 1852 in proposito parlava chiaro: non era permesso gettare il biasimo su un individuo «allorché in esso si può colpire tutta una classe».[65]

Come gli accenni alla dialettica tra le classi sociali, preoccupava anche, si diceva, l'allusione a quella tra i «partiti». Fu discusso lungamente il caso della commedia di Michele Cuciniello *I rossi e i neri*.[66] La scenografia prevedeva che il palcoscenico fosse diviso in due: da una parte una camera confortevole in cui una serva si affaccendava a preparare una succulenta colazione per don Apostolo Gufo, rappresentante del partito clericale; dall'altra una misera dimora in cui albergava un tale di nome Bruto, «repubblicano fradicio», rappresentante del mazzinianesimo «che tende a confondersi con il cosiddetto partito d'azione». Le idee e i princìpi più «scapigliati» di questi due partiti erano resi caricaturalmente e in bocca ai protagonisti era posto quanto potesse suscitare «odio e disprezzo contro l'attuale sistema di Governo». E non era tutto: nel finale entrava in scena un personaggio incoronato che, abbracciando l'allegoria dell'Italia, prometteva di liberare le due provincie ancora irredente. La conclusione del revisore era significativa: benché l'autore avesse fatto leva, anziché sui fatti e sulle argomentazioni, sul ridicolo e sul biasimo, il lavoro era «dettato da un'onesta coscienza» e sarebbe «riuscito gradito ai benpensanti», ma avrebbe corso il rischio di provocare dimostrazioni.[67] E, ancora, in un lungo e minuzioso rapporto al ministero dell'Interno di qualche giorno successivo si ribadiva: la commedia era senz'altro ricca di «ingegnosa vis comica» e l'intenzione dell'autore, tutto sommato, era quella di mettere in evidenza «quanto v'ha di tristo ed esagerato respettivamente nei due partiti *nero* e *rosso*». Tuttavia, osservava il censore non senza ambiguità, don Gufo e la sua serva «dicono e fanno cose, che sebbene pur troppo avvengano, pure poste in evidenza sulla scena possono urtare la coscienza dei credenzoni, de' quali, nonostante tante prove in contrario, non ne abbiamo difetto». Inoltre non solo il mazziniano Bruto proferiva tali «bestialità» da

---

secondo la revisione, «si eccita [...] l'odio della classe povera contro l'agiata» (*ivi*, b. 14, revisione del 30 aprile 1863).

[65] *Ivi*, revisione del 24 settembre 1863 cit.

[66] *I rossi e i neri* già una prima volta era stata proibita con un giudizio lapidario: «In questo scherzo comico in cui si contrappongono i due partiti estremi l'autore non ha saputo conservare la decenza né la moralità che è necessaria affinché questo scritto possa tradursi sulla scena» (*ivi*, b. 15, revisione del 29 ottobre 1863). Poi per qualche motivo (come del resto accadeva molto spesso per le proteste verbali dell'autore o del capocomico) si era resa necessaria una revisione più circoscritta.

[67] *Ivi*, revisione del 5 novembre 1863.

«fare apparire ridicolo e spregevole quel partito, se pure esiste quel partito», ma «il male si è che il partito scompigliato vien qui confuso col partito d'azione, tanto diverso dal primo». Altri particolari contribuivano ad alimentare la perplessità dei revisori: un teschio sopra un inginocchiatoio, più sopra un'immagine «che a torto o a ragione si venera sugli altari», un pollo allo spiedo consumato il venerdì, la rappresentazione della miseria «e alcuni emblemi che verseggiano quelli della risma dei malcontenti», una donna libertina, l'appellativo di *comunista* attribuito al mazzinianesimo, e così via. Al ministro dell'Interno veniva così confermato il giudizio assolutamente negativo dell'Ufficio di censura, dettato da questioni di principio oltre che da motivi di inopportunità: la commedia era in grado di «portare fermenti» e «rinfocolare gli odi».[68]

In modo assai circostanziato furono esposte anche le ragioni del divieto della commedia *Un ritrovo di gamberi* di Cesare Hutre. Ambientata nella campagna napoletana, ha come protagonisti tre «borbonici», di cui due pronti a cambiare bandiera pur di vedere soddisfatte le proprie ambizioni. Intanto giungono voci di rimpasti ministeriali, si accredita la notizia che un loro amico, tale Silvani, sia chiamato al governo e i due si danno da fare per ottenere le sue raccomandazioni. Come si legge nella revisione, anche in questo caso ci si trovava di fronte alle buone intenzioni dell'autore: soprattutto quella di smascherare l'opportunismo della burocrazia borbonica in disgrazia. Senonché ben si individuava, nei riferimenti alle vicende ministeriali, l'allusione alla caduta del governo Rattazzi e a Silvio Spaventa, divenuto segretario generale del ministero dell'Interno, come dimostravano gli accenni ai fatti della sua vita privata. In più, a proposito d'impieghi e onorificenze concesse con leggerezza dai ministri, non era difficile inferire dalle battute dei vari personaggi che essi fossero conferiti «non per il pubblico bene», ma «per ragioni solo d'amicizia e di convenienze particolari»: insomma, innocentemente o meno, si finiva per parlare di un «protezionismo, che veramente non esiste», compromettendo l'immagine delle istituzioni.[69]

[68] Un solo scrupolo poteva giustificare esitazioni: il fatto che fosse annoverata tra quelle permesse l'opera di Carlo A-Valle *Il matrimonio della libertà*, in cui erano messi in scena e tra loro contrapposti «i princìpi dell'assolutismo e del partito d'azione vinti e sconfitti dalla monarchia costituzionale» (*ivi*, la divisione II del ministero dell'Interno al ministro dell'Interno, 13 novembre 1863). Anche nello scherzo comico *I puritani e i cavalieri* l'autore, Turcio Conci, aveva rappresentato le figure di un repubblicano e di un «governativo», «dipingendoli coi più esagerati colori». Era vero che a parole l'obiettivo ultimo – quello, cioè, della conciliazione dei partiti – poteva essere «santissimo», ma esso era vanificato, quasi smentito dal tono complessivo: un «continuo, ridicolo spasso» non solo sul partito repubblicano ma «su tutto quanto sa di Ministero, di Parlamento e di affari governativi»; la commedia venne per questo vietata. E il divieto, per analoghe ragioni, scattò anche per il dramma *La proclamazione del Regno d'Italia*: non si contavano le «solite esagerate declamazioni contro i Tedeschi», gli «insulti bassi e triviali» soprattutto ai repubblicani e a Mazzini, per cui «le ire dei partiti potrebbero esserne esacerbate e sfogarsi in dimostrazioni tumultuose e sconvenienti» (*ivi*, b. 14, revisione del 1° agosto 1863).

[69] *Ivi*, b. 15, revisione del 10 dicembre 1863.

Anche eventuali riferimenti a tensioni politiche di carattere locale richiedevano la massima allerta e, di norma, provocavano l'intervento o il coinvolgimento delle autorità prefettizie. Fu il sottoprefetto di Lomellina, ad esempio, ad informare il ministro dell'Interno sulla richiesta di rappresentazione al teatro di Vigevano di una commedia di Stefano Boldrini, *I calabroni*, la quale, per quanto «accorta», era una «continua allusione alle divisioni che regnano in quel consiglio comunale» e rischiava di mettere in ridicolo la rappresentanza municipale della cittadina.[70] L'autore da parte sua si premurò di inviare una lettera al ministro, nella quale negava recisamente di aver fatto qualsivoglia allusione.[71] In sintesi, secondo il sottoprefetto, il reale intento di Boldrini era quello di mettere in ridicolo i Fratelli della Dottrina Cristiana, ai quali era affidato a Vigevano l'incarico dell'insegnamento elementare,[72] e di riflesso il sindaco in carica che, sembra di capire, li proteggeva: tutto questo in un momento in cui quest'ultimo era attaccato da parecchi consiglieri, che premevano affinché si dimettesse.[73] Intervenne il prefetto di Pavia che, dopo aver letto la commedia, dichiarò da parte sua di non trovare motivazioni sufficienti ad impedirne la rappresentazione, ma poiché a Vigevano si era sparsa la voce che l'opera facesse davvero riferimento a fatti e persone di quella amministrazione comunale, «la curiosità del pubblico» era «eccitata in tal senso»; probabilmente lo spettacolo avrebbe provocato «disordini e deplorevoli conseguenze di maggiori scissure». La messinscena della commedia – concludeva dunque il prefetto – era inopportuna sia per Vigevano sia per i «luoghi vicini».[74]

Non in tutti i casi, di fronte a opere d'argomento politico e dichiaratamente di parte, si rendeva necessaria una censura. Nel dramma *Un'ora prima della Rivoluzione*, per esempio, la vicenda si svolge a Firenze, appunto, un'ora prima della sollevazione contro il governo granducale dei Lorena: un episodio, dunque, che poteva insospettire non poco. Tuttavia – si osservava nella revisione – il copione non prevedeva altro che un fitto dialogo sugli appostamenti organizzati per cacciare i Lorena, che alla fine sgombrano, non prima di aver tentato di

---

[70] *Ivi*, il sottoprefetto di Lomellina al ministro dell'Interno, 29 novembre 1863.

[71] *Ivi*, Stefano Boldrini al ministro dell'Interno, s.d.

[72] Nei confronti del personale insegnante, osservava il sottoprefetto, non si potevano in realtà muovere appunti particolari, ma «per gli atti spregevolissimi, di cui, altrove, si resero contabili altri membri della detta religiosa famiglia» non era lontano il momento in cui gli insegnanti di Vigevano sarebbero stati sostituiti da altri che godessero di maggiore fiducia (*ivi*, il sottoprefetto di Lomellina al ministro dell'Interno, 1° dicembre 1863).

[73] Le stesse valutazioni furono espresse dalla Delegazione di Sicurezza Pubblica di Vigevano (si veda la lettera al prefetto di Pavia, *ivi*, 9 dicembre 1863). La commedia di Boldrini, con il lodevole intento «di stigmatizzare gli ignorantelli», come erano chiamati, che si occupavano dell'insegnamento elementare «a danno della cultura più sublime e di più robusto concetto», coglieva il pretesto di far passare il sindaco per un «Gesuita» senza prove certe: l'allusione era «flagrante».

[74] *Ivi*, il prefetto di Pavia al ministro dell'Interno, 16 dicembre 1863.

convincere i soldati a combattere contro i loro concittadini; nel dramma, per giunta, le «aspirazioni» individuabili erano «affatto governative», perciò non si riscontravano elementi tali da suggerire un divieto.[75]

Allarmavano vivamente i responsabili della revisione teatrale anche i copioni che trattavano soggetti generalmente patriottici non specificamente riferiti alla realtà italiana, e che allora erano assai richiesti dalle compagnie della penisola. Essi erano quindi sottoposti ad una attentissima lettura e richiedevano un rapporto circostanziato. Un esempio per tutti, il dramma *La donna ungherese*, che si svolgeva durante la rivoluzione del 1848.[76]

Una questione assai più delicata e controversa impose invece, all'indomani dell'insurrezione scoppiata nella Polonia russa nel gennaio 1863, la fioritura di drammi su quell'avvenimento. I funzionari del ministero dell'Interno si trovarono in grave imbarazzo, stretti com'erano tra l'imperativo della prudenza dettato dalle ragioni della diplomazia europea e le spontanee manifestazioni di solidarietà ed entusiasmo da parte dell'opinione pubblica, non solo di quella democratica, che sperava in una ripresa del movimento delle nazionalità, ma anche di quella moderata, che scorgeva negli avvenimenti polacchi l'opportunità di realizzare la liberazione del Veneto.[77] A leggere i rapporti che gli Uffici di censura licenziarono, non è facile individuare una linea di condotta univoca. Di fronte a un'opera come *Amore e patria*, che narrava un episodio della rivoluzione polacca del 1830, il prefetto di Napoli, colto dal dubbio sull'opportunità della sua rappresentazione, la sottopose all'attenzione del ministero: benché non si parlasse di avvenimenti recenti, «pur tuttavia può ben considerarsi come una produzione teatrale di attualità, che allude ad una questione politica del giorno, che tiene agitati e risvegliati i partiti».[78] Ma la risposta fu improntata a serena indulgenza: se si scorgevano nel dramma «aspirazioni all'indipendenza del proprio paese», ciò non doveva ostacolare la sua approvazione, come non dovevano ostacolarla, in questo caso specifico, «le poche invettive contro gli oppressori, le quali non sono le enfatiche declamazioni degli energumeni autori di certe produzioni di circostanza».[79]

---

[75] *Ivi*, b. 14, revisione del 31 gennaio 1861.

[76] Una giovane donna è divisa tra l'affetto per un magiaro, animo nobile e generoso, dedito alla causa rivoluzionaria, e l'amore per un cugino austriaco, dipinto dall'autore come una creatura abbietta: alla fine ella abbraccerà la causa patriottica e sposerà il primo, giurando di vendicarlo e di consacrarsi alla causa dell'indipendenza quando egli cadrà vittima degli austriaci. Il dramma, infine, venne permesso (*ivi*, revisione del 18 gennaio 1861).

[77] GIORGIO CANDELORO, *Storia dell'Italia moderna*, Milano, Feltrinelli, 1989 (1ª ed. 1968), vol. V, pp. 204-205.

[78] ACS, *M.I.*, *S.D.*, *Teatri*, b. 14, il prefetto di Napoli al ministro dell'Interno, 23 marzo 1863.

[79] *Ivi*, il ministro dell'Interno al prefetto di Napoli, 2 aprile 1863. Risposta analoga venne fornita al prefetto di Milano – che nel ballo *Una protezione* aveva individuato una ine-

Sembra di capire che di fronte agli accenni alle aspirazioni indipendentisti-che dei polacchi si potesse chiudere un occhio, a patto che non si esagerasse con le critiche alla Russia. È il caso dello scherzo comico *Un'ora al sole*, di Antonio Scalvini, autore che con le sue satire sull'attualità politica dava regolar-mente filo da torcere ai censori. *Un'ora al sole* non offriva «appunti di sorta alla censura governativa» se non per il personaggio allegorico che rappresentava la Polonia, il quale ad un certo punto pronunciava «alcuni versi che non sono cer-to privi di biasimo per la Russia». In questo caso il revisore – Spirito Ravelli, che di solito non conosceva esitazioni – credette di dover «interpellare in pro-posito l'intenzione del governo a questo riguardo».[80] Alla fine lo scherzo venne approvato, probabilmente depurato delle battute più compromettenti. Senon-ché poche settimane più tardi, mentre lo spettacolo calcava le scene del popola-re teatro Fossati di Milano, giunsero al ministero le proteste della questura, per la quale lo scherzo si prestava assai facilmente ad allusioni politiche e che quin-di chiedeva l'immediata revoca del permesso di rappresentazione.[81] Era suc-cesso anche in tale occasione, come spiegò Sabbatini, che la compagnia aveva recitato in teatro su un manoscritto diverso, non vistato dalla censura, che con-teneva sostanziali e significative varianti, proprio quelle che avevano suscitato l'allarme delle autorità di Pubblica Sicurezza.[82] Come si è accennato, era una pratica, questa dei capocomici di trasgredire alle indicazioni dei censori, tutt'al-tro che inconsueta e oggetto di numerose circolari.[83] Del resto essa era deter-minata anche dal frequente ricorso all'improvvisazione, soprattutto sui palco-scenici dei teatri più popolari.

Si registrano comunque altri casi in cui, a proposito della questione polacca, i revisori furono oltremodo rigidi. *La Polonia* fu proibita per «sconvenienza po-litica» perché vi erano «gettate a piene mani le contumelie contro la Russia» e in una scena lo zar era rappresentato «sotto il più sinistro aspetto di Tiran-

quivocabile allusione all'insurrezione polacca – «purché assistendo alle prove si veda non possa dar pretesto a dimostrazioni politiche» (*ivi*, il ministro dell'Interno al prefetto di Mi-lano, 13 marzo 1863).

[80] *Ivi*, revisione dell'11 agosto 1863.

[81] *Ivi*, il questore di Milano al ministro dell'Interno, 2 settembre 1863.

[82] *Ivi*, la divisione II del ministero dell'Interno al questore di Milano, 7 settembre 1863.

[83] Già nella circolare n. 75 del 25 novembre 1860 si invitavano le prefetture a, come era indicato piuttosto genericamente, «vigilare» anche sulla recita dello spettacolo, perché ac-cadeva che gli attori non si attenessero scrupolosamente al testo approvato dagli Uffici di censura. Si veda poi la circolare n. 68 del 30 settembre 1861, in cui si raccomandava di se-gnare con l'inchiostro rosso le parti censurate e che queste fossero «annotate colla apposi-zione *in loco* del bollo colla legenda *Revisione teatrale*» (ASM, *Prefettura*, b. 628). Nel con-tempo si avvertiva che spesso capocomici e impresari alteravano o cambiavano il titolo con il quale un'opera era stata approvata: a tale «abuso» si ricorreva talora anche per «dare prestigio di novità» ad un lavoro (ACS, *M.I., S.D., Teatri*, b. 13, revisione del 31 agosto 1863), oppure per renderlo più accattivante «cangiandone il titolo [...] con altro più sono-ro o strano, o più solleticante le passioni popolari del giorno» (*ivi*, revisione del 31 agosto

no».[84] Così fu anche per *Alescina*, poiché per le «molte invettive contro la Russia ed il suo Governo» l'opera avrebbe potuto essere «causa di reclami»,[85] e per il dramma *La donna polacca*, anch'esso eccessivamente irrispettoso nei confronti dello zar.[86] Non è da escludere, benché non si siano trovati riscontri tra i documenti d'archivio, che, dopo un momento di iniziale disorientamento, il ministero dell'Interno nell'aprile 1863 abbia dato ai funzionari della censura disposizioni più severe a proposito delle opere che avevano per oggetto l'insurrezione polacca, preoccupato di eventuali riflessi sulle relazioni diplomatiche.[87]

Il rapporto sul copione di *Un episodio della rivoluzione polacca del 1863* fornisce un'ulteriore prova dell'ambivalenza che caratterizzò l'atteggiamento degli Uffici di censura nei confronti della questione polacca; questo dramma – come veniva spiegato – toccava «da vicino tutti i principali fatti che riguardano l'insurrezione di quella generosa nazione» e in esso erano «dipinti gli atti barbari, e violenti, che si commisero dai Russi»: dunque l'opera poteva essere senz'altro permessa «per quanto tocca alla moralità ed alla religione», ma, «considerato come il nostro Governo si ritrovi in amichevoli relazioni colla Russia», era più opportuno vietarla.[88]

In tema di relazioni internazionali, fino a quel momento le norme sulla censura si erano soffermate soprattutto sulla spinosa e complessa questione della tutela dei rapporti con la Francia. Fin dal giugno 1859 una circolare del ministero dell'Interno aveva messo in allarme le autorità di Pubblica Sicurezza loca-

1863). Per garantire un controllo più stretto fu anche disposto che persino alle prove generali assistessero impiegati degli Uffici di censura (*ivi*, b. 14, il ministro dell'Interno al questore di Torino, 23 dicembre 1862).

[84] *Ivi*, revisione del 24 aprile 1863.

[85] *Ivi*, revisione del 3 maggio 1863.

[86] *Ivi*, revisione del 3 maggio 1863.

[87] In effetti il 30 aprile 1863 il prefetto della provincia di Grosseto, in merito al componimento poetico *Un saluto alla Polonia* in attesa del visto di censura per essere declamato al teatro di Orbetello, scrisse al ministero dell'Interno di propendere per la sua proibizione, ricordando «le relazioni diplomatiche ristabilite colla Russia, il pregio speciale che il Regno d'Italia deve assegnare al mantenimento sincero di quelle relazioni, e finalmente il voto della Camera elettiva che volle lasciare al Governo pieno il giudizio pel contegno da serbarsi nella grave questione che suscita l'insurrezione polacca» (*ivi*, b. 15, il prefetto della provincia di Grosseto al ministro dell'Interno, 30 aprile 1863). Il ministero approvò e confermò: per le medesime considerazioni era stato adottato il criterio di «proibire tutto che ha tratto all'insurrezione polacca» (*ivi*, il ministro dell'Interno al prefetto della provincia di Grosseto, 7 maggio 1863).

[88] *Ivi*, revisione del 7 maggio 1863. Più comprensibile, ma comunque pretestuosa, fu la censura di un dramma del noto librettista e commediografo Andrea Codebò, *Il comitato polacco*. Vi si narrava l'amore tra un apostata politico e una donna già sposata, che una ex amante del giovane scopre e denuncia al comitato. I due vengono condannati a morte e, consumata la tragedia, i membri del comitato intonano l'inno polacco e proclamano l'insurrezione. In questo caso le ragioni della censura erano sia politiche che morali: «non potendosi ammettere che un Comitato politico possa costituirsi a tribunale giudicante» (*ivi*, revisione del 6 maggio 1863).

160

li: qualche capocomico, o per ignoranza o per malafede, avrebbe potuto abusare dei permessi di rappresentazione concessi prima dell'alleanza con la Francia per mettere in scena opere drammatiche che, «se allora non avevano alcuna portata politica, ora potrebbero averla». Dovevano essere vietati i lavori nei quali «la Francia, nostra alleata, potrebbe essere non che rispettata», come accadeva – e qui la circolare citava alcuni casi – nel *Giovanni da Procida* di Giovan Battista Niccolini, nei *Vespri siciliani* di vari autori, nell'*Emma Liona* di David Levi, nelle bizzarrie drammatiche di *Fra Chichibio*, pseudonimo di Carlo A-Valle.[89]

La censura, quindi, colpì *Attilia farà da sé*, allegoria politica e parafrasi del motto *L'Italia farà da sé* che, appunto, predicava l'emancipazione dell'Italia dalla tutela della Francia, la quale, di conseguenza, non era «posta dall'autore sotto il punto di vista più lusinghiero»: secondo la revisione, nella particolare congiuntura politica non era né prudente né opportuno «toccare un tasto delicato troppo», che poteva «offendere la suscettibilità della nazione alleata, e dar motivo all'incapponirsi dei partiti».[90] Fu ugualmente proibito, nel maggio 1863, il dramma *Ettore Fieramosca*, tratto dal romanzo di Massimo D'Azeglio *La disfida di Barletta*, che non avrebbe dato motivo di censura, se l'autore non avesse rivelato troppo apertamente il suo scopo, vale a dire quello di «inveire contro i Francesi»: e questo poteva bastare, «nelle attuali condizioni politiche e nella effervescenza presente degli animi», a consigliare la proibizione del dramma.[91]

Una circostanziata relazione fu dedicata al dramma di Benedetto Prado *Il martire del genio*. In esso si narrava una storia consueta, per non dire frusta, di ostilità e di gelosia tra il protagonista, Sante Ferrari, poeta e patriota, «partigiano e propugnatore dei princìpi liberali della Francia», e un austriaco di nome Riccardo. L'argomento aveva messo in allarme gli addetti alla censura, che però non avevano trovato motivi sufficienti per vietare la rappresentazione. Passibile di incriminazione, in particolare, appariva un passo in cui Riccardo scagliava accuse feroci alla Francia, ma queste erano vittoriosamente confutate dal perso-

---

[89] Si legga la circolare del ministero dell'Interno del 25 giugno 1859 (ASM, *Prefettura*, b. 628).

[90] ACS, *M.I.*, *S.D.*, *Teatri*, b. 14, revisione dell'agosto 1863.

[91] *Ivi*, revisione del 3 maggio 1863. E poco dopo il veto cadde anche sulla tragedia di Enrico Martelli *Romilda da Brescia*. La vicenda si svolgeva ai tempi della guerra tra Franchi e Longobardi e precisamente a Brescia, allora occupata dai soldati di Carlo Magno, odiati dal popolo; la giovane Romilda, figlia di un personaggio assai in vista della città, viene uccisa dal padre che intende sottrarla dalle mani dello straniero, mentre i bresciani si ribellano e cacciano i Franchi: in questo dramma, benché «le ingiurie continue» lanciate alla volta della Francia si riferissero, come ammetteva il rapporto della censura, ad epoche e circostanze diverse, pure potevano «essere di pretesto a qualche reale intenzione di ostili dimostrazioni verso una nazione nostra alleata ed amica» (*ivi*, b. 15, revisione del 24 giugno 1863).

naggio di Ferrari e poi erano rivolte alla Francia di Napoleone I, per cui si era deciso di chiudere un occhio.[92]

Una prudenza non minore di quella dettata in considerazione dei privilegiati ma assai delicati rapporti con la Francia si richiese per non inasprire e non compromettere quelli con l'Austria. A questo proposito valga per tutti l'esempio del dramma *Ladislao Telecki*, tratto da un episodio realmente accaduto della storia contemporanea ungherese – il suicidio del conte Telecki, ancora avvolto nel mistero – ma di fatto in gran parte frutto della fantasia dell'autore, compresi gli amori e gli odi: «[...] e gli odi sono tutti per la casa d'Asburgo e per il di lei malgoverno; gli Amori invece sono ungheresi e sublimi». Nel 1859, nel momento in cui si muoveva guerra «aperta e leale agli oppressori d'Italia», il dramma avrebbe senz'altro convinto la censura, ma quattro anni dopo, in condizioni di pace, non era ammissibile un lavoro scritto «in odio del nostro nemico per la sola velleità di dirne intempestivamente del male, scagliandogli contro le più sanguinose calunnie, senza che si possa dire veramente storica la base d'onde si pigliano le mosse».[93] Per ragioni simili nel dramma *La cacciata degli Austriaci da Genova nel 1746* i revisori pretesero che fossero modificati i versi di una ballata nella quale si leggevano «insulti troppo bassi e triviali gettati in faccia agli austriaci»: «una nazione che si rispetta deve usare dignità anche verso il nemico».[94] Non si doveva però peccare di eccessiva generosità nei confronti degli austriaci. Fu Ravelli a firmare la curiosa revisione del dramma di Ignazio Naveriani *L'apostata*, ambientato a Milano nel 1858. Un tenente degli Ussari ispira un'ardente passione ad una giovane milanese; la cosa si viene a sapere, il fratello di lei si infuria, medita vendetta e, con due amici che si dicono patrioti, imbastisce un tranello «indegno di uomini onesti». Così commentava il censore:

«Che figura fanno gl'Italiani in questa mal tessuta favola? La si respinge per aver l'autore sbagliato il propostosi scopo, il quale era di gettare il biasimo sullo straniero, e invece lo gettò sopra i suoi compaesani».[95]

Sempre a proposito di relazioni diplomatiche, una problematica particolare e, come è comprensibile, delicatissima, fu quella generata dai rapporti con la Santa Sede. E qui si apre un capitolo diverso della storia della censura, nel qua-

---

[92] *Ivi*, revisione del 10 dicembre 1863.
[93] *Ivi*, revisione del 5 agosto 1863.
[94] *Ivi*, b. 13, revisione del 28 agosto 1863.
[95] *Ivi*, revisione del 24 agosto 1863. Allorquando poi venissero eventualmente a cadere i motivi per cui era stata censurata, ad un'opera poteva infine essere concesso il permesso di rappresentazione: come al dramma di Michele Cuciniello *Maria Petrovna*, fino ad allora proibito perché Caterina II vi era ritratta sì come grande imperatrice, ma anche come donna di facili costumi, e nel 1863 liberato dalla censura perché non era più in grado di «ferire la suscettibilità» della famiglia regnante in Russia (*ivi*, b. 14, revisione del 18 gennaio 1863).

le agli argomenti più propriamente politici si intreccia quello del rispetto per il sentimento religioso e alle ragioni della diplomazia internazionale quelle sollevate dal riguardo per i cattolici già italiani. In materia di religione, rimasero sostanzialmente in vigore le norme stabilite dalla circolare del 1° gennaio 1852; mentre a dare del filo da torcere agli uffici di censura si aggiunsero il nodo della questione romana e, ancora una volta, una pioggia di manoscritti che vi facevano riferimento – sempre in termini a dir poco ostili al Papato e alla gerarchia ecclesiastica.

La risposta fu in genere intransigente. Negli anni successivi alla proclamazione del Regno si distinse per particolare severità la censura di Firenze, probabilmente per i solleciti interventi del prefetto, Vincenzo Fardella, che non mancò di far sentire la sua voce anche presso il ministero dell'Interno. Egli giunse a suggerire di escludere dalle scene tutte le opere in cui comparissero personaggi vestiti in abiti ecclesiastici o di ordini religiosi, oggetti di pietà, di devozione o di culto, «perché tutto ciò è una profanazione che addolora la parte sana ed onesta della popolazione».[96] Particolarmente clamoroso fu il caso di un dramma del noto commediografo Francesco Dall'Ongaro, *Bianca Cappello*. Nel maggio del 1862 l'Ufficio di censura fiorentino aveva deciso di vietarne la rappresentazione, benché viceversa la sua approvazione non avesse incontrato particolari ostacoli a Torino: questo sia per ragioni politiche legate alla storia locale – la morte di Francesco I de' Medici era attribuita al fratello, il cardinale Ferdinando – sia perché compariva in scena «un frate domenicano di San Marco come propinatore di veleni ed esecutore dei più gran misfatti» e vi si raccontava l'«esteso abuso [...] in detto e in fatto di cose religiose od immorali».[97]

[96] *Ivi*, il prefetto di Firenze al ministro dell'Interno, 5 settembre 1863. Tra le opere respinte a Firenze vi erano anche *I Valdesi* di Felice Govean, *La morte civile* di Giacometti e *La caduta di una dinastia* di Gattinelli (*ibidem*). Scriveva il prefetto nel giugno 1863 che era stata rappresentata in un teatro cittadino *La signora di Monza* di Gualtieri e Scalvini, ma «con mala prova», perché le offese alla «Religione dello Stato» e alla «buona morale» potevano essere applaudite dalla «parte ignorante e corrotta» del pubblico, mentre avevano incontrato la riprovazione delle «persone intelligenti ed oneste che costituiscono la maggioranza»: e queste non avevano esitato ad «appuntare l'Autorità politica di troppa correttezza». Pertanto: «La recita di componimenti di questo genere non è qui ben sentita ed accolta perché è desiderio lodevole della generalità che il teatro non perverta la mente e i costumi della popolazione, ma che offrendole un onesto sollievo procuri invece di istruirla e moralizzarla» (*ivi*, il prefetto di Firenze al ministro dell'Interno, 11 giugno 1863).
[97] Il divieto aveva suscitato vivaci proteste da parte dell'autore, il quale aveva esibito i rapporti positivi degli Uffici di censura di Torino e di Napoli. Inizialmente il ministero dell'Interno aveva approvato le decisioni del prefetto, pienamente garantito dalla circolare del 16 febbraio 1857 (*ivi*, il prefetto di Firenze al ministro dell'Interno, 1° dicembre 1863). Dall'Ongaro infine la spuntò e il suo dramma fu poi definitivamente permesso (a riguardo si veda la lettera di Dall'Ongaro pubblicata dal quotidiano fiorentino *La Nazione*, 30 dicembre 1863, *Varietà* cit.). Non mancarono occasioni di chiedere alla commissione di censura fiorentina spiegazioni in merito alle ragioni dell'assoluto divieto di opere – come il dramma *Galileo Galilei* – che avrebbero potuto senz'altro essere permesse, semmai con

Anche da parte della censura torinese si usò comunque assoluto rigore, soprattutto nei confronti dei manoscritti in cui si avvertiva l'eco allarmante della scottante questione romana. In alcuni casi poi, i riferimenti erano scoperti e facilmente censurabili. «Basta il titolo e gli interlocutori [...] perché si scorga a colpo d'occhio che la medesima debb'essere proibita» – annotava lapidario Spirito Ravelli riferendosi a *Il Capo d'anno del 1863 a Roma*, commedia di Salomone Vitale.[98] Oppure, a proposito della commedia dialettale *La seconda edission di Don Temporale*, così scriveva il revisore: «È un'allegoria senza veli», in cui si parla della cacciata del Papa da Roma «operata da Vittorio Emanuele d'accordo con Garibaldi, i quali han nome nella produzione *Manuel* e *Giuseppe*».[99] Nella maggior parte dei drammi e delle commedie sull'argomento, in effetti, ricorreva inevitabilmente il personaggio di Garibaldi e questo bastava, come sappiamo, a proibirne la rappresentazione.

Erano censurate, ovviamente, anche le offese alla figura del pontefice. Nella commedia *Il denaro di S. Pietro*, i revisori non colsero altro che un *pamphlet*, una satira politica «che dal solo suo titolo si scorge chi voglia colpire»: titolo o non titolo, essa andava vietata per il solo suo intento, quello di mettere in ridicolo il Papa.[100] Per lo stesso motivo fu proibita la commedia in dialetto piemontese di Toselli *I due de S. Pietro*,[101] mentre fu ritirata dalle scene a seguito della «sinistra impressione dettata dalla sua prima rappresentazione» la tragedia *I Borgia*, risultata «offensiva alla santità del papato».[102] Il compito della censura in questo ambito, dunque, non era tanto quello di salvaguardare la persona di Pio IX in particolare, quanto più propriamente la figura stessa del capo della Chiesa cattolica.[103]

Oltre che sulla dignità del papato, la tutela della censura si estendeva a quella degli ordini religiosi e dei più umili rappresentanti della gerarchia ecclesiastica. In un rapporto sul dramma di Giuseppe Biscontini *Giuseppe Alessi detto il Battirolo*, Ravelli denunciava: «[...] è uno dei mille in cui sono poste in scena le violenze e le turpitudini dei frati, e massime dei Domenicani». Precisava poi il revisore torinese che molti di questi drammi erano permessi poiché «non offri-

---

qualche modificazione (ACS, *M.I., S.D., Teatri*, b. 14, il ministro dell'Interno al prefetto di Firenze, 22 agosto 1863).

[98] *Ivi*, b. 13, revisione dell'11 febbraio 1863.

[99] *Ivi*, revisione del 24 febbraio 1863.

[100] *Ivi*, revisione del 4 febbraio 1861.

[101] Se il titolo era parso inammissibile, anche il dialogo «scurrile» ed alcune scene «antipolitiche» avevano condotto i censori alla decisione di vietare l'opera del popolare autore piemontese (*ivi*, b. 14, revisione dell'11 febbraio 1863).

[102] *Ivi*, revisione del 24 agosto 1863.

[103] Così fu permesso *Il ritorno di una dinastia a Firenze*, ma a patto che fossero eliminate espressioni che offendevano, secondo il revisore, il sentimento cattolico: l'autore le aveva usate per biasimare la condotta di Clemente VII e degli agenti di cui egli si era servito per restituire la signoria di Firenze al proprio casato (*ivi*, revisione del 10 ottobre 1863).

vano, purtroppo, motivi alla proibizione», ma una volta messi in scena non mancavano di fare «un triste effetto sul pubblico assennato». La censura poteva intervenire solo se le si offriva il pretesto, come in questo dramma dove in una chiesa parata a festa si consumava «una congiura di sangue», con tanto di «apparizione del crocifisso e candelabri».[104]

L'opera *I misteri di Spagna*, invece, aveva come soggetto l'assassinio da parte di Filippo II di Spagna dell'erede della corona di Portogallo, la principessa Luisa, che egli voleva sposare per ereditarne il Regno, e del suo amante, don Sebastiano. Luisa aveva resistito alla violenza di Filippo II, che l'aveva consegnata, prima di vendicarsi, al Monastero delle Dame del Sacro Cuore: questo fatto, secondo il rapporto della censura, era messo in scena «così orribilmente e con tanta ira contro il principio religioso cattolico, svelando ne' suoi ministri brutture e ferocie tali» che se ne proponeva senza esitazioni l'assoluto divieto.[105] Ancora più evidenti sono i motivi del divieto imposto al dramma di Benedetto Fossati *La sottoscrizione pei danneggiati dal brigantaggio*. Tra i personaggi figura un parroco che fa «turpe mercato della religione senza ragione e senza scopo»: quando sta per essere catturato dalla Guardia nazionale si presenta «un miserabile sotto le vesti di Angelo», il quale, facendo appello alla giustizia di Dio, invoca la libertà per il parroco. Il dramma era liquidato come «un aborto» in cui si trovavano «miste cose di religione rappresentate turpamente da metafisici soggetti».[106]

A fronte della rigidità dispiegata nei confronti degli attentati all'immagine dei ministri del culto, il rapporto steso a proposito del dramma *Padre Ignazio* si segnala per la sua tolleranza. La trama ruota intorno ad un intrigo tessuto a danno di un'onesta famiglia da un padre gesuita, allo scopo di arricchire la Compagnia di Gesù della pingue dote di una fanciulla, complice una giovane donna raccolta per carità dal capofamiglia e «vittima delle arti» del gesuita; infine l'intrigo è scoperto e il gesuita cacciato. Il revisore ammetteva che «i colori ond'è tratteggiato Padre Ignazio sono per verità assai neri», tuttavia il biasimo

---

[104] *Ivi*, revisione del 9 novembre 1863.

[105] *Ivi*, b. 13, revisione del 15 gennaio 1861. Anche nella commedia *L'amor di patria*, di argomento patriottico, entrava in scena un prete per benedire la casa, il quale finiva per compiere un atto «che non può a meno che offendere questo ceto della società ed eccitare contro essa il disprezzo» (*ivi*, b. 15, revisione dell'8 maggio 1863). Così nel dramma *Il sacrificato per la patria* di Giulio Messedaglia il protagonista, un frate della Madonna degli Angeli, abbandonato il convento, è sospettato da un curato sanfedista: costui, avvicinatolo subdolamente, lo induce a confessarsi e scopre che egli è depositario di una somma che i liberali italiani – «(e chi se non i massoni)», insinuava il revisore – gli hanno affidato. Il frate viene così denunciato e condannato a sei anni di carcere durissimo, fino a quando viene finalmente provata la sua innocenza ed è liberato dai patrioti italiani: senonché, per «una forte passione amorosa e i patimenti del carcere», muore. Il dramma fu censurato perché erano «senza fine le invettive contro i preti e la vita monastica» (*ivi*, revisione del 27 maggio 1863).

[106] *Ivi*, b. 14, revisione del 20 settembre 1863.

cadeva «solamente sul fatto senza toccare minimamente il principio religioso»; dunque l'opera fu permessa.[107]

Il dramma *Prete Nicola*, al contrario, non ottenne il permesso di rappresentazione in base ad argomentazioni più sottili. Esso narrava la storia di un buon parroco di paese che inculcava nei suoi parrocchiani l'amor patrio e si univa a loro per festeggiare l'anniversario dello Statuto: per questo era sospeso *a divinis* dal vescovo, mentre il re gli inviava in premio il brevetto di Cavaliere mauriziano e gli concedeva una pensione annua. Secondo il rapporto di censura, l'opera riproponeva il tema del «conflitto che, pur troppo, esiste tra il potere Governativo e il potere Ecclesiastico e che tende ad eccitare sempre più gli spiriti della moltitudine contro di quest'ultimo, cosa a cui non è conveniente che il Governo prenda parte».[108]

L'attenzione della censura si concentrava anche sulla messinscena di riti, simboli e oggetti legati al culto. Il dramma *Ermenengarda*, ad esempio, opera dell'impiegato alle Ferrovie Carlo Visconti, in cui l'eroina è uccisa dal marito che la crede amante di un certo Tancredi, ma è poi vendicata dal padre, ottenne il via libera dai revisori, purché l'attore che interpretava un frate non facesse «segni od atti propri della religione cattolica» e purché la morte di Ermenengarda non avvenisse sotto gli occhi del pubblico.[109] E il melodramma *Maria dei Ricci*, fedelmente tratto da un episodio del romanzo di Guerrazzi *L'assedio di Firenze*, non offrì in generale pretesti di censura, ma l'autore fu invitato ad omettere il canto liturgico dell'ultimo atto.[110] Quando poi il parroco e alcuni cittadini di Giaglione chiesero l'autorizzazione di rappresentare nella Pentecoste del 1864 la tragedia della passione di Cristo come avveniva dal 1300 ogni trent'anni, la risposta del ministero fu negativa: era proibito mettere in scena «i misteri e i personaggi della Religione dello Stato».[111]

Anche i riferimenti a conflitti religiosi potevano destare allarme. Nel dramma *Gli Ugonotti*, l'autore, il noto Gaetano Gattinelli, raccontava le persecuzioni subìte da una famiglia di protestanti. Il fratello del capofamiglia, cattolico, una volta nominato vescovo salva i parenti dal rogo a cui sono stati condannati e, nonostante l'ordine del re, li protegge anche durante la notte di San Bartolomeo. Il dramma venne inizialmente proibito perché basato su «polemiche religiose sconvenienti ai tempi che corrono»,[112] mentre nei confronti del melodramma di Emilio Praga *I profughi fiamminghi* i revisori furono più tolleranti:

[107] *Ivi*, revisione del 24 aprile 1863.
[108] *Ivi*, revisione del 2 febbraio 1863.
[109] *Ivi*, b. 13, revisione del 23 ottobre 1863.
[110] *Ivi*, b. 14, revisione del 18 agosto 1863.
[111] Si leggano, *ivi*, la lettera del sottoprefetto di Susa al ministro dell'Interno, 17 settembre 1863, e la risposta del ministro dell'Interno, 18 gennaio 1864.
[112] *Ivi*, b. 13, revisione del 18 febbraio 1863. *Gli Ugonotti*, tuttavia, compare nell'edizione del *Teatro drammatico* di Gattinelli (cit., vol. I, pp. 241-310) pubblicata nel 1887.

nell'opera era sfiorata la questione religiosa e qua e là veniva a galla l'odio tra i cattolici e i protestanti, ma l'autore si era mosso con «prudente riserva» e la suscettibilità religiosa non ne risultava offesa; solo doveva essere «mitigata» l'espressione *vile genìa di protestanti* e omessa la parola *calici*.[113]

Quanto ai drammi che in qualche modo toccavano il tema dell'Inquisizione, si seguiva in genere un criterio specifico. Fu censurata, ad esempio, *Adelina e Roberto*, opera sugli orrori dell'Inquisizione nel XVII secolo di Giovanni Pindemonte: nel rapporto di revisione si osservava che molti drammi sull'argomento erano autorizzati quando vi era rappresentato *«un abuso eccezionale* del sacerdozio cattolico» piuttosto che «una diretta applicazione d'intolleranza», mentre venivano senz'altro proibiti quelli «direttamente ideati contro il sacerdozio cattolico».[114]

Vi erano casi in cui la censura di un'opera era dettata sia da ragioni che in qualche modo rimandavano alla sfera religiosa, sia dall'imputazione di indecenza. Prendiamo il caso della farsa di Luigi Gandolfi *Il parroco del villaggio*. Ecco l'efficace resoconto dell'Ufficio di censura:

«È una turpe farsaccia da non tollerarsi in nessun teatro, per lo schifo che farebbe nel vedere una giovine contadina che fa commercio di sé con un parroco del villaggio. Fra le altre sconcezze havvi una scena in cui il parroco e la sua ganza si siedono sul letto per mangiare, ed essere più a loro agio onde riposarsi dopo».[115]

In casi come questi, tutt'altro che infrequenti, alle ragioni imposte dalla necessità di tutelare il sentimento religioso si sovrapponevano quelle attinenti al rispetto della «pubblica morale», tema al quale la censura era particolarmente sensibile. I veti scattati per offese alla morale e al costume furono numerosissimi. La questione fu anche oggetto di una circolare ai prefetti firmata da Rattazzi ed emanata nel novembre 1862, che merita un'estesa citazione:

«La moderna letteratura drammatica offre da qualche tempo frequenti esempi di produzioni destinate alla scena, nelle quali, coll'onesto intendimento di combattere la corruzione dei costumi, si tolgono dalla fantasia o dalla istoria tali argomenti, che pel modo onde vengono trattati, il vizio apparisce sovente circondato di lusinghiere

---

[113] ACS, *M.I.*, *S.D.*, *Teatri*, b. 14, revisione del 20 agosto 1863.

[114] *Ivi*, b. 12, f. 6, revisione del 25 gennaio 1861.

[115] *Ivi*, b. 13, revisione del 6 marzo 1863. Altrettanto licenzioso era l'argomento del dramma dal titolo *Le vittime dei conventi*, che metteva in scena gli «intrighi scandalosi» di alcuni frati e in particolare di uno di loro, che fa rinchiudere in un convento una «giovine zitella» per «sfogare su di lei i brutali suoi istinti»; alla fine la ragazza è liberata da un buon frate che rivela le «turpitudini» dei suoi compagni: naturalmente il dramma fu vietato (*ivi*, b. 15, revisione del 2 gennaio 1864).

attrattive, sicché piuttosto che a correggere riescono a travolgere il giudizio o a pervertire il senso morale del popolo».[116]

La circolare invitava a prestare particolare attenzione alle opere di autori che, seguendo la moda, imitavano, «a sommo detrimento dell'arte italiana», certi drammi francesi, «esagerandoli» per giunta, e così introducevano nell'ambito delle scene italiane quella «sofisticata dottrina», cosiddetta «di riabilitazione», mentre «colla teoria di un fatalismo più potente del libero arbitrio» sembrava volessero giustificare «l'errore e talvolta pur anco il delitto». Erano opere apparentemente innocue, che costituivano però – concludeva la circolare trasmettendone un elenco – un notevole pericolo, «quando si pensi quanto potente sia l'influsso delle sceniche rappresentazioni sul popolo».

Non bastava, quindi, colpire le manifestazioni più eclatanti di volgarità e indecenza, ma era indispensabile saper individuare gli elementi in grado di minare più sottilmente i cardini stessi dell'etica comunemente accettata. Di fronte a tematiche scottanti – l'omicidio, il suicidio, l'adulterio – si richiedeva dagli autori una presa di posizione ferma e trasparente, priva di ambiguità e di distinguo. Ecco perché, a fronte di numerose opere che offrivano poco discutibili occasioni di censura – per il dialogo scurrile ad esempio[117] o per la scostumatezza delle scene[118] –, altre davano luogo a rapporti più analitici e circostanziati.

Il soggetto della commedia *L'amico Cesare* fu definito «immoralissimo»: nell'opera Cesare è un giovane che fa la corte a tutte, fino a trovarsi impegnato addirittura con due donne coniugate, gelosa l'una dell'altra, che senza alcun pudore confessano di essere state «ingannate», ma non sono affatto – sottolineava il censore – pentite.[119] Ancor più che l'errore e il peccato, richiamavano l'at-

---

[116] Si veda la circolare del ministero dell'Interno n. 37 dell'11 novembre 1862 (*ivi*, b. 14).

[117] Per citare qualche caso, furono proibite per trivialità: *Il violino dell'amoroso*, una traduzione dal dialetto piemontese «in Italiano (e che Italiano)» che l'autore «volle tempestare ancor più di scurrilità immoralissime» (*ivi*, revisione dell'11 febbraio 1863), *La sporta dei Gironi* (*ivi*, revisione del 28 marzo 1863), *Sgalavron*, di Carlo Calcaterra, farsa in dialetto piemontese dove «senza alcun riguardo si porta in trionfo l'adulterio, e quel ch'è più con una scurrilità di dialogo da fare stomaco» (*ivi*, revisione del 9 aprile 1863), *Le funeste conseguenze di una scuola di ballo*, in cui «prima di raggiungere lo scopo prefissosi dall'autore, si deve passare per una trafila che il pubblico non potrebbe sopportare senza irrompere in segno di biasimo e di disapprovazione» (*ivi*, revisione del 23 aprile 1863) e la commedia *La carità pelosa*, tratta da quella notissima di Pietracqua, scritta in dialetto piemontese, *Sablin a bala*, originariamente irreprensibile, ma «ricamata di laidezze» nella traduzione in lingua italiana (*ivi*, b. 15, revisione del 30 luglio 1863).

[118] Soprattutto i balli potevano riservare sorprese. A proposito del balletto comico *I viaggiatori all'albergo della posta*, infine approvato, si osservava: «[...] in questo come in ogni altro programma di ballo le varie scene sono toccate appena di volo e tratteggiate con poche parole e possono, tradotte in azione, subire notevoli modificazioni. In questo alcun tratto potrebbe essere non troppo decente» (*ivi*, revisione del 29 ottobre 1863).

[119] *Ivi*, b. 13, revisione del 4 agosto 1863.

168

tenzione dei censori il pentimento e l'espiazione della colpa, nella loro valenza purificatrice e, in ultima istanza, edificante. Così si evince anche dal rapporto steso a proposito della commedia *Armando Davoy* da Ravelli: dove una donna sposata si abbandona nelle braccia di un seduttore e fugge con lui «per procacciare un tozzo di pane» al marito cieco; ma quello che risultava assolutamente inaccettabile agli occhi del censore era lo scioglimento della vicenda: nel finale si assisteva alla riconciliazione dei due coniugi «dopo che la moglie ha passato otto mesi col seduttore, senza che questo abbia almeno espiato la sua colpa». A ciò si aggiungevano la disorganicità e l'inverosimiglianza dell'opera – particolari non trascurabili, poiché qui le coordinate etiche del censore si allacciavano a quelle estetiche: l'inverosimiglianza è di per sé immorale perché «suol essere il non vero in arte».[120]

Sempre a proposito dell'assoluta necessità che in un'opera trasparisse senza sfumature la presa di posizione dell'autore, si può portare ad esempio un'altra revisione: firmata da Sabbatini, riguardava il dramma *La fille du Paysan*. Nell'opera una giovane immersa in un sonno profondo a causa di un narcotico è stuprata da un uomo che per caso entra nella stanza e nelle tenebre non la riconosce; la ragazza rimane incinta ed è abbandonata dal fidanzato, ma non dal fratello di lui, che pure la ama e le crede. Alla fine si verrà a scoprire che è proprio quest'ultimo l'autore dell'atto di violenza con cui si è aperto il dramma. Il revisore senza esitazioni ne proponeva l'assoluto divieto per due ordini di motivi: in primo luogo perché in quest'opera «tutte le passioni […] poggiano e si sviluppano tenendo sempre viva nella fantasia dello spettatore quelle circostanze che più lo rendono ributtante», vale a dire lo stupro iniziale; in secondo luogo perché non si individuava neppure un cenno «che moralmente lo condanni», visto che il suo responsabile «è mostrato sotto l'aspetto più nobile e simpatico».[121]

In base a tali presupposti, anche copioni apparentemente "immorali", una volta messi in scena, potevano fornire imprevedibilmente un utile contributo all'opera di affinamento dell'etica comune. Lo afferma senza sottintesi un dispaccio del ministero dell'Interno inviato al prefetto di Firenze a proposito di un manoscritto, *La chiusa delle ginestre*, inizialmente respinto da quell'Ufficio di censura: un dramma come questo poteva essere tranquillamente permesso, come tanti altri «che il pubblico suol tollerare sulle scene senza scandali», sia «per l'ammenda» sia «per la punizione dei personaggi che si figurano colpevoli» e da cui spesso si ricavava una «lezione di alta moralità».[122] Un altro esem-

---

[120] *Ivi*, revisione del 4 febbraio 1861.

[121] *Ivi*, revisione del 20 febbraio 1862.

[122] *Ivi*, b. 14, il ministro dell'Interno al prefetto di Firenze, 22 agosto 1862 cit. Per le medesime ragioni era stato permesso *Il soldato di Marina* di Enrico Dossena, in cui, in occasione di un saccheggio, un soldato della Marina francese, in guerra contro il Portogallo, «inebriato dall'ira e dalla viltà usa violenza ad una giovane donna». Senza dubbio questo

pio interessante riguarda il dramma *Una leggerezza di donna*, in cui la protagonista, una giovane sposa, recatasi ad un ballo senza il marito, ne ritorna lasciando il suo fazzoletto nelle mani di un accompagnatore; costui se ne fa vanto fino ad essere sfidato a duello dal figlio del marito, ma il duello non avrà luogo perché si viene a sapere, complice una lettera della madre defunta, che i due sfidanti sono fratelli. Per una leggerezza, insomma, riemerge un passato rimosso e scandaloso. L'opera era immorale – concludeva il rapporto di censura dopo l'esposizione della trama – per diverse ragioni: «[...] perché da una moribonda fa disvelare un fatto di cui essa pure non era certa; perché il padre svela al figlio la propria vergogna, perché il marito svolge i propri dubbi in su la scena».[123]

La censura vagliava accuratamente i manoscritti, a quanto pare assai numerosi, nei quali si narrava a forti tinte di seduzioni, adulteri, nascite illegittime. Stando alle parole dei revisori, «moltissime» erano le storie che si dipanavano a partire dal motivo cardinale della seduzione di una fanciulla e che «la censura governativa ha ammesso sempre alla rappresentazione, e talvolta anche senza che fosse riparato il fallo, ma semplicemente castigato».[124] In qualche circostanza il divieto si rivelava inevitabile, soprattutto se si individuavano altri appigli. Come per il dramma di Alessandro Salvini *Mirtilla*, in cui una giovane fidanzata, figlia di un gondoliere veneziano, è sedotta da un potente patrizio; questi riesce a sorprenderla sola mentre il padre accorre altrove per salvare il fidanzato, minacciato da «alcuni prezzolati del prepotente signore». La ragazza, perduta la ragione, morirà, ma la vendetta del promesso sposo sarà vanificata dalle bugie del seduttore, che stornerà da sé ogni sospetto: in questo dramma, alla «immoralità» che affiorava di continuo nello sviluppo dell'intreccio si sommava «il ributtante cinismo che si appalesa nella parte del veneto patrizio».[125]

Il tema dell'adulterio e quello delle nascite illegittime erano affrontati con maggiore intransigenza. Il dramma *Isabella Orsini*, tratto dal romanzo omonimo di Guerrazzi, fu bandito dalle scene: una moglie adultera, un paggio infedele che attenta all'onestà della sua signora, un marito che si finge frate per abusare delle rivelazioni di una confessione erano componenti che costituivano «un complesso di turpitudini non contrabbilanciato da circostanze né da personaggi che diano risalto ad un concetto morale».[126] Nel dramma *Samuel* si as-

costituiva un antefatto «poco morale»; senonché la generosità, il valore, i nobili sentimenti che il protagonista dimostrava nel corso della storia facevano dimenticare il «turpe atto» da lui commesso, anzi lo rendevano oggetto d'ammirazione. Era, questo, uno dei casi in cui lo sviluppo stesso dell'azione finiva per suffragare, nonostante la presenza di elementi assai discutibili sotto il profilo etico, princìpi altamente morali (*ivi*, b. 12, f. 6, revisione del 23 gennaio 1861).

[123] *Ivi*, b. 14, revisione del 24 aprile 1863.
[124] *Ivi*, revisione del 23 aprile 1863 cit.
[125] *Ivi*, revisione del 18 febbraio 1863.
[126] *Ivi*, b. 13, revisione del 2 gennaio 1861.

sisteva invece alla lotta di un padre che vorrebbe salvare la figlia avuta da una donna sposata e insieme l'onore della madre adultera: il revisore riteneva «sfacciato troppo il continuo parlare dell'adulterio, il santificarlo quasi perché commesso con un galantuomo in onta ad un infame».[127] Anche nel dramma *La teocrazia* si assisteva ad un adulterio, quello di una giovane ebrea che, sposatasi per obbedire al padre, non appena il marito si assenta corre nelle braccia di un mascalzone; l'adulterio era «sfacciatamente posto in scena», ma non bastava: al ritorno del consorte la donna, abbindolata dal seduttore, si converte al cristianesimo, «apostasia che viene ajutata da un'orda di sanfedisti alla cui testa vi è Antonelli», qualificato col titolo di «Cardinale segretario».[128] Un rapporto dai toni indignati e durissimi fu dedicato al «dramma orientale» *Zeinab*, di Luigi Chierici: qui è una levatrice l'anima di un intrigo che vede coinvolti una figlia naturale, che il padre si rifiuta di riconoscere, e il figlio di una principessa dell'harem, il quale deve sottrarsi al pericolo di una condanna a morte per una legge turca. Secondo i revisori «mal si potrebbero tollerare sulla scena dialoghi di levatrici e ostetricanti, e intrighi di bastardi e orrori su neonati di barbarie musulmana, e propositi di far abortire e simili nefandità».[129] Anche *Il bastardo*, di Carlo Tedeschi, come il titolo segnalava, aveva come protagonista un figlio illegittimo; il censore lo definiva «un ammasso di inverosimiglianze e di esagerazioni», in cui nel personaggio di Carlo, il bastardo appunto, si sprigionava «un odio da jena contro il creato intero»: il «senso morale» del pubblico avrebbe potuto essere pesantemente offeso «allo spettacolo di questo uomo, che impreca e maledice e tutto e a tutti».[130]

---

[127] *Ivi*, b. 14, revisione del 23 gennaio 1863.

[128] Nel dramma, presentato da Tommaso Salvini alla questura di Torino, non mancavano note di biasimo nei confronti del governo francese (*ivi*, b. 15, revisione dell'8 febbraio 1862). Meno originale è la trama di *Un amore a Napoli,* di Napoleone Perelli. Una giovane donna che ha sposato un nobile del partito borbonico per salvare la vita a suo padre, politicamente compromesso, fugge col giovane ufficiale che già amava; senonché il marito li rintraccia, sfida e uccide l'amante e, ferito a morte, fa avvicinare a sé la moglie fingendo di averle perdonato, per poi trafiggerla con un pugnale. In questo caso la presenza di un adulterio non era l'unico elemento passibile di censura: il dramma era, oltretutto, «soverchiamente atroce» (*ivi*, b. 13, revisione del 9 marzo 1863).

[129] Il rapporto faceva altresì notare che nel dramma non mancavano riferimenti alla religione, soprattutto «certe pitture sinistre del sacerdozio musulmano, non senza chiare allusioni al sacerdozio cattolico» (*ivi*, revisione del 5 gennaio 1861).

[130] *Ivi*, revisione del 13 marzo 1863. Così anche nel dramma di Achille Brescia Morra *Amicizia e gelosia* la nascita del figlio di Alfonso d'Aragona era accompagnata da misteriose circostanze: egli sarebbe stato frutto di un «incesto» con Caterina, moglie del fratello di Alfonso, Enrico, la quale aveva acconsentito che il bambino le fosse sottratto e poi era stata uccisa per ordine della regina: «[...] due donne vittime della seduzione di un Re, ammogliato; un fanciullo frutto di un amore incestuoso, il quale se pure non veduto occupa pur sempre la mente dello spettatore, una regina che uccide la creduta rivale» con freddo cinismo e con un'ipocrisia «da renderla più ributtante delle vere colpevoli, persino pregando Dio dopo l'assassinio»: tutti questi erano segni di una «immoralità scandalosa»; il revisore

Si registravano poi esempi di attentati piuttosto evidenti al comune senso del pudore. In *Na sina da spous*, commedia in dialetto piemontese, una serva introduce nella casa in cui lavora il marito, che intende far assumere, approfittando del tempo in cui i signori sono a teatro. Al loro ritorno egli è però costretto a nascondersi; accade però inaspettatamente che il padrone durante la notte tenta di sedurre la serva: purtroppo per lui è sorpreso dalla moglie. Soprattutto per via di questa scena, chiaramente essenziale nell'economia dell'opera ma considerata troppo licenziosa, la commedia fu proibita.[131] Parimenti fu censurato per «offesa ai buoni costumi» il dramma *Alcune lacrime a Venezia cangiate in giubileo a Torino*, uno dei molti scritti «per dimostrare le tante vessazioni che dai veneti si soffrono per la dominazione austriaca», nel quale però l'autore non aveva mantenuto la necessaria «decenza».[132] Gli amori della regina Giovanna e i misteri del giardino d'agosto erano il soggetto della commedia di Parmenio Bettoli *Giovanni Boccaccio*, a detta del censore ispirato a tre delle novelle più licenziose del *Decameron*: il revisore riteneva che potesse bastare «questo solo cenno» a dare «un'idea della detta commedia», né le varianti proposte dall'autore potevano essere sufficienti a «lavarla dal peccato originale».[133]

Un feroce rapporto fu steso da Ravelli sul dramma *Il trattato di Versailles*. Ambientato alla corte di Luigi XV, ne era protagonista la marchesa di Pompadour. L'autore non si era accontentato di metterne in scena gli intrighi politici, ma vi aveva aggiunto le tresche amorose: la marchesa dunque, «già avanti negli anni», tentava «di mantenere viva la libidine del vecchio re», si circondava di cortigiane «che l'assecondavano» e cercava «fanciulle da sagrificare sull'altare della voluttà regale». «Un episodio di schifoso genere serpeggia quindi in tutto il dramma – concludeva il revisore – e con tale spudoratissimo cinismo di dialogo ed azione, che non potrebbe meno di fare tristissima prova sulle scene».[134]

Sempre Ravelli recensì in un salace rapporto e poi propose di proibire la farsa presentata da Vittorio Merighi *Cappone Alesso*, in cui il protagonista è un pover'uomo, un vile, vittima degli scherzi e dei tranelli dei commilitoni e marito più volte tradito dalla consorte, definita «una qualsiasi delle più sfacciate donne da conio», che giunge al punto di convivere con un pievano. La scena più scandalosa si svolge nella caserma in cui la donna si introduce alla ricerca del marito; qui sorprende il cappellano in mutande e camicia e si impadronisce

---

aggiungeva che lo scopo neppure tanto velato dell'autore era quello di «gettare il dissenso sulle cose e sugli uomini di corte» (*ivi*, b. 15, revisione del 17 agosto 1863).

[131] *Ivi*, b. 14, revisione dell'11 febbraio 1863.

[132] *Ivi*, revisione del 29 aprile 1863.

[133] *Ivi*, revisione del 1° maggio 1863. La commedia di Bettoli, dopo fitte trattative tra l'autore e il ministero dell'Interno e opportunamente rivista, sarà poi permessa (come si dirà più avanti).

[134] *Ivi*, revisione del 22 aprile 1863.

dei suoi calzoni per ricattarlo e costringerlo a far da paciere tra lei e il marito.[135]

Le opere che mettevano in scena delitti e atrocità subivano in generale una pesante censura. Così fu proibito *Giampiero Galluzzi* – che narrava un episodio della lotta tra guelfi e ghibellini – perché vi erano rappresentate ben cinque morti: tali «orrori» erano senza dubbio «meritevoli dell'ostracismo della scena».[136] Il dramma *Un mistero in famiglia* venne liquidato come «una delle contorsioni spasmodiche tratta dagli annali dell'inquisizione»: in essa il cinismo era «portato alla quinta potenza», per cui un padre diventava addirittura il carnefice del figlio e non si risparmiavano al pubblico omicidi ed esecuzioni capitali, rigorosamente non ammessi dalle istruzioni del 1° gennaio 1852.[137] Venne diffusamente e duramente recensito, quindi proibito, il dramma *I Borgia*, che narrava i delitti e le scelleratezze compiute dal papa Alessandro VI, da Lucrezia Borgia e dal duca Valentino. Dopo averne esposta la trama, il revisore, Operti, si spendeva in riflessioni: era giusto che la storia, «maestra dei popoli», tramandasse i fatti di uomini famosi per i loro delitti, affinché il loro nome fosse ricordato «con infamia ed ignominia», ma – si chiedeva – «la vita di essi, i loro delitti, le atrocità commesse, unite e raccolte in un dramma possono esse con egual vantaggio della moralità riprodursi sulla scena?». Questo senza contare che nel dramma erano vilipese e infangate istituzioni importanti e la religione era strumento di delitto.[138]

Subì inizialmente il veto della censura anche il dramma di Angelo Saavedra *La forza del destino*, da cui Verdi aveva tratto l'opera omonima. Il revisore, Tucci, fu colpito dalla tesi di fondo che a suo avviso l'opera lasciava affiorare: vale a dire che la potenza del destino fosse tale da indurre al delitto un uomo anche nobile e generoso – tesi che «urta contro ogni principio di moralità a di-

---

[135] *Ivi*, revisione del 24 febbraio 1863. Analoga reazione suscitò *L'idrofoba*, un vecchio dramma tratto da un'opera francese, dimenticato per lungo tempo e ormai uscito dai repertori delle compagnie italiane, nel quale si assisteva ad un episodio raccapricciante: «[...] si vede un idrofobo a morsicare un'infelice ragazza, che muore idrofoba anch'essa, e perché? perché non volle corrispondere al di lui amore» (*ivi*, revisione del 16 marzo 1863).

[136] *Ivi*, b. 13, revisione del 26 gennaio 1861.

[137] *Ivi*, b. 14, revisione del 13 gennaio 1863. Non diede adito a dubbi di sorta neppure il dramma *Bernabò Visconti delle dodici battaglie e dai 300 cani*, che prendeva spunto dalla vita scellerata del protagonista, uomo privo di fede religiosa, di smodata ambizione, di «vituperevoli costumi», dedito al vizio e ai delitti: una figura che non poteva calcare le scene dei teatri senza «grave danno del pubblico costume» (*ivi*, revisione del 22 settembre 1863). *Giobbe il maledetto* era invece una tragedia tratta dalla trilogia di Victor Hugo *I Burgravi*, permessa fin dai tempi della pubblicazione nonostante una scena in cui sembrava imminente un parricidio, tragedia che però non era consumata: tale scena, mantenuta nella traduzione in questione, era la sola incriminata e per questo il revisore riteneva opportuno ricordare come «essa sin d'allora non riescì ad incutere terrore, quel terrore che alla lettura del dramma potrebbe lasciar supporre». Il dramma, infine, fu permesso (*ivi*, revisione del 7 febbraio 1863).

[138] *Ivi*, b. 15, revisione del 17 maggio 1863.

struggere il frutto dell'umana libertà»; non piacque neppure il «miscuglio di sacro e profano» di cui l'autore sembrava compiacersi. Il melodramma di Verdi era stato permesso, è vero, ma perché un'opera musicale, in definitiva, parlava «più ai sensi che all'intelletto» e si configurava come un abbozzo, dal quale erano espunti i dettagli più minuti. Così era stato permesso anche *Rigoletto*, benché tratto dal noto dramma di Hugo *Le roi s'amuse*, da sempre proibito sulle scene italiane.[139] Del resto al tema della ineluttabilità del destino i revisori erano tutt'altro che indifferenti. Fu censurata, ad esempio, *Il 24 febbraio*, opera di un autore che si firmava con lo pseudonimo di Werner, perché «tendente a far credere il fatalismo come incontrastabile».[140]

Anche il suicidio era elemento ampiamente perseguito. In *Raimondo*, un dramma costruito sul motivo consueto della seduzione di una ragazza, il personaggio principale si dà la morte per permettere alla giovane, sposata per amore e per salvarla dal disonore, di ricongiungersi al seduttore scampato miracolosamente ad un naufragio: «[...] è orribile l'azione» – sentenziava la revisione – ma era soprattutto inaccettabile la «catastrofe» finale.[141] Assolutamente inammissibile fu giudicato anche l'intero copione di *L'esame di licenza* di Luigi Gandolfi vi si smascherava l'ingiustizia e la venalità degli insegnanti dell'Istituto tecnico di Bologna, che per 40 marenghi attribuiscono il primo premio al più asino degli scolari e avviliscono il più studioso con una semplice menzione, per cui questi si uccide.[142]

Esistono, infine, casi di censura che mal si prestano a rientrare nelle categorie illustrate. Prendiamo quello della commedia *Ombre e corpi*, una delle numerose in cui veniva utilizzata la «fantasmagoria»: in questa storia uno scienziato si serve della camera ottica per convincere una vecchia «aggirata da un sanfedi-

---

[139] *Ivi*, b. 14, revisione del 31 agosto 1863. A proposito di *La forza del destino*, il libretto musicato da Verdi era stato trasmesso al ministero dell'Interno dal prefetto di Reggio Emilia. L'Ufficio di censura aveva operato qualche cancellatura, ma infine aveva concesso il visto di approvazione, benché l'argomento fosse «truce e inverosimile nella sua atrocità»: «e ciò trattandosi di un libretto per musica, in cui le parole e i concetti vanno per la maggior parte perduti dal pubblico» (*ivi*, revisione del 19 aprile 1863).

[140] *Ivi*, revisione del 24 febbraio 1863.

[141] *Ivi*, b. 13, revisione del 21 febbraio 1863.

[142] *Ivi*, revisione del 6 marzo 1863. Per citare un altro caso, fu respinto anche *Innocenza, amore e sacrificio*, in cui un marito e padre giunge alla risoluzione di suicidarsi per permettere alla moglie di sposare l'antico amore ritornato dalla guerra quando era creduto ormai morto e per sottrarsi alle sofferenze di una passione contrastata; il revisore vi riscontrava l'apologia del suicidio: poteva un padre, per simili motivi, «abbandonare di sua volontà un tener figliuolino?» (*ivi*, revisione del 6 marzo 1863). Così in *Madre e figlia* una fanciulla sedotta e abbandonata dall'amante tenta il suicidio e convince la madre, distrutta dal dolore per la falsa notizia della morte dell'altro figlio, a morire insieme a lei. Alla fine tutto si risolve senza tragedie ma, nonostante questo, la revisione invitava l'autore, Antonio Bassolini, a modificare radicalmente la scena del tentato suicidio: non era ammessa «l'idea che la propria madre secondi le disperate risoluzioni della sua figliola» (*ivi*, b. 15, revisione del 3 dicembre 1863).

sta, com'essa commetterebbe un'ingiustizia nel diseredare due buoni nipoti, a profitto di una società nemica del progresso». Anche se nell'opera l'autore dimostrava un certo buon senso, spesso assente «nelle altre produzioni scritte *ad hoc*», il censore ne proponeva comunque il divieto.[143] Altri lavori subivano una censura integrale senza motivazioni circostanziate, ma semplicemente perché qualificate come «sciocchezze»: così la commedia *Una notte di stravaganze* – un copione «che non ha senso comune, non ha scopo»[144] –, mentre il dramma *Le vittime dell'amore* era «una tale sciocchezza», che «nessuno potrebbe raccapezzarne lo scopo», per cui il revisore «dopo averne *sofferto* la lettura non esita punto a proibirlo, siccome informe ammasso di parole che non hanno né principio né fine».[145] Nei loro rapporti, in effetti, i funzionari della censura – Ravelli più di tutti – non mancavano di esprimere giudizi anche in merito alle qualità complessive delle opere.[146]

Non si può avere esatta misura del tipo di intervento operato dagli uffici di censura se non si prendono in considerazione anche i casi di lavori i quali, benché sospetti a giudicare di primo acchito dal titolo e dalla trama, erano infine licenziati con il visto di autorizzazione, anche senza la condizione di modifiche. Il questore di Milano, per citare un esempio, nel settembre 1863 trasmetteva una serie di manoscritti perché, secondo l'*iter* consueto, fossero letti e approvati. Il censore diligentemente ne sintetizzava il contenuto, in parecchi casi apparentemente discutibile: in *Il diavolo pitocco detto il questuante misterioso* si trova «un assassino che si finge pitocco: che vuol uccidere un tale per vendetta, ma altro per errore cade sotto il suo ferro, per la qual morte è accusato il suo nemico, ma un'astuzia quello salva e questo è conosciuto reo»; nella *Lettiga dell'emigrato* un conte emigra, in lettiga appunto, per sfuggire alla morte, ma è denunciato dal figlio di un suo servo e questi, accortosi di ciò, finge di essere il conte e viene giustiziato, per cui il figlio per il rimorso si uccide; in *Lo spettro alla festa da ballo* una donna si burla di tutti i suoi amanti, ma uno di questi le appare ad una festa da ballo sotto le sembianze di uno spettro ed essa, profondamente turbata, muore; e, ancora, in *La dama dalla testa da morto* una donna si finge deforme per poter sfuggire a tutti; in *Cosimo II alla visita alle carceri* Cosimo II scopre che un suo prefetto da lungo tempo trattiene in carcere un

---

[143] *Ivi*, b. 14, revisione del 9 agosto 1863.

[144] *Ivi*, revisione del 26 gennaio 1863.

[145] *Ivi*, b. 15, revisione del 29 maggio 1863.

[146] Un esempio: «Il soggetto di questo dramma è fritto e rifritto. Un feudatario potente che usa inganni e violenze per avere in moglie una donna promessa ad altro feudatario. Il padre e il feudatario [...] dopo perdite e riscosse riescono a far trionfare l'oppressa virtù e a punire le violenze del tiranno. Il dramma non ha che a subire la disapprovazione del buon senso e del buon gusto; il Governo non ha che a lasciarlo in balìa a quel giudizio» (*ivi*, b. 12, f. 6, revisione del dramma *I tristi effetti della Depravazione* di Giulio Messedaglia, 25 gennaio 1861).

barone per poterne godere la ricchezza; e così via: tutte quante furono autorizzate senza riserve.[147]

Poteva anche accadere che qualche lavoro conquistasse le simpatie dei revisori, che ne facevano una lusinghiera recensione. Da rapporti di questo tipo ben si rivelano, oltre ai gusti letterari, anche l'*habitus* mentale, l'ideologia, i princìpi degli uomini preposti alla censura teatrale. *Gli apostoli di Nurimberger*, ad esempio, di Achille Montignani, si proponeva lo scopo, per il revisore sacrosanto, «di stigmatizzare certi comitati od associazioni secrete, che, in altri tempi, quasi succursali dei Governi, violavano il secreto delle lettere, non solo per uno spionaggio di Stato, ma per penetrare nei secreti degli individui, e nel santuario delle famiglie».[148] Anche se vi si affrontava il tema spinoso del brigantaggio, fu comprensibilmente incensato il dramma *I briganti in Sicilia*, in cui l'autore «finge che in Sicilia il partito avverso all'Unità italiana tenti di organizzare il brigantaggio in quell'isola», che però non può gettare radici grazie al coraggio dei siciliani: l'opera finiva così per dimostrare «che quella parte d'Italia vuole anch'essa l'unità della patria comune.[149] Generose lodi furono riservate anche alla commedia *Mônssù Tartuff*, nella quale il protagonista è uno «de' settari del partito retrivo» che semina discordia all'interno di una famiglia, influenzando «con pregiudizii religiosi» una donna, la quale così finisce per progettare rispettivamente il convento e il collegio diretto da sanfedisti per il futuro dei propri figli; grazie a un vecchio sacerdote che svela le trame di Mônssù Tartuff la pace è infine ristabilita e il colpevole punito insieme ai compagni «per le massime reazionarie che vengono insegnate nel collegio da essi tenuto». Quello che segue è il compiaciuto commento del revisore:

«Questa commedia ha in se stessa buono e utile fine, perché si propone di dimostrare che hannovi non poche persone che fannosi della religione uno strumento, per far ricchezze ed ottenere un predominio che solo può avere fondamento nell'ignoranza e negli errori che insinuano nelle menti delle deboli persone. Dimostrasi ancora che i princìpi morali e religiosi bene intesi sono quelli che formano la felicità della famiglia e il benessere della società».[150]

«Bella e morale commedia» fu giudicata *L'onestà povera* di Luigi Pietracqua: in quest'opera del commediografo piemontese una famiglia indigente e priva di dimora ritrova una borsa e, pur non sapendo dove andare a coricarsi la sera, la restituisce al proprietario e così «trionfa delle tentazioni del vizio, che le prepa-

---

[147] *Ivi*, b. 14, il questore di Milano al ministro dell'Interno, 9 settembre 1863; *ivi*, revisione del 23 ottobre 1863.
[148] *Ivi*, b. 13, revisione del 23 ottobre 1863.
[149] *Ivi*, revisione del 20 ottobre 1863.
[150] *Ivi*, revisione del 26 ottobre 1863.

ra una apparenza di felicità che deve dileguarsi come nebbia al sole».[151] E, a proposito del dramma di Angelo Cerutti *L'industria*, il revisore dichiarò apertamente la sua piena adesione alla tesi sostenuta dall'autore: «quanto sia opera generosa ed eminentemente filantropica quella di ajutare gl'infelici, costretti a veder abortiti i frutti del proprio genio e de' propri studi, o per mancanza di mezzi, o perché oppressi dalla persecuzione degli invidiosi» e, soprattutto, «come il lavoro e l'industria possano riabilitare in faccia alla società anche l'uomo che per un losco passato ne abbia perduta la stima».[152]

Parimenti encomiabile fu reputato il dramma *Oro, carta, cenere*, scritto per «destare avversione ai giochi di borsa». È la storia di un onesto banchiere padre di famiglia, che vive agiatamente e felicemente fino a quando, spinto da un avventuriero, si dà alla speculazione avventata e per poco non giunge alla rovina – economica e morale: in questo dramma, al «freddo e cinico ragionare dell'uomo di borsa, il cui Dio è l'oro» si contrapponeva vittoriosamente «il raziocinio dell'uomo virtuoso e di cuore».[153] Un'altra opera capace di raccogliere incondizionata approvazione fu il dramma storico *Paolo ed Emma*, ambientato a Genova ai tempi dell'insurrezione contro la Francia di Luigi XII. Emma è la figlia di un nobile che con altri vorrebbe abbandonare la città nelle mani dei francesi; la fanciulla ama, riamata, Paolo da Novi, che il popolo sceglie come suo capo per liberarsi dall'oppressore straniero; la rivolta però fallisce, Paolo è giustiziato, Emma muore dal dolore. Si trattava di uno dei tanti drammi che mettevano in scena «le mille calamità a cui andarono soggette le città d'Italia per le lotte intestine». Il nocciolo del messaggio era così colto e interpretato nella relazione della censura:

«Questo dramma può riuscire quindi di utile ammaestramento ai cittadini perché nella vita loro civile posti da parte i puntigli e le varie pretese s'associno gli uni cogli altri per ottenere il maggior bene della patria comune».[154]

Rimane da spendere qualche considerazione sui rapporti tra gli uffici di censura e gli autori, per sottolineare come numerosi indizi facciano supporre che essi fossero tutt'altro che distanti e sporadici, se non altro per la consuetudine ai palcoscenici e per la frequentazione degli ambienti teatrali che distingueva molti revisori, i quali in parecchi casi, come si è visto, erano commediografi o librettisti a loro volta. Le proteste formali non compaiono in gran numero tra i documenti del ministero dell'Interno; sembra di capire che di norma gli autori

---

[151] *Ivi*, revisione del 26 ottobre 1863.
[152] *Ivi*, b. 14, revisione del 9 settembre 1863.
[153] *Ivi*, revisione del 20 aprile 1863.
[154] *Ivi*, b. 15, revisione del 22 maggio 1863.

e i capocomici si rassegnassero a rivedere i manoscritti o vi rinunciassero. Semmai qualcuno si lamentava se per caso le pratiche andavano per le lunghe.[155]

I capocomici Luigi Domeniconi, Alamanno Morelli e Cesare Dondini sollevarono una contestazione di carattere generale, relativa all'obbligo scattato con il decreto del 1° settembre 1861 di depositare una copia dei manoscritti anche presso le autorità locali per agevolare i controlli e, come ammettevano i tre capocomici, per «porre un argine a certi abusi della Recitazione»: una misura «necessaria e lodevole, e mezzo efficace per far ritornare sulla scena del Teatro Italiano quella moralità e quella castigatezza» spesso trascurate. Senonché la misura adottata si traduceva, a loro avviso, in un onere ulteriore e non trascurabile per le compagnie, soprattutto in termini di tasse di bollo, in un momento in cui esse erano penalizzate «da circostanze eccezionali e commozioni politiche».[156]

Una lunga vertenza contrappose l'ufficio di censura torinese e Parmenio Bettoli a proposito della sua commedia, *Giovanni Boccaccio* – respinta, come si è visto, nel maggio 1863 – che egli cercò di difendere dalle accuse di indecenza. Secondo Bettoli «un po' di erotico nella narrativa non deesi chiamar immorale, ma solamente licenzioso»; egli non negava che il suo *Boccaccio* un tantino licenzioso lo fosse, tuttavia si aspettava di fare aggrottare le ciglia a qualche puritano, a qualche «baciapile», non certo alla contemporanea censura del teatro italiano, che avrebbe così pesantemente ostacolato la carriera di un giovane autore mentre sulle scene si permettevano impunemente «tante schifosità». Secondo Bettoli in un lavoro drammatico l'elemento immorale poteva essere solo quello che scaturiva «dalla sostanza delle cose esposte»: «[...] è immorale la favola che mette il vizio in troppa evidenza, che rivela turpezze ripugnanti a cuori benfatti e, più ancora, quella che non conduce a profittevole insegnamento, ma, anzi, che tesse quasi il panegirico e ne tenta, dirò quasi, la riabilitazione».[157] La lettera di Bettoli non produsse l'effetto desiderato: egli fu costretto,

---

155) Come il capocomico Giustiniano Mozzi, che sollecitò la revisione di ben sedici titoli, poiché, «avendo quasi esaurite tutte quante quelle commedie che teneva di scorta, non potrebbe essere al caso di mantenere l'obbligo che s'assunse cogli abbonati al Teatro, senza il ritorno delle produzioni inviate» (*ivi*, b. 14, il sottoprefetto di Lodi al ministro dell'Interno, 19 agosto 1863).

156) *Ivi*, b. 13, Domeniconi, Morelli, Dondini al ministro dell'Interno, 16 dicembre 1861: secondo gli autori del ricorso, l'intento della censura «potrebbe essere del pari, ed anche meglio raggiunto con inculcare una più attenta sorveglianza agli Agenti Governativi, e con scegliere a prattticarla [*sic*] fra quelli i più intelligenti».

157) Bettoli citava a questo punto una serie di opere che giudicava più censurabili della sua: *Un figlio del signor padre* di Giovanni Giraud, nella quale figurava il personaggio di una donna palesemente gravida «sul cui stato di grossezza si fanno, di continuo, tante immodeste allusioni»; *Molière* di Goldoni, in cui madre e figlia, rivali, bisticciavano «nel modo il più sconcio» e «un Pirlone si abbandona al cospetto del pubblico alle più smaccate incandescenze della libidine»; *La famiglia ebrea*, in cui «tante laide scene si veggono tra un

due mesi dopo, a tornare alla carica e a denunciare di nuovo le contraddizioni della censura, accusandola di usare due pesi e due misure.[158] Dopo nuove rimostranze e richieste di spiegazioni al ministero dell'Interno,[159] la commedia verrà alfine approvata, ma dopo aver subito tagli.[160]

Il capocomico Carlo Benvenuti giunse invece a scomodare il deputato Vincenzo Salvoni perché cercasse di sapere da Spirito Ravelli quali modificazioni richiedesse il suo dramma storico *La famiglia Cenci*, respinto nel gennaio 1863 per immoralità: da quando l'amico che se ne era incaricato, come segretario al ministero dell'Interno, era stato mandato in missione, non ne aveva più notizie: «[...] avrei estrema necessità – spiegava Benvenuti – di avere quel Dramma permesso al più presto mentre giù in Ancona non bramano che roba nuova, se nò [*sic*] gl'interessi andranno male».[161] E in una lettera successiva aggiungeva di avere eliminato dal manoscritto «tutto ciò che al censore dispiaceva», pregando Salvoni di intercedere per lui presso Ravelli, visto che «la qualità che investite ha sempre un'influenza autorevole con quei signori della censura».[162] Invece il dramma dovrà subire altre modifiche e sarà licenziato solo nel giugno 1863.[163]

4. LA RIFORMA DEL SISTEMA DI CENSURA E IL LAVORO DELLE PREFETTURE

Il progetto relativo ad una generale riorganizzazione degli organi e del sistema di censura si colloca nei mesi immediatamente successivi alla proclamazione del Regno. Risale in effetti al dicembre 1861 la nomina – decisa dal presidente del Consiglio Ricasoli – della commissione di studio «per l'incremento dell'arte drammatica», la quale, come si è già accennato, annoverava fra i suoi compiti principali quello di formulare proposte in merito al riordinamento della censura: segno che era ritenuta provvisoria non solo la sopravvivenza degli Uffici di Firenze, Napoli e Palermo, ma anche quella dell'Ufficio centrale della capitale.

prete e una meretrice»; *La donna delle camelie*, che aveva «il bel mandato di provare ai giovanotti o alle giovanette come si possa perdere l'onore e vendere il proprio corpo al miglior offerente, senza macchiarsi di troppa infamia»; *Il lapidario* di Dumas padre, in cui emergevano «scandalosi sospetti d'incesto»; *Susanna Impert* e la sua traduzione, *La colpa vendica la colpa* di Giacometti, «eterne scene di adulterio» (*ivi*, b. 14, Bettoli al ministro della Pubblica Istruzione, 19 maggio 1863).

[158] Bettoli si chiedeva come potesse essere stata autorizzata la recente commedia di Federico Personali *Scene del popolo*, rappresentata a Modena dalla compagnia di Carlo Benvenuti, «scurrilmente oscena», nella quale «alcune femine [*sic*] istituiscono paralleli fra la loro sudicezza esterna ed interna e fra quella *dal mezzo in su* e *dal mezzo in giù*: propongono, a prova, di rimboccarsi le gonnelle, si danno reciprocamente delle *sporche* e si minacciano di *mostrarsi le budella*» (*ivi*, Bettoli al ministro della Pubblica Istruzione, 10 giugno 1863).

[159] *Ivi*, Bettoli al ministro dell'Interno, 12 agosto 1863.

[160] *Ivi*, revisione dell'8 ottobre 1863.

[161] *Ivi*, C. Benvenuti a Vincenzo Salvoni, 26 febbraio 1863.

[162] *Ivi*, C. Benvenuti a Vincenzo Salvoni, 9 marzo 1863.

[163] *Ivi*, revisione del 1° giugno 1863.

Erano le «nuove condizioni del Regno», come avrebbe dichiarato anche Rattazzi, ministro dell'Interno oltre che presidente del Consiglio dopo la caduta di Ricasoli, a far avvertire la necessità di una nuova articolazione.[164] Nell'attesa, si credeva opportuno provvedere affinché «la censura di tutti i teatri del Regno non manchi dell'unità indispensabile in ogni ramo della pubblica amministrazione, a tutela dell'ordine e della morale».[165] Alle commissioni di censura locali era stata lasciata – fatto salvo l'imprescindibile riferimento alle istruzioni del 1° gennaio 1852 – completa autonomia: solamente «quando fosse loro presentata una produzione politica sull'esito della quale il Prefetto non potesse farsi un giusto giudizio, o per le condizioni del luogo potesse riuscire pericolosa quando che recitata», allora era indispensabile trasmetterla all'Ufficio torinese.[166]

Come risulta dai verbali delle riunioni della commissione Ricasoli[167] – presieduta, ricordiamo, da Celestino Bianchi e composta da Felice Romani, Biagio Miraglia, Giovanni Sabbatini, Filippo Berti, Paolo Ferrari, Luigi Domeniconi –, non rientrava tra i compiti ad essa assegnati una riflessione sull'opportunità (anzi, sulla «ammissibilità», come si disse) della censura preventiva per il teatro; la questione, in verità, emerse immediatamente, sollevata da Ferrari durante la prima seduta, ma poi venne lasciata cadere. Per il resto i membri della commissione si scontrarono e si divisero sul tema dell'organizzazione della censura – chi favorevole ad un sistema decentrato (come Ferrari) chi ad un sistema accentrato (come Miraglia, Berti, Romani). Un secondo e non meno importante motivo di contrasto scaturì dalla proposta avanzata da Ferrari di fare della censura materia di una legge dello Stato, fermamente avversata da Miraglia e Sabbatini per i quali

«un codice di censura non si potrebbe, né si dovrebbe fare perché ben difficilmente si potrebbe con formule generali stabilire l'importanza e il valore della favola d'una produzione [...]. Le opere teatrali parlano alla fantasia e al cuore e giudice competente della loro portata è più il sentimento che il giudizio».

In secondo luogo:

«il teatro ha un'importanza d'ordine pubblico e la tutela del medesimo va modificata a seconda di circostanze locali, transitorie delle quali giudica il governo col suo programma politico».

---

[164] *Ivi*, il ministro dell'Interno al prefetto di Napoli, 14 marzo 1862.
[165] *Ibidem*.
[166] *Ivi*, il ministro dell'Interno ai prefetti di Firenze, Napoli e Palermo, 14 marzo 1862.
[167] Essi si trovano in MCRR, b. 387, f. 52, *Commissione per la Riforma della Revisione Teatrale e pel miglioramento del Teatro nazionale* cit.

Era più saggio attenersi, insomma, a criteri relativi, elastici per così dire, piuttosto che a norme rigorose, come quelle fissate da una legislazione. La censura, dunque, avrebbe potuto essere oggetto di un buon regolamento. Certo l'arbitrio dei censori doveva essere evitato a tutti i costi: ma una garanzia in questo senso sarebbe stata assicurata – come ribadì Miraglia – dalla collegialità dei giudizi propria di una commissione di censura formata da «persone illuminate». Altri proposero l'istituzione di una «commissione permanente d'appello d'uomini rispettabili ed integerrimi», altri ancora quella di «una specie di giurì pel caso di un terzo appello nell'interesse pubblico o privato»: segno che il pericolo che fosse lasciato ai censori un eccessivo margine di discrezionalità preoccupava tutti i membri. Il lavoro della commissione si concluse con la redazione di un regolamento di censura, sui contenuti del quale i verbali risultano però piuttosto avari di particolari; fanno eccezione gli articoli più discussi, come quelli inerenti la «religione»,[168] per i quali si tentò di studiare una formulazione che risultasse «né troppo severa né troppo corriva».

Gli studi e i pareri della commissione Ricasoli non poterono confluire in un progetto organico a causa della sopraggiunta crisi ministeriale. Tuttavia essi, senza dubbio, furono il presupposto e la base di due relazioni immediatamente successive, entrambe frutto della medesima divisione del ministero dell'Interno diretta da Miraglia, ma, curiosamente e inspiegabilmente, divergenti. Nella prima, datata 16 febbraio 1863, venivano illustrati i possibili sistemi di organizzazione della revisione teatrale, per ognuno dei quali si individuavano vantaggi e inconvenienti. Il sistema improntato ad un assoluto accentramento garantiva «l'unicità del concetto morale e la diretta valutazione dell'indirizzo politico per quelle produzioni che trattano di attualità», ma comportava inevitabili lentezze, che penalizzavano gli operatori del settore, e «la difficoltà dell'apprezzamento dello spirito pubblico nelle provincie». Il sistema opposto, quello che deferiva alle autorità locali la facoltà di revisionare le opere teatrali, assicurava una maggiore speditezza del servizio, si avvaleva della «conoscenza dello spirito locale del pubblico per prevenire le occasioni a disordini», ma presentava un risvolto negativo tutt'altro che trascurabile: la «difformità dell'applicazione delle norme generali tanto nell'ordinamento morale, quanto nell'indirizzo politico». Rimaneva una terza alternativa: quella di un sistema cosiddetto «regionale», in cui si prevedevano, oltre ad un ufficio di censura centrale, almeno cinque o sei succursali dislocate nelle principali piazze teatrali del Regno – presumibilmente Bologna, Firenze, Milano, Napoli e Palermo. Tale sistema conciliava i vantaggi degli altri due e ne correggeva i difetti, ma implicava un aumento del personale e di conseguenza un onere finanziario più cospicuo. La relazione si concludeva con un'osservazione e, insieme, con una sentenza inequivocabile: l'esperienza

---

[168] Romani, in particolare, si oppose a qualsiasi «limitazione alla facoltà del poeta di servirsi della Religione come uno de' più sublimi elementi della poesia».

aveva dimostrato che gli inconvenienti presentati dall'accentramento della censura non erano tali da giustificare la rinuncia a quel sistema, e soprattutto:

«In questo servigio dei pubblici spettacoli, che tanto influiscono sulla moralità del popolo e sulle fasi delle emozioni politiche, pare conveniente che il governo debba curare che ne sia rigorosamente mantenuta l'unità di concetto, e che dai capi dell'Amministrazione dello Stato venga valutata l'importanza dell'indirizzo politico d'una produzione teatrale il cui effetto è tutto nell'eccitamento delle passioni popolari».[169]

Di segno decisamente differente è una seconda relazione, firmata dallo stesso Miraglia e datata 17 marzo 1863. Essa attribuiva a un buon sistema teatrale due finalità precipue: garantire la tutela dell'ordine pubblico e, subordinatamente, gli interessi degli autori e degli artisti. L'attuale organizzazione, sostanzialmente fondata su un «compiuto accentramento», raggiungeva solo in parte il primo obiettivo, poiché un Ufficio unico centrale di revisione doveva necessariamente applicare norme generali e non poteva tener conto delle «speciali condizioni» di ciascuna provincia, in cui la rappresentazione di un'opera teatrale poteva produrre effetti imprevedibili. A tale inconveniente si era tentato di ovviare concedendo ai prefetti la facoltà di impedire la messinscena di un'opera anche munita del visto di autorizzazione dell'ufficio centrale: ma, con questa concessione, si veniva implicitamente a riconoscere la «naturale competenza» delle autorità locali, quindi l'insufficienza dei criteri che poteva seguire l'Ufficio centrale quando funzionava come revisore «unico e universale». Quanto al secondo obiettivo, esso rischiava ora di fallire doppiamente: innanzitutto erano inevitabili e comprensibili i ritardi provocati dall'obbligo di ricorrere al ministero per tutte le opere, «qualunque sia la parte, anche lontanissima, del Regno, ove l'autore o una compagnia drammatica hanno interesse di poterla rappresentare senza indugio»; in secondo luogo ricadeva sulle spalle degli autori e degli attori un effetto significativo dell'attuale sistema, vale a dire quello di un «soverchio rigore di censura»: in effetti finivano spesso per essere proibite ovunque espressioni, parti, intere opere che risultavano inopportune solo in qualche provincia. Inoltre era inderogabile risolvere il problema della sussistenza degli Uffici regionali, un caso di giurisdizione eccezionale «che non potrebbe durare senza taccia di privilegio». Dopo queste considerazioni preliminari, la relazione giungeva alle conclusioni e alle proposte concrete, decisamente e autenticamente orientate a favore del decentramento. Si affermava cioè che «il presente sistema di assoluto accentramento, come in altre parti della pubblica amministrazione, nuoce anche in questa della Revisione teatrale, e dovrebbe

[169] ACS, *M.I.*, *S.D.*, *Teatri*, b. 14, il direttore capo della VI divisione del ministero dell'Interno al ministro dell'Interno, 16 febbraio 1863.

essere mutato» e che, al contrario, quello auspicato, «già conforme ai princìpi d'ordine pubblico e a quelli di libertà», consisteva nell'affidare all'Ufficio centrale la revisione delle opere che sarebbero state rappresentate in tutto il Regno e nel lasciare alle prefetture la stessa facoltà per quelle messe in scena solo nei teatri di una provincia, «contemperando però questa facoltà dei prefetti col divieto di appello riconosciuto negli autori ed artisti drammatici». Assicurata l'esigenza di impartire ai prefetti norme generali e uniformi, si riteneva che una riforma siffatta fosse quella più conforme «ai princìpi generali che il ministero intende di applicare a tutta l'Amministrazione, cioè in tutto ciò che riguarda la vita pubblica locale, e dell'accentramento in ciò solo che riguarda lo stato e la nazione in generale».[170]

Poco dopo, il 10 aprile 1863, la questione della riorganizzazione della censura emerse anche nelle aule del Parlamento, nell'ambito della discussione sul bilancio del ministero dell'Interno. Era stato il ministero stesso a proporre di riunire al proprio personale quello incaricato della revisione delle opere teatrali di Torino, ma la commissione per il bilancio si era dichiarata contraria a tale provvedimento: come aveva osservato il relatore, Girolamo Cantelli, o si optava per la soppressione degli uffici di Firenze e Napoli mantenendo solo quello centrale di Torino, oppure si delegava l'incarico della revisione alle singole prefetture – soluzione preferibile per evitare il «gravissimo inconveniente di centralizzare anche questo servizio» e di lasciare il compito di permettere o vietare un'opera ad un ufficio distante dal luogo in cui veniva rappresentata. Il ministro dell'Interno Peruzzi si dichiarò senz'altro favorevole alla delega alle prefetture e al mantenimento a Torino di una sezione, per la quale sarebbe stato sufficiente un solo impiegato, incaricata di tenere il governo informato «sommariamente», «nel solo intento non vi fossero differenze di criterio nelle diverse parti del regno».[171]

In conclusione, non si può certo dire che in questa fase i pareri in merito alla riforma della censura fossero concordi, anzi sembra che si possano individuare due proposte distinte: quella accentratrice, che poneva l'accento sulle

---

[170] *Ivi*, il direttore capo della II divisione del ministero dell'Interno al ministro dell'Interno, 8 marzo 1863.

[171] AP, *Camera*, Legisl. VIII, Sess. 1861-62, *Discussioni*, tornata del 10 aprile 1863, pp. 6173-6174. Tra l'altro, durante il dibattito, il deputato radicale Raffaele Curzio propose di depennare addirittura dal bilancio le spese per la revisione teatrale, che egli riteneva inutile: «Volete voi impedire lo scandalo e la licenza sulla scena? Fate una legge [...] e rendetene responsali gli impresari e capi comici. Così operando farete due buone cose, avrete risparmiato il denaro dello Stato, e avrete liberato le scene italiane dalla vostra revisione, la quale, sia per zelo, sia per crassa ignoranza, taglieggia, castra, respinge sovente le più belle produzioni e si appiglia alle peggiori» (*ivi*, p. 6178). Insomma, in apparenza la proposta di Curzio muoveva da una istanza più libertaria, ma paradossalmente finiva per avallare una soluzione liberticida: quella di una legge sulla censura, alla quale autori ed attori avrebbero dovuto rispondere in prima persona.

prerogative dell'amministrazione centrale e sul primato che doveva conservare nell'esplicare la sua funzione insostituibile – garantire uniformità e unità di intenti nell'applicazione delle norme sulla censura – e quella decentratrice, che aspirava ad un sistema più razionale ed efficiente e individuava un «soverchio rigore» in quello accentrato, senza per questo segnalarsi in senso necessariamente libertario: un potere maggiore ai prefetti poteva anche significare garanzia di un controllo più capillare.

Qualche mese dopo, fu affidato ad un'altra commissione di studio parlamentare – quella che avrebbe dovuto principalmente occuparsi del destino dei teatri demaniali – il compito di «proporre un nuovo e più economico ordinamento» della revisione teatrale, procurando di «conciliare il maggior possibile decentramento di questo servizio colla uniformità delle determinazioni rispetto a tutte le provincie»:[172] questo significa che l'orientamento del ministero – allora retto, come si è riferito, dal toscano Ubaldino Peruzzi – andava cautamente ma decisamente indirizzandosi verso la soluzione decentratrice. Ufficialmente istituita nel maggio del 1863, presieduta – ricordiamo – dal senatore Ponza di San Martino e formata dal senatore Taverna, dai deputati Torrigiani, Torelli, Bianchi, Macchi, Barracco e da Biagio Miraglia, la commissione avrebbe proseguito i suoi lavori fino al maggio dell'anno successivo.[173] Essa fu più che altro assorbita dalla questione del sussidio ai teatri demaniali, ma non mancò di affrontare il problema della censura. Nella riunione del 3 giugno 1863 intervenne a riguardo Torrigiani, secondo il quale «tutto quanto concerne la censura dei Teatri è materia d'ordine pubblico», quindi di esclusiva competenza del «potere esecutivo»: era evidente l'impossibilità di stabilire «con massime universali certe ed inviolabili in prevenzione quali sieno gli estremi che costituiscano una violazione dei principj d'ordine pubblico». Se si stabilivano norme eccessivamente restrittive si rischiava di ostacolare pesantemente «il genio e la libera manifestazione dell'incessante progresso delle idee»; norme permissive, al contrario, «troppo facilmente si renderanno elastiche», mettendo in pericolo la tutela «dei grandi principj della religione, della morale» e il rispetto delle «istituzioni nazionali».[174]

---

[172] Così recita il decreto ministeriale del 14 maggio 1863 (ACS, *M.I., S.D., Teatri*, b. 14).

[173] *Ivi*, b. 12, *Commissione pei teatri, Verbale* dell'adunanza preparatoria, 26 maggio 1863. Tra i compiti della commissione figurava anche quello di formulare un «progetto di disposizioni generali legislative e regolamentarie intorno ai teatri e pubblici spettacoli» (*ivi*, decreto del ministero dell'Interno, 14 maggio 1863): era un problema – quello della «assoluta mancanza di Regolamenti disciplinari nelle difficili e complicate materie teatrali» – ripetutamente e diffusamente lamentato dagli operatori del settore e certamente avvertito e preso in considerazione anche dai membri della commissione (come dimostra l'intervento di Taverna, *ivi*, *Verbale* dell'adunanza del 3 giugno 1863).

[174] *Ibidem*.

L'intervento di Ponza di San Martino riveste un'importanza particolare, sia per l'impronta decisamente liberale, sia perché sulla sua ispirazione e sulle sue conclusioni concordarono tutti i membri della commissione. Il presidente rivelò di aver studiato «particolarmente la materia della censura teatrale» e ammise di aver trovato «assai difficile più che non si crede il fare un regolamento che risponda in modo adeguato alle più giuste esigenze»: il rischio più grande, in definitiva, era quello di «porre incagli alla libertà del pensiero». Un regolamento della censura teatrale poteva essere paragonato alla legge sulle associazioni politiche, «la quale non è se non un principio generale di limitazione della libertà», quindi il governo, piuttosto che formulare regolamenti, poteva fornire istruzioni generali, «tracciare i più essenziali confini entro i quali deve la libertà contenersi, per non offendere la religione, la morale, le istituzioni nazionali» e doveva poi lasciare ai suoi rappresentanti nelle provincie la responsabilità dei singoli provvedimenti.[175]

Anche sulla base degli esiti del dibattito svoltosi in seno alla commissione, nel dicembre 1863 Miraglia, che evidentemente aveva del tutto mutato la sua posizione iniziale, giunse alla stesura di una nuova relazione al ministro – relazione che costituisce il definitivo punto d'arrivo della discussione sulla riforma della censura. L'esordio non lascia spazio a dubbi, soprattutto in merito alle intenzioni del ministro in carica Peruzzi: «I danni che provengono all'arte drammatica dal concentramento della revisione teatrale hanno indotto l'Eccellenza Vostra nella deliberazione di affidare ai prefetti» l'autorizzazione di tutte le opere drammatiche da rappresentarsi nei teatri delle singole provincie, riservando ad un Ufficio centrale quella delle opere da rappresentarsi in tutto il Regno, nonché i giudizi definitivi in caso d'appello. Sarebbero stati privati della speciale competenza gli Uffici di Firenze, Napoli e Palermo.[176]

Il decreto del 14 gennaio 1864 tradusse fedelmente tali indicazioni. Seguì la circolare esplicativa del 14 febbraio 1864, firmata da Silvio Spaventa. Vi si sottolineava che la delega ai prefetti voleva «essere corretta da' debiti temperamenti»: era quindi assicurata agli autori la possibilità dei ricorsi contro le sentenze da essi emanate; le prefetture erano obbligate a spedire ogni tre mesi l'elenco delle produzioni autorizzate, con o senza modifiche, e di quelle proibite al ministero, affinché esso, «giudice ultimo», potesse «esercitare in questo servizio pubblico una sorveglianza e una direzione superiore». La circolare non era accompagnata da un regolamento: questo perché, secondo il ministro, i cri-

---

[175] Secondo Ponza di San Martino, nell'ambito dell'applicazione delle leggi che implicavano potenziali limitazioni ai princìpi della libertà, «non si ottiene in massima lo scopo desiderato, ed il governo eseguendo il disposto di tale legge non conserva la responsabilità che sempre e unicamente incombe a lui tutta intera per quei provvedimenti che tendono alla conservazione della comune tranquillità e dell'ordine pubblico» (*ibidem*).

[176] *Ivi*, b. 14, il direttore capo della II divisione del ministero dell'Interno al ministro dell'Interno, 28 dicembre 1863.

teri per i quali permettere o vietare un'opera nascevano da «contingenze locali variabili e temporanee» e, «senza crear nuovi vincoli agli intelletti, non si può *a priori* determinare una regola la quale si adatti ad ogni caso». Erano richiamate in sintesi le norme generali a cui attenersi nell'esercizio della censura.[177] Si faceva osservare inoltre che, rispetto ai testi scritti, indirizzati ad individui isolati e di lenta diffusione, le opere teatrali erano più pericolose, poiché le parole di un attore avevano un effetto «istantaneo e irrevocabile» e si rivolgevano «ad una moltitudine congregata, facile a trascorrere dagli entusiasmi alle dimostrazioni». I prefetti erano infine invitati a rispettare «tutta la libertà dell'arte» senza compromettere «la tranquillità pubblica e degli onesti ritrovi».

Dal febbraio 1864 la censura passò dunque nelle mani delle prefetture. Le nuove attribuzioni implicarono innanzitutto la mobilitazione delle sottoprefetture, pienamente coinvolte e chiamate alla massima collaborazione; ad esse fu tra l'altro affidata l'approvazione o meno delle poesie e delle cosiddette «cantiche d'occasione».[178]

Dall'analisi dei rapporti di censura dell'ufficio della prefettura di Milano delegato al compito della revisione teatrale[179] – studiati a titolo di saggio – non emergono differenze di rilievo tra il lavoro delle prefetture e quello espletato dall'Ufficio centrale. Si considerino ad esempio i rapporti – in genere diligenti ma abbastanza stringati – redatti nel corso del 1864. Si tratta di vere e proprie recensioni, nelle quali, oltre che le motivazioni delle autorizzazioni o delle censure, si leggono apprezzamenti sulla qualità dei lavori teatrali. *La Buonafede*, traduzione dal francese di una commedia di Eugène-Marin Labiche, fu definito «lavoro pregevolissimo» per «la fantasia dei caratteri, per abilità d'intreccio e per vivacità di dialogo e per lo scopo morale che si prefigge»; *I figli dell'arricchito* di Lodovico Muratori, dramma poco originale e «trasandato» a livello stilistico e linguistico, svolgeva uno «dei soliti argomenti della vita intima di società» e non conteneva «allusioni politiche, né frasi, né concetti contrarj ai principj della moralità e dell'ordine pubblico», a parte una frase che «senza re-

---

[177] Le norme su cui si insisteva particolarmente erano le seguenti: 1) si dovevano vietare le opere che in qualunque modo offendessero «i princìpi eterni della moralità e del pudore»; 2) quelle che mancassero di rispetto alla «sacra e inviolabile persona del Re» o al Parlamento e agli altri poteri dello Stato, o ai sovrani e ai rappresentanti delle «potenze amiche»; 3) quelle che inducessero allo «sprezzo nelle moltitudini della legge fondamentale e delle altre leggi dello Stato» oppure eccitassero alla loro violazione o ancora che diffondessero «teorie offensive dell'ordine stabilito»; 4) quelle che profanassero la religione cattolica o i culti tollerati; 5) quelle che recassero oltraggio, anche con allusioni, alla «vita privata delle persone» o ai «principii costitutivi della famiglia» (ASM, *Prefettura*, b. 628, Circolare n. 15 del 14 febbraio 1864, *Riordinamento della censura teatrale*).

[178] *Ivi*, il prefetto di Milano ai sottoprefetti della provincia, 28 giugno 1864, *Riordinamento della censura teatrale*.

[179] Qui il compito della revisione venne affidato al consigliere di prefettura Giuseppe Borghetti. Egli, tra l'altro, era membro della Direzione dei RR. Teatri, la Scala e la Canobbiana (*Rigoletto*, 29 febbraio 1864, *Notizie varie*).

car forza allo spirito che ha dettato le precedenti» poteva «dar luogo ad un'interpretazione meno onorevole per l'esercito italiano»; *La Garibaldina* di Giovanni Battista Sicheri, episodio immaginario della spedizione dei Mille in Sicilia, elaborava il soggetto, «di sua natura quasi esclusivamente politico», con «temperanza di idee», ma risultava comunque un'opera pericolosa, «massime avuto riguardo alla sua meschinità letteraria drammatica» che la destinava ai teatri «di ultimo rango e precisamente dove potrebbe produrre dimostrazioni che altrove sarebbero inavvertite»: in «condizioni politiche normali» la commedia avrebbe potuto essere rappresentata tranquillamente.[180] *La figlia di Marforio e Pantaleone*, azione coreografica di Francesco Razzani, era un'allegoria sul compimento dell'Unità in cui figuravano le maschere delle varie provincie della penisola: come si legge nel rapporto della prefettura, essa poteva essere in linea di massima autorizzata, ma, trattandosi di «argomento affatto politico» e di una coreografia dai personaggi appena abbozzati – tra i quali quelli del *Gesuita* e dell'*Austriaco* – su cui non si poteva giudicare se non assistendovi, l'approvazione definitiva era subordinata alla decisione delle autorità che avrebbero presenziato allo spettacolo.[181] *Un milione pagabile a vista*, di Italo Franchi, era una delle numerose commedie sulla «vita speculativa commerciale» e non presentava elementi che ne suggerissero censure, anzi tendeva alla «riabilitazione della società israelitica»,[182] mentre nella commedia di Davide Sanguinetti *Alla sinistra siede il cuore*, peraltro pregevole per «nobiltà e robustezza di concetti, orditura regolare e svolgimento interessante, stile proprio e dialogo sostenuto», per il revisore erano necessari dei tagli: andavano eliminati i riferimenti al grado di senatore di cui era rivestito un personaggio malvagio e retrogrado e allusioni che potevano sembrare «offensive alla maggioranza parlamentare».[183]

Tra le opere proibite risulta *Alessandro VI Papa*, un dramma di Tommaso Villa, in cui si riassumevano tutti gli orrori della corte del protagonista, rappresentato «così vivamente nella sua storica bruttura» da rendere impossibile la messinscena dello spettacolo «senza offendere indirettamente i principj della religione e della morale»: il carattere di Alessandro VI, «per quanto risulti vero dalla storia, torna inverosimile sulla scena».[184] Fu permesso «per una sola volta per circostanze particolari» il dramma *La setta politica degli schiavi*, in cui si raccontava la vendetta di uno schiavo che «la compie col più ributtante cinismo» e in ogni atto si prevedeva una vittima: «l'apologia della vendetta» era

---

[180] ASM, *Prefettura*, b. 628, *Produzioni teatrali 1° semestre 1864*, revisioni del 22 febbraio 1864.

[181] *Ivi*, revisione del 26 febbraio 1864.

[182] *Ivi*, revisione del 1° marzo 1864.

[183] *Ivi*, revisione del 5 marzo 1864.

[184] Eppure, come lavoro letterario, l'opera era giudicata pregevole per «la fantasia dei caratteri e delle scene, per la proprietà della lingua e la regolarità dello stile» (*ivi*, revisione del 29 marzo 1864).

«così sinistramente costante» da non poter essere rappresentata «senza recar offesa al senso morale del pubblico».[185] Fu proibita anche la commedia del noto Ulisse Barbieri *Un pasticcio che potrebbe essere indigesto*, perché si risolveva in una «apologia della forma repubblicana» e recava «offesa ai poteri dello Stato e all'alleanza francese»,[186] mentre quella di Gaetano Pozzoli, *Le fantasie dei sogni*, nonostante l'argomento, che alludeva alla prossima liberazione del Veneto, venne autorizzata, a parte alcune frasi «offendenti l'alleanza d'una potenza amica e tendenti a suscitare dualismi»;[187] così fu suggerito un cambiamento del titolo a *I misteri della Nobiltà ovvero Sangue rosso e Sangue blu* di Antonietta Morel, e la sua sostituzione con un altro che escludesse «ogni allusione ad antagonismo di classi sociali»,[188] mentre in *La pubblica confessione di una donna*, di Fedele Venturi, furono censurate le frasi «recanti offesa alla riputazione ed alla onestà dei pubblici funzionarij».[189] Fu scontato l'assoluto divieto del dramma di Romano Borioni *La morte di Anna moglie di Garibaldi*[190] e di *La Repubblica Romana del 1848*,[191] di autore anonimo; alla commedia *Martino ossia l'impiegato al Ministero di Napoli*, lavoro «di nessun merito per l'insulsaggine dell'argomento e la trivialità dello stile e del dialogo», fu imposto il taglio delle frasi «offendenti la classe degli impiegati» e di quelle indecenti.[192] Una censura integrale colpì invece il dramma di Girolamo Trassomberti *La perla nera*: l'opera si proponeva uno scopo «lodevole», quello di «mettere in risalto le mene della reazione clericale col confronto del vero apostolato del sacerdozio, rappresentando le prime negli affigliati dei Paolotti ed il secondo in un buon curato di campagna», ma i tempi – si osservava nel rapporto prefettizio – non sembravano «i migliori per simil genere di spettacolo che mette in iscena monsignori, preti e procuratori del Re».[193]

Ad ogni modo, nonostante il regime di censura, sulle scene di alcuni teatri milanesi, per esempio il popolarissimo Fossati, capitava spesso di imbattersi in opere permesse e impunemente rappresentate a dispetto del soggetto o delle battute a prima vista sospetti: un esempio per tutti il bozzetto sui volontari del Tirolo del già citato garibaldino Ulisse Barbieri, in cui «si dice male di tutto e di tutti, specialmente di chi governa e comanda» e «certe scappate di politica estera vanno a toccare molto in alto»; il finale poi scatenava l'entusiasmo del

---

[185] *Ivi*, revisione del 5 maggio 1864.
[186] *Ivi*, revisione del 23 giugno 1864.
[187] *Ivi*, *Produzioni teatrali 3° semestre 1864*, revisione del 7 luglio 1864.
[188] Il soggetto era tratto da un romanzo di Dumas (*ivi*, revisione dell'8 luglio 1864).
[189] *Ivi*, revisione del 15 luglio 1864.
[190] *Ivi*, revisione del 15 luglio 1864.
[191] *Ivi*, revisione del 9 agosto 1864.
[192] *Ivi*, revisione del 9 agosto 1864.
[193] *Ivi*, *Produzioni teatrali 4° trimestre 1864*, revisione del 20 ottobre 1864.

pubblico: «*In Italia non c'è che un solo uomo: Garibaldi!*» e l'autore, chiamato al proscenio, compariva con la camicia rossa e il braccio al collo.[194]

Dopo la riforma del 1864, furono numerose le segnalazioni e le denunce di provvedimenti censori difformi da provincia a provincia – segno di scarsa omogeneità nell'applicazione delle disposizioni sulla censura.[195] I poteri delle autorità locali furono comunque confermati dalla legge di Pubblica Sicurezza dell'anno successivo e dal regolamento relativo: esso tra l'altro stabiliva che nessuna produzione teatrale poteva essere rappresentata e declamata senza il permesso per iscritto dell'autorità di sicurezza pubblica provinciale, ma che le autorità locali, nonostante tale permesso, potevano sempre vietarla se per qualche circostanza locale la credessero inopportuna e tale da poter dar luogo a disordini.

5. Censura e opinione pubblica

Sul tema della censura è possibile individuare, sfogliando la stampa del periodo, un ampio ventaglio di punti di vista.

La sua necessità era in genere riconosciuta e sostenuta non tanto per principio, quanto per circostanze contingenti, in particolare per la presunta immaturità politica e culturale del «popolo». Da più parti inoltre si faceva osservare che la censura teatrale era in vigore negli Stati più liberi e civili[196] e che la capacità peculiare del teatro, rispetto alla carta stampata, in un paese ad altissima percentuale di analfabeti, di coinvolgere, influenzare, trascinare le masse non andava affatto trascurata. Le riflessioni sulla censura di Amilcare Sangalli – milanese, pubblicista, esperto di giurisprudenza teatrale – risultano eloquenti ed emblematiche delle convinzioni più diffuse sul tema. Egli riteneva che «un regime repressivo, privo di efficacia» sarebbe stato «tanto ingiusto che pericoloso»,

---

[194] Per Filippi, che tra l'altro dava un giudizio positivo sul lavoro di Barbieri, un caso come questo dimostrava «a qual punto arrivi tra noi la libertà dello scrivere, e specialmente del dire in pubblico, ch'è tanto efficace e pericoloso» (*La Perseveranza*, 17 settembre 1866, *Appendice. Rassegna drammatico-musicale*).

[195] Ugo E. Imperatori (*Teatri e libertà*, in *Nuova Antologia*, 16 marzo 1912 cit.), non approvando il decentramento di una funzione che «solo dall'unità dei criteri che la ispirano può acquistare forza e rispetto», osservava: «Essendo per loro natura assai generiche le norme regolanti la revisione teatrale e assai ampio il potere discrezionale dei revisori, può facilmente accadere (e accade tuttora!) che in provincie limitrofe la censura sia variamente e contraddittoriamente applicata; indice non indifferente della mancata unità di politica di un paese».

[196] Per il critico della *Nazione*, Yorick, in Francia la censura prendeva numerosi abbagli, in Inghilterra era «la più spigolista e meticolosa del mondo»; in America, poi, il teatro era soggetto alla «più rigorosa sorveglianza» (*La Nazione*, 14/15 aprile 1872, *Rassegna drammatica*).

perché avrebbe costretto le autorità ad agire anche «contro gli spettatori provocati da disordine»; la censura invece avrebbe dovuto perpetuare la «nobile tradizione del linguaggio onesto e decente», garantire «le istituzioni dei trattenimenti popolari», correggere «la debolezza e la intolleranza, la licenza e la bassa debolezza», senza però proscrivere i modi arditi, salaci, arguti ereditati dalla letteratura drammatica classica e senza pretendere di «togliere dai teatri la politica», quella politica di cui anche il teatro migliore si alimentava. Concludeva Sangalli:

«Nello stato attuale della società la censura è necessaria, ma con questo noi non vogliamo porre un principio assoluto, perché abbiamo fede nel progresso indefinito. Verrà tempo in cui la libertà del popolo educata alla spontanea coscienza del dovere e da una lunga pace, saprà marciare sola senza bisogno di pastoie».[197]

D'altro canto non mancavano critici di diversa bandiera politica – tra essi il moderato D'Arcais – che contestavano addirittura l'utilità della censura. *La Nazione* invece distingueva tra la stampa, che doveva godere di assoluta libertà, e il teatro, a cui a suo avviso non nuoceva il sistema della censura preventiva.[198] Quotidiani della Sinistra come *Il Diritto* e *La Riforma* si esprimevano in linea di principio contro la censura preventiva e per la libera manifestazione del pensiero. Ma, a ben considerare, la loro posizione era più ambigua e contraddittoria, e in definitiva più liberticida, di quanto potesse apparire a prima vista. Ne sono una testimonianza significativa due articoli pubblicati in prima pagina dal *Diritto* nel settembre 1872. La legislazione italiana – si osservava – prevedeva l'applicazione della censura preventiva solo per le produzioni teatrali e per disegni, litografie, incisioni e simili. Le autorità competenti – denunciava il quotidiano – godevano in questi casi di «un potere discrezionale, irresponsabile» e il sistema non solo era in contraddizione con i princìpi di un governo libero, ma era anche «assurdo», quindi andava abolito: esso era stato tollerato fino ad allora perché la censura era stata esercitata «con una moderazione che noi stessi riconosciamo». Fin qui *Il Diritto* sembrava innalzare il vessillo del progresso e della li-

---

[197] *Don Marzio*, 1° dicembre 1867, *I Teatri* cit. Anche per il giurista Valentino Rivalta (in VALENTINO RIVALTA, *Storia e sistema del diritto dei teatri*, Bologna, Zanichelli, 1886, p. 169) la censura era «compatibile con qualsiasi forma più libera di governo»; senza di essa si rischiava il ricorso a misure arbitrarie, quindi, oltre ad essere garanzia d'ordine, una «censura regolare» era anche «mallevadrice sicura degl'interessi degli artisti e delle imprese». Ancora nel 1912, del resto, Ugo E. Imperatori dichiarava: «Ed è innegabile che – se una rigida forma di censura teatrale debba essere ancora preventivamente applicata – essa debba rivolgersi al teatro del popolo, in cui più frequente e più perniciosa esercita l'opera sua deleteria e corruttrice la drammatica *a forti tinte*, la drammatica del *fattaccio*» (*Teatri e libertà*, in *Nuova Antologia*, 16 marzo 1912 cit.).
[198] Secondo il quotidiano fiorentino, l'esperienza consumata in Francia e in Inghilterra aveva al contrario dimostrato l'iniquità e l'inefficacia della censura repressiva (*La Nazione*, 14 settembre 1872, *La censura preventiva nel Teatro*).

bertà. Ma la musica cambiava quando passava ad esprimere le ragioni della «assurdità» della censura preventiva: essa, in effetti, attribuiva la responsabilità di una caricatura oscena e insultante o di una «bricconata» recitata in teatro non ai loro autori, bensì al funzionario che ne avesse permessa la pubblicazione o la rappresentazione, vale a dire allo stesso ministero dell'Interno, costretto ad «avere gli occhi d'Argo» per poi provocare, se troppo severo, «le urla e le imprecazioni di chi è vittima della sua severità», oppure per esporsi, se troppo indulgente, «alle censure di chi si vela la faccia con orrore e grida allo scandalo».[199] Dunque l'assurdità del sistema era attribuita alla sua inopportunità per lo stesso esecutivo, inconveniente che nell'articolo del *Diritto* era a tal punto sviscerato da fare dimenticare al lettore l'assunto originario, cioè la sostanziale "illegittimità" della censura in un regime liberale. Non a caso la soluzione proposta dal quotidiano era tutt'altro che favorevole a chi volesse liberamente manifestare il proprio genio: in pratica si suggeriva di applicare «ricisamente» la massima del «chi rompe paga», in altre parole la legge comune «in materia di responsabilità civile e penale»: insomma una sorta di censura repressiva, che avrebbe seminato il panico dietro le quinte dei palcoscenici piegando autori ed attori alla necessità di una linea di prudente autocensura.[200]

Va comunque osservato che in genere, da parte della stampa d'opposizione, sul tema della censura si tendeva a non drammatizzare, semmai si affilavano le armi dello spirito o del sarcasmo. Aggiungiamo che, sebbene il regime in materia fosse dai più sostanzialmente accettato e ritenuto per così dire un «male necessario», alcune modalità della sua applicazione sollevavano anche le critiche dei più moderati tra i quotidiani politici, per non parlare dei periodici specializzati, che difendevano a priori la categoria degli operatori teatrali.

Fin dall'ottobre 1859, all'indomani della decisione di estendere i compiti di censura dell'Ufficio di revisione teatrale torinese sulle produzioni in attesa di essere rappresentate nelle nuove province, il giornale milanese *Il Pungolo* faceva tempestivamente sentire la propria voce: «Non vogliamo tener calcolo per

[199] Del resto – ammetteva *Il Diritto* (11 settembre 1872, *La censura teatrale*) – il governo non poteva certo applicare la censura con maggiore severità: immediatamente, fra attori e pubblico, si sarebbe ristabilito quel «tacito accordo, in forza del quale un monosillabo, un gesto, uno sguardo basta a mettere in convulsione una moltitudine. Idee e massime che passerebbero inosservate col sistema della libertà, diventerebbero tribunizie col sistema della censura preventiva».

[200] La tesi sostenuta dal *Diritto* è difficilmente equivocabile; in un secondo articolo sul tema della censura preventiva (15 settembre 1872, *La censura teatrale*) essa sarebbe stata ribadita con maggiore convinzione: «È egli da credere che, quando l'autore, il capo-comico o l'attore sappiano che il risultato di un atto o di un discorso osceno sarà il carcere o la multa, si vorranno tuttavia esporre al pericolo di essere condotti sui banchi del tribunale correzionale?». Anzi il quotidiano invitava tutta la stampa a segnalare «alla pubblica severità» un teatro dove si recitassero «cose immorali», in modo che «i padri di famiglia» lo evitassero.

ora delle persone che compongono la censura torinese, né annoverare tutti gli scandali di cui fu causa costante il *personalismo* ambiziosetto e permalosetto del sig. Sabbatini». Così esordiva il quotidiano milanese, rendendo note a chiare lettere la «completa sfiducia» che nutriva nei confronti della «triade censoria che tiranneggia in Piazza Castello» e la drastica disapprovazione della recente disposizione ministeriale, «dannosa agli interessi artistici». Prima, ad eccezione di Torino e Genova, nessun'altra città del Regno subalpino poteva vantare un buon numero di teatri e gli spettacoli si succedevano a larghi intervalli, con quella regolarità e quella lentezza tipiche di una realtà provinciale; ora però – continuava *Il Pungolo* – il nuovo Regno annoverava una piazza teatrale come Milano, ricchissima di teatri, frequentati da un pubblico «esigente, imperioso, che vuol novità, e le impone, e impone mutamenti repentini»; di conseguenza erano indispensabili decisioni tempestive e risultava deleterio qualsiasi elemento che le ostacolasse. Persino la censura austriaca – ricordava il giornale meneghino – era stata spesso costretta a capitolare di fronte a tali circostanze e a rivedere in poche ore novità teatrali in attesa di annuncio. Inoltre non si doveva trascurare l'utilità delle «intelligenze dirette tra l'autore e il censore», che potevano rendere meno dolorose certe «lacerazioni violente» e favorire accomodamenti, ma che erano possibili solo per gli autori e i capocomici della capitale, in quanto sede degli uffici della censura.[201] Ci si doveva attendere dunque inevitabili ritardi: «L'ingombro produrrà confusione, la confusione incertezza, incoerenza di giudizio, e da ciò incessanti recriminazioni». Osservava ancora *Il Pungolo* che difficilmente la censura torinese avrebbe potuto pronunciarsi su quelle allusioni che avevano senso per una realtà locale, dotata di una fisionomia propria e marcata, ricca di pregi ma anche fonte di caricature, come poteva essere quella milanese. Infine concludeva con una proposta: quella di riunire una commissione di autori che formulasse un codice censorio e poi di scegliere in ognuno dei centri principali un «buon impiegato», uomo colto ma non autore, uomo «di criterio», ma non «di polizia o di legge», incaricato di amministrare la censura come i giudici amministravano la giustizia, cioè secondo norme chiare e prestabilite.[202]

[201] *Il Pungolo*, 29 ottobre 1859, *La censura teatrale*.

[202] *Il Pungolo*, 31 ottobre 1859, *La censura teatrale*. L'intervento del *Pungolo* provocò la reazione del giornale *L'Italia*, che vi individuò un «peccato di municipalismo». Replicava *Cosmorama Pittorico*, periodico teatrale milanese, in accordo con *Il Pungolo*: «Rovinerebbe forse l'Italia, sarebbe compromesso l'ordine dello Stato, perderebbe Torino il suo lustro di capitale, l'economia pubblica sarebbe danneggiata, se a Milano del pari che a Torino esistesse un censore teatrale? [...] A noi basta un dabbene impiegato (non un'aquila d'ingegno, non una luna), ma un semplice mortale dotato del senso comune, il quale dalla mattina alla sera provveda ai bisogni urgenti de' nostri teatri, senza fermarsi a meditare due o tre mesi sovra un punto od una virgola, od a cercare congiure, ed allegorie sanguinose in una parentesi» (*Cosmorama Pittorico*, 12 novembre 1859, *Geroglifici*; si veda *ibidem* anche per la citazione dall'*Italia*).

Tuttavia, una volta riformato il sistema di censura e accolte le istanze di un servizio decentrato,[203] non mancarono i detrattori del nuovo regolamento, scandalizzati soprattutto dalla mancanza di uniformità del servizio fornito dalle prefetture, che, come si è accennato, riservavano talora trattamenti diversi ad una medesima opera. Inoltre, a fronte di quanti avrebbero desiderato una censura più mite, vi era chi la accusava di eccessiva indulgenza. Fu D'Arcais a polemizzare ironicamente con la *Gazzetta d'Italia*, la *Gazzetta del Popolo* e *L'Opinione Nazionale*, che avrebbero voluto a suo avviso «sottoporre la povera arte drammatica allo *Knut*» ritenendo che per colpa del teatro la morale fosse in pericolo.[204] Secondo il critico dell'*Opinione*, anche la libertà presentava inconvenienti ed era vero che in teatro non sempre fossero salvi i diritti della morale; ma essi non erano maggiormente rispettati dalla stampa e, ad ogni modo, se si accettava «la libertà come fondamento delle nostre istituzioni politiche», non si doveva bandirla dai palcoscenici: il sistema di revisione teatrale in vigore era per D'Arcais «il migliore che desiderar si possa» e il fatto stesso che fosse affidato alle prefetture dimostrava come nelle intenzioni del governo esso fosse «un affare di semplice polizia preventiva». Il teatro – questa era la verità – rispondeva «alle condizioni del paese»: il repertorio francese stesso non era un modello di moralità, mentre nelle arene imperversavano *Lo scannatore di donne* e *L'infame luganegher*. Più che gli effetti dunque, la stampa avrebbe dovuto combattere le cause profonde del fenomeno – non però con «i fulmini governativi», bensì con una «sana critica», purtroppo tutt'altro che consueta.[205] Insomma, concludeva D'Arcais, una censura unica e arbitra delle sorti del teatro drammatico faceva «rabbrividire».[206]

[203] *La Perseveranza* (4 gennaio 1864, *Appendice. Rassegna drammatico-musicale*), per esempio, plaudì la riforma e definì «ottimo» il provvedimento che attribuiva alle prefetture l'attività censoria: esso eliminava «una centralizzazione piena di disagi e fautrice dei piccoli dispotismi da cui non era esente la censura teatrale di Torino, governata, come ognun sa, da un autore drammatico». *Il Trovatore* (2 gennaio 1864, *Ancora a proposito della censura teatrale*) dal canto suo si compiaceva del fatto che si fosse finalmente deciso di «porre un riparo alle tante soperchierie che commettevano i tre tirannelli della censura».

[204] «Queste tre vestali – così si esprimeva D'Arcais – sono incaricate di mantener vivo il sacro fuoco della morale» (*L'Opinione*, 30 settembre 1867, *Appendice. Rivista drammatico-musicale*).

[205] D'Arcais osservava che erano pochissimi i giornali politici che ospitavano la critica drammatica e «la maggior parte rendono conto di qualche dramma o commedia dei loro amici e poi, caschi il mondo, si stringono nelle spalle. Alcuni hanno tolto ad imprestito il frasario degli infimi giornali teatrali, tanto per avere il *passo*; altri non si curano dei teatri, se non quando vi si tiene qualche *meeting*» (*ibidem*).

[206] «Se i censori fossero amici della *Gazzetta del Popolo* io temerei di essere condannato a non udir altro che le commedie del signor Gherardi del Testa; se il difficile uffizio fosse affidato agli Y.Z. della *Gazzetta d'Italia* mi vedrei continuamente dinanzi agli occhi lo spettro del *Navicellaio del Pignone*, circondato da una serie di traduzioni dal francese *ad usum delphini*; se, finalmente tenesse il mestolo l'*Opinione Nazionale*, tutte le commedie dovrebbero essere tolte dagli amenissimi romanzetti che si leggono nella cronaca di quel giornale»

Il Mondo Artistico, diretto – ricordiamo – dal critico della milanese *Perseveranza* Filippo Filippi, ammetteva che la rappresentazione teatrale esigesse, rispetto alla pubblicazione, cautele e precauzioni speciali e che «allo stato attuale dei nostri costumi» la censura teatrale preventiva fosse «una necessità», tuttavia riteneva ingiustificabile la differenza di trattamento fra teatro e stampa. Nel contempo lamentava che le persone incaricate della revisione teatrale non fossero magistrati, ma «impiegati dell'ordine politico, i quali seguono le viste mutabili e necessariamente *arbitrarie* della *polizia*»: l'arbitrio, in questo caso, era connaturato alla carica stessa. Del resto non era difficile capire quanto «instabili e vari» fossero i giudizi in materia teatrale, una caratteristica che si traduceva, sul piano della prassi, in provvedimenti spesso contraddittori, parziali, iniqui. Se dunque era prematuro pretendere per la scena la «assoluta libertà preventiva», almeno si provvedesse – esortava *Il Mondo Artistico* – affinché la censura venisse regolata da una legge che ne fosse l'unico giudice e, soprattutto, che la sua applicazione fosse affidata all'autorità giudiziaria.[207]

Spesso la stampa denunciava singoli casi di censura ritenuti eccessivi. Tali denunce partivano soprattutto dalle colonne dei giornali dell'opposizione – dal *Secolo* per esempio – o dai periodici teatrali più vicini agli ambienti della democrazia e della scapigliatura, come *L'Arte Drammatica* o *Il Trovatore*, ma non mancarono affatto da parte di giornali vicini alle sfere governative, come *L'Opinione*, *La Perseveranza*, *La Nazione*. *L'Opinione* per esempio parlò di «sentenze bislacche», citando ad esempio e a dimostrazione dell'«alta intelligenza» di qualche revisore i casi di alcuni manoscritti vistati dalla prefettura torinese nei primi mesi del 1864. Si erano cancellate le parole *inclita guarigione* pronunciate da un personaggio innocentemente; ad un «primo amoroso» che dichiarava di voler amare la sua Rosaura *senza limiti*, il revisore aveva fatto declamare: *Vi amo, ma stiamo nei limiti*, «con grande dispiacere della signora Rosaura che avrebbe preferito un amore illimitato»; ad un altro personaggio si era vietato di pronunciare l'espressione *rispetto alla legge*.[208]

In qualche circostanza si registra invece una maggiore prudenza da parte dei giornali filogovernativi nelle critiche alla censura. Fu il caso della commedia di

(*ibidem*). L'Y.Z. a cui alludeva D'Arcais altri non era che il Collodi futuro autore di *Pinocchio*, il quale era intervenuto sulla necessità di istituire una commissione centrale di censura (*Gazzetta d'Italia*, 23 settembre 1867, *La censura teatrale in Italia*).

[207] *Il Mondo Artistico*, 17 ottobre 1869, *La censura teatrale*.

[208] Il responsabile di tali interventi sembrava «parente di quel revisore borbonico che cancellava sempre la parola *eziandio* in forza del secondo comandamento» (*L'Opinione*, 29 agosto 1864, *Appendice. Rivista drammatico-musicale*). Anche *La Nazione* (18 settembre 1861, *Rassegna drammatica*), polemizzando contro i censori fiorentini che avevano soppresso nella famosa opera di Ferrari *La satira e Parini* i versi che si riferivano a Leopoldo I di Lorena come a un «legislatore filosofo e cristiano», si augurava che i liberali non «imitassero i gesuiti» sottoponendo «la severa imparzialità della storia alle passioni politiche del momento!».

Paulo Fambri *Il caporale di settimana*, passato agli onori della cronaca per la censura che aveva subito nel dicembre 1865 a Firenze, quando prefetto del capoluogo toscano, da qualche mese nuova capitale del Regno, era lo zelante Girolamo Cantelli. Parecchi periodici teatrali levarono la propria voce per protestare contro «questo nuovo insulto alla libertà» – come lo definì *Il Trovatore*, denunciando «l'arbitrio e il dispotismo, indegno dei nostri tempi e del regime politico che ci governa».[209] Rappresentata impunemente al Teatro Re di Milano nel febbraio 1866, l'opera di Fambri fece accorrere per molte sere un folto pubblico, grazie, come è probabile, alla pubblicità gratuitamente fornitale dalla prefettura fiorentina. *La Perseveranza*, alla quale tra l'altro Fambri talora collaborava, sulle prime riservò calorose accoglienze alla commedia, «proibita a Firenze con un accanimento indegno delle libertà che ci regolano» e rese «un tributo di lode all'Autorità Amministrativa di Milano» che non aveva posto ostacoli alla recita di un lavoro, a quanto pareva, «ispirato dal più sincero amore dell'Italia e dell'esercito».[210] Nel giro di qualche giorno, però, la posizione del quotidiano della consorteria milanese mutò. Lo stesso direttore Ruggiero Bonghi intervenne con un lungo articolo di analisi e di commento, in cui sostanzialmente stigmatizzò l'opera di Fambri individuandovi un difetto «gravissimo»: l'autore senza dubbio aveva voluto dimostrare come l'esercito italiano fosse un'istituzione forte, gloriosa, animata da disciplina e coraggio, ma di fatto aveva ottenuto un effetto diametralmente opposto; la *vis comica* andava a colpire «precisamente» le «qualità essenziali e costitutive dell'esercito»[211] e lo spirito si

[209] *Il Trovatore*, 29 dicembre 1865, *Siamo in Austria o sotto il Governo di Pio IX?*. Sembra che la commedia di Fambri, come riferiva il periodico milanese, fosse stata vietata ad ora tardissima lo stesso giorno in cui era annunciata la replica: «Tale proibizione non offende solo per la sua brutalità; ma per l'ipocrisia gesuitica colla quale volle la autorità politica celare il proprio operato, affine di sottrarsi alle censure e alla indignazione del pubblico, ordinando, unitamente alla proibizione, che essa venisse dal capocomico motivata dalla finta malattia d'uno de' principali attori». Sembra anche che sulla decisione avesse pesato il parere del generale Agostino Petitti, in quel periodo ministro della guerra (*La Perseveranza*, 21 febbraio 1866, *Notizie varie*). Il veneziano Paulo Fambri, tra l'altro, aveva svolto un'intensa attività nell'esercito italiano dal 1861 al 1864; di lì a poco sarebbe entrato come deputato in Parlamento. Sulla sua figura si veda la voce redatta da Nicola Labanca in *DBI*, vol. XLIX, pp. 510-515.

[210] *La Perseveranza*, 11 febbraio 1866, *Rassegna musicale*.

[211] La commedia, in estrema sintesi, ha come protagonista un giovane emigrato veneto ricco e colto che, arruolatosi nell'esercito italiano per «debito di patriottismo», diventa caporale. Nella medesima compagnia incontra un suo vecchio servitore e un tenente abbietto e invidioso. Il giovane è costretto ad affrontare una serie di occupazioni triviali che lo mettono a disagio, fino a quando, per difendere l'onore di una ragazza, si scontra con il tenente e viene arrestato per mancanza di disciplina. La commedia però si chiude con un lieto fine (questa la trama riferita da *La Perseveranza*, 21 febbraio 1866, *Appendice*; si legga comunque il testo dell'opera di Fambri nell'edizione edita da Sanvito, Milano, 1866). Essa, come si è accennato, era stata tra l'altro una delle opere in gara al concorso drammatico governativo. La Giunta aveva definito quella di Fambri una «mordace censura», «giusta e

pagava a prezzo «di quella considerazione e di quella autorità morale di cui l'esercito italiano dovrebbe sempre venir circondato».[212] Bonghi concludeva:

«Noi crediamo che sia finito il tempo di fare dell'arte per l'arte, soprattutto in fatto di letteratura [...]. L'arte che si serve del proprio lenocinio per seminare un pericolo o preparare una difficoltà di ordine pubblico all'avvenire, non è arte sana, civile».[213]

Questo per quanto attiene alla stampa filogovernativa. I giornali dell'opposizione, dal canto loro, trattavano il tema della censura teatrale con disinvoltura e caustica ironia. *Il Secolo* si trovò spesso a denunciare in spiritosi trafiletti gli interventi censori della prefettura milanese, come quando, nel novembre 1868, essa pose il veto all'esecuzione al Carcano dell'*Inno a Riego* e giunse a proibire alle marionette del San Simone di pronunciare, in *Massimiliano*, un «*Viva alla Repubblica messicana!*»; oppure quando, nel giugno 1869, si impegnò a disinnescare la presunta pericolosità del titolo di una commedia di Riccardo Castelvecchio, *I burattini aristocratici*, ingiungendo la cancellazione del compromettente aggettivo;[214] o, ancora, quando si accanì sul significato della parola *mardocheo* declamata da un brillante al teatro Fossati.[215] Nel gennaio 1874 una ri-

---

vera in gran parte», ma sconveniente in definitiva perché, se era giusto combattere contro le viete consuetudini «irragionevoli e ridicole», era però inopportuno «di tutto il male far satira da teatro»; inoltre il pubblico tendeva a «malignare» ed era facile «condurlo a prendere in dileggio anche le cose più sacre» (si legga la relazione sui risultati del concorso in *Gazzetta Ufficiale del Regno d'Italia*, 9 febbraio 1867).

[212] Per Bonghi il tamburino Batocchio, «giovialone», ciarliero, sempre affamato, poco dignitoso, era «il tipo rappresentante di quella emigrazione popolana, che si spande per le file del nostro esercito», mentre anche un personaggio irreprensibile come quello del capitano finiva per suscitare, con la sua puntigliosa enumerazione dei doveri di un buon soldato, risate «demolitrici»; più di ogni altra risultava pericolosa la figura del tenente, che abusava della sua superiorità gerarchica per umiliare indegnamente un uomo che, benché un suo subordinato, era a lui superiore per doti intellettuali e morali (*La Perseveranza*, 21 febbraio 1866, *Appendice* cit.).

[213] Bonghi era convinto che l'effetto della commedia potesse non risultare «funesto» se essa era recitata su palcoscenici come quelli del Teatro Re, ma una volta entrata nel repertorio dei teatri popolari e degli spettacoli diurni avrebbe suscitato applausi «ingiuriosi alla disciplina militare» (*ibidem*). *L'Opinione*, la *Gazzetta del Popolo* e *La Nazione* (18 dicembre 1865, *La nuova commedia del Fambri*), parlando di «abbaglio grossolano», si pronunciarono contro la sentenza. Cesare Trevisani ebbe parole di lode per Fambri, a suo avviso un autore coraggioso, pronto «per il vantaggio di una delle più importanti istituzioni della nazione, che era alla vigilia di rischiare l'ultima battaglia della sua indipendenza, a metter mano negli inaccessi misteri dell'ordinamento militare» (*Delle condizioni della letteratura drammatica italiana nell'ultimo ventennio* cit., p. 177). Altri particolari sulla vicenda della censura al *Caporale di settimana* si trovano nella prefazione all'edizione del 1866 (cit., pp. 5-16) redatta dallo stesso Fambri, nonché *ivi*, pp. 19-36, negli *Articoli polemico-critici* di Paolo Ferrari tratti dal quotidiano *Il Sole*.

[214] *Il Secolo*, 15 giugno 1869, *Eco dei teatri*.

[215] *Il Secolo*, 19 dicembre 1871, *Eco dei teatri*.

vista di Ulisse Barbieri in programma al Dal Verme di Milano, *Zig Zag*, subì modifiche non irrilevanti: a credere alla cronaca del *Secolo*, il console francese aveva trovato la figura di Napoleone III che scappa sulla scena comunque offensiva anche per il governo repubblicano al potere, per cui Barbieri era stato indotto a sostituire l'imperatore con un brigante e ad eliminare le parodie «della bottiglia del Reno, del fucile ad ago e della marcia imperiale».[216]

Anche la *Gazzetta di Milano* denunciò che «ben rade volte» la censura austriaca era giunta «nei suoi rigori fin là dove oggi arriva la censura del nostro libero governo»: la commedia *I giornalisti*, del giovane Isnardo Sartorio, era stata permessa solo dopo «un processo chirurgico dei più strani» perché non potesse più urtare le «fibre sensibili dei signori del governo». Così l'azione era stata trasferita in Francia, i nomi dei personaggi erano stati mutati, un prefetto era diventato un governatore, l'espressione *fondi segreti* era stata eliminata, come molte scene, tra le quali quella in cui si parlava della questura e della «speditezza abusiva de' suoi modi nell'operare il sequestro dei giornali».[217]

A giudizio del periodico *L'Arte Drammatica*, la riforma del 1864 era stata accolta poco favorevolmente sia dai direttori delle compagnie, sia dagli impiegati delle prefetture destinati a questo «noioso ufficio», che per vendicarsi «cominciarono a far manbassa permettendo e vietando a seconda del capriccio, della noia, delle simpatie o antipatie di persone e d'opinioni, e della più o meno corta intelligenza». Ne erano seguiti molti episodi «piccanti». Il giornale raccontava per esempio quello recente di un bozzetto in versi di Benedetto Prado, *La Madonna di Raffaello*, rappresentato, replicato e assai applaudito al Santa Radegonda di Milano e invece pesantemente mutilato dal censore di Firenze.[218] Una gustosa cronaca da Bologna sulle pagine del *Trovatore* riferiva invece che il prefetto Cesare Bardesono, «cui meglio si adatterebbe la tonaca di San Domenico», aveva proibito, «*non solamente a pago* – queste, sembra, le sue parole – *ma ancora in privato, sotto pena dell'immediato scioglimento dell'Accademia*», una carnascialesca «bizzarria comico-musicale» dal titolo *Antropowagnerelec-*

---

[216] *Il Secolo*, 25 gennaio 1874, *Eco dei teatri*. Fu sempre il quotidiano milanese ad accogliere con parole di fuoco il trasferimento da Milano a Catania, deciso dal ministro Correnti, del professore e autore drammatico Leopoldo Marenco, di cui peraltro si erano occupati parecchi quotidiani milanesi. In Marenco, secondo *Il Secolo*, si era voluto punire soprattutto «l'acclamato e popolare autore di tanti squisiti lavori drammatici» e l'insegnante che aveva manifestato il proprio «disgusto» di fronte al modo in cui era stata condotta un'inchiesta nel Collegio nazionale annesso al liceo Parini (*Il Secolo*, 20 ottobre 1870, *Arbitrii e persecuzioni del Ministro d'Istruzione Pubblica*).

[217] *Gazzetta di Milano*, 18 luglio 1868, *Notizie varie*. Tale quotidiano non aveva mai lesinato critiche agli uffici di censura, anche prima della riorganizzazione del gennaio 1864. Così, a proposito delle spese in bilancio per i teatri, e in particolare delle 17.000 lire circa destinate alla censura, aveva dichiarato: tanto «costa al paese la compagnia censoria Sabbatini e socj, di cui i nostri lettori hanno già potuto apprezzare le prodezze» (*Gazzetta di Milano*, 16 aprile 1863, *Appendice. Rivista settimanale*).

[218] *L'Arte Drammatica*, 4 gennaio 1873, *La censura teatrale in Italia*.

torfiascobia, che l'Accademia filodrammatica bolognese aveva preparato come regalo di fine anno ai suoi soci e per la quale aveva sostenuto ingenti spese: nello scherzo si passavano in rassegna i fatti degni di ricordo degli anni 1871 e 1872, dalla sbornia di un giornalista al pranzo municipale ad un clamoroso processo, dalle mai risolte questioni del macello, del mercato coperto, dell'acquedotto alle recenti e famose battaglie elettorali.[219]

Dal canto suo la *Gazzetta dei Teatri* riferì l'episodio avvenuto a Torino nel gennaio del 1876, quando *Tricoche e Cacolet*, un *vaudeville* in programma al Carignano e sino ad allora impunito, era stato assai poco rispettosamente proibito poco prima dello spettacolo con un annuncio al pubblico già in sala.[220]

La rappresentazione della commedia di Victorien Sardou *Ragabas*, nel settembre del 1872, suscitò clamori e polemiche altrettanto vivaci. A Milano la *prima* al teatro Santa Radegonda si concluse, come raccontò *Il Secolo*, con «cinque o sei arresti, urla, fischi, applausi, quattro o cinque scappellotti, due cartocci con bellissimi gamberi cotti gettati sul palcoscenico».[221] In questo caso il sempre paventato rischio di un turbamento dell'ordine pubblico non doveva aver più di tanto allarmato le autorità e il manoscritto era passato assolutamente indenne all'esame della censura. L'opera sviluppava una tesi che i giornali dell'opposizione ritenevano reazionaria e, comunque, era tale da provocare l'opinione pubblica democratica. Vi si raccontava di un avvocato senza cause, «arruffapopoli per gusto» che dal principe di Monaco, su consiglio della sua amante americana, è nominato governatore e diventa di punto in bianco, da democratico, «assolutista». Al Santa Radegonda – informava il quotidiano radicale – durante il quarto atto le grida del pubblico, «indignato dalle allusioni alla persona di Garibaldi» e «dal contegno degli uomini dell'ordine che applaudivano all'apostasia di Ragabas credendo così di giustificare se stessi», costrinsero gli attori a far calare il sipario. Lo spettacolo riprese più tardi, ma contemporaneamente ripresero le grida e per un quarto d'ora gli attori rimasero sulla scena muti:

«I moderati, rossi in viso, gli occhi fuori, colle mani gonfie pel lungo battere, sembravano i democratici dei teatri diurni quando domandano l'inno di Garibaldi».

Gli agenti della questura a questo punto sospesero lo spettacolo e procedettero anche ad alcuni arresti.

---

[219] *Il Trovatore*, 19 gennaio 1873, *Viva la libertà... che hanno i Prefetti!*. Commentava il redattore: «Minchioni quelli dell'Accademia d'andar a domandare il permesso al Prefetto, per una cosa che dovendosi rappresentare *privatamente*, non aveva bisogno di passar sotto le forche caudine di questi proconsoli tedeschi vestiti da italiani». Il responsabile della censura a Bologna era l'avvocato Ulisse Sartori.

[220] *Gazzetta dei Teatri*, 30 gennaio 1876, *Amenità della Censura Torinese*.

[221] *Il Secolo*, 28 settembre 1872, *Eco dei teatri*.

Il Secolo stroncò l'opera di Sardou, giudicandola «inverosimile» come commedia e «pessima perché scandalosa» come lezione.[222] Anche Felice Cameroni, nel suo commento su *L'Arte Drammatica* definì *Ragabas* «un osceno pamplet [*sic*]», prediletto dai «moderati arrabbiati» e lodato «dagli scrivani al servizio del *martire* di Sedan»: Sardou, sfruttando la «libidine di reazione» che si era impadronita della Francia, aveva fatto «un *buon affare*»; benché la democrazia – proseguiva Cameroni – non potesse riconoscere i suoi sostenitori nelle «caricature» di Sardou, comunque era naturale che rispondesse coi più sonori fischi al «concetto poliziesco» che la sua commedia finiva per sostenere.[223] *Il Diritto* da parte sua denunciò che l'autorità prefettizia, mentre aveva concesso il visto di rappresentazione al lavoro di Sardou, l'aveva poco dopo negato a una commedia che si stava preparando al teatro Quirino, intitolata *Il nuovo Ragabas*, in cui si faceva la caricatura degli «uomini più tristi che vivono sul bilancio dello Stato, e cantano eternamente le lodi del Governo» e si mettevano in ridicolo «le debolezze dei conservatori».[224] I quotidiani moderati in questa circostanza sdrammatizzarono: perché tanto «baccano»? L'arte si stava trasformando in una «arena di lotte politiche».[225]

[222] Se i democratici vi erano raccolti «fra la feccia del popolo», i moderati erano rappresentati come «intriganti, ingannatori, finti», le monarchie da «un principe stupido» e l'autorità da «ministri ignoranti, e tutti ossequienti non alla giustizia, ma a chi li paga» (*ibidem*). A leggere l'opera di Sardou, non c'è da dare torto alle accuse della stampa democratica (Victorien Sardou, *Ragabas*, Milano, Treves, 1912). Esse, tuttavia, vennero contestate anche dal *Diritto* (19 settembre 1872, *Ragabas*), che, giudicando bella e originale la fatica di Sardou, ebbe parole di rimprovero nei confronti dei «nostri più ardenti e intolleranti amici della democrazia». Per la cronaca della serata si veda anche *L'Arte Drammatica*, 28 settembre 1872, *Ultime notizie*, in cui si riferiva che il teatro era affollatissimo e che mezz'ora prima dell'inizio dello spettacolo la vendita dei biglietti era stata sospesa «per la gran calca». Sulle reazioni alla messinscena di *Ragabas* a Firenze e a Roma si sofferma Sergio Camerani, *Firenze dopo porta Pia*, Firenze, Leo S. Olschki, 1977, pp. 88-90.

[223] *L'Arte Drammatica*, 5 ottobre 1872, *Il borderau di Santa Radegonda*. L'agenzia del settimanale si affrettò quindi ad acquistare e a rappresentare, sempre al Santa Radegonda, il dramma di Robert Halt *Madame Frainex*, che in Francia era stato censurato; l'autore era «quello che ha raccolto e pubblicato le carte segrete delle Tuileries» rivelando la corruzione del «sedicente partito dell'ordine»; il suo lavoro era risultato «troppo morale per un paese dove si replica 200 volte *Ragabas*» e assolutamente indigesto per gli «antichi cagnotti dell'Impero, che ora han voltato casacca» (*L'Arte Drammatica*, 9 novembre 1872, *Valigia delle Indie*; si veda anche *L'Arte Drammatica*, 30 novembre 1872, *La letteratura drammatica al Teatro Santa Radegonda*).

[224] Commentò il quotidiano: «Questa puerile differenza di peso e di misura mostra poco tatto di governo e pochissimo rispetto alla libertà» (*Il Diritto*, 24 settembre 1872, *Cronaca di Roma*). Come si è detto, *Ragabas* accolse anche consensi. *Frusta Teatrale* (30 settembre 1872, *Rivista della decade*) definì il prodotto di Sardou un «lavoro d'occasione» perfettamente riuscito come satira politica e ne apprezzò la *verve* satirica, «mordace, efficace, fulminea», volta a «colpire gli avventurieri politici, i politicanti per mestiere».

[225] *La Nazione*, 30 settembre 1872, *Rassegna drammatica*. Si veda anche *L'Opinione*, 18 settembre e 23 settembre 1872, *Appendice. Rivista drammatico-musicale*.

Un altro caso assai discusso in quegli anni fu quello di un dramma di Felice Govean – tra i fondatori e per molti anni direttore della torinese *Gazzetta del Popolo* – intitolato *Gesù Cristo*, contro il quale scagliarono veementi accuse sia *Il Rinnovamento* di Venezia, sia *Il Veneto cattolico*, prendendosela anche con la prefettura che aveva concesso il visto a patto che si mutasse il titolo in *Il Redentore*. Govean aveva risposto con una lettera al *Secolo* dai toni altrettanto accesi: a suo avviso, la prefettura, «vedendo ogni pagina del manoscritto accompagnata da note», non aveva creduto opportuno proibire «la esposizione di quell'Evangelo che tutti i giorni è falsato dai continuatori di Caifa».[226] Per il lavoro di Govean però le cose si misero male. Riferì *L'Arte Drammatica*: «[...] pur troppo i clericali hanno (per il momento) vinto» e «*Gesù Cristo* non vedrà, in questo Carnevale, la ribalta del teatro della Commedia. Ed il perché? MA...!!!».[227] Del caso si occuparono molti quotidiani e alcuni periodici teatrali. *L'Arte Drammatica* scrisse:

«[...] gli ultra-moderati ed i clericali per elogiare il regio *veto* [...]; i moderati in buona fede per deplorare il ridicolo bigottismo del gabinetto attuale; i repubblicani per ischernire il governo sabaudo, che cerca la propria forza nel questurino e nel prete, mendicando perdono all'altare, il naturale alleato del trono contro gli empi ed i faziosi».[228]

Da parte sua il critico della *Nazione* liquidò *Gesù Cristo*, giudicando l'opera esclusivamente da un punto di vista artistico e definendola piena di difetti; al suo autore un capriccio della censura aveva reso «un enorme servizio», dando al lavoro «il sapore del frutto proibito» e impedendo che fosse immediatamente fischiato e dimenticato.[229]

[226] *Il Secolo*, 21 gennaio 1873, *Eco dei Teatri*.
[227] *L'Arte Drammatica*, 8 febbraio 1873, *Notiziario*.
[228] Il motivo della «sfuriata» di Filippi contro Govean sulle colonne della *Perseveranza* era, secondo Cameroni, facilmente intuibile: «Quanto il Filippi fu esagerato nella apologia della tragedia di corte *Arduino d'Ivrea*, altrettanto volle eccedere in censure contro il *Gesù Cristo*. Si direbbe che nel Morelli elogi il fedelissimo suddito di Casa Savoia, e combatta sì accanitamente il Govean, in omaggio alle eccelse disposizioni delle autorità al servizio del nostro augusto sovrano». Il critico teatrale milanese nel suo lungo articolo recensiva ampiamente l'opera di Govean definendola infine «un lavoro *manqué*» e così concludeva: «Zelantissimi partigiani della Santa Madre Chiesa, sudditi del Quirinale, pecore del Vaticano calmate i vostri scrupoli! Non sarà il *Cristo* di Govean quello che disturberà i *vostri affari* con dottrine sovversive all'attuale ordine di cose politico e religioso» (*L'Arte Drammatica*, 22 marzo 1873, *Libri e teatri*).
[229] *La Nazione*, 14/15 aprile 1873, *Rassegna drammatica* cit. Su Govean si consulti *DRN*, vol. III, *ad vocem*. Egli, tra l'altro, già sotto il governo sabaudo aveva visto censurate alcune sue opere, come *L'assedio di Alessandria* e *I valdesi* (sulla vicenda si sofferma Luigi Collino, *Felice Govean autore drammatico e la censura*, in *Il Risorgimento italiano*, vol. XIX [1926], fasc. IV, pp. 553 sgg.).

6. Dopo Porta Pia

Un momento di tensione politica eccezionale, quella suscitata dalla risoluzione della questione romana con la presa di Porta Pia e la successiva legge delle guarentigie, riaccese il dibattito sulla censura. In genere i commenti della stampa si volsero a deprecare l'eccessiva prudenza e il conseguente rigore che guidarono gli uffici delle prefetture in quel frangente. Fu per esempio proibita, a Milano, l'opera *Roma* di Amintore Galli con un lapidario «non si permette finché è ardente la questione romana». La rivista *L'Euterpe* protestò: il libretto non conteneva «espressioni piccanti contro la religione di Cristo o contro il Vaticano», anzi si chiudeva con la riconciliazione tra il Papa in Vaticano e il Re in Campidoglio, quindi il veto non era stato ispirato che «dalla tenera devozione che il nostro Governo nutre per i Torquemada e per la benemerita compagnia che osa sacrilegamente intitolarsi di Gesù».[230]

Intanto già dal dicembre 1870 molti quotidiani avevano denunciato che a Roma la censura infieriva più che altrove e che l'antica censura pontificia sopravviveva alla caduta del potere temporale.[231] Ma le polemiche si scatenarono ancor più negli anni immediatamente successivi. A sollevarle contribuì un intervento di D'Arcais sulle pagine di un giornale filogovernativo come *L'Opinione*. Egli premetteva di non aver mai nutrito grande fiducia nell'efficacia della censura preventiva, rammentando che le opere più oscene e più immorali erano venute alla luce in Francia mentre la censura esercitava il proprio compito con il massimo rigore; tuttavia la questione era «molto seria» e numerose ragioni potevano essere addotte pro o contro, quindi era meglio accettare l'attuale regime in materia. Eppure, a detta di D'Arcais, quello che stava accadendo a Roma era «qualcosa di strano e d'inaudito»: il critico ricordava i casi di un dramma di Cossa, *I monaldeschi*, e dell'opera di Halévy *L'ebrea*, sui quali la censura era intervenuta a suo avviso in modo assolutamente discutibile.[232] Era assurdo pretendere che i teatri di Roma fossero «stretti da codeste pastoie», mentre nel resto del Regno «l'arte ed il teatro avevano infranto da più di dieci anni questi

---

[230] *L'Euterpe*, 9 dicembre 1870, *Arte e Politica!*
[231] Si veda per esempio *L'Opinione*, 17 ottobre 1870, *Appendice. Rivista drammatico-musicale,* in cui D'Arcais citava i casi del *Don Sebastiano*, nel quale agli inquisitori erano stati sostituiti i giudici, e di *Fernanda*, di Sardou, vietata con l'accusa di immoralità, e concludeva: «Questi inconvenienti cesseranno col tempo ma è strano che siano accaduti e faccio voti anch'io affinché la schiavitù dei teatri di Roma non sia uno degli articoli del trattato di conciliazione col Papa e l'arte non abbia la sua città leonina».
[232] Pietro Cossa era l'autore dell'applauditissimo *Nerone*; la sua nuova opera doveva essere rappresentata al teatro Valle, ma la censura non permise la prevista entrata in scena del cardinale Mazarino. Quanto all'opera di Halévy, anch'essa fu in pericolo per il medesimo motivo (*L'Opinione*, 2 ottobre 1871, *Appendice. Rivista drammatico-musicale*) e fu permessa a condizione che il cardinale non si prostrasse davanti ad un israelita e che nella processione non comparissero gli incensieri.

vincoli», tanto più che tutti ricordavano come la censura pontificia fosse caduta nel ridicolo ogniqualvolta aveva voluto «impedire le oneste manifestazioni dell'arte», in genere con effetti opposti a quelli auspicati.[233] D'Arcais concludeva appellandosi ai redattori politici, convinto che tutta la stampa liberale si sarebbe mostrata «unita e concorde».

Nel gennaio 1872 *L'Opinione*[234] tornò a denunciare il diverso trattamento riservato ai teatri romani rispetto al resto della penisola, raccontando che al *Boccaccio* di Parmenio Bettoli, rappresentato dal 1864 in quasi tutti i teatri italiani, si erano fatte subire «le più strane mutilazioni *ad usum* del teatro Argentina»; inoltre a Tommaso Salvini era stata impedita addirittura la rappresentazione del celebre *Arduino d'Ivrea*, lavoro applaudito, lodato e persino premiato al concorso governativo: vi erano narrate le antiche lotte fra il potere temporale e l'autorità ecclesiastica, è vero, ma si trattava dei fatti della storia e, «se volete togliere dalla scena i cardinali, i vescovi, i preti, i frati, le lotte religiose, non vi è più dramma storico possibile in Italia».

Alla moderata *Opinione* facevano eco *La Riforma*[235] e *Il Secolo*. Il quotidiano milanese affermava di non meravigliarsi di quanto accadeva a Roma, visto che al governo si trovavano «quei grandi piccoli uomini che sono i Lanza, i Sella e compagnia»; non solo sulle rappresentazioni teatrali – aggiungeva *Il Secolo* – si esercitava una «censura arbitraria, che è in contraddizione con tutte le leggi esistenti», poiché anche i dispacci politici che i privati inviavano dall'Ufficio telegrafico di Roma alle altre città subivano mutilazioni.[236] A sua volta *Il Trova-*

---

[233] «È la vecchia storia del frutto proibito e dell'Indice. – ammoniva D'Arcais – Si persuada la censura teatrale, che tutti i suoi sforzi torneranno inutili» (*ibidem*). Come aveva affermato Cesare Trevisani (nel suo studio *Delle condizioni della letteratura drammatica italiana nell'ultimo ventennio* cit., p. 46), le difficoltà che nel periodo preunitario incontrava chi scriveva per il teatro si moltiplicavano per gli autori che lavoravano nello Stato pontificio, dove la censura, «scavalcato l'ultimo confine della intolleranza», «vi si era resa ridicola: l'argomento, la parola, l'allegoria, la più piccola allusione era soggetto al più minuzioso scrutinio, e inesorabilmente respinta quella produzione che smascherasse dalla favola una più ardita deduzione morale». Sulla censura nello Stato pontificio si leggano nel volume *La musica a Roma attraverso le fonti d'archivio*, a cura di BIANCA MARIA ANTOLINI, ARNALDO MORELLI, VERA VITA SPAGNUOLO, Roma, Libreria musicale italiana, 1994, i contributi di RENATA CATALDI, *La censura sugli spettacoli nella Roma pontificia dell'Ottocento*, pp. 299-320, e di ELVIRA GRANTALIANO, *La censura nella Roma pontificia dell'Ottocento: tipologie ed esempi*, pp. 321-335.

[234] *L'Opinione*, 9 gennaio 1872, *La censura teatrale*. L'articolo fu pubblicato anche da *La Perseveranza*, 11 gennaio 1872, *La censura teatrale a Roma*. Si veda anche *L'Opinione*, 15 gennaio 1872, *Appendice. Rivista drammatico-musicale*, che sollecitava un'interpellanza parlamentare sulla censura teatrale. L'articolo di D'Arcais fu riprodotto da *Il Trovatore*, che ribadì: «È l'*eterna* canzone della censura inquisitoriale dell'*eterna* città. *Il Trovatore* ad onore e gloria del Governo Italiano ripicchia l'*eterno* chiodo» (*Il Trovatore*, 12 ottobre 1871, *Appendice. La censura teatrale nella capitale d'Italia, ovvero Due pesi e due misure*).

[235] *La Riforma*, 9 gennaio 1872, *Rivista artistica*, e 12 gennaio 1872, *Il Ministero e la censura teatrale*.

[236] *Il Secolo* (11 gennaio 1872, *La censura teatrale e telegrafica a Roma*) denunciava alcuni episodi che avevano coinvolto il corrispondente romano del quotidiano radicale mila-

tore di Milano, a proposito della censura del nuovo dramma di Paolo Giacometti, *Michelangelo Buonarroti*, in cui compariva Giulio II, denunciava: «Ciò che si può fare a Parabiago non si può far a Roma» – «tutto per quel caro Papa, che sputa tutti i dì sul muso del Governo, e cospira e impreca contro l'Italia».[237]

In effetti la gerarchia ecclesiastica non aveva esitato a manifestare apertamente il proprio disappunto nei confronti degli spettacoli dati nei teatri della capitale. Nel settembre 1872, sulle pagine dell'*Osservatore Romano* comparve una lettera del cardinale vicario Patrizi al ministro dell'Interno Lanza, nella quale il cardinale si lamentava delle opere rappresentate nei teatri di Roma;[238] seguiva la risposta di Lanza, che respingeva l'accusa, sostenendo che non vi fosse in Europa un altro «paese civile» che adoperasse «maggiore severità nella censura teatrale», tanto che molte produzioni, permesse in Francia e in Belgio, in Italia, «e massime in Roma», erano proibite. Lanza proseguiva quindi ammettendo che alcune opere fossero «riprovevoli sì dal lato della castigatezza sì dal lato della convenienza del luogo e delle persone», ma faceva osservare che era pressoché impossibile evitare «ogni abuso, qualsiasi allusione indecente, o meno riguardosa, senza provocare nella stampa scandali maggiori». Le «istituzioni libere» – concludeva Lanza – comportavano vantaggi e inconvenienti, per esempio la libertà poteva degenerare in licenza, tuttavia l'esperienza del passato aveva abbondantemente dimostrato che «la censura la più assoluta, e la proibizione più arbitraria» contro pubblicazioni e rappresentazioni «non valsero punto a proteggere la morale e la religione, a correggere i costumi, ad estirpare gli errori»; «migliore e più sicuro rimedio» era quello di «combatterli dove si manifestano», perché «il vero e l'onesto» dovevano «prevalere e trionfare anche in questo mondo».[239]

La lettera di Lanza fu prontamente criticata dal *Secolo*, che vi individuava «la bassezza a cui sono ridotti questi nostri uomini di Stato che ci reggono».[240]

---

nese e concludeva: «È così che alcuni funzionari, sotto il felicissimo regno dei signori Lanza e Sella, interpretano le leggi di un libero paese».

[237] *Il Trovatore*, 9 marzo 1872, *Nuovi fasti della Censura... del Papa!*

[238] Il cardinale parlava di un trionfo «della immoralità e dell'irreligione», che avrebbe turbato «i pii e religiosi Romani», reclamava «contro l'empietà, la spudoratezza, ed il più ributtante cinismo di cui riboccano pressoché tutte le produzioni che si eseguiscono ora sopra i teatri di Roma» e deplorava «sconcerti sì abominevoli», chiedendosi: «il Governo crede poterli tollerare ovvero manca della forza di reprimerli? La prima ipotesi gli farebbe troppo torto, e non vorrei supporla: nella seconda mostrerebbe una debolezza troppo umiliante per qualunque autorità» (*L'Osservatore Romano*, 8 settembre 1872, *Rivista Politica settimanale*; si veda anche *La Nazione*, 9 settembre 1872, *Il cardinal Patrizi e il ministro Lanza*).

[239] *Ibidem* e *Il Secolo*, 9 settembre 1872, *Le produzioni teatrali in Roma*.

[240] Secondo il corrispondente romano del quotidiano milanese, «ad essere giusti bisogna confessare che sua Eminenza non ha tutti i torti», ma doveva rivolgersi al governo «con modi di buon cittadino, e non parlare da principe» (*Il Secolo*, 9 settembre 1872, *Lettere*

Il quotidiano qualche giorno dopo denunciava altresì che la lettera del cardinal vicario era stata accolta «con compiacenza» dai responsabili della censura teatrale di Roma, «zelanti impiegati governativi», per cui si era tornati «ai più bei tempi del paterno regime», senza peraltro la garanzia, almeno, di imparzialità.[241] Per *La Nazione* il cardinal vicario aveva esagerato nelle accuse e non si era astenuto da quel linguaggio «sguaiato» usato «incorreggibilmente dalla Curia Romana»; dal canto suo Lanza si era «difeso male» e poco opportunamente aveva giustificato la «soverchia correttezza» della censura con la paura di scandali da parte della stampa.[242]

Questo per quanto riguarda le opinioni dei giornali. Ma anche interrogando i documenti ufficiali, quantunque non siano stati reperiti quelli relativi ai casi denunciati, emerge con sufficiente chiarezza la preoccupazione che contrassegnò, anche negli anni successivi alla presa di Roma, il lavoro dell'ufficio di censura prefettizio della capitale: i timori, così come la giustificazione di eventuali interventi censori, erano ancora una volta legati all'imprescindibile imperativo della tutela dell'ordine pubblico.[243] Lo stesso ministero dell'Interno, del resto, nel marzo 1872 aveva interdetto l'uso delle maschere durante il Carnevale perché temeva, appunto, «mascherate sconvenienti».[244]

---

romane). A proposito di proteste del Vaticano, *L'Arte Drammatica* ancora nel 1873 riportava le parole pronunciate nella sua ultima allocuzione dal pontefice, che aveva lanciato anatemi contro il profluvio di «spettacoli anticristiani», in occasione di una rappresentazione al teatro Quirino sulla presa di Roma (*L'Arte Drammatica*, 11 ottobre 1873, *Notiziario*).

[241] Il corrispondente del *Secolo* – puntualizziamo – non entrava nel merito dell'ardua questione dell'opportunità o meno della censura preventiva, soprattutto, come egli stesso sottolineava, nel caso di opere che, «oltre a essere vere sconcezze letterarie», potevano «eccitare delle suscettibilità religiose», oppure falsavano la storia, oppure non possedevano «il pregio della più castigata morale», ma disapprovava lo zelo eccessivo e la compiacenza riservata dal governo alle gerarchie ecclesiastiche (*Il Secolo*, 18 settembre 1872, *Lettere romane*).

[242] L'articolo non è firmato, ma il suo autore è con ogni probabilità Celestino Bianchi. Vi si riportavano ampi stralci della già menzionata circolare di Ricasoli del 1° febbraio 1860 e si auspicava da parte dei censori «più rettitudine di criteri» e «più coraggio», da parte del pubblico e degli autori una seria collaborazione (*La Nazione*, 10 settembre 1872, *La censura teatrale*).

[243] A tale proposito si veda *L'Opinione*, 26 agosto 1871, *L'ordine pubblico*.

[244] ASR, *Prefettura. Gabinetto*, b. 44, il ministro dell'Interno al prefetto di Roma. L'anno successivo, per interessamento del sindaco e previo parere favorevole del questore e del prefetto, che ritenevano «venute meno le ragioni» del divieto, fu concesso l'uso delle maschere nel ballo all'Apollo, ma ancora vietato «per le pubbliche vie e le piazze, con che sarebbe allontanata la possibilità di temuti attriti o disordini» (*ivi*, il prefetto di Roma al ministro dell'Interno, 12 marzo 1873). A proposito del clima di particolare tensione a Roma dopo il 20 settembre e dei riflessi sull'ordine pubblico nella città si legga CARLO M. FIORENTINO, *Chiesa e Stato a Roma negli anni della Destra storica. 1870-1876*, Roma, Istituto per la Storia del Risorgimento italiano, 1996, p. 106 sgg.; anche sulla questione delle rappresentazioni teatrali di stampo anticlericale e la polemica tra il cardinal Patrizi e Lanza si veda *ivi*, pp. 190-191.

Un fitto carteggio tra la prefettura e la questura riguardò il dramma *Il Pontificato e la morte di Sisto V*, di Paolo Ciampini, vietato nell'agosto del 1872: la storia si svolgeva durante il pontificato di Sisto V e ben due atti erano ambientati nel palazzo Vaticano e nelle stanze pontificie.[245] L'autore però aveva presentato ricorso: la sua opera era stata proibita perché «non era stata fino ad allora permessa alcuna azione drammatica ove fossero messi i Pontefici sulla scena»: come spiegarsi allora il fatto che potesse invece essere liberamente rappresentata, sul palcoscenico del teatro Argentina, un'opera come *Marozia*, di Raffaello Giovagnoli, in cui «si veggono due Papi, uno *strangolato* al primo atto, l'altro che muore al terzo di una tisi a causa *d'amore*»? Ciampini faceva osservare inoltre che nel suo dramma il papa era ritratto come colui il quale aveva lottato contro il feudalesimo e lo strapotere dei nobili che seminavano la discordia civile e concludeva:

«La severità che informò tutti gli atti del Pontificato di Sisto V è esempio salutare in un'epoca in cui il popolo sente predicare ogni giorno la insubordinazione alla legge, ed il disprezzo dell'autorità, e perciò la rappresentazione di questo dramma gioverebbe anziché nuocere alla pubblica morale».[246]

Nonostante queste assicurazioni, il divieto del dramma fu confermato: non tanto per «ragioni assolute», quanto perché la messinscena della corte papale, dei cardinali con i loro costumi, degli intrighi che portavano all'avvelenamento di Sisto V rendevano l'opera inopportuna «per considerazioni speciali relativamente ai tempi ed al luogo».[247]

Anche l'opera *Scene storiche di Napoleone III*, definita dal questore di Roma una «insipida riproduzione» di alcune fra le principali fasi della vita dell'imperatore francese e tuttosommato innocua, nonostante la presenza di personaggi «che presero parte al Regno d'Italia»,[248] fu invece diversamente valutata dal prefetto. Egli riteneva che «le scene che specialmente riguardano l'occupazione di Roma durante l'Impero» avrebbero potuto dar luogo a manifestazioni inopportune;[249] inoltre l'opera non aveva alcun valore né letterario né drammatico,

[245] ASR, *Prefettura. Gabinetto*, b. 44, il questore di Roma al prefetto, 17 giugno 1873.

[246] *Ivi*, ricorso di Paolo Ciampini, s.d.

[247] Il lavoro di Giovagnoli, a cui si era riferito Ciampini, secondo il questore non presentava motivi di censura, perché i due papi erano personaggi «accessori» e l'azione si svolgeva in epoca remotissima (*ivi*, il questore di Roma al prefetto, 14 giugno 1873). Il prefetto, come attestano le sue lettere al questore (datate 16 giugno 1873 e 19 giugno 1873, si trovano *ivi*), apprezzò e approvò tali osservazioni.

[248] *Ivi*, il questore di Roma al prefetto, 31 gennaio 1873.

[249] Il rischio di disordini non riguardava la sola città, ma anche la provincia. Così, a proposito delle parziali censure imposte ai drammi *Beatrice Cenci* e *I misteri dell'Inquisizione di Spagna*, il sottoprefetto di Civitavecchia (*ivi* la sua lettera al prefetto di Roma, 4 luglio 1873) osservava: «Tali variazioni riflettevano certi passi che trattando troppo vivamen-

«per cui la disapprovazione del lavoro potrebbe confondersi con questa del concetto politico».[250] Tuttavia il prefetto chiese il parere del ministro dell'Interno Lanza, che ribadì le competenze e le facoltà delle autorità locali in materia: il ministero si limitava ad intervenire solo in caso di ricorso; nondimeno, in merito al dramma in oggetto, Lanza non esitò a dichiarare di condividere pienamente il punto di vista del prefetto.[251]

Un uguale destino attendeva il dramma *Il curato di Santa Cruz*, per il questore «un aborto drammatico» che non poteva offendere che il curato di Santa Cruz: egli proponeva quindi la sola modifica della conclusione, nella quale si individuava «un'offesa alla Francia».[252] Senonché, esaminato il lavoro, il prefetto fece osservare che il dramma aveva per sfondo «le lotte ond'è presentemente travagliata la Spagna» e non era bene mettere in scena «fatti così gravi e miserevoli e di tutta attualità». A prescindere da questo particolare, era comunque evidente che la figura e il carattere del protagonista troppo si prestavano «a manifestazioni e disordini che l'Autorità è in obbligo di prevenire», per cui il dramma doveva essere proibito.[253]

Le tensioni ad ogni modo erano destinate a placarsi. Nel gennaio del 1875 neppure il prefetto di Roma si oppose alla rappresentazione di un'opera come *Giuliano l'Apostata* di Cossa, benché non vi mancassero «dispute religiose fra sacerdoti di varie credenze» e vi venisse «spesso criticata la religione cristiana».[254] Si affacciarono in compenso altri motivi di preoccupazione: fu proibita la commedia *Gina* di G. A. Alagna, «potendosi ravvisare troppo spinte, e quindi pericolose le teorie socialiste» sottese,[255] e identica sorte subì il dramma di Ulisse Barbieri *Gli insorti dell'Erzegovina*, perché trattava di fatti contempo-

te materie attinenti, in certo modo alla religione, avrebbero potuto provocare richiami disordinati da parte del pubblico, sia in senso di approvazione, sia di disapprovazione».

[250] *Ivi*, il prefetto di Roma al ministro dell'Interno, 3 febbraio 1873.

[251] *Ivi*, il ministro dell'Interno al prefetto di Roma, 4 febbraio 1873.

[252] *Ivi*, il questore di Roma al prefetto, 26 luglio 1873.

[253] *Ivi*, il prefetto di Roma al questore, 30 luglio 1873.

[254] *Ivi*, b. 92, *Censura teatrale*, il questore di Roma al prefetto, 21 gennaio 1875; il prefetto al questore, 29 gennaio 1875.

[255] *Ivi*, b. 44, il questore di Roma al prefetto, 19 ottobre 1873; il prefetto al questore, 19 ottobre 1873. Alagna ricorse al ministero (*ivi*, il ministro dell'Interno al prefetto di Roma, 25 ottobre 1873) e il prefetto fu costretto a fornire maggiori ragguagli: la commedia cercava di dimostrare «che nelle offese conjugali considerando le circostanze speciali che agevolano talvolta le insidie della seduzione e conseguentemente attenuano la colpa, la più nobile vendetta è il perdono»; inoltre essa entrava nel merito della «questione politico sociale» e proclamava «la disparità degli averi come origine prima dei mali che pesano sull'umanità», sostenendo che «tutti hanno diritto a vivere *sul patrimonio nazionale*» e che era necessaria «una sola imposta progressiva» (*ivi*, il prefetto di Roma al ministro dell'Interno, 26 ottobre 1873). Il ministro convenne sulla «inammissibilità della rappresentazione pubblica della commedia» sia per qualche scena poco conveniente, sia per i «princìpi socialisti esposti qua e là» (*ivi*, il ministro dell'Interno al prefetto di Roma, 31 ottobre 1873).

ranei e poteva «offendere la suscettibilità di un governo estero».[256] Indubbiamente, tuttavia, le tensioni politiche che il paese aveva vissuto nel primo decennio postunitario andavano stemperandosi. Osservava Yorick in un articolo del maggio 1874: «Oggidì anche la politica d'opposizione sdrucciola sul palcoscenico pestando la buccia di fico dell'indifferenza universale»; e questo perché «la libertà ha riportato in piazza l'agitazione che si era poco prima rifugiata in teatro» e aveva restituito alla stampa «l'autorità usurpata altra volta dalla commedia».[257]

Così, negli anni seguenti, occasioni di polemica e di denuncia si riproposero periodicamente sui quotidiani della penisola, ma i toni si fecero più pacati. Ancora Yorick, confrontando il sistema di censura italiano con quello vigente in altre nazioni europee, giunse a dichiararsi orgoglioso di vivere in un paese «che precede gli altri sulla via del progresso» e che in materia di rappresentazioni teatrali si trovava «sotto il regime più largo, più giusto, più liberale che sia in tutta Europa».[258] La censura teatrale italiana, più che minare la libertà degli autori, contribuiva a farne pubblicità: bastava che un'opera subisse tagli o veti per solleticare la curiosità del pubblico, quando avrebbe potuto passare inosservata. La censura in Italia era «inutile spesso, impicciosa sempre, qualche volta bizzosa e ignorante», ma sostanzialmente «impotente a nuocere». Non vi era esempio di un lavoro eccellente condannato dalla censura, né di un buon attore esiliato dalle scene «per decreto d'un tiranno armato di penna e calamaio»: insomma, l'elenco dei «misfatti» della censura – concludeva Yorick – si riduceva a «una serie, corta ma indimenticabile, di risibilissimi equivoci, di spropositi esilaranti, di fanciullaggini grottesche».[259]

7. Teatro e "morale"

Come più volte si è avuto modo di osservare, la teoria che il teatro fosse un efficace veicolo di trasmissione di valori, di modelli, di comportamenti, in grado di influenzare e persuadere, era assai diffusa e ricorrente nella letteratura e nella pubblicistica del tempo.[260] Inoltre in molti uomini politici, uomini di lettere, funzionari e impiegati dell'amministrazione erano radicate una mentalità

[256] *Ivi*, b. 92, il questore di Roma al prefetto, 16 settembre 1875.
[257] *La Nazione*, 25 maggio 1874, *Rassegna drammatica* cit.
[258] *La Nazione*, 8 dicembre 1879, *Rassegna drammatica*.
[259] *La Nazione*, 8 agosto 1881, *Rassegna drammatica*.
[260] Per citare le parole di un redattore di *Don Marzio* (31 dicembre 1868, *L'arte drammatica e Leopoldo Marenco*) al teatro «è concesso tanto ascendente sull'animo e sul cuore delle masse, composte pure di dottrinati e di idioti, come che disponga dei mezzi potenti delle passioni in atto per estrinsecare il concetto; ed è naturale: l'animo umano è per tendenza più proclive all'imitazione».

elitaria e paternalistica e una confusa visione del «popolo» come insieme di individui ingenui, facilmente condizionabili, preda di qualsivoglia suggestione. Ne derivava la convinzione che il teatro avesse la facoltà di esercitare una duplice e opposta funzione: quella perniciosa e funesta di corrompere il pubblico e quella positiva, edificante, di istruirlo ed educarlo. Si trattava di un vero *leitmotiv*, a proposito del quale si potrebbero riportare molteplici testimonianze. Basterebbe la lettura di alcuni passi dello studio di Gerolamo Boccardo *Feste, giuochi e spettacoli*[261] o di *Bellezza e civiltà* di Tommaseo,[262] delle circolari di Ricasoli governatore della Toscana o presidente del Consiglio, delle revisioni vergate dai censori, delle relazioni scritte in occasione dei concorsi teatrali. Ed è erroneo sostenere che la fede nella missione educativa del teatro fosse prerogativa degli ambienti moderati. Anche per Mazzini la musica e il teatro musicale avrebbero dovuto esplicare una funzione pedagogica[263] e, se sulle pagine del *Secolo* è possibile imbattersi in molti riferimenti a quello che, secondo le «idee riformatrici» del quotidiano radicale, doveva essere il compito dei teatri popolari,[264] su quelle della *Riforma* si possono leggere gli appelli del critico Giacomo Trouvé Castellani a sostegno di un'arte il più possibile vicina al «vero», oppure le sentenze di Luigi Fontana o Ercole Rossi sul teatro come «faro», «scuola», «scudo».[265]

Non sempre, tuttavia, si può parlare di una vera e propria tesi, elaborata e sostenuta con lucidità e consapevolezza. In molti casi si ha l'impressione che il principio del «castigare dilettando» fosse più che altro un luogo comune, una formula di rito, un argomento retorico, spesi senza distinzione da moderati,

---

[261] L'autore vi condannava «l'arte per l'arte», propugnando «l'arte per il bene», denunciava il danno perpetrato dalle farse e dai drammi sentimentali, colmi di vizi, adulteri, suicidi, certo che «i vizii morali» siano «ad un tempo e necessariamente vizii sociali», e si scagliava contro il teatro «socialista», «palestra di invettive», «tribuna per le discordie politiche», «preludio alle barricate ed alle rivoluzioni», indicando l'obiettivo di «ricondurre la scena agli antichi ed onesti intenti morali e civili» (GEROLAMO BOCCARDO, *Feste, giuochi e spettacoli*, Genova, Tip. del R. Istituto Sordomuti, 1874 [5ª ed.], pp. 277-284).

[262] Scrive NICCOLÒ TOMMASEO (nel suo *Bellezza e civiltà o delle arti del bello sensibile*, Firenze, Le Monnier, 1857, p. 22): «Il teatro moderno sinora non è stato quasi tutto che mezzo di stuzzicare passioni pericolose»; per l'autore, al contrario, esso doveva farsi «educatore», «consociatore delle arti disperse», «testimone storico dei costumi», «ricreatore del passato e creatore dell'avvenire» (*ivi*, p. 165).

[263] Si leggano a tale proposito GIUSEPPE MAZZINI, *Filosofia della musica*, note di lettura di STEFANO RAGNI, Pisa, Domus Mazziniana, 1996, nonché le considerazioni in merito allo scritto mazziniano svolte da BRUNO SANGUANINI nel suo studio *Il pubblico all'italiana*, Milano, Angeli, 1989, pp. 107-110.

[264] I teatri popolari, anziché «far raccapricciare colle scene di sangue e inspirare lo scetticismo coi delitti e gli assassini», avrebbero dovuto alimentare nel popolo «la fede» e «renderlo migliore», insegnandogli come «le miti virtù domestiche siano fonte delle più magnanime virtù cittadine» (*Il Secolo*, 6 giugno 1871, *Eco dei teatri*).

[265] *La Riforma*, 27 agosto 1872, *Rivista letteraria. Il dramma storico* (di L. Fontana), e 17 settembre 1872, *Rivista drammatica-letteraria* (di E. Rossi).

progressisti, democratici o, addirittura, a prescindere da moventi politici e ideologici. Ciò è particolarmente evidente nel linguaggio della stampa teatrale e degli operatori del settore, che negli anni successivi all'Unità, nel fare l'apologia del ruolo formativo del teatro, ricorrevano all'uso di facili *slogans*, con il reale scopo di giustificare le proprie rivendicazioni.

Nel quadro della retorica moralista e didascalica imperante è ad ogni modo possibile rintracciare, soprattutto a partire dal secondo decennio postunitario, la nascita e il consolidarsi di una reazione di segno opposto. Emergono indizi di una mentalità nuova, di un atteggiamento più spregiudicato e anticonformista sul tema del nesso tra teatro e morale. Dapprima si trattò di voci isolate, poi si sviluppò un autentico dibattito, che andò intrecciandosi con quello, allora in corso, sulla letteratura realista.

Nel 1867 Paolo Ferrari e Filippo Filippi avevano individuato nel libretto di Antonio Ghislanzoni *I due orsi* espressioni che potevano allarmare i depositari del senso del pudore. Ghislanzoni, uomo vicino agli ambienti della scapigliatura, replicò allora con un intervento sulla *Gazzetta di Milano*. Dissertando su «ciò che si vuol chiamare la decenza e la moralità degli spettacoli teatrali», egli osservò che in genere i critici erano disposti a tollerare le pose più lascive e provocanti delle ballerine – peraltro non certo disprezzabili, a suo avviso –, mentre la parola, l'epigramma della commedia, il frizzo del libretto d'opera dovevano «abbottonarsi, come il gesuita, fin oltre al collarino». Invece la «gran massa del pubblico» era più sincera, rideva volentieri di una facezia un po' scollata o di un ingrediente piccante in una trama, scevra com'era da «quest'ultimo corollario della moralità artifiziale che è l'ipocrisia». Molti – constatava ancora Ghislanzoni – non si scandalizzavano di fronte agli incesti e alle atrocità mostruose della tragedia classica, ma gridavano l'anatema contro «il dramma moderno». Nei giudizi in fatto di morale, dunque, era facile imbattersi in «contraddizioni inesplicabili»: qualora se ne fosse dovuto tener conto, non sarebbe più stato possibile «sciogliere la bocca». Ecco perché in conclusione, secondo Ghislanzoni, era opportuno affidarsi alla coscienza del singolo.[266]

Anche il critico teatrale Michele Castellini, che a differenza di Ghislanzoni era un giornalista nient'affatto incline ad atteggiamenti anticonformistici o provocatori, nelle sue recensioni teatrali pubblicate alla fine degli anni '60 sulla *Gazzetta Ufficiale del Regno d'Italia* condusse una pacata ma decisa battaglia contro il «fanatismo» di quanti avrebbero voluto «spingere il rispetto alla morale sino a rubare il mestiere ai filosofi e predicatori».[267] La polemica era rivolta in generale a «certa critica bastarda», divisa in due fazioni distinte: da una parte quella che gridava: «piacevolezza! piacevolezza»; dall'altra quella che in-

[266] *Gazzetta di Milano*, 27 febbraio 1867, *Appendice. Teatri.*
[267] *Gazzetta Ufficiale del Regno d'Italia*, 15 novembre 1868, *Appendice. Il nuovo teatro delle Logge.*

vocava «scopo! scopo!». Quest'ultima, però, a suo avviso era la più pericolosa, perché, «ostentando una falsa filosofia» e «facendosi banditrice di pretese innovazioni e riforme artistiche», raccoglieva proseliti tra quella massa di commediografi dilettanti o professionisti ansiosi di aggrapparsi ad una formula stereotipata che mascherasse pomposamente la loro mediocrità. Castellini invece ribadiva con convinzione un assunto teorico suffragato dall'esempio dei grandi maestri: l'arte è essenzialmente «espressione poetica» e consiste «nel modo d'esprimere il pensiero»; viceversa il pensiero «non costituisce l'arte».[268]

Negli stessi anni anche Yorick, il critico teatrale di un quotidiano moderato come *La Nazione*, nelle sue rassegne critiche andava disquisendo su «quella benedetta questione della moralità delle opere drammatiche» con la schiettezza e la sagacia che lo distinguevano. Egli scriveva:

«Se si volesse considerare la commedia sotto l'aspetto di quelle dottrine di morale rigida e severa, che raccomandano di tenere l'animo umano al sicuro da tutte le impressioni capaci di turbarla e d'ispirarle altri sentimenti che quello dell'austero e inesorabile dovere, c'è da scommettere cento contr'uno che il teatro non saprebbe sfuggire a quella scomunica generale che colpisce quasi tutti i lavori letterari, la cui origine sta nella fantasia e lo scopo è riposto nel piacere».

Agli autori drammatici, dunque, andava garantita la «libertà di dipingere il mondo com'egli è»: il pubblico, solo il pubblico, era il vero «custode della morale in teatro».[269]

Pochi anni più tardi, nell'aprile 1874, Ferdinando Martini svolse considerazioni analoghe in una conferenza tenuta al Circolo filologico di Pisa – intitolata, appunto, *La morale ed il teatro*[270] – che suscitò grande scalpore.[271] Martini vi

---

[268] A forza di esigere «novità» – proseguiva Castellini – di parlare di «arte moderna», di «letteratura nazionale», di «concetti nuovi, di filosofia, di patriottismo, di socialismo», si spingevano i giovani autori su una falsa pista, lungo la quale «se possono per effetto di un certo spolvero letterario trovar premii e lodi opere informi come *I mariti* del Torelli, finiscono poi per aver tomba e disdoro aborti come *Il Messia*» di Ulisse Barbieri (*Gazzetta Ufficiale del Regno d'Italia*, 26 settembre 1868, *Appendice. Rassegna teatrale* cit.).

[269] *La Nazione*, 13 dicembre 1869, *Rassegna drammatica*. Secondo Yorick, la morale era una bella cosa, ma che il teatro facesse «da succursale alla chiesa» e che le commedie fossero prediche o dimostrazioni di una massima evangelica o commentario dei dieci comandamenti era a parer suo uno «strafalcione madornale» (*La Nazione*, 11 marzo 1869, *Rassegna drammatica*). Oltre a quelli citati a titolo esemplificativo, furono ad ogni modo numerosi negli stessi anni gli interventi dei critici contro la tendenza a fare del teatro un apostolato: Fulvio Acerbi la definì «uno dei principali difetti» del teatro contemporaneo (*Gazzetta Piemontese*, 29 aprile 1867, *Appendice. Rivista drammatica*). Anche D'Arcais prese spesso posizione contro le commedie a tesi (si legga ad esempio *L'Opinione*, 15 maggio 1876, *Appendice. Rivista drammatico-musicale*).

[270] Essa fu anche pubblicata in F. MARTINI, *Al teatro* cit., pp. 3-35.

[271] *Il Secolo* (14 aprile 1874, *Eco dei teatri*) scrisse in proposito: «Chi avrebbe mai, non diremo detto, ma sognato qualche decina d'anni fa, che si sarebbero tenute pubbliche con-

sostenne la tesi che il teatro non avesse il compito di educare o di correggere, né quello di trasformarsi in cattedra o in tribuna, poiché all'arte della scena non si confacevano gli «svolgimenti filosofici» e le discussioni sulle questioni sociali: gli artisti dovevano restare «nel tempio dell'arte». Secondo Martini, il teatro contemporaneo era più «onesto» e «casto» che in passato, quindi tutto quel «gridare» intorno alla morale e in nome di essa, in realtà, prendeva di mira un bersaglio ben diverso, che non aveva nulla a che vedere con l'etica:

«La parola famosa che ha da sgomentare i padri di famiglia, fatta a comodo sinonimo di turpitudine, è trovata: realismo».

Il rispetto della morale, in altre parole, era un pretesto: la vera battaglia era quella della pedanteria e del convenzionalismo contro l'abbandono delle «antiche tradizioni» e per il mantenimento dell'arte in una sterile immobilità.[272]

Le conclusioni di Martini parvero inaccettabili a molti: tra questi Paolo Ferrari, che prese la parola per ribadire la sua fede nell'efficacia educativa del teatro.[273] La missione civile dell'arte era ben lontana da pregiudicarne la libertà,

---

ferenze per discutere se la morale è necessaria pel teatro?». Pochi mesi prima Martini aveva esaltato l'ingegno di Giovanni Verga e difeso il suo romanzo, *Eva*, dalle accuse di immoralità. In una lettera a Verga del 28 ottobre 1873, Martini aveva accennato alla necessità di abbattere «tutti i ruderi dell'arte accademica», aggiungendo: «In Italia oggi regna una gran confusione sul proposito dell'arte e delle lettere; a libri come il suo faranno dapprima l'occhio torvo, poi si assuefaranno poco a poco a guardarli più benignamente» e «ad amare la natura com'essa è, non rifatta dagli ortopedici per servire ai gusti delle ragazze da marito e degli adulteri vaganti 'frollati per canizie anticipata'» (F. MARTINI, *Lettere. 1860-1928*, Milano, Mondadori, 1934, pp. 43-44).

[272] La posizione di Martini in merito al realismo è oggetto di analisi in R. BIGAZZI, *I colori del vero* cit., pp. 253-255. Un altro contributo alla ricostruzione del dibattito della critica ottocentesca sul teatro realista è quello di S. MONTI, *Il teatro realista della nuova Italia* cit., pp. 10-32.

[273] Si veda il suo articolo *La morale ed il teatro* in *Rivista italiana di scienze, lettere ed arti*, luglio 1874. È noto che il problema della morale stava molto a cuore a Ferrari, così come a molti commediografi del suo tempo, alle prese con una generale trasformazione della società e del costume, che sembrava mettere in discussione il sistema dei valori tradizionali. Scrisse lo stesso Ferrari nella introduzione ad una sua opera (*Il ridicolo*, Milano, Amalia Bettoni, 1874): «[...] nella SOCIETÀ vediamo una quantità di fatti che, rispetto alla morale assoluta, si presentano come un *male*, come un *assurdo*; ma quel *male*, quell'*assurdo*, rispetto alla morale relativa, alla logica relativa, cioè a quello che è praticamente possibile da esigere fra gli uomini quali sono, è il *meno male*, è il *meno assurdo*»; le «umane imperfezioni» erano «poste tra loro in continui attriti per le agglomerazioni sociali»: compito della «antropologia civile» era limitarne le conseguenze relative e intanto «avvicinare quella età non misurabilmente remota, in cui saranno possibili il buono e il vero assoluti». La conferenza di Martini, per ricordare un altro illustre caso, fece «andare in bestia» anche Angelo De Gubernatis, che replicò immediatamente sul periodico che dirigeva, *La Rivista Europea*, con parole assai aspre: «Che la scena non sia un pulpito ne conveniamo; ma essa non deve neppure farsi, come, pur troppo, si vuole che divenga, per amore di realismo, una succursale del postribolo. [...] E che, del resto, il teatro sia fatto per educare lo ha cre-

che, secondo Ferrari, trovava ormai pochi ostacoli: le prefetture intervenivano solo in casi eccezionali «di turbato o minacciato ordine pubblico o di senso morale cinicamente oltraggiato», per il resto a teatro tutto era permesso. Il pubblico poi si preoccupava di fare giustizia con i suoi applausi o i suoi fischi e non risparmiava né il «poeta *consorte*», né il «poeta *radicale*». Ferrari, in definitiva, teneva ad affermare la superiorità di un'arte «civile», che contribuisse al cammino della società sulla via del progresso: in questo senso egli intendeva l'oraziano *castigat ridendo mores*. A un artista «civile» spettavano il dovere e il diritto di «far suonare sdegnosa e coraggiosa» la protesta contro il dilagare dello «scetticismo burbanzoso» che cercava di «gettare lo scredito sopra tutte le miti e amene discipline, che i nostri vecchi c'insegnarono destinate a ingentilire gli animi e a fecondare le urbane costumatezze».

Di altro tipo furono le argomentazioni addotte contro le opinioni di Martini dal giovane Antonio Sartini – lucchese, ma studente a Pisa, allievo di Bonghi, come si definiva, amico di Arcangelo Ghisleri e in seguito tra i primi collaboratori della sua rivista *Il Preludio* – autore prima di un articolo pubblicato dalla *Provincia di Lucca* e poi di un opuscolo sul medesimo tema del rapporto tra morale e teatro. Sartini vi esordiva misurando la grande distanza che separava la nuova generazione da quella dei propri padri, concordi nel ritenere il teatro fonte di educazione per i popoli e disposti a sacrificare l'arte sull'altare della morale: con «grandissima nostra soddisfazione», i tempi erano cambiati e ci si era lasciati alle spalle «il bigottismo» e «l'ipocrisia». Tuttavia Sartini – postulata la capacità dell'azione drammatica di influenzare in qualche modo lo spettatore – temeva l'eccesso opposto: l'arte teatrale doveva sì ritrarre la realtà della vita, ma la «parte più abbietta» della cosiddetta «scuola realista» era assolutamente da bandire. L'intervento di Sartini dimostra come la questione «morale e teatro» finisse per collegarsi, e spesso a confondersi, con quella del «realismo in arte»; il timore, sembra di capire, era che l'attenzione al vero potesse costituire un facile pretesto e fornisse una patente di rispettabilità alla messinscena di «turpitudini» e «sconcezze».[274]

duto lo stesso sig. Martini prima di scrivere proverbii e di far sorridere maliziosamente le belle donne co' suoi *motti spiritosi*, e prima di lui lo hanno, del resto, creduto uomini che si chiamavano Eschilo, Sofocle, Euripide, Molière, Goldoni e Alfieri, nomi che valgono bene, speriamo, quello degli autori drammatici che il nuovo Martini, rimorchiato dalla *Bohème* idoleggia» (*La Rivista Europea*, maggio 1874, *Notizie letterarie italiane*). Martini rispose a De Gubernatis con due lettere indignate (quelle del 5 e 6 maggio 1874 che si possono leggere in F. MARTINI, *Lettere* cit., pp. 52-54).

[274] ANTONIO SARTINI, *La morale e il teatro*, Pisa, L. Ungher tip. della Regia Casa editore, 1875. Sartini tornò sull'argomento un anno più tardi, quando pubblicò, in occasione del primo Congresso drammatico, un altro studio intitolato *Il realismo nell'arte* (Lucca, tip. Del Serchio, 1876), a cui Cameroni dedicò una breve recensione (*L'Arte Drammatica*, 15 luglio 1876, *Il realismo nell'arte*).

Le tesi di Martini trovarono invece l'immediata e calorosa adesione di Felice Cameroni – il critico letterario milanese già più volte citato, pugnace sostenitore della scuola naturalista e divulgatore dell'opera zoliana in Italia – che da tempo sosteneva un'aspra polemica contro la «rettorica», il «pedantismo», il «feticismo del passato», le «affermazioni di morale», gli *chauvins* e i *filistini*[275] e propugnava la verità, l'originalità, la spontaneità, la naturalezza nell'opera letteraria.[276] Anche Yorick in quella occasione ribadì con più forza il suo noto punto di vista: egli dichiarò di non aver mai creduto «all'influenza morale del teatro, alla missione, all'apostolato, al sacerdozio degli autori drammatici, e a tutte le altre belle parolone che fanno tanto comodo per arrotondare un periodo di luoghi comuni». Le cause della «gloriosa immortalità» di commediografi come Plauto, Shakespeare, Molière, Goldoni, Alfieri andavano cercate «nell'arte», non certo nel «sacerdozio sociale», che era «un'invenzione moderna»; la morale poteva essere semmai un «mezzo artistico»: il vero fine del teatro era un altro: commuovere, divertire, suscitare sentimenti.[277] Questo non significava che fosse lecito cadere nell'indecenza, poiché un conto era la morale, un conto la decenza; quanti difendevano «quel tal realismo falso e bugiardo che cerca il vero solamente nel brutto, e il brutto solamente nell'ignobile, e l'ignobile solamente nel nauseabondo» non operavano questa capitale distinzione: si poteva chiamare «rispetto umano», o «ipocrisia», ma non si poteva negare l'esistenza di una sorta di «pudore collettivo».[278]

Anche Francesco D'Arcais intervenne nella polemica, collocandosi in una posizione intermedia tra quella di Martini e quella di Ferrari. Da tempo il critico dell'*Opinone* sosteneva che il teatro non dovesse trasformarsi in una tribuna, in polemica con autori come lo stesso Ferrari o Achille Torelli che, a suo avviso, «tengono cattedra sul palcoscenico». Tuttavia i grandi autori drammatici avevano cooperato a «rendere migliore il cuore umano» e concorso al «progresso morale dei popoli». Certo non si doveva attribuire al teatro un'importanza maggiore di quella che gli spettava, ma neppure si poteva escludere che le lettere avessero qualche merito «nella maggiore o minore civiltà d'un popolo». La commedia non doveva terminare con un «predicozzo» o con una tesi, né avere uno scopo, ma «ridestare nel cuore l'istinto del bene e l'amore del bello».[279]

---

[275] *L'Arte Drammatica*, 25 luglio 1874, *La morale ed il teatro*.
[276] *L'Arte Drammatica*, 18 luglio 1874, *Oh! Chi ci libera dalla rettorica e dalle affettazioni di morale!* Sulla figura di Cameroni, oltre al profilo biografico redatto da ALESSANDRA BRIGANTI in *DBI*, vol. XVII, pp. 191-193, si veda R. BIGAZZI, *I colori del vero* cit., pp. 192-210, nonché GLAUCO VIAZZI, *Felice Cameroni, ovvero del partito radicale in letteratura*, breve saggio introduttivo a FELICE CAMERONI, *Interventi critici sulla letteratura italiana*, Napoli, Guida editori, 1974.
[277] *La Nazione*, 24 maggio 1875, *Rassegna drammatica*.
[278] *La Nazione*, 29/30 marzo 1875, *Rassegna drammatica*.
[279] *L'Opinione*, 6 maggio 1874, *Appendice. Rivista drammatico-musicale*. Ritornando sul tema quattro anni dopo, D'Arcais avrebbe scritto: «Il teatro ha da rispondere alle condi-

Negli anni Settanta, il fastidio e l'antipatia di numerosi critici nei confronti della cosiddetta commedia a tesi andò manifestandosi sempre più apertamente. A proposito della commedia *Il ridicolo* di Ferrari, D'Arcais giunse ad affermare che l'autore aveva compiuto «un passo gigantesco in una via per la quale il nostro teatro procede verso la rovina»; la colpa era dei critici che avevano esaltato produzioni come *Il duello* o *Cause ed effetti*.[280] Non si contano le rassegne di Yorick dedicate alla stroncatura delle opere che seguivano «il sistema delle cause senza effetto, delle premesse senza illazione, delle idee senza fatti, delle tesi senza conclusione» e nelle quali l'azione mancava e i personaggi erano astrazioni, vizi o virtù.[281] Il critico della *Nazione* esortava ad evitare, di fronte alla fortuna dell'operetta, le «ipocrisie pudibonde che non fanno altro che solleticare la curiosità» e ad armarsi «di quella stessa indulgenza che con maggior danno e con pericolo maggiore prodighiamo alle sfacciataggini premeditate, alle serie turpitudini del dramma sociale moderno».[282] Anche Giacomo Trouvé Castellani, sulle pagine della *Riforma*, ebbe parole di biasimo per quei commediografi che proponevano «tipi» che *«dovrebbero essere»*, ma che *«non sono»*, invece di riprodurre fedelmente «quell'essenza vitale che informa e vivifica l'arte moderna e che rinchiudesi nella parola – vero».[283] Bersezio a sua volta si mostrò fortemente critico nei confronti della commedia a tesi,[284] mentre Giuseppe Cesare Molineri, critico della *Gazzetta Piemontese*, dichiarò di rallegrarsi che essa iniziasse a stancare il pubblico.[285] Il critico della *Perseveranza* Filippi, dal canto suo, osservò che il pubblico non era «un ragazzo da mandare a scuola, né da prendere a scappellotti» e che «a scapito dell'arte seria» avevano contribuito tutti quegli autori che si erano perduti nel «circolo vizioso della tesi, del medioevalismo, del classicismo, e quindi del peso, del convenzionalismo e della retorica».[286]

zioni della società: viviamo in tempi nei quali si agitano e si discutono questioni scabrosissime nel campo della morale: è lecito allo scrittore drammatico di rimanervi estraneo? Non vogliamo un teatro puerile, infantile; ci piace che lo scrittore, comico o drammatico che sia, riproduca sulla scena gli uomini e le donne del suo tempo, non già i bambini e le bambole» (*L'Opinione*, 9 gennaio 1878, *Appendice. Rivista drammatico-musicale*).

[280] *L'Opinione*, 10 e 16 novembre 1875, *Appendice. Rivista drammatico-musicale*. *Il suicidio*, secondo D'Arcais, apparteneva a un genere «falso, ibrido, esagerato».

[281] *La Nazione*, 5 febbraio 1872, *Rassegna drammatica*.

[282] *La Nazione*, 3 maggio 1875, *Rassegna drammatica*.

[283] *La Riforma*, 13 aprile 1872, *Rivista artistica*.

[284] *La Gazzetta Piemontese*, 10 e 17 febbraio 1873, *Appendice. Rassegna drammatica*.

[285] *La Gazzetta Piemontese*, 3 marzo 1875, *Appendice. Rivista drammatica*.

[286] *La Perseveranza*, 3 gennaio 1881, *Appendice. Rassegna Drammatico-Musicale*. La questione del rapporto tra arte e morale in quegli anni fu ampiamente dibattuta anche sulle colonne del *Corriere del Mattino*: segnaliamo gli interventi del critico Federico Verdinois (a proposito del romanzo di Zola *Pot-Bouille* nei numeri del 28, 29 e 30 aprile 1882), del direttore Martino Cafiero (2 maggio 1882, *Pot-Bouille*) e del commediografo Achille Torelli (4 maggio 1882, *Intervento*; 3 e 5 ottobre 1882, *Lettere aperte a Federico Verdinois*). To-

Anche dal tono e dai contenuti dei documenti ufficiali prodotti in seno alle commissioni ministeriali che si occuparono di teatro si evince che qualcosa stava cambiando nel consueto atteggiamento verso il tema della morale. Si andava facendo strada la consapevolezza che i mutamenti in atto nella società italiana rendessero superati e inadeguati norme e ideali tradizionali e sollecitassero l'acquisizione di nuovi parametri etici e critici. Un esempio interessante e significativo di questa nuova sensibilità è la riflessione condotta dalla commissione istituita nel 1869 per studiare il problema della Scuola di Declamazione di Firenze. La relazione finale si soffermava a lungo sul ruolo che negli ultimi anni aveva assunto il teatro, ormai non solo – vi si affermava – «scuola di costumi, di caratteri, di passione», ma molto di più: la libertà aveva dischiuso alla letteratura drammatica tutti i campi; la religione, la morale, la filosofia, la politica gli fornivano ora «vasti temi», la commedia era evasa «dalla ristretta cerchia della famiglia, ove l'aveva racchiusa l'assolutismo e la paura». Dunque non si poteva più negare agli autori il ricorso alla satira e al ridicolo; semmai era lecito pretendere «la castigatezza della forma». In altre parole:

«Limitare la sfera d'azione del dramma non sarebbe provvedimento civile, ma bensì lo sarebbe regolarne l'azione provvedendo alla cultura delle masse».

Dunque, a prescindere dall'esercizio della censura, «l'azione vera ed efficace il governo potrà esercitarla formando il gusto» e diffondendo «i princìpi di estetica vasti e spregiudicati».[287]

Anche nelle relazioni per il concorso governativo andarono infittendosi i segnali di insofferenza nei confronti delle «noiose moralità declamatorie», degli espedienti artificiosi, dei dialoghi «sentenziosi» e della «moda» dell'assunto filosofico tradotto in commedia. Un'altra commissione, quella chiamata, alla fine degli anni Settanta, a pronunciarsi sull'efficacia dei concorsi drammatici governativi, ne avrebbe indicato il programma ideale menzionando sì «il rispetto della morale pubblica», ma anche lo «studio della lingua» e l'osservanza di «quei precetti che se non sono il vangelo dell'Arte ne sono almeno il galateo».[288]

relli sarebbe ritornato sull'argomento anche anni dopo (A. TORELLI, *L'arte e la morale. Conferenza letta nella Dante Alighieri di Bologna la sera del 4 aprile 1902*, Bologna, Zanichelli, 1902).

[287] ACS, *M.P.I., Dir. gen. AA.BB.AA., Arte drammatica e musicale*, b. 4, f. 21, *Relazione al ministro della Pubblica Istruzione* della commissione per le riforme all'Istituto musicale e alla Scuola di Declamazione di Firenze, 16 settembre 1869 cit.

[288] *La Nazione*, 25 settembre 1879, *La Regia Scuola di Declamazione in Firenze* cit.

CAPITOLO IV

LA LEGISLAZIONE SUI DIRITTI D'AUTORE

1. I PRECEDENTI

In un saggio sulla proprietà letteraria ed artistica apparso nel 1881,[1] il giurista Odoardo Toscani affermava che la questione della produzione intellettuale non era diversa da altre che si discutevano nel campo delle scienze giuridiche se non per il fatto di essere «troppo giovane», quindi particolarmente controversa. Il diritto romano non aveva lasciato il suggello del suo «concetto scultorio», né la dottrina dei giureconsulti aveva tracciato la via per le legislazioni moderne. Il problema, quindi, era stato sviscerato da scrittori anche insigni, i quali però lo avevano affrontato con «ardore di pubblicisti» anziché con rigore scientifico: quelli che sostenevano la proprietà letteraria erano così passati per propugnatori della causa degli autori, i loro avversari per difensori delle ragioni degli editori. «L'interesse» aveva contaminato la scienza, incertezze ed equivoci avevano afflitto gli studi e il dibattito sulla questione, compromettendone la soluzione.

Il concetto di "proprietà letteraria" iniziò a diffondersi nell'epoca dei lumi e i primi passi di questa nuova legislazione furono compiuti in Francia, con i decreti del Consiglio di Stato del 1777. Essa ebbe ulteriore impulso durante la Rivoluzione e nel periodo napoleonico; fu poi oggetto di studi e di modifiche tra il 1825 e il 1866. L'esempio della Francia fu cautamente seguito dagli altri Stati europei, mentre venivano firmate le prime convenzioni internazionali per evitare o limitare i rischi di contraffazione. Nel frattempo tra i giuristi il dibattito sulla delicata materia si era acceso.[2]

---

[1] ODOARDO TOSCANI, *Studio sulla proprietà letteraria ed artistica*, Roma, Stab. Tip. italiano L. Perelli, 1881, pp. 6 sgg.

[2] Secondo Toscani (*ivi*, p. 16), in Europa le leggi sulla proprietà letteraria erano state emanate «prima che la scienza avesse assodati i princìpi» sui quali esse avrebbero dovuto

Una straordinaria occasione di confronto fu offerta dal Congresso apertosi a Bruxelles nel settembre 1858, nel corso del quale furono discusse e impostate le basi delle future legislazioni in materia dei singoli Stati e il principio della perpetuità del diritto d'autore trovò calorosi sostenitori.[3] I punti all'ordine del giorno erano tre: il riconoscimento uniforme, universale e internazionale dei diritti d'autore indipendentemente da ogni trattato e da ogni garanzia di reciprocità, come un dogma giuridico e non come una condizione arbitraria; l'abolizione delle tariffe daziarie che allora intralciavano il commercio delle opere letterarie e artistiche; la ricerca scientifica della vera natura del diritto d'autore e dei suoi limiti. I primi due princìpi furono quasi unanimemente accolti, mentre sul terzo la discussione fu frettolosa, disordinata, tutt'altro che esaustiva e si procedette alla votazione su un testo «alquanto equivoco»:[4] con questo voto il Congresso si pronunciò contro la perpetuità del diritto d'autore, definendolo una proprietà sì, ma particolare, da limitarsi alla durata della vita degli autori e a 50 anni dopo la morte.

Sulla natura del diritto d'autore, del resto, il ventaglio delle opinioni era assai ampio. Semplificando e sintetizzando, si potevano individuare due teorie principali: quella secondo la quale il diritto d'autore era da considerarsi una proprietà a tutti gli effetti e quella che negava ad esso tale peculiarità. Tra i sostenitori dell'una e dell'altra teoria, però, si distinguevano posizioni diverse. Se, per esempio, si abbracciava l'assunto che il diritto d'autore costituisse una proprietà, era giocoforza accettare che esso fosse assoluto, esclusivo, illimitato e, soprattutto, perpetuo; ma la perpetuità del diritto d'autore finiva in pratica per cozzare contro un altro inderogabile principio: quello del progresso civile e in-

---

fondarsi. Sul diritto d'autore si consulti, innanzitutto, *Enciclopedia del diritto*, Varese, A. Giuffrè, 1959, vol. IV, *ad vocem*. Sulla tutela della proprietà letteraria nella penisola in età napoleonica e durante la Restaurazione si veda Marino Berengo, *Intellettuali e librai nella Milano della Restaurazione*, Torino, Einaudi, 1980, pp. 257-301. Sulla storia della legislazione dei diritti d'autore in Europa e nell'Italia preunitaria e postunitaria, sulle convenzioni internazionali e sul dibattito in merito si leggano, inoltre, gli esaustivi trattati di Nicola Stolfi, *La proprietà intellettuale*, Torino, Unione Tipografico-Editrice Torinese, 1915 (2ª ed.), e *Il diritto d'autore*, Milano, Società Editrice lombarda, 1931 (3ª ed.), e quelli altrettanto fondamentali e documentati di E. Rosmini: oltre al già citato *La legislazione e la giurisprudenza dei teatri e dei diritti d'autore*, vol. II, pp. 219-576, Id., *Legislazione e giurisprudenza sui diritti d'autore*, Milano, Hoepli, 1890 e Id., *Diritti d'autore sulle opere dell'ingegno, di scienza, letteratura ed arte*, Milano, Società editrice libraria, 1896; in entrambi i volumi si trova una copiosa bibliografia.

[3] Fra gli italiani erano presenti a Bruxelles editori come Ricordi, ma anche accademie prestigiose come l'Istituto lombardo di Scienze e Lettere, che mandò al Congresso una delegazione composta da Cesare Cantù, Francesco Restelli, Francesco Rossi e Bernardino Biondelli; i rapporti della commissione – che Moisè Amar (nel suo studio *Dei diritti degli autori di opere dell'ingegno*, Roma-Torino-Firenze, F.lli Bocca, 1874, p. 12) definisce «degni di menzione» – furono in seguito pubblicati. Sul Congresso di Bruxelles si legga O. Toscani, *Studio sulla proprietà letteraria ed artistica* cit., pp. 28-30.

[4] *Ivi*, p. 29.

tellettuale realizzabile attraverso la libera circolazione delle idee e delle opere dell'ingegno. Così molti giuristi avevano indietreggiato e, ognuno sulla base di sottili disquisizioni e di argomentazioni non prive di oscurità e di ambiguità, avevano temperato il principio della perpetuità proponendo compromessi. Si erano escogitati sistemi come quello del «canone perpetuo» – lasciare libero a tutti il diritto di riproduzione e di spaccio riservando all'autore e ai suoi eredi solo il diritto alla percezione di un compenso – e quello della «perpetuità temporanea», un ossimoro di comodo che voleva significare un diritto limitato, per motivi di praticità, ad un periodo più o meno ampio. Quanto ai sostenitori della seconda teoria, vi erano giuristi che ritenevano il diritto d'autore non una proprietà ma un diritto di natura speciale e riconoscevano a favore dell'autore solo la necessità di un compenso, altri che addirittura non lo ritenevano un diritto ma un privilegio.

In Italia l'opinione pubblica era stata «vivamente commossa ed agitata»[5] dalla causa tra Manzoni e Le Monnier, il quale aveva ristampato i *Promessi Sposi* senza il permesso dell'autore.[6] Anche nella penisola si accesero discussioni e dispute sia tra i letterati, sia tra gli esperti di diritto, sia in seno ad accademie, come quella dei Georgofili e l'Istituto lombardo di Scienze e Lettere. Francesco Ferrara si schierò con quanti negavano al diritto d'autore il carattere di autentica proprietà, considerandolo in sostanza un monopolio accordato all'autore, un privilegio appunto, che esisteva come diritto in quanto la legge lo garantiva; egli pertanto additava la via di un progresso legislativo attraverso la riduzione dei termini stabiliti per la sua durata. Altri lo seguirono o lo avrebbero seguito.[7] Gerolamo Boccardo, Moisè Amar, Luigi Melano di Portula, lo stesso

---

[5] Così sostiene E. ROSMINI nel suo trattato *La legislazione e la giurisprudenza dei teatri e dei diritti d'autore* cit., vol. II, p. 229.

[6] Sulla vicenda si sofferma MARIA IOLANDA PALAZZOLO, *Geografia e dinamica degli insediamenti editoriali*, in *Storia dell'editoria nell'Italia contemporanea*, a cura di GABRIELE TURI, Firenze, Giunti, 1997, pp. 41-42, nonché ACHILLE DE RUBERTIS, *Il processo Manzoni-Le Monnier*, in ID., *Documenti manzoniani*, Napoli, Perrella, 1926, pp. 5-59 e ANGELA NADIA BONANNI, *Editori, tipografi e librai dell'Ottocento. Una ricerca nell'Epistolario del Manzoni*, Napoli, Liguori Editore, 1988, pp. 141 sgg. Si leggano anche i ricordi di GASPERO BARBÈRA nelle sue *Memorie di un editore*, Firenze, Barbèra, 1883, pp. 217-232. Sulla causa con Le Monnier – discussa dinanzi alla Corte di cassazione di Firenze nel 1860 – intervenne lo stesso Manzoni con una lettera a Gerolamo Boccardo, difensore di Le Monnier, pubblicata con il titolo *Intorno a una questione di cosiddetta proprietà letteraria* (anche ID., *Prose scelte*, Milano, Tip. Redaelli, 1869). ROBERTO LUCIFREDI, *Alessandro Manzoni e il diritto*, Milano-Genova-Roma-Napoli, Soc. ed. D. Alighieri, 1933, indaga, più in generale, sui rapporti tra Manzoni e la giustizia e sul pensiero giuridico dello scrittore milanese. Su Le Monnier si veda COSIMO CECCUTI, *Un editore del Risorgimento: Felice Le Monnier*, Firenze, Le Monnier, 1974, in cui si parla della famosa controversia editoriale (pp. 179-196).

[7] Si consultino autori e bibliografia in M. AMAR, *Dei diritti degli autori* cit., p. 13. Mazzini stesso, del resto, era assolutamente contrario al riconoscimento dei diritti di proprietà letteraria. In uno scritto del 1856 (*Appello alla concordia delle opere dinanzi al fine comu-*

Manzoni si pronunciarono invece per un diritto d'autore preesistente alla legge e da riconoscere secondo giustizia, ma ne negarono anch'essi la natura di vera proprietà. Numerosi e, infine, prevalenti furono quanti propendevano per la tesi che vedeva nel diritto d'autore una proprietà. Come era comprensibile e inevitabile, le dissertazioni di carattere puramente teorico finivano per intrecciarsi, assecondandole o meno, alle pressioni di quanti vi vedevano coinvolti i propri interessi. Insieme, queste e quelle, condizionarono le scelte legislative.

La legge del 25 giugno 1865 n. 2337 sulla proprietà delle opere dell'ingegno è la prima legge organica intesa a disciplinare in Italia la complessa materia dei diritti d'autore. Essa rappresentò senza dubbio un significativo passo in avanti rispetto alle leggi corrispondenti promulgate negli Stati preunitari. Ricordiamo, senza addentrarci in particolari, che nel Regno di Sardegna in base alle regie patenti del 26 febbraio 1826 agli autori era garantito il diritto di pubblicazione per 15 anni; nelle provincie del Lombardo-Veneto la legge del 19 ottobre 1846 garantiva lo stesso diritto per tutta la vita dell'autore e per 30 anni dopo la sua morte a favore degli eredi; nello Stato pontificio l'editto del 23 settembre 1826 aveva concesso la garanzia per tutta la vita dell'autore e per 12 anni dopo la sua morte; nei Ducati di Parma e Piacenza era in vigore una legge speciale in materia di brevetti d'invenzione, ma la proprietà letteraria non era in alcun modo garantita; nel Regno delle due Sicilie il diritto d'autore era regolato da due decreti, uno del 7 novembre 1811 per le rappresentazioni, l'altro del 5 febbraio 1828 per le pubblicazioni, e dagli articoli 324 e 325 del codice penale del 1819

ne della Nazione, raccolto in G. Mazzini, *Scritti editi e inediti*, Roma, Commissione editrice, 1877, vol. IX, p. 244) così affermava: «Non parteggio per la *proprietà letteraria* come l'intendono: somma, parmi, *teoricamente* a dare al *diritto* predominio sul *dovere*, unica base ch'io riconosca alla società; *praticamente* fonda il monopolio di pochi pubblicatori e diminuisce, coll'elevazione dei prezzi, il numero dei lettori». E ancora in una lettera all'editore milanese Emilio Croci nel 1866: «Non ho mai creduto nel diritto di proprietà letteraria come oggi è inteso. Lo scrittore capace di idee veramente giovevoli e povero dovrà, in una ben ordinata Repubblica, trovare aiuto e incoraggiamento dalla nazione; ma il pensiero manifestato è di tutti; proprietà sociale. L'alito dell'anima umana non può costituire monopolio. Tutti hanno dovere di promuovere, nessuno ha diritto d'inceppare o restringere la circolazione del vero». Quest'ultimo passo è citato da Piero Barbèra (*Sul diritto d'autore,* in *Nuova Antologia,* 1° giugno 1911), il quale già si era espresso in merito alle tesi di Mazzini sulla proprietà letteraria in una conferenza tenuta al Circolo Filologico di Firenze il 29 marzo 1897 (il testo fu poi pubblicato in Piero Barbèra, *Editori e autori. Studi e passatempi di un libraio*, Firenze, G. Barbèra editore, 1904), asserendo: «Quando Mazzini affermava che le lettere sono un apostolato né possono essere venali, e i prodotti della letteratura doversi considerare come di dominio pubblico, affinché nessun impedimento sia posto alla loro diffusione e il maggior numero degli uomini possano conoscerli ed esserne beneficati, dimenticava che bisognerebbe in tal caso che i letterati formassero come un sacerdozio da mantenersi a spese pubbliche; e che quando ciò fosse possibile, mancherebbe il maggior incentivo alla produzione intellettuale, cioè la speranza del premio non solo morale ma anche materiale» (*ivi*, p. 290).

che vietavano la contraffazione a danno degli autori; in Toscana non vigeva nessuna legge in materia.[8]

Nella penisola, quando ancora non sussistevano tra i vari Stati accordi diretti a garantire la proprietà letteraria, la comunanza di lingua e di cultura rendeva estremamente agevole e più pericolosa che altrove la contraffazione.[9] Una serie di trattati intervenne a disciplinare la materia. Il più importante fu la convenzione sottoscritta il 22 maggio 1840 tra Regno di Sardegna e Austria, nella quale la proprietà delle opere letterarie e artistiche veniva reciprocamente e uniformemente garantita.[10] A tale convenzione – il primo trattato internazionale sui diritti d'autore – aderirono gli altri governi italiani – lo Stato pontificio per applicarla solo nei rapporti internazionali, gli altri anche all'interno dei propri confini –, ad eccezione del Regno delle due Sicilie. In questo modo il territorio italiano si trovò diviso in due zone distinte: le provincie «di qua dal Tronto» – Regno di Sardegna, Lombardo-Veneto, Ducati, Toscana, Stato pontificio – e le provincie «di là dal Tronto». In ciascuna delle due parti la proprietà letteraria e artistica era riconosciuta e tutelata ma limitatamente alle opere pubblicate all'interno dei propri confini, le garanzie non si estendevano a quelle pubblicate nell'altra zona. Accadeva dunque che libri, tragedie, commedie, libretti, spartiti pubblicati in una zona fossero immediatamente riprodotti nell'altra e venduti a un prezzo più basso proprio perché non gravato del costo dei diritti d'autore. Addirittura essi erano smerciati a quel prezzo, nonostante divieti e dazi, nella zona stessa in cui era apparsa l'edizione originale.

Riferendosi alla netta divisione tra il Sud e il resto della penisola, Filippo Filippi parlò di «barriere insormontabili» che la «tirannide borbonica» aveva imposto e che impedivano i rapporti artistici e commerciali tra il Napoletano e le altre regioni italiane. Napoli era così diventata la «grande officina della contraffazione musicale italiana», favorita dallo stesso governo borbonico per «mantenere un fomite di discordia»: in barba a qualsiasi diritto d'autore vi «si copiavano partiture, pezzi di musica d'ogni sorte, si stampavano, si noleggiavano e persino si commetteva il vituperio di impastinare apocrife istromentazioni sopra le opere in voga, e di rappresentarle poscia come originali». Ne scaturivano «gelosie, diffidenze, litigi» e «nel mezzo un abisso scavato che impediva ogni comunicazione, ogni scambio di idee».[11]

---

[8] Sulla legislazione dei diritti d'autore vigente negli Stati preunitari si veda E. ROSMINI, *La legislazione e la giurisprudenza dei teatri e dei diritti d'autore* cit., vol. II, pp. 248-271 e *I Diritti d'autore*, 1° aprile 1870, 1° maggio 1870, 1° giugno 1870, 1° luglio 1870.

[9] Come afferma O. TOSCANI, *Studio sulla proprietà letteraria ed artistica* cit., p. 17.

[10] Sulla convenzione austro-sarda si veda M. I. PALAZZOLO, *Geografia e dinamica degli insediamenti editoriali* cit., pp. 39 sgg.

[11] Affermava inoltre il critico della *Perseveranza* che all'infuori di Mercadante non si conoscevano al Nord i maestri di musica anche valenti del Collegio musicale napoletano e che i maestri delle regioni settentrionali erano conosciuti al Sud «come il ladro conosce il

A proposito delle opere drammatiche e musicali – di cui più specificamente il presente studio si occupa – è necessario osservare che, come molte testimonianze attestano, i rapporti tra autori e capocomici e tra autori e impresari erano per lo più regolati, a prescindere dalle normative e nonostante esse, dalle consuetudini, dai patteggiamenti, da accordi verbali e approssimativi, dai vantaggi reciproci. Affermava a tale proposito il critico Eugenio Checchi in una efficace e arguta descrizione dei sistemi adottati tradizionalmente nella cosiddetta «repubblica letteraria teatrale»:

«Sulla scena s'è vissuto un po' alla carlona e alla casalinga: attori e autori hanno fatto per parecchio tempo a confidenza gli uni con gli altri».

I primi, cioè, avevano spigolato a man bassa nei repertori degli altri, considerandoli come *res nullius*; gli autori d'altra parte avevano generalmente affibbiato alle compagnie «princisbecche per oro». I capocomici, benché per la maggior parte dei casi «di poca levatura», fiutavano la «ragia» ma si accontentavano di riempire in qualche modo la cassa; gli autori, soprattutto se agli esordi e poco famosi, si appagavano degli applausi eventuali e del «passo» gratuito a teatro, salvo schiamazzare e denunciare «l'ingordigia» di comici e impresari qualora mietessero – circostanza rara – successo. Se, al contrario, i lavori naufragavano tra i fischi, autori e comici si «palleggiavano» la responsabilità dell'esito infelice; l'autore però era il primo a calmarsi poiché, in previsione di un nuovo lavoro, conosceva l'opportunità di «raccomandarsi ai soliti santi».[12] Tali osservazioni servivano a Checchi per argomentare la sua tesi: che fosse cioè sostanzialmente insostenibile l'accusa di «pirateria» da più parti lanciata in quegli anni alla volta delle compagnie. In realtà un lettore imparziale potrebbe ricavarne un'altra impressione e inferire che, al di là dei possibili vantaggi, la dignità degli autori fosse ritenuta tutto sommato un elemento trascurabile, che essi lavorassero «sulla rena», per rimanere «ludibrio degli editori o vassalli dei direttori delle compagnie drammatiche».[13] Era lo stesso Checchi però a registrare un cambiamento: negli ultimi anni un numero sempre più nutrito di autori aveva offerto i propri lavori ai capocomici «per un prezzo ragionevole e decoroso» e i capocomici avevano iniziato ad adottare il sistema di commissionare ed acquistare per un periodo di tempo o in perpetuo nuove opere: «Così, senza

---

viandante che vuol svaligiare: vera comunanza artistica non ci fu mai!» (*La Perseveranza*, 23 novembre 1864, *Appendice. Rassegna drammatico-musicale*). Sulla mancata adesione del Regno delle Due Sicilie alla convenzione austro-piemontese e sull'editoria nel Mezzogiorno dopo l'unificazione si legga M. I. PALAZZOLO, *Dalla periferia al centro: le case editrici meridionali*, in EAD., *I tre occhi dell'editore. Saggi di Storia dell'Editoria*, Roma, Archivio Guido Izzi, 1990, pp. 179 sgg.

[12] *La Perseveranza*, 11 agosto 1865, *Appendice. Letteratura drammatica*.

[13] *Ibidem*.

leggi promulgate dal potere legislativo, l'interesse consigliò i capocomici a creare una forma di proprietà letteraria».[14]

Ad ogni modo, a credere alle parole di un articolo apparso nell'agosto del 1863 sulle colonne dell'*Opinione*, la necessità di una nuova legge sulla proprietà letteraria e artistica era «generalmente confessata»:[15] era indispensabile che il Parlamento non tardasse ad occuparsene, magari non «all'impazzata», ma sulla base di studi preventivi e indagini presso impresari, capocomici, autori.

Eppure, a sfogliare quotidiani politici e giornali teatrali del periodo, non si riscontrano che rarissimi accenni alla questione della legislazione sulla proprietà letteraria, men che meno si registrano echi di una campagna d'opinione in merito. Sembra di poterne dedurre che le aspettative non fossero così «generalmente» condivise, come l'articolo dell'*Opinione* sosteneva,[16] e che una presa di coscienza sull'importanza degli interessi in gioco tardasse a consolidarsi e a manifestarsi. Oppure si deve pensare – ed è l'ipotesi più probabile – che artisti, autori, compositori procedessero ancora, per così dire, in ordine sparso e non avessero ancora individuato e sperimentato forme, modalità di aggregazione, canali adeguati a trasmettere le loro istanze. È evidente, ad ogni modo, che la cosiddetta «questione libraria», ampiamente dibattuta negli anni '20-'40 dell'Ottocento, con gli anni '50 – fatta eccezione per l'autorevole intervento di Carlo Tenca, che nel 1858 aveva indagato sulle disfunzioni dell'industria libraria della penisola in un saggio pubblicato su *Il Crepuscolo*[17] – era stata «relegata ai margini del dibattito colto».[18]

Diverso il discorso per gli editori. Fin dagli anni '20 tra di essi vi era stato chi, come Vieusseux, sulla necessità di una legislazione che tutelasse la proprietà letteraria aveva impostato «un preciso programma di dibattito teorico e propagandistico»;[19] nei due decenni successivi si era sviluppato poi tra gli editori un movimento più ampio a favore di una regolamentazione della materia, che aveva dato i suoi frutti appunto con la firma della Convenzione austro-piemontese. Tuttavia è indubbio che, agli inizi degli anni '60, nel nuovo contesto

---

[14] *Ibidem.*

[15] *L'Opinione*, 31 agosto 1863, *Appendice. Questioni teatrali* cit. L'autore dell'articolo invocava una nuova legge, sperando soprattutto che essa risolvesse il problema del prezzo eccessivo del nolo degli spartiti musicali, che si lamentava solo in Italia: «Il sistema dei diritti d'autore da pagarsi in una porzione fissa da chiunque vuol porre in scena uno spartito è di gran lunga preferibile a quello vigente fra noi».

[16] Non ci si poteva attendere, del resto, che tali aspettative fossero sinceramente condivise dalle compagnie, delle quali sostanzialmente la stampa teatrale era espressione.

[17] CARLO TENCA, *Dell'industria libraria in Italia*, Roma, Archivio Guido Izzi, 1989. Si veda in particolare la parte del saggio dedicata alla Convenzione del 1840, alla sua efficacia solo parziale, ai suoi difetti e alle sue lacune (pp. 75-92).

[18] Come afferma M. I. PALAZZOLO (*ivi*, p. 9), nell'introduzione allo scritto di Tenca.

[19] Si leggano le considerazioni di UMBERTO CARPI nel suo studio *Letteratura e società nella Toscana del Risorgimento. Gli intellettuali dell'«Antologia»*, Bari, De Donato, 1974, p. 97.

dell'Italia unita, il processo di coordinamento e le potenzialità rivendicative degli editori erano ancora assai limitatamente sviluppati. Ne è una conferma il fatto che un progetto lanciato nel gennaio 1862 da Gaspero Barbèra per la fondazione di una società che riunisse autori ed editori a tutela della proprietà letteraria fallì sul nascere: le adesioni – come scrissero i figli dell'editore – furono così scarse, da persuadere Barbèra a rinunciare per sempre alla sua idea.[20]

Alla luce di tali considerazioni, non sembra affatto tardiva né inadempiente l'opera che il ministero di Agricoltura, Industria e Commercio dispiegò in termini di studi, progetti e decreti legge nel primo ventennio postunitario in materia di diritti d'autore; anzi si può affermare che essa fu costante e intensa. Ulisse Mengozzi, nel suo *Prontuario* per l'interpretazione della legge 25 giugno 1865, pubblicato nel 1873, elencava ben 25 disposizioni – tra decreti, leggi e circolari – atte a regolare i diritti e la tutela della proprietà sulle opere dell'ingegno emanate nell'arco di un decennio, tra il 1861 e il 1871.[21] Ad esse si devono aggiungere le convenzioni internazionali per la reciproca tutela dei diritti d'autore: solo quella, già citata, stipulata tra il Piemonte e l'Austria nel maggio 1840 rimase in vigore anche dopo l'Unità, mentre nel gennaio 1870 erano già in vigore quelle firmate con il Belgio nel novembre 1859, con la Spagna nel febbraio 1860, con l'Inghilterra nel novembre 1860, con la Francia nel giugno 1862, con la Svizzera nel luglio 1868, con la Confederazione della Germania del Nord nel maggio 1869 ed erano pendenti le trattative diplomatiche per gli accordi con il Portogallo e con il Gran Ducato di Baden.[22]

2. IL CAMMINO VERSO LA LEGGE

All'indomani dell'Unità le leggi sui diritti d'autore degli antichi Stati italiani non decaddero, per cui nelle varie parti della penisola l'intera materia continuò

---

[20] Sulla vicenda si veda G. BARBÈRA, *Memorie di un editore* cit., p. 195. L'editore fiorentino era oltremodo impensierito dai danni «incalcolabili provenienti alla libreria italiana per i continui attentati contro la proprietà letteraria, che impunemente si commettevano da una masnada di pirati sparsi dovunque, ma più che altro numerosi e arditi nelle provincie napoletane». Come recitava il Titolo Primo, art. 1, lo scopo della Società doveva essere quello di «assicurare i socii, nei casi e colle forme tracciate dal presente Statuto contro i danni nascenti dalle contraffazioni delle opere dai medesimi assicurate», e ciò «perseguitando i contraffattori in giudizio, in nome dei socii, ma a spese della Società». Il progetto di Barbèra avrebbe dovuto essere discusso il 1° aprile 1862 se si fossero raccolte almeno cinquanta firme (*Progetto di statuto per una Società Italiana d'Autori ed Editori proposto da Gaspero Barbèra*, Firenze, Barbèra, 1862).

[21] ULISSE MENGOZZI, *Opere dell'ingegno. Prontuario alfabetico per la interpretazione della legge 25 giugno 1865* cit., *ad vocem*.

[22] A proposito di trattati internazionali sulla proprietà delle opere dell'ingegno si consulti E. ROSMINI, *La legislazione e la giurisprudenza dei teatri e dei diritti d'autore* cit., vol. II, pp. 272-322.

ad essere regolata da norme e regolamenti diversi. Il primo "pacchetto" di disposizioni che i governi italiani emanarono sui diritti d'autore riguardò le provincie meridionali: il decreto prodittatoriale del 18 agosto 1860, quello luogotenenziale del 17 febbraio 1861 estesero alla Sicilia e al Napoletano leggi e regolamenti in vigore in Piemonte e le convenzioni internazionali stipulate dal Regno di Sardegna. Tali provvedimenti, da alcuni pubblicamente caldeggiati,[23] furono accolti con somma soddisfazione dagli editori settentrionali. Ricordi aveva prontamente aperto una propria succursale a Napoli.

Agli editori dell'ex Regno borbonico era stato accordato un termine – il 1° agosto 1861 – entro il quale potevano liberamente spacciare le opere legittimamente contraffatte nel periodo preunitario. Il termine parve breve, ma gli editori e i librai in questione approfittarono di un errore tipografico nell'avviso stampato dal *Giornale Officiale di Napoli* – per il quale il termine scadeva il 1° agosto 1865, data assolutamente improbabile – per continuare lo spaccio.[24] Con il decreto del 2 ottobre 1861 il termine fu così prorogato al 31 dicembre 1861; la Camera convalidò questo decreto nella seduta del 23 dicembre 1861, aggiornando la proroga al 30 aprile 1862.[25] Per questa data il ministero di Agricoltura, Industria e Commercio si impegnava a presentare una legge sui diritti d'autore per tutto il Regno.

L'esigenza di unificare le leggi che regolavano la proprietà letteraria era senz'altro avvertita nelle sfere governative. Il 18 novembre 1862 il ministro Gioacchino Pepoli presentava in Parlamento un disegno di legge in materia, raccomandandone la sanzione come «oltremodo urgente».[26] Circostanza significativa, come a me sembra, più che banale coincidenza – il primo, e tempestivo, progetto legislativo sulla proprietà letteraria del Regno appena proclamato

[23] Si consideri per esempio la lettera indirizzata dall'editore Giuseppe Pomba al ministro della Pubblica Istruzione Mamiani in *Rivista Contemporanea*, aprile 1861, *Intorno alla proprietà letteraria*; si veda anche *L'Opinione*, 8 febbraio 1861, *Varietà. Bibliografia.*

[24] Che il 1° agosto 1861 fosse il termine stabilito risultava peraltro dall'originale del decreto e dalle copie stampate, affisse e diffuse: il dubbio era stato comunque «con ardore abbracciato da chi vi trovava il proprio vantaggio» (AC, *Proposte di legge*, vol. 28, n. 138, MAIC, *Progetto di legge della proprietà letteraria nelle province meridionali*, firmato dal ministro Cordova, s.d.). D'altra parte editori e librai meridionali avevano sollevato molti reclami, quando a partire dal 1° agosto 1861 si era tentato di costringerli a sottostare alla legge, opponendo una resistenza passiva, ed era «difficile credere ad una generale buona fede»: era urgente, pertanto, dissipare ogni incertezza, nell'interesse di tutti e affinché cessasse «lo scandalo d'una legge che non si esegue» (*ivi*, *Relazione al Re* allegata al documento su accennato, firmato dal ministro Cordova, s.d.).

[25] La commissione della Camera delegata ad esaminare il progetto di legge venne incontro alle istanze dei librai e degli editori meridionali, che avevano inviato in Parlamento una petizione (*ivi*, *Relazione della Commissione della Camera sul progetto di legge presentato dal ministro di Agricoltura, Industria e Commercio nella tornata del 10 dicembre 1861*, 22 dicembre 1861).

[26] AP, *Senato*, Legisl. VIII, Sess. 1861-62, *Atti interni*, vol. III, n. 214.

era opera di un uomo che si era distinto anche nel campo della letteratura drammatica scrivendo per le scene. Egli, tra l'altro, aveva fatto parte, in qualità di rappresentante dello Stato pontificio, di quella Società degli autori drammatici fondata a Torino nel 1855 e presieduta da Felice Romani, che annoverava tra i suoi membri anche Raffaele Colucci per il Regno delle Due Sicilie, Vincenzo Martini – padre di Ferdinando – per la Toscana, Paolo Ferrari per i Ducati, Antonio Somma per il Veneto, Giacinto Battaglia per la Lombardia.[27]

Pepoli si preoccupò di chiarire la filosofia giuridica che aveva ispirato il suo progetto, affermando di aver seguito i princìpi della «scuola moderna», a cui appartenevano giuristi e politici come Augustin Charles Renouard, Thomas Babington Macaulay, Luigi Melano di Portula, Ferrara, Boccardo. Egli aveva escluso nello schema di legge proposto la parola *proprietà*, comunemente usata ma sostanzialmente inesatta: se per promuovere l'incremento del sapere era equo accordare una ricompensa a chi lavorava «nell'interesse della società» e concedere all'autore «alcune agevolezze e garanzie per il più vantaggioso spaccio delle pubblicazioni», tuttavia tale concessione non poteva essere assimilata ad una effettiva «proprietà»: si trattava più puntualmente di un «diritto» di pubblicazione, di riproduzione e di rappresentazione – diritto che tutte le leggi in materia, anche le più «late», assicuravano per un numero limitato di anni. L'art. 1 del progetto lo garantiva per tutta la durata della vita dell'autore e per 15 anni dopo la sua morte agli eredi, accostandosi alla legislazione della maggior parte delle altre nazioni ma con alcuni «temperamenti»: era necessario trovare un compromesso soddisfacente, secondo Pepoli, tra il principio della «proprietà perfetta» e perpetua dell'autore e quello della pubblica libertà di riproduzione. Analogamente il legislatore doveva sì tenere conto della garanzia di una ricompensa all'autore e della convenienza di «incoraggiare gl'ingegni», ma doveva d'altro canto astenersi, possibilmente, «dal creare alla diffusione dei lumi restrizioni non assolutamente necessarie».

Sul piano più concretamente operativo, il progetto Pepoli prevedeva inoltre l'individuazione di un ufficio presso il quale gli autori avrebbero potuto dichiarare e notificare i propri diritti e suggeriva quelli delle prefetture come i più idonei, decentrando quindi il servizio senza creare oneri per lo Stato. L'art. 13 confermava l'obbligo per l'autore di depositare nelle biblioteche pubbliche una copia dell'opera: con le copie depositate presso il ministero di Agricoltura, Industria e Commercio si sarebbe formata «la prima biblioteca italiana». La stessa dichiarazione e il deposito imposti all'autore avrebbero permesso la pubblicazione, a cura del ministero, di un elenco generale dei diritti esistenti, a cui dunque sarebbe stata garantita la più vasta pubblicità; erano previste, infine, sanzioni per i contraffattori.

[27] *Gazzetta Piemontese*, 20 ottobre 1855, *Fatti diversi. Arte drammatica*. Per altre informazioni si veda più avanti, alla nota 113 del presente capitolo.

Il progetto presentato da Pepoli fu oggetto di accurati studi da parte dell'Ufficio centrale del Senato, che lo rielaborò e lo riscrisse. Esso, in effetti, aveva profondamente deluso quanti speravano in una proposta più radicale, sensibile agli interessi degli autori e vicina alle teorie giuridiche più all'avanguardia.

Valgano per tutte le critiche di Raffaele Drago, avvocato genovese, esperto attento e aggiornato dell'evoluzione della giurisprudenza in materia di proprietà letteraria. All'indomani della presentazione del progetto alla Camera, Drago scrisse e pubblicò una serie di articoli in merito, volti a richiamare l'attenzione dei legislatori sulla sua sostanziale inadeguatezza.[28] Drago definì il progetto Pepoli «incompleto, inesatto e lesivo del diritto degli autori». Dopo una premessa di carattere dottrinale in cui dimostrava che l'autore «per diritto di natura è incontestabilmente proprietario dell'utile che possono produrre le opere del suo ingegno»,[29] egli esaminava la relazione del ministro, contestandone innanzitutto l'assunto di base che la parola *proprietà* fosse inesatta a indicare il diritto d'autore. Pepoli si era appellato al parere in questione di autorevolissimi scrittori, ma altri, una intera «legione», sostenevano la tesi opposta. Drago ne citava parecchi: francesi, tedeschi e, tra gli italiani, Giuseppe Panattoni, Baldassarre Poli, Carlo De Cesare, Niccolò Tommaseo, Antonio Turchiarulo; ricordava poi i dibattiti e le conclusioni del Congresso di Bruxelles e le battaglie condotte dall'Istituto lombardo di Scienze e Lettere. Certo si trattava di teorie recenti, di princìpi ancora poco assodati, che era comprensibile incontrassero perplessità e opposizioni; ma che il diritto sugli utili prodotti dal lavoro intellettuale fosse una proprietà era riconosciuto dal Codice civile, dalle diverse convenzioni internazionali, dallo Statuto, e consacrato da pressoché tutte le legislazioni straniere.[30]

Il progetto Pepoli, secondo Drago, non costituiva un progresso neppure rispetto alla legislazione sarda. In effetti le regie patenti del 28 febbraio 1826 garantivano il diritto d'autore per soli 15 anni e lo riconoscevano come un privilegio più che una proprietà, ma l'art. 440 del Codice civile pubblicato con editto del 20 giugno 1837 aveva proclamato che «le produzioni dell'ingegno umano sono proprietà dei loro autori, sotto l'osservanza delle leggi e regolamenti che vi sono relativi». Questa affermazione aveva costituito una significativa novità, accogliendo sotto la tutela della legge una proprietà particolare, mutando profondamente la natura giuridica del diritto d'autore, estendendolo a qualsiasi produzione dell'ingegno umano – laddove le patenti del 1826 si riferivano a «libri e disegni». Inoltre i redattori del Codice si erano probabilmente ripromessi

---

[28] Gli articoli furono pubblicati dalla *Gazzetta dei Tribunali* di Genova nei numeri 8, 9, 11, 12, 13, 15, 17 del 1863 e poi in un opuscolo (RAFFAELE DRAGO, *Osservazioni sopra il progetto di legge presentato al Senato dal ministro di Agricoltura, Industria e Commercio nella tornata del 18 novembre 1862*, Genova, Tip. della *Gazzetta dei Tribunali*, 1863).

[29] *Ivi*, pp. 5-37.

[30] *Ivi*, pp. 38-45.

di regolare la durata del diritto d'autore con successive disposizioni, ritenendo quelle vigenti insufficienti a tutelare pienamente la proprietà letteraria e artistica. Lo confermava la convenzione stipulata tre anni dopo con l'Austria, che, come si è visto, riconosceva il diritto d'autore per tutta la vita dell'autore, per 30 anni ai suoi eredi e per 40 alle opere postume. Nel *Proemio* i due Stati si erano impegnati a «promuovere presso tutti i Governi d'Italia [...] le misure necessarie» per garantire agli autori gli stessi vantaggi stabiliti dalla Convenzione.[31] Era dunque evidente che le patenti del 1826 erano in pratica decadute, che non costituivano più un valido termine di confronto.

Nella terza parte del suo studio Drago proponeva alcune significative modifiche al progetto Pepoli. In merito all'art. 1, per esempio, riteneva troppo breve il periodo fissato per il godimento dei diritti e «strano che il relatore si sia in questo allontanato dalle tracce segnate dai legislatori delle altre nazioni», che lo avevano garantito per un tempo più lungo.[32] Dunque, se il progetto Pepoli fosse stato accolto, non vi sarebbe stato né in Europa, né in Nord America luogo in cui il diritto d'autore fosse «maggiormente conculcato che nell'Italia maestra un giorno di civiltà al mondo intero». Nella maggior parte delle provincie italiane, inoltre, gli autori godevano da più di vent'anni di un diritto più esteso. L'Austria stessa offriva agli autori condizioni più favorevoli,[33] ed erano in vigore convenzioni internazionali in virtù delle quali, se un autore italiano pubblicava un'opera all'estero, il suo diritto si estendeva a favore dei suoi eredi per un numero di anni variabile ma sempre considerevole. Si correva perciò il rischio di favorire la pubblicazione delle opere italiane all'estero e si sarebbe fornita agli autori stranieri una buona ragione per non pubblicare in Italia. Per questi motivi Drago suggeriva di fissare un periodo più lungo per il godimento dei diritti d'autore, tanto più che i progressi compiuti negli ultimi vent'anni nel settore dei trasporti e delle comunicazioni – ulteriormente incrementati di lì a poco dal completamento delle reti ferroviarie – avevano reso «innocuo l'esercizio del diritto di vendita esclusiva per un maggior numero di anni a profitto degli autori senza nuocere alla diffusione delle utili cognizioni». In secondo luogo la

[31] *Ivi*, p. 55.

[32] Il godimento dei diritti d'autore era garantito per 7 anni oltre la vita dell'autore, ma per un periodo complessivo non minore di 42 anni dalla registrazione di un'opera, in Inghilterra e nell'Impero britannico; per 50 anni oltre la vita dell'autore in Spagna e in Russia; per 20 anni oltre la vita dell'autore in Olanda, Belgio, Svezia; per 30 anni oltre la vita dell'autore in Francia, Prussia, Portogallo, Austria, Danimarca e nella Confederazione germanica; per tutta la vita dell'autore con un minimo di 30 anni in Svizzera e in Turchia; per un periodo di 28 anni, che si estendeva a 42 in caso di sopravvivenza dell'autore, della vedova o dei figli, negli Stati Uniti (*ivi*, pp. 60-61).

[33] Scriveva a questo proposito Drago: «[...] non è da temersi che venga menomato l'affetto per il nuovo Regno d'Italia? Il Governo si pone in contraddizione coi principii che professa. I Governi liberali si distinguono dagli assoluti in ciò massimamente, che maggior rispetto professano per l'umana personalità» (*ivi*, p. 61).

diffusione delle biblioteche pubbliche, se da una parte giovava alla circolazione della cultura, dall'altro rendeva «meno agevole un considerevole smercio delle opere in un tempo assai limitato».[34] A proposito poi delle opere postume, Drago affermava che, nell'eventualità dell'attuazione dell'art. 1 del progetto Pepoli, non si sarebbe trovato Stato in cui esse fossero trattate «così poco degnamente». E concludeva asserendo che il progetto di legge pareva «a bella posta» fatto per favorire e promuovere la pubblicazione di opere «frivole, imperfette e non sufficientemente elaborate, imperocché presenta un interesse materiale considerevole a chi si affretta a pubblicare [...], a chi si limita ad appagare le volubili e fugaci passioni dei suoi coetanei».[35]

Drago passava quindi a considerare gli artt. 2 e 3 del progetto, che a suo parere recavano «pregiudizio notabile al diritto degli autori» e «soverchiamente» favorivano riduttori e traduttori. L'art. 2 di fatto metteva sullo stesso piano riduzioni, estratti ed altri adattamenti alle produzioni originali, quando notoriamente non erano che parziali contraffazioni che riproducevano la linea melodica dei componimenti da cui erano ricavati e, anzi, in qualche modo li danneggiava semplificandoli e involgarendoli.[36] Quanto all'art. 3, esso subordinava il diritto di traduzione alla condizione che l'autore pubblicasse la traduzione della sua opera entro un anno. Ammesso, come affermava Drago, che il diritto di proprietà letteraria relativamente alla traduzione dovesse essere sottoposto a condizioni restrittive, era comunque opportuno concedere all'autore un periodo più lungo.[37] Anche l'art. 3, come l'art. 2, risultava «troppo favorevole ai traduttori» pareggiando, a torto, le traduzioni all'originale. Drago proponeva invece di ammettere di massima il diritto esclusivo degli autori di ridurre, tradurre o riprodurre le opere da loro pubblicate, tanto più che questo era stabilito in tutti gli altri paesi europei; riteneva altresì opportuno, per conciliare più equamente il diritto degli autori col «generale interesse della società», concedere all'autore il diritto di ricevere da chi riduceva, traduceva, riproduceva la sua opera un'indennità proporzionale all'utile che il traduttore, il riduttore o il riproduttore otteneva; infine sosteneva la possibilità di accordare agli autori un lasso di tempo entro il quale essi soli potessero ridurre, tradurre o riprodurre le loro opere, trascorso il quale si poteva ragionevolmente presumere che non avessero voluto approfittare della facoltà accordata loro dalla legge.[38]

[34] *Ivi*, p. 63.

[35] *Ivi*, pp. 68-69.

[36] Drago citava a tale proposito le parole del discorso pronunciato da Ricordi al Congresso di Bruxelles e condivise dal congruo numero di compositori e professori d'orchestra italiani che avevano sottoscritto la sua relazione (*ivi*, pp. 74-76).

[37] Gli autori avrebbero potuto così decidere «con maturità di consiglio» se convenisse o meno intraprendere la traduzione di una loro opera e non sarebbero stati costretti, nel dubbio di un successo, a «sprecare denari senza ragionevole speranza di potersene rimborsare» (*ivi*, p. 86).

[38] *Ivi*, pp. 84-86.

Ci si è soffermati diffusamente sulle considerazioni e le obiezioni di Raffaele Drago perché la filosofia che le ispirava, condivisa più ampiamente di quanto Pepoli avesse previsto, animò la commissione di studio dell'Ufficio centrale del Senato e finì per plasmarne le conclusioni.

La commissione, composta dai senatori Scialoja, Castelli, De Foresta, Arrivabene, Matteucci, intraprese – in accordo con il ministero – ulteriori studi. Il risultato fu un nuovo progetto di legge e la lunga e dotta relazione che porta la firma di Antonio Scialoja.[39] Era parso alla commissione che nel progetto ministeriale[40] i diritti degli autori «non fossero abbastanza considerati» e che le controversie più gravi non fossero risolte «in modo plausibile».[41] Essa era partita dal presupposto che solo all'autore, o ai suoi aventi diritto, e a nessun altro fosse attribuibile la facoltà non solo di pubblicare, ma anche di riprodurre la sua opera: nella relazione si confutavano le tesi degli avversari della proprietà letteraria, negando che essa potesse costituire un ostacolo per la circolazione delle idee.[42] Al contrario, affinché le opere potessero diffondersi, e grazie alla loro diffusione potessero contribuire alla cultura di un paese, era condizione imprescindibile che esse fossero prodotte in abbondanza: ecco perché gli autori dovevano essere stimolati a scriverne e a pubblicarne, consapevoli di poter vivere con i guadagni delle proprie fatiche.[43]

Si poteva obiettare che, se il diritto esclusivo di pubblicazione e di riproduzione spettava all'autore e se questo diritto aveva un fondamento naturale, era una contraddizione limitarne la durata. La commissione però non aveva voluto avventurarsi in ardue problematiche di carattere squisitamente dottrinale, ma proporre una soluzione ragionevole e seguire il sistema universalmente praticato della proprietà temporanea: tanto più che senza dubbio, se la durata dell'esercizio del diritto d'autore era sufficientemente lungo, potevano essere «quasi per intero raggiunti i vantaggi della perpetuità, schivandone gli inconvenienti».[44] Inoltre era difficilmente confutabile che, quantunque la forma sostanziale

---

[39] AP, *Senato*, Legisl. VIII, Sess. 1863-64, *Atti interni*, vol. I, n. 21 bis.

[40] Ricordiamo che il progetto Pepoli non era stato discusso nella stessa sessione ed era stato riproposto invariato dal ministro di Agricoltura, Industria e Commercio Giovanni Manna il 1° giugno 1863 (*ivi*, n. 21).

[41] *Ivi*, n. 21 bis cit., p. 13.

[42] Un autore non poteva al tempo stesso rendere nota un'opera e voler impedire al pubblico di giovarsi e godere delle proprie idee o della propria arte. Il pubblico, dal canto suo, poteva ricavarne «tutta l'utilità scientifica o artistica [...] senza che sia perciò necessario che acquisti il diritto di riprodurne e di spacciarne le *copie* per trarne un guadagno industriale o commerciale» (*ivi*, pp. 11-12).

[43] Si legge nella relazione Scialoja: «[...] niuno ha mai sostenuto che vi siano uomini che possan vivere di sola gloria, e che per incoraggiare la gente a far opere gloriose, sia conveniente ed utile lasciarla senza pane» (*ivi*, p. 14).

[44] *Ivi*, p. 15. In effetti «la pratica de' negozii prova che il prezzo d'una cosa che si abbia a possedere in perpetuo, non differisce molto da quello d'una cosa che si può possedere per lungo tempo» (*ivi*, p. 16).

ed estrinseca del pensiero fosse prodotto puramente individuale dell'autore, tuttavia in un'opera una «parte grandissima» fosse «presa a prestito dal patrimonio comune dell'ingegno umano»:[45] quindi la proprietà limitata oltre che pratica era anche giusta. La commissione aveva studiato i sistemi adottati nei diversi paesi europei relativamente alla durata dei diritti d'autore, riscontrandone difetti.[46] Aveva quindi calcolato una media tra le eventualità previste dai sistemi vigenti nel continente europeo – una media che risultava di 83 anni – e convertito la durata aleatoria in un termine fisso, proponendo che a partire dal giorno della pubblicazione di un'opera il diritto d'autore durasse 80 anni.[47] Si erano poi contemperati i riguardi dovuti agli autori con quelli che potevano ragionevolmente meritare le esigenze generali della diffusione delle opere, distinguendo nel termine di 80 anni due periodi di 40 ciascuno: nel primo l'autore avrebbe avuto la facoltà esclusiva di riprodurre la sua opera, nel secondo avrebbe avuto diritto al solo compenso. Quanto alle opere postume, la commissione aveva concluso che dovessero godere delle stesse prerogative, così quelle anonime e pseudonime.[48]

La relazione passava quindi a considerare l'argomento non meno delicato relativo all'oggetto del diritto d'autore. A tale riguardo le opere drammatiche, musicali, coreografiche costituivano una categoria particolare, assimilabile ai discorsi e alle relazioni orali. Le complicazioni dottrinali, le impervie e tortuose speculazioni a cui questo genere di opere dava origine erano solo in apparenza capziose. Si rammenti per inciso che, a fronte di un mercato librario ancora limitato, il consumo di opere teatrali e musicali era in quel periodo decisamente elevato e ad esse erano legati interessi economici non trascurabili: come osservava Odoardo Toscani, le opere adatte a pubblico spettacolo potevano divenire «strumento di lucro in un modo loro particolare».[49] La definizione della loro reale natura non era dunque estranea alla sfera degli affari e non sarebbe rima-

---

[45] *Ibidem.*

[46] Quasi tutte le leggi distinguevano la durata del diritto d'autore in due periodi: il primo era quello della vita dell'autore e l'altro quello dopo la sua morte. Nelle legislazioni modellate su quella francese la durata del secondo periodo variava a seconda della qualità dei successori, per cui risultava sempre incerta e aleatoria; in quella inglese era garantita una durata complessiva di 42 anni, ma erano penalizzati gli autori meno longevi.

[47] Secondo la commissione, il termine fisso era più equo, perché era «espressione determinata d'una transazione tra il diritto dell'autore e quello del pubblico», perché non premiava le opere prodotte in età giovanile, spesso «meno meditate», e perché risolveva alcuni inconvenienti pratici: per esempio quello che nasceva quando su un'opera vantavano diritti più autori (*ivi*, p. 21). Fu prevista una sola eccezione alla durata del diritto d'autore: quella nei confronti della pubblicazione di opere a cura dello Stato, delle provincie, dei comuni, delle accademie, per le quali la durata fu fissata a 20 anni dalla prima pubblicazione (*ivi*, pp. 25-26).

[48] «[...] i diritti d'autore non hanno né debbono avere alcuna cosa di personale, quanto alla origine e all'indole loro» (*ivi*, p. 24).

[49] O. Toscani, *Studio sulla proprietà letteraria ed artistica* cit., p. 129.

sta priva di conseguenze sulla fitta rete di contrattazioni che attraversava il mondo dello spettacolo. Tuttavia, sul piano giuridico, la questione era così intricata da rendere – come si sarebbe osservato – «questa parte della nostra legislazione un labirinto dal quale non è facile uscire».

Le opere sceniche, in effetti, potevano essere stampate, stampate ed eseguite, oppure solo eseguite.[50] Se stampate, avevano, in quanto "libri" a tutti gli effetti, le medesime caratteristiche di qualsiasi altra opera letteraria e l'autore godeva degli stessi diritti. Era più difficile e controverso il caso della sola rappresentazione o esecuzione: non per nulla le argomentazioni svolte a questo proposito nella relazione Scialoja si presentano più oscure e involute, non per nulla le conclusioni e le soluzioni adottate avrebbero offerto il fianco a contestazioni, confutazioni, querele. Secondo la commissione, la rappresentazione o l'esecuzione di un'opera, nel caso in cui essa fosse inedita, non era da considerarsi una vera e propria pubblicazione, ma «pubblicazione *sui generis*, non dell'opera letteraria, come libro, ma dell'opera letteraria come invenzione ed azione»: rimaneva perciò un diritto esclusivo dell'autore quello di pubblicarla o di non pubblicarla, così come di riprodurla. Nel caso invece di un'opera già stampata e «per sua natura» destinata alla rappresentazione e alla esecuzione, quest'ultime non erano altro che «un'appendice, un complemento della facoltà riservata all'autore», per cui si era creduto ovvio che tutti potessero servirsene per la riproduzione anche senza speciale permesso dell'autore, solo salvo il pagamento di una percentuale sul prodotto lordo.[51] Secondo i commissari questa licenza avrebbe avvantaggiato gli autori stessi: poteva accadere che le compagnie finissero per rinunciare alla rappresentazione di un'opera per la difficoltà di contattare l'autore e chiedere la sua autorizzazione; tale condizione, in secondo luogo, avrebbe penalizzato i teatri più periferici e negato a una fetta di pubblico di assistere ad uno spettacolo.

Per quanto più specificamente riguardava le opere musicali, un problema altrettanto spinoso era quello delle riduzioni, degli estratti, degli adattamenti. La commissione li aveva ritenuti «opera in cui non entra invenzione», quindi semplici riproduzioni. Se però qualche «motivo» poteva ispirare un musicista per comporre pregevoli variazioni – come per Thalberg, come per Liszt –, allora si

[50] Potevano trovarsi esempi di opere drammatiche pubblicate a stampa e mai rappresentate in pubblico per i loro prevalenti pregi letterari; vi erano poi opere drammatiche e musicali rappresentate o eseguite sulla base di un manoscritto ma non stampate successivamente, vuoi per un insuccesso, vuoi per la necessità di modifiche e correzioni; infine vi erano opere pubblicate e riprodotte sia attraverso la stampa che attraverso la rappresentazione.

[51] AP, *Senato*, Legisl. VIII, Sess. 1863-64, *Atti interni*, vol. I, n. 21 bis cit., pp. 28-30. Si trattava dell'art. 13 dello schema di legge, destinato, come vedremo, a sollevare, per le sue conseguenze, polemiche a non finire. Si ribadiva più tardi: «Ma quando un'opera è di pubblica ragione, sotto la forma letteraria, non monta che possa esserne compiuta la pubblicità, anche sotto altra forma, quale è quella dell'azione» (*ivi*, p. 38).

era di fronte a opere originali: solo gli esperti avrebbero potuto giudicare, ma era giusto che la legge ammettesse e contemplasse questa eventualità.[52]

Un altro caso controverso era stato quello delle opere musicali composte su libretti o altre composizioni poetiche, come i melodrammi e le romanze, in cui per lo più si distinguevano gli autori delle parole e gli autori della musica, un lavoro letterario e un lavoro artistico. La commissione fu dell'avviso di attribuire una maggiore importanza al lavoro di composizione e decise perciò che il compositore potesse disporre delle parole – salvo l'obbligo di un compenso allo scrittore – e che viceversa lo scrittore, a meno di patti speciali, non potesse disporre della musica.[53]

In merito poi alle traduzioni, si dispose che all'autore di un'opera fosse riservata la facoltà esclusiva di tradurla entro il termine di 10 anni: periodo abbastanza lungo perché essa potesse acquistare la fama necessaria per essere tradotta senza rischi e spese inutili per il suo autore, abbastanza lungo anche perché l'autore potesse trarre qualche utile dalla cessione del suo diritto a un terzo, ma non tanto lungo da ostacolare la diffusione delle opere utili.[54] Seguivano altre norme relative alle condizioni e al modo della trasmissione del diritto di proprietà letteraria, al deposito e alla dichiarazione attestanti l'avvenuta pubblicazione di un'opera,[55] alle sanzioni penali,[56] alle disposizioni generali e transitorie.[57] Tra i provvedimenti transitori merita un accenno l'art. 40, che presentò non lievi difficoltà di formulazione. Si trattava di evitare che fossero eccessivamente danneggiati quanti in certe provincie – specialmente quelle meridionali – avessero investito notevoli capitali e preparato migliaia di lastre metalliche di opere che prima era legale riprodurre e con la nuova legge sarebbe diventato illecito. Era conforme a giustizia, secondo la commissione, che costoro fossero risarciti delle perdite dagli autori stessi, o da chi per loro, mediante trat-

[52] *Ivi*, pp. 30-31.

[53] *Ivi*, pp. 33-34.

[54] *Ivi*, p. 36.

[55] Il tempo utile per la dichiarazione ed il deposito di un'opera pubblicata durante l'anno fu fissato fino al mese di giugno dell'anno successivo. Se entro questa data l'autore o chi per lui non si fossero curati di adempiere l'obbligo prescritto, era data a tutti la facoltà di riprodurre e spacciare le opere pubblicate entro il 31 dicembre dell'anno precedente. Se nessuno però avesse approfittato di questa libertà, allora anche una dichiarazione tardiva poteva essere valida. L'abbandono definitivo del diritto d'autore sarebbe stato sancito dopo 10 anni dalla pubblicazione di un'opera (*ivi*, p. 55).

[56] La commissione propose per le infrazioni multe sino al massimo di 5.000 lire: «Perché realmente questa industria della riproduzione [...] è oggi molto estesa: di sorta che i guadagni che può procacciare e il danno che può arrecare sono sì considerevoli che in molti casi una multa più lieve non può reputarsi sufficiente ritegno alla contraffazione, né proporzionato castigo al contraffattore» (*ivi*, p. 59).

[57] I trattati internazionali erano riconosciuti utili, ma come «mezzi eccezionali e temporanei», nella speranza e in attesa di una uniformità accettabile nelle disposizioni legislative dei vari paesi (*ivi*, p. 65).

tative, accomodamenti e accordi reciproci, oppure mediante l'intervento del giudice.[58]

Il nuovo schema di legge proposto dalla commissione del Senato non fu discusso singolarmente in aula, perché nel 1865, in occasione del trasferimento della capitale a Firenze, si decise di affrettare l'unificazione legislativa e il governo, nella tornata del 24 novembre 1864, propose al Parlamento una legge con cui si desse facoltà di promulgare i Codici civile, di procedura civile e della marina mercantile, nonché di rendere esecutori in tutte le provincie del Regno diversi progetti, fra i quali quello per la proprietà letteraria e artistica.[59] La sua conversione fu autorizzata con la legge per l'unificazione legislativa del 2 aprile 1865.[60] Il 25 giugno 1865 il progetto diveniva, con alcune modifiche, la legge 2337. Si dovette però attendere il febbraio del 1867 – il tempo di approntare una statistica dei teatri e di superare la congiuntura della guerra con l'Austria – perché fosse pubblicato il regolamento previsto dalla legge.

Dopo l'annessione del Veneto la legge 2337 fu estesa a quelle provincie,[61] quindi a quella di Roma nel marzo 1871.[62]

---

[58] *Ivi*, pp. 73-75. La commissione aveva accolto in questo modo le istanze contenute in una petizione presentata da alcuni editori, professori ed artisti napoletani.

[59] AP, *Camera*, Legisl. VIII, Sess. 1863-65, *Documenti*, vol. VI, n. 276-A, Allegato G. Durante la discussione alla Camera si erano levate obiezioni a proposito della durata del diritto d'autore. Cantù aveva osservato che la relazione Scialoja non era nel vero quando asseriva che nessun autore sopravviveva ai primi 40 anni fissati nel progetto. Manzoni aveva pubblicato un'opera nel 1809, lo stesso Cantù nel 1824: in questi casi a un autore vivente non era data la possibilità di impedire la riproduzione di un suo lavoro. Fu quindi sostituito all'art. 9 del progetto primitivo una disposizione diversa: «Il diritto esclusivo di riproduzione è in esso garantito all'autore per tutta la sua vita; che se l'autore cessa di vivere prima che dalla pubblicazione della sua opera siano trascorsi 40 anni, lo stesso diritto passa ai suoi eredi o aventi causa fino al compimento di tale termine. Scorso questo primo periodo ne comincia un secondo, anch'esso di 40 anni, durante il quale l'opera può essere riprodotta da chiunque senza speciale consentimento [...] sotto la condizione di pagargli il premio del 5% sul prezzo lordo».

[60] Il principio sancito dall'art. 440 del Codice civile sardo a proposito delle produzioni dell'ingegno fu riprodotto nel nuovo Codice civile nell'art. 437 in questi termini: «Le produzioni dell'ingegno umano appartengono ai loro autori». Qualche commentatore (come O. TOSCANI, *Studio sulla proprietà letteraria ed artistica* cit., p. 90) trovò questa formulazione «oscura e indeterminata», molto meno felice di quella corrispondente del Codice sardo.

[61] Nella relazione della commissione per l'esame del progetto di legge relativo, presentato dal ministro di Agricoltura, Industria e Commercio Filippo Cordova il 30 marzo 1867 alla Camera, si legge che l'estensione al Veneto della legge 2337 era «una delle più prepotenti necessità che siano sorte dalla unione del Veneto e del Mantovano». Negli ultimi mesi, in effetti, si erano verificate «numerose contraffazioni», sia venete a danno dei diritti degli autori del resto della penisola, sia a danno degli autori veneti (AC, *Proposte di legge*, vol. 80, n. 27, *Progetto di legge presentato dal ministro di Agricoltura, Industria e Commercio Cordova il 30 marzo 1867* e *Relazione* della commissione di studio dello stesso).

[62] Qui il regio decreto 13 novembre 1870 era prontamente intervenuto ad evitare inconvenienti con l'estensione immediata della legge 2337. Il 29 marzo 1871 il disegno di

Come avrebbe dichiarato nel luglio 1870 il ministro di Agricoltura, Industria e Commercio Stefano Castagnola, essa

«pei sani principii a cui è informata, per lo studio accurato di risolvere le più importanti controversie che negli altri paesi eransi sollevate sull'esercizio dei diritti che regola, fu salutata ed applaudita anche dagli stranieri, come la più completa ed una delle migliori che esistano in questa materia».[63]

La sanzione per legge del diritto di proprietà letteraria ed artistica non trovò opposizioni né diffuse né organizzate negli ambienti politici: i suoi detrattori rimasero senza dubbio una minoranza. Qualche voce ad ogni modo si alzò. Il senatore Giovanni Siotto Pintor, durante la discussione in Senato che si sarebbe conclusa con l'approvazione della legge di unificazione legislativa, definì la legge sulla proprietà letteraria «illogica, ingiusta, dannosa, inutile, assurda».[64] Anche in sede di commissioni di studio e tra i membri degli Uffici parlamentari si levarono dissensi, isolati tutto sommato, ma che è doveroso registrare. Michele Amari, per esempio, avanzò riserve contro il principio della proprietà letteraria, «la quale – affermò – accenna di riuscire dannosa allo sviluppo delle grandi opere, dei lavori scientifici e non profitta che solo alla letteratura leggera e di dettaglio».[65] A molti parve invece eccessivamente lungo il termine fissato per il godimento dei diritti d'autore.[66] Il deputato Antonio Billia addirittura, nell'aprile 1870, propose e poi ritirò un progetto di legge nel quale suggeriva di tas-

legge relativo venne approvato senza discussioni alla Camera (AP, *Camera*, Legisl. XI, Sess. 1870-71, *Discussioni*, tornata del 29 marzo 1871, p. 1424).

[63] AP, *Senato*, Legisl. X, Sess. 1869-70, *Atti interni*, n. 63, *Progetto di legge per modificazioni alla legge sui diritti spettanti agli autori delle opere dell'ingegno n. 2337*, p. 3.

[64] Siotto Pintor, tuttavia, rinunciò a motivare il suo giudizio recisamente negativo: la seduta quel giorno era stata lunga e laboriosa, i senatori erano stanchi e un intervento contrario alla legge sulla proprietà letteraria sarebbe caduto nel vuoto (AP, *Senato*, Legisl. VIII, Sess. 1863-64, *Discussioni*, tornata del 29 marzo 1865, p. 2787).

[65] AC, *Proposte di legge*, vol. 80, n. 27, *Verbale* della seduta dell'8 aprile 1867 della commissione sul progetto di legge per l'estensione al Veneto e al Mantovano della legge 25 giugno 1865 sui diritti d'autore.

[66] Nei decenni successivi il principio del diritto d'autore finì per affermarsi e non fu più fondamentalmente contestato; non si può dire altrettanto riguardo alla misura della sua durata. In un articolo apparso su *Nuova Antologia* nel 1911 Piero Barbèra denunciava autori, editori e «sviscerati cultori teorici» che, «troppo innamorati della teoria o più spesso troppo preoccupati del solo tornaconto professionale, vorrebbero spingere l'applicazione di tale teoria fino al punto di nuocere tanto ai supremi fini della cultura, quanto agli interessi della stessa industria»; ad esempio la libertà di riproduzione dopo la morte dell'autore, solo sottoposta al pagamento di percentuali stabilite per legge, avrebbe prodotto «non una diminuzione, come altri teme, ma un accrescimento di redditi agli autori e loro aventi causa», perché avrebbe permesso di sfruttare «nuovi contingenti di consumatori, diverse categorie sia di lettori [...] sia di spettatori» (*Sul diritto d'autore*, in *Nuova Antologia*, 1° giugno 1911 cit.).

sare la proprietà delle opere dell'ingegno in quanto «proprietà mobile»: lo Stato, a suo avviso, avrebbe potuto, in questo modo, guadagnare qualcosa dal suo riconoscimento.[67]

La stampa accolse la legge con commenti positivi ma non privi di riserve. Sulla *Perseveranza* Filippo Filippi la definì «un documento legislativo di somma importanza» e «abbastanza liberale», benché non si fondasse sull'«unico sano principio della proprietà assoluta e illimitata». Tuttavia nel suo testo era possibile individuare lacune e imperfezioni, soprattutto a proposito della proprietà delle opere musicali, della quale non era stata ancora ben definita l'essenza, di conseguenza «menomandone [...] e snaturandone i diritti». La nuova legge, del resto, era fondamentalmente modellata su quella francese e ne ricalcava le aporie: per esempio limitava in misura eccessiva la proprietà musicale, perché non distingueva bene le «cardinali differenze» tra essa e le altre forme di proprietà intellettuale. In secondo luogo il critico del quotidiano milanese approvava l'articolo della legge relativo alla possibilità che un'opera venisse rappresentata senza il consenso di autori o editori una volta diventata di dominio pubblico grazie alla sua pubblicazione, ma, lungimirante, prevedeva che esso sarebbe stato oggetto di interpretazioni controverse, anzi erronee:

«Certe imprese e certe direzioni crederanno di poter dare liberamente le opere in musica che gli autori e gli editori finora hanno loro negato per mancanza di conveniente interpretazione».

Esse però avrebbero preso «un solennissimo granchio», poiché un'opera musicale, per essere considerata di dominio pubblico, doveva essere stampata in partitura d'orchestra, la sola stampa della riduzione per pianoforte e canto non bastava per autorizzarne un'arbitraria rappresentazione. Drammi e commedie, al contrario, una volta stampati, sarebbero stati considerati proprietà comune e per la loro messinscena non era previsto il vincolo del consenso dell'autore.[68]

Sempre sulle colonne della *Perseveranza*, Eugenio Checchi, riferendosi al mondo del teatro drammatico, affermò che la legge sulla proprietà letteraria aveva alimentato negli autori italiani «grandi speranze»: qualcuno già si immaginava «d'avere in tasca i grassi diritti che arricchirono tanti scrittori in Francia». In realtà i «sapienti» articoli della legge non avrebbero fatto germinare un solo ingegno:

«La nuova legge sulla proprietà intellettuale riuscirà praticamente utile nella letteratura drammatica, quando essa avrà cultori coscienziosi in gran numero e pochi

[67] AP, *Camera*, Legisl. X, Sess. 1869-70, *Discussioni*, tornata del 26 aprile 1870, p. 1149.
[68] *La Perseveranza*, 22 luglio 1865, *Appendice. Rassegna musicale*.

mestieranti, quando avrà più sacerdoti che sagrestani, più innamorati della gloria che cacciatori d'applausi, più devoti all'Arte che golosi dei diritti d'autore, in una parola, più religione e meno bigottismo».[69]

Secondo un articolo pubblicato dall'*Opinione* poco prima della promulgazione della legge, il sistema dei diritti d'autore avrebbe liberato gli impresari dalla «tirannia» degli editori e agevolato la rappresentazione di opere nuove. Era tuttavia preferibile che essa non limitasse eccessivamente il diritto degli impresari di mettere in scena le opere, a vantaggio degli autori ma soprattutto degli editori, che avrebbero così guadagnato una «terribile facoltà» e tenuto in propria balìa le imprese. Un altro punto assai delicato riguardava le possibili difficoltà nell'assicurare il pagamento dei diritti d'autore in un paese come l'Italia, in cui l'industria teatrale era libera e non tutti gli impresari erano solvibili: era quindi più che mai opportuno che gli autori, come in Francia, si tutelassero fondando una società che dislocasse propri agenti in ogni città del Regno.[70]

3. L'ATTUAZIONE DEL REGOLAMENTO E L'OPERATO DEI COMUNI E DELLE PREFETTURE

L'autorità incaricata, in base al regolamento del febbraio 1867, di tutelare i diritti degli autori di opere drammatiche, musicali e coreografiche destinate alla rappresentazione e di assicurare loro il pagamento dei diritti competenti fu l'autorità municipale. I compiti principali affidati ai municipi furono due: quello di non permettere le rappresentazioni di opere inedite se non dopo la constatazione dell'assenso dell'autore e quello di riscuotere il premio dovuto all'autore dell'opera edita o inedita in assenza di accordi speciali – un premio costituito da una percentuale sul prodotto lordo di ogni spettacolo variabile conformemente all'importanza del teatro: del 15% per i teatri di prim'ordine, del 12% per i teatri di secondo ordine, del 10% per tutti gli altri. Ulteriori prescrizioni del regolamento erano relative all'esecuzione di queste due attribuzioni precipue. In virtù di tali disposizioni l'autorità comunale divenne «il necessario tutore degli interessi morali e materiali degli autori di opere sceniche»[71] – una scelta in un primo tempo generalmente approvata come ragionevole, anzi ovvia: si osservò che molto difficilmente un autore poteva esercitare i propri diritti e farli rispettare dai 927 teatri esistenti nei 696 comuni italiani se non vi era un'autorità locale incaricata di vigilare sopra i suoi interessi.[72]

---

[69] *La Perseveranza*, 11 agosto 1865, *Appendice. Letteratura drammatica* cit.

[70] *L'Opinione*, 20 febbraio 1865, *Appendice. Rivista musicale*.

[71] *I Diritti d'Autore*, 1° gennaio 1870, *I Municipi, la tutela dei diritti d'autore e la riforma del Regolamento*.

[72] *Ibidem*.

All'indomani della pubblicazione del regolamento, il ministero di Agricoltura, Industria e Commercio inviò ai prefetti e ai sindaci una circolare esplicativa e un opuscoletto allegato in cui erano riprodotti sia la legge, sia il regolamento.[73] Nella circolare si sottolineava che obiettivo primario del regolamento era quello di agevolare gli autori e risparmiare loro le formalità non assolutamente indispensabili. Il servizio relativo alla tutela dei diritti d'autore era affidato quasi esclusivamente alle cure delle prefetture e dei municipi. Il ministero si era riservato il compito di raccogliere in un archivio centrale le opere e gli atti necessari a predisporre le pubblicazioni periodiche previste. L'importanza che la legge 2337 attribuiva ai diritti d'autore e «gli interessi ingentissimi» che da essi dipendevano richiedevano «singolare intelligenza» e «costante sollecitudine» nell'applicazione del suo regolamento. La circolare ricordava quindi le norme da rispettare e i compiti da esplicare, richiamando l'attenzione, in particolare, sull'art. 13 della legge, che aveva commesso al regolamento di indicare come e a chi dovesse essere dichiarata la volontà di rappresentare un'opera, nonché il modo di valutare il premio e di assicurarne il pagamento a chi ne avesse diritto. L'opportunità di affidare queste attribuzioni ai municipi era dimostrata non tanto dall'esempio di altri paesi, quanto dalla considerazione che in molte città i teatri appartenevano ai municipi o ne dipendevano direttamente per i sussidi. Come si legge nella circolare in un passaggio non privo di ambiguità:

«[...] in tal modo si conferiva ai Municipi la tutela di certi diritti privati, che loro si appartiene per la sua intima natura, costituendo fra i Comuni un mutuo soccorso a guarentigia delle prerogative de' propri amministrati».

Il governo – proseguiva la circolare – confidava nella possibilità che i municipi concorressero efficacemente all'esecuzione di una legge che intendeva «migliorare i rapporti tra gli autori [...] e le compagnie drammatiche» e restituire dignità a un'arte «abbandonata finora al capriccio dei privati speculatori, con danno delle lettere e della pubblica educazione». La garanzia di un'equa retribuzione avrebbe rivolto «i migliori ingegni italiani a questo ramo della letteratura nazionale, che ha tanta influenza sui costumi del popolo ed è uno dei più efficaci strumenti di perfezionamento civile».

A partire dal luglio 1867, dunque, presso le prefetture di tutta la penisola fu predisposto un particolare servizio a favore degli autori e degli editori che intendessero depositare le proprie dichiarazioni per riservarsi i diritti d'autore su un'opera. I prefetti a loro volta trasmettevano le dichiarazioni al ministero di Agricoltura, Industria e Commercio, che le registrava e le numerava in un registro generale. Le prefetture svolgevano anche una funzione di coordinamento e di controllo sull'operato dei municipi, nonché di tramite tra gli autori e il mini-

---

[73] ASM, *Prefettura*, b. 571, f. 6, MAIC, *Circolare ai prefetti e ai sindaci*, 19 aprile 1867.

stero. Analogamente nei municipi del Regno – ma non in tutti, come vedremo – si aprì un ufficio per i diritti d'autore, al quale furono affidate tutte le pratiche poste sotto la tutela delle amministrazioni locali.

Dopo pochi mesi di attività, fu chiaro che non ovunque il servizio a favore degli autori funzionava adeguatamente. Nell'ottobre del 1867 un'altra circolare fu trasmessa dal ministero ai prefetti, per invitarli a «spiegare ai Comuni» il regolamento: si era constatato che, a fronte di parecchie amministrazioni che avevano saputo tutelare le prerogative degli autori «con attività ed intelligenza degne di elogio», altre, probabilmente per cause indipendenti dalla loro volontà, «lasciarono desiderare una cooperazione più efficace». Il ministero sapeva «grave e difficile» il compito affidato ai comuni, tuttavia ribadiva la necessità che la legge fosse osservata in tutto il Regno con assoluta uniformità e che le autorità locali si adoperassero affinché le garanzie offerte ai cultori delle arti liberali sussistessero «in tutta la loro forza».[74] Le prefetture dal canto loro si preoccuparono di richiamare l'attenzione dei sindaci sulle raccomandazioni del ministero in merito alla natura e all'importanza del servizio a favore degli autori affinché gli uffici municipali fossero preparati ad affrontare i nuovi compiti nell'imminenza dell'apertura della stagione teatrale.[75]

Si trattava – come si è appurato studiando a titolo di campione la documentazione dell'attività svolta dall'Ufficio diritti d'autore del comune di Milano – di compiti molto delicati e piuttosto improbi, che richiedevano costanti, quotidiane sollecitudini e comportavano non pochi inconvenienti.

Gli uffici municipali dovevano richiedere a compagnie, impresari e direttori dei teatri cittadini i repertori, farsi rilasciare giorno per giorno copia dei manifesti di ciascuno spettacolo, controllare che l'opera fosse annunciata con il suo vero titolo e che il nome dell'autore, se conosciuto, fosse reso noto. Inoltre, prima di permettere la rappresentazione di un'opera, gli uffici dovevano appurare che l'impresario o il capocomico potesse dimostrare che l'opera era già integralmente edita, producendone un esemplare a stampa, oppure, se si trattava di opera inedita, di aver ottenuto dall'autore il permesso di rappresentazione. Infine dovevano prendere atto di accordi speciali con l'autore, altrimenti determinare la quota dovuta agli autori, senza dimenticare che nell'introito lordo erano comprese le somme procurate dagli abbonamenti e che il premio per gli autori doveva essere diviso fra di loro in proporzione alle parti che componevano lo spettacolo; il controllo doveva avvenire anche per i pezzi più brevi, quelli eseguiti durante concerti, accademie o negli intervalli; l'importo dovuto all'autore doveva essere quotidianamente depositato nella cassa comunale. A scanso

---

[74] *Ivi*, MAIC, *Circolare ai prefetti*, 20 ottobre 1867, *Diritti d'autore*.

[75] Si veda, per esempio, *ivi*, il prefetto di Milano al sindaco di Milano, 6 novembre 1867. Nel documento gli autori erano definiti «coloro, che colle opere illustrano la patria, e cercano correggere i costumi con lodevoli produzioni sceniche».

di equivoci e confusione, gli uffici dovevano approntare registri ed archivi appositi, conservare copia dei manifesti, annotare gli spettacoli di ogni genere rappresentati e tutti i dati relativi, gli introiti lordi con l'indicazione delle somme riscosse a favore dell'autore, di quelle ritenute per le spese, di quelle consegnate agli aventi diritto, di quelle depositate.

Un'analisi anche superficiale dell'attività espletata dagli uffici per i diritti d'autore dimostra con evidenza quanto la prassi e la concreta attuazione del regolamento fossero lontane dai meccanismi di un regolare *iter* burocratico. L'ufficio milanese – indicato ripetutamente e da più fonti come uno tra i più efficienti – fu posto sotto la direzione di Felice Venosta, «noto e pregiato autore di opere letterarie».[76] Proprietari e direttori di sale teatrali, caffè *chantant* e caffè concerto furono informati delle nuove norme e fu disposto che le tipografie sottoponessero preventivamente i manoscritti dei manifesti degli spettacoli per poter affrontare con puntualità le operazioni di controllo. Eppure intralci e imprevisti di ogni genere non smisero mai di ostacolare il lavoro.[77]

Era talora problematico, ad esempio, verificare l'effettiva proprietà di un'opera, perché non sempre il titolo riportato sui programmi o sui manifesti coincideva con quello stampato nei cataloghi ufficiali, così che si presentava la necessità di ottenere informazioni più precise.[78] Era altresì indispensabile accertarsi degli accordi, non raramente solo verbali, intercorsi tra autori e capocomici.[79] I permessi esibiti dalle compagnie potevano essere validi per una serie di recite o per una stagione o per un periodo più lungo e tale termine andava verificato per evitare che le autorizzazioni fossero indebitamente sfruttate in futuro.[80] I programmi serali, inoltre, potevano improvvisamente mutare, soprattutto a causa di indisposizioni e malattie degli artisti: in questo caso un'opera era sostituita all'ultimo momento e si dovevano avviare procedure d'urgenza.[81] Era possibile che si annunciasse la rappresentazione di un lavoro drammatico senza che fosse specificato il nome dell'autore e che i cataloghi ufficiali riportassero due opere con lo stesso titolo ma di autori diversi.[82] Qualche volta i sommari della *Gazzetta Ufficiale* registravano per un'opera una proprietà diversa da quella dichiarata da un capocomico per transazioni recenti;[83] altre volte non riportavano addirittura un titolo perché la dichiarazione sui diritti d'autore era

---

[76] Così lo definiva la *Frusta Teatrale*, 23 luglio 1867, *Diritti d'autore*.
[77] Sull'attività dell'ufficio diritti d'autore di Milano si consulti la documentazione presente in ASCMi, *Spettacoli pubblici, Teatri. Diritti d'autore*, bb. 17-25 e *Spettacoli pubblici, Miscellanea*, b. 9.
[78] *Ivi*, b. 17, f. 1, verbale del 1° giugno 1870.
[79] *Ivi*, verbale del 1° giugno 1870.
[80] *Ivi*, verbale del 1° novembre 1870.
[81] *Ivi*, verbale del 7 giugno 1870.
[82] *Ivi*, verbali del 29 giugno 1870 e del 14 settembre 1870.
[83] *Ivi*, verbale del 19 luglio 1870.

stata appena rilasciata, oppure non era stata rilasciata affatto e occorreva invitare per chiarimenti l'autore indicato dai manifesti.[84]

Esistevano per di più opere di proprietà promiscua, come *Roberto il diavolo* di Meyerbeer, assicurato sia da Ricordi che da Lucca: tali opere richiedevano l'esibizione di due contratti di nolo.[85] Altre, numerose e di grandissimi autori, figuravano di proprietà promiscua perché erano contese da diverse case editrici in attesa della risoluzione di una causa: ad esempio la proprietà di opere liriche come *Otello*, *L'assedio di Corinto*, *Mosè* di Rossini era rivendicata sia da Ricordi, sia da Cottrau, sia da Fabbricatore. In questi casi il municipio rischiava di scivolare sul terreno minato degli interessi privati.[86]

Più spesso gli autori davano il via libera alla rappresentazione, ma in qualche occasione accampavano riserve, di cui l'Ufficio doveva tenere conto.[87] La distinzione stabilita per legge tra la stampa e la rappresentazione di un'opera complicava ulteriormente le pratiche e generava parecchia confusione.[88] Un esempio può dare un'idea delle difficoltà e delle incertezze che molto spesso essa creava. *La rivincita* di Teobaldo Ciconi, in programma al teatro Fossati nell'ottobre 1870, «sembrerebbe a prima vista» – si legge nel rapporto dell'Ufficio diritti d'autore – posto sotto la tutela della legge dall'editore milanese Francesco Sanvito, ma da altri registri risultava che questa tutela riguardava solo le commedie di Ciconi stampate.[89] Due anni dopo il dubbio non era ancora sciolto. Sanvito dichiarò di aver intavolato trattative con gli eredi di Ciconi per assicurarsi anche il diritto di rappresentazione e invitò «ad operare la trattenuta secondo la legge».[90] L'Ufficio diritti d'autore trattenne il decimo a favore di

---

[84] *Ivi*, verbale del 1° agosto 1870.

[85] *Ivi*, verbale del 10 ottobre 1870.

[86] La questione era assai delicata. Francesco Lucca, dopo aver saputo dell'esecuzione durante un concerto all'aperto di un brano dell'*Assedio di Corinto*, opera di cui rivendicavano la proprietà diversi editori, in qualità di rappresentante a Milano di Giuseppe Fabbricatore si preoccupò di ammonire immediatamente l'Ufficio diritti d'autore della città: «[...] se per quest'opera vi hanno più dichiarazioni, e la stessa può formare oggetto di contestazioni fra diversi editori, è mio avviso che non spetti all'Ufficio Diritti d'autore il farsi giudice nelle contestazioni fra terzi» (*ivi*, b. 18 B, f. 4, F. Lucca all'Ufficio diritti d'autore di Milano, 23 settembre 1871).

[87] Il coreografo Pietro Martinelli, autore del ballo *Derescko* annunciato al Ciniselli nell'agosto 1870 dichiarò, ad esempio, di non avere intenzione di concedere autorizzazione «fino a tanto che le prove non siano di suo soddisfacimento» (*ivi*, b. 17, f. 1, verbale del 25 agosto 1870).

[88] Ricordiamo che gli elenchi ministeriali non specificavano se un dichiarante avesse acquistato il diritto di riproduzione a stampa o il diritto alla rappresentazione.

[89] *Ivi*, verbale del 15 ottobre 1870.

[90] *Ivi*, b. 21, f. 7, F. Sanvito alla Giunta municipale di Milano, 6 febbraio 1872.

Sanvito,[91] ma suscitò in tal modo la sorpresa e le querele dell'impresario della Canobbiana; la questione sarà ricomposta a fatica.[92]

Il problema della confusione tra diritto di stampa e diritto di rappresentazione si presentava di frequente. In genere era un effetto delle strategie messe in atto dagli autori per non privarsi del potere di controllo sulle messinscene delle proprie opere; in caso invece di opere stampate da un editore ma non registrate dall'autore, il diritto di rappresentazione rimaneva, per così dire, vacante.

Vi erano anche autori che pretendevano, in base agli artt. 25 e 27 della legge 2337 e degli artt. 18, 25 e 28 del regolamento, che essi interpretavano in senso loro favorevole, di aver diritto alla tutela del municipio su un'opera da loro stampata senza dimostrare di averla registrata presso la prefettura. L'Ufficio diritti d'autore doveva così procedere al controllo e ritirare il premio trattenendo la somma a disposizione degli autori fino a quando essi avessero adempiuto, anche tardivamente, ai propri obblighi. Una tale eccezione provocò le proteste del municipio di Milano al ministero di Agricoltura, Industria e Commercio: l'autorità comunale era costretta ad arrogarsi un potere che non le era concesso dalla legge e una grave responsabilità, perché nell'incertezza che un autore facesse o no registrare una sua opera stampata, essa sottraeva intanto una somma la cui devoluzione avrebbe dovuto essere oggetto di trattative private; si pretendeva, in parole povere, di obbligare i municipi «a fare l'interesse degli autori».[93]

[91] L'incasso serale alla Canobbiana era stato di 423 lire; per i diritti d'autore il premio era del 12%, ma a Sanvito furono corrisposti i 3/8 di esso, vale a dire circa 19 lire, perché lo spettacolo era stato diviso in otto parti, i tre atti della commedia *Le mosche bianche* di Ciconi e i cinque atti di un ballo (*ivi*, dichiarazione dell'incaricato della contabilità municipale, 6 febbraio 1872).

[92] L'impresario sosteneva che sin dal febbraio 1863 la compagnia Arcelli aveva acquistato la facoltà di rappresentare in tutti i teatri della penisola le sue opere (*ivi*, Tomaso Casati alla Giunta municipale di Milano, s.d., ma febbraio 1872). Sarà infine accertato che il contratto tra Ferdinando Arcelli e Ciconi era scaduto; né l'autore né gli eredi, per giunta, avevano registrato in tempo utile il repertorio, quindi il decimo del prodotto venne restituito all'impresario e al capocomico che aveva recitato la commedia (*ivi*, verbale del 13 febbraio 1872). A proposito della vicenda si legga *L'Arte Drammatica* (8 giugno 1872, *Diritti d'autore*), che metteva in guardia municipi e capocomici dalle pretese degli editori teatrali, i quali tendevano ad approfittarsene nel caso di opere diventate di dominio pubblico per le inadempienze o le scelte degli autori o dei loro eredi.

[93] ASM, *Prefettura*, b. 1069 bis, f. 6, il sindaco di Milano al ministro di Agricoltura, Industria e Commercio, 11 agosto 1873. Il ministero rispose dopo un mese con un proprio «parere», che pretendeva di essere salomonico e finiva per risultare solo un capolavoro di ambiguità. Prima di pronunciarsi definitivamente, chiese però l'opinione del prefetto (*ivi*, il ministro di Agricoltura, Industria e Commercio al prefetto di Milano, 11 settembre 1873). Il prefetto a sua volta chiese l'opinione del questore (*ivi*, il prefetto di Milano al questore di Milano, 15 settembre 1873), che suggerì che il ministero riconoscesse «l'esattezza» delle osservazioni fatte dalla Giunta milanese (*ivi*, il questore al prefetto, 21 settembre 1873). Infine il prefetto, pur riconoscendo l'ingrato compito imposto ai municipi di occuparsi anche degli eventuali diritti degli autori distratti, incuranti o ritardatari, tuttavia

Doveva trattarsi, dunque, di una mole di lavoro non indifferente, se si pensa al gran numero di rappresentazioni e, soprattutto, al gran numero di opere diverse e di novità che in quegli anni si avvicendavano sui palcoscenici e, di contro, ai mezzi modesti e alle procedure pressoché sperimentali, per nulla collaudate, di cui i municipi disponevano. Se le operazioni preliminari ponevano spesso dubbi e problemi, la fase del controllo e del prelievo della somma dovuta agli autori era ancora più delicata. La vigilanza si estendeva, come già si è detto, sugli spettacoli e sugli intrattenimenti musicali dei caffè – anche quando non prevedevano prezzi maggiorati, anche quando la musica era suonata senza spartiti, a memoria[94] –, sulle feste da ballo nelle sale pubbliche e sui concerti delle bande. Benché per decreto gli spettacoli dei filodrammatici fossero esentati dal sistema del prelievo per i diritti d'autore perché considerati trattenimenti privati, essi esigevano controlli in caso di recite con biglietti paganti e bacile.[95]

Particolarmente difficile risultava il controllo sui pezzi musicali più brevi. Quando Lucca nel settembre 1870 protestò di aver assistito alla Scala, durante una serata di beneficenza, all'esecuzione di un brano dell'opera *Faust* di sua proprietà, l'Ufficio municipale replicò di non aver riscontrato nel manifesto l'autore di quel «divertimento danzante» e fece notare che colle norme in vigore non era possibile tutelare anche i pezzi brevi, che potevano essere sostituiti anche all'ultimo momento a piacere dell'impresa o dell'orchestra, «non avendo il personale d'Ufficio né il diritto vero di libero accesso al teatro né l'obbligo di controllare lo spettacolo».[96]

Il problema più grave era però costituito dalle contravvenzioni e dal rifiuto delle imprese di pagare la somma dovuta agli autori. Non risulta che casi di questo genere, almeno a Milano, fossero molto frequenti, ma, quando si verificavano, l'Ufficio municipale si trovava a misurare la propria impotenza. L'impresa che nel settembre 1867 mise in scena al teatro Fossati *I misteri di Milano* di Antonio Scalvini si rifiutò, benché diffidata, di versare il premio – circa 14 lire – per i diritti d'autore; il capocomico Francesco Sterni, inoltre, non potè

---

reputava «erroneo il concetto manifestato» dal municipio di Milano: esso, anzi, rischiava di provocare azioni di risarcimento dei danni (*ivi*, il prefetto di Milano al ministro di Agricoltura, Industria e Commercio, 9 ottobre 1873).

[94] ASCMi, *Spettacoli pubblici, Teatri. Diritti d'autore*, b. 17, f. 1, verbale del 19 novembre 1869. Dalle denunce riscontrate si può dedurre che i proprietari dei caffè dovettero esercitare una forte resistenza nei confronti di adempimenti e oneri che costituivano una rivoluzione poco gradita rispetto alle consuetudini. In qualche caso, poi, la tipologia dei concerti non era ben definita. Così ad esempio il proprietario di un caffè milanese, Antonio Merlo, invitato a fornire spiegazioni perché da qualche sera otto suonatori si esibivano nel suo locale, protestò che si trattava di artisti ambulanti non retribuiti (*ivi*, verbali del 30 novembre 1870 e del 1° dicembre 1870).

[95] *Ivi*, verbale del 29 ottobre 1870.

[96] *Ivi*, f. 3, verbale del 29 settembre 1870.

provare di essere autorizzato a rappresentare liberamente l'opera: il rapporto steso dall'Ufficio milanese era, a parole, assai minaccioso, richiamava i termini del regolamento, ricordava che nessuno poteva allegare ignoranza, avvertiva che il comune sarebbe stato costretto a procedere a «severe misure», ma, infine, di fronte alle giustificazioni e alle ragioni sostenute tenacemente da Sterni, capitolava, «con avvertenza» che il capocomico «si tiene responsabile delle eventuali pretese che potesse per avventura spiegare il signor Scalvini».[97] Rispondendo al sindaco di Bassano che chiedeva consigli su come comportarsi qualora un impresario si rifiutasse di pagare i diritti d'autore, l'Ufficio di Milano ammetteva che su questo punto il regolamento taceva e proponeva di presentare denuncia al procuratore del Re e al ministero di Agricoltura, Industria e Commercio, «dichiarando all'impresario di non permettere la rappresentazione».[98] Il problema fu posto all'attenzione del ministero,[99] il quale rispose che l'unica possibilità di cui i municipi potevano servirsi era quello di denunciare i fatti all'autorità giudiziaria per l'applicazione della penalità – una multa fino a 5.000 lire, come prescriveva l'art. 38 della legge 2337. Accadeva spesso però che le compagnie, soprattutto quelle che recitavano nei teatri di terz'ordine, lasciassero la piazza di punto in bianco e senza preavviso, rendendo pressoché impossibile anche la riscossione della multa.

Gli uffici comunali non avevano neppure la facoltà di fare intervenire le autorità di Pubblica Sicurezza, per cui gli abusi continuarono a verificarsi negli anni successivi. Ad esempio l'impresa del Teatro d'Estate di Milano fece rappresentare l'opera *Elisir d'amore* senza provare di essere venuta ad accordi con il proprietario dello spartito, «ad onta delle replicate diffide» dell'Ufficio diritti d'autore; questo si era rivolto ai tribunali nell'agosto del 1873, ma dopo quasi due mesi la causa non era stata ancora discussa.[100] Ugualmente il povero Nicola Zauro tornò più volte a «supplicare» l'Ufficio di far pagare ad un impresario i diritti che gli competevano per i suoi *vaudevilles* «rappresentati in codesta città di Milano, alcuni col mio nome ed altri col nome e titolo cambiato, come lo stesso ha fatto in Roma, in Bari ed altre provincie che non mi sono state rife-

---

[97] *Ivi, Spettacoli pubblici, Miscellanea*, b. 9, f. 17, verbali del 16 settembre, 17 settembre, 18 settembre e 2 ottobre 1867.

[98] La proposta riguardava anche il caso in cui l'impresario non presentasse il consenso dell'autore o l'opera stampata (*ivi, Spettacoli pubblici, Teatri. Diritti d'autore*, b. 18 B, f. 4, il sindaco di Bassano al sindaco di Milano, 12 ottobre 1871 e la risposta, *ibidem*).

[99] *Ivi*, b. 20, f. 21, l'Ufficio diritti d'autore di Milano al ministro d'Agricoltura, Industria e Commercio, 18 settembre 1867. Si richiedevano inoltre «tutte quelle istruzioni» che valessero a facilitare all'Ufficio «il non lieve compito massime in una città come Milano dove molti sono i teatri nei quali contemporaneamente si agiscono le compagnie drammatiche».

[100] *Ivi*, f. 3, la Giunta municipale di Milano al procuratore del Re, 10 settembre 1873; il procuratore del Re in Milano alla Giunta municipale, 25 settembre 1873.

rite».[101] Anche Lucca denunciò che proseguiva nei Caffè Biffi e Gnocchi «una perenne manomissione» delle proprietà musicali spettanti alla sua ditta: non solo si riproducevano brani di opere già conosciute, ma si faceva «strazio anche dei lavori affatto nuovi con grave pregiudizio della fama dell'autore e degli interessi dell'Editore». Il municipio non poté fare altro che mandare una nuova diffida.[102]

Nel 1870 ai compiti già onerosi affidati ai municipi si aggiunse quello di compilare un elenco esatto delle rappresentazioni con tutte le indicazioni che si riferivano alla tutela dei diritti d'autore: al ministero di Agricoltura, Industria e Commercio interessava predisporre una statistica trimestrale di tutte le rappresentazioni – di opere edite o inedite, dichiarate o non dichiarate – eseguite nei teatri di ciascun comune, per garantire gli autori dalle indebite rappresentazioni e informarli della eventuale giacenza del premio che loro spettava.[103] Come si poté tuttavia verificare, non tutti i comuni mostrarono sollecitudine. Molti, ad esempio, incontrarono difficoltà nella compilazione degli elenchi. Per citare un caso, in quello trasmesso dal municipio di Brescia erano presenti «diverse lacune», «a causa di riluttanza per parte dei direttori delle compagnie sceniche ad ottemperare alle disposizioni vigenti sui diritti d'autore».[104] Il municipio di Pallanza rispose che «ben volentieri» avrebbe trasmesso trimestralmente le notizie statistiche delle opere musicali e drammatiche rappresentate sulle scene del locale Teatro Sociale, «per quanto» avrebbe potuto ottenerle: i capocomici «*mai* vogliono presentare i manoscritti o libri delle produzioni che intendono dare e sovente varcano la loro denominazione o titolo», quindi il sindaco non poteva disporre degli elementi necessari alla compilazione della statistica.[105]

A maggio avevano risposto quasi tutte le città più importanti, ma complessivamente meno di 120 comuni su 696 con teatri. I dati erano stati pubblicati dal giornale *I Diritti d'Autore* e avevano suscitato «un generale interesse»: non solo essi costituivano «il complemento quasi necessario della legge», ma anche materia di «utilissimi studi sociali letterari e morali».[106] Dalle statistiche pervenute

---

[101] *Ivi*, N. Zauro al sindaco di Milano, s.d. (ma 1873). L'autore aggiungeva un elenco di opere rappresentate fraudolentemente per far valere un diritto «che si acquista pagando una tassa al Governo, da cui si ha il diritto di essere garantito».

[102] *Ivi*, f. 6, Giovannina Strazza Lucca alla Giunta municipale di Milano, s.d. (ma marzo 1874).

[103] ACS, *MAIC, Divisione terza, Diritti d'autore. Opere teatrali*, b. 2, f. 4, *Circolare* ministeriale del 9 gennaio 1870.

[104] *Ivi*, il prefetto di Brescia al ministro di Agricoltura, Industria e Commercio, 13 aprile 1870.

[105] *Ivi*, il sindaco di Pallanza al ministro di Agricoltura, Industria e Commercio, 17 gennaio 1870.

[106] Sono parole del direttore del giornale *I Diritti d'Autore*, Enrico Scialoja, in una lettera al capo divisione del ministero di Agricoltura, Industria e Commercio del 17 maggio 1870 (*ivi*).

si ricavano effettivamente notizie e dati degni di attenzione. Esse dimostrano che, nei comuni più piccoli specialmente, accadeva che una minima percentuale delle opere rappresentate o addirittura nessuna di esse fosse tra quelle che godevano dei diritti d'autore. Spiegava ad esempio il sindaco di Chieri che le compagnie che un paio di volte all'anno recitavano nel paese, «stante la scarsità degli spettatori», si attenevano ai vecchi repertori: «[...] in caso diverso riuscirebbe loro impossibile sobbarcarsi a ritenute che assorbirebbero quasi per intero i loro esigui proventi».[107]

Dalle statistiche si possono anche attingere dati sul numero e sul tipo di rappresentazioni eseguite in quegli anni sulle scene italiane. Il municipio di Genova trasmise una tabella riassuntiva degli spettacoli rappresentati nei teatri cittadini nel 1868. Le rappresentazioni erano state 2703, di cui 2688 in sale pubbliche, 15 in sale di Accademie musicali. Le rappresentazioni di opere musicali italiane erano state 337, quelle di opere straniere 38; mentre, per gli spettacoli di prosa, 36 erano state le rappresentazioni di opere italiane, ben 1883 quelle di opere straniere – buona parte delle quali si può presumere che fossero francesi – e 64 quelle in dialetto piemontese. Altrettanto indicativo era il dato che più strettamente riguardava i diritti d'autore: le rappresentazioni eseguite con il consenso dell'autore e senza riscossione del premio da parte delle autorità municipali per la sussistenza di cosiddetti accordi speciali erano state 555, solo per 17 spettacoli era stato riscosso il premio per i diritti d'autore – per un totale di poco più di 220 lire; ben 2131 erano state le rappresentazioni di opere che non godevano dei diritti d'autore.[108] In queste statistiche trovano una conferma le testimonianze della stampa secondo le quali editori, autori da una parte e capocomici ed impresari dall'altra continuavano a preferire il contratto di nolo, che prescindeva dai calcoli esatti della quota per i diritti d'autore e semmai la prevedeva in misura forfettaria, al sistema, più rischioso, del prelievo della percentuale sugli introiti.[109] Non si era quindi risolto, come era nelle speranze di mol-

[107] *Ivi*, il sindaco di Chieri al ministro di Agricoltura, Industria e Commercio, 21 aprile 1870.

[108] *I Diritti d'Autore*, 1° febbraio 1870, *Notizie varie*. Anche il municipio di Firenze elaborò qualche statistica relativa alle rappresentazioni teatrali. Nella capitale del Regno durante il 1868 si erano registrate 1717 rappresentazioni; solo per quattro si era ritirato il decimo a favore dell'autore. Nel corso del 1869 le rappresentazioni erano state 1703, tre delle quali con pagamento del decimo; le altre erano opere divenute di dominio pubblico oppure oggetto di accordi speciali (*I Diritti d'Autore*, 1° novembre 1870, *Notizie varie*). Le statistiche trimestrali trasmesse dai comuni si trovano in ACS, *MAIC, Divisione terza, Diritti d'autore. Opere teatrali*, b. 2, f. 4 e b. 3, ff. 5-6.

[109] D'Arcais già nell'agosto del 1867 registrava che i capocomici ritenevano la nuova legge «troppo grave» e concludeva con una pessimistica previsione: «Io penso che la legge [...] troverà ad ogni passo nuovi ostacoli e nuove difficoltà. Già per i teatri di musica essa è considerata come lettera morta e si è fatto ritorno alle antiche consuetudini. Temo assai che il sistema dei diritti d'autore non faccia miglior prova» (*L'Opinione*, 19 agosto 1867, *Appendice. Rivista drammatico musicale*).

ti, il problema del costo eccessivo degli spartiti musicali, che la stampa tornò a denunciare. Secondo gli editori, del resto, il sistema dei diritti d'autore sancito dalla legge sarebbe stato ancora più oneroso. Spiegava a tale riguardo *Il Trovatore*:

«Provatevi a far eseguire la legge e converrà chiudere tutti i Teatri. Il dieci e il dodici per cento agli autori sugl'introiti serali è un'utopia. Se la legge fosse eseguibile, non dubitate che autori ed editori avrebbero trovato modo di farla eseguire. Ma essi furono i primi ad avvedersi che il peso imposto dal legislatore agli impresari era soverchio, e vennero a transazione. Avevano però il coltello pel manico, e perciò anche la transazione è riuscita onerosa agli impresari, i quali si salvarono da Scilla per urtare in Cariddi e in tutti i modi ne vanno col capo rotto».[110]

4. Di fronte alla legge 2337: organizzazioni di categoria, strategie individuali, iniziative, studi

La legge sulla proprietà letteraria e artistica del 1865 non fu preceduta, come abbiamo osservato, né promossa da associazioni o da vaste e organizzate campagne tra gli operatori del settore dello spettacolo. L'iniziativa di un editore tra i più vigili e i più attivi, Gaspero Barbèra, come già si è riferito, non aveva dato frutti.[111] Si può invece senz'altro affermare che il varo della nuova legge contribuì in modo decisivo ad innescare processi di organizzazione da parte delle categorie interessate, rese quanto mai opportuna una gestione più consapevole, più oculata, più dinamica delle loro attività – quando non favorì vere e proprie politiche imprenditoriali; stimolò, inoltre, studi e pubblicazioni sull'argomento.

[110] *Il Trovatore*, 10 febbraio 1869, *Editori ed impresari*. Il giornale riteneva «sacrosanta ed inviolabile» la proprietà artistica, riconosceva che gli editori fossero i rappresentanti degli autori, ma ribadiva che il nolo delle opere nuove era un «peso insopportabile per chiunque voglia condurre onestamente un'impresa teatrale». La prassi del nolo era destinata a consolidarsi e generalizzarsi nei decenni successivi. Ancora nel 1910 l'onorevole Giovanni Rosadi, assumendo l'iniziativa di proporre modificazioni alla legge sui diritti d'autore, affermava: «[...] si deve anche per il teatro di musica stabilire il regime delle percentuali che si pratica per il teatro di prosa, abolendo la consuetudine del noleggio, che dà adito talvolta a imposizioni di monopolio e a prezzi proibitivi. Il sistema delle percentuali invece commisura i compensi alla potenzialità dei teatri e giova alla maggiore libertà di rappresentazione» (si legga la sua intervista pubblicata in *Il Marzocco*, 25 dicembre 1910).

[111] Ricordiamo anche che durante il primo Congresso musicale italiano, convocato a Napoli il 2 e il 3 ottobre 1864, poco prima che la relazione Scialoja fosse resa nota, i partecipanti avevano votato la proposta di un progetto di legge sulla «proprietà intellettuale musicale» che porta la firma del maestro Michele Carlo Caputo: il testo si può leggere in *I Diritti d'Autore*, 1° agosto 1871, *Un progetto di legge proposto nel 1864*.

All'indomani della promulgazione della legge, si raccoglieva a Milano un gruppo di autori «Lombardi, Veneti, Piemontesi, Toscani, Napoletani, ecc ecc», decisi ad adoperarsi per la costituzione «di una società stendente la sua rete per tutta l'Italia, e in grado un giorno così di vigilare dappertutto agli interessi de' soci e rendere fruttiferi almeno i diritti loro dalla nuova legge riconosciuti».[112] Era il primo tentativo di associazione da parte degli autori italiani negli anni postunitari.[113] Il 31 luglio 1865 veniva diramata e pubblicata da numerosi giornali della penisola una circolare in cui si rendeva noto il programma della futura Società. I promotori intendevano aprire un Ufficio di rappresentanza generale degli autori e dei compositori che direttamente o per mezzo di agenti facesse rispettare i diritti sanciti dalla nuova legge, anche mediante azioni giudiziarie a spese del fondo sociale, e si incaricasse di percepire l'importo dovuto agli autori e di trasmettere ai soci interessati le quote riscosse; essi si ripromettevano inoltre di contattare la Société des Auteurs et compositeurs dramatiques de France «per la scambievole rappresentanza e difesa», mediante i rispettivi agenti, dei diritti d'autore. La circolare precisava che all'iniziativa era del tutto estranea «qualunque mira di speculazione privata» e sosteneva la convenienza e l'utilità di una simile associazione, che tra gli autori francesi aveva conseguito «tanto decorosi e proficui risultamenti».[114]

Nel comitato promotore dell'iniziativa milanese spiccavano i nomi del notissimo autore drammatico Paolo Ferrari, del maestro, compositore e direttore

[112] Il Teatro Italiano, 3 gennaio 1867, Società Nazionale degli Autori Italiani d'Opere Drammatiche e Musicali. Si veda anche La Perseveranza, 29 luglio 1865, Notizie varie.

[113] Altre iniziative – a cui si è già brevemente accennato – si registrano nel decennio preunitario nel Piemonte sabaudo. La prima fu promossa nel luglio 1850 da Giovanni Sabbatini; il programma era quanto mai generico e abbracciava ad un tempo aspirazioni patriottiche – formare «nella capitale dell'unico paese libero d'Italia» il nucleo di una società in grado di cooptare i letterati della penisola intorno al progetto di un teatro schiettamente nazionale – e rivendicazioni di categoria: per esempio l'obiettivo «che gli scrittori trovino nel teatro una carriera utile da potervisi esclusivamente consacrare» (per altri particolari si vedano i seguenti articoli della Gazzetta Piemontese: 23 luglio 1850, Società degli autori drammatici italiani; 31 luglio 1850, Agli autori drammatici italiani; 6 agosto 1850, Società degli autori drammatici italiani). Dopo cinque anni di silenzio, la stampa tornerà a parlare della Società, rifondata su nuove basi e con un significativo rimpasto ai vertici: presieduta da Felice Romani, annoverava tra i consiglieri Angelo Brofferio, David Chiossone, Giovanni Sabbatini, Domenico Capellina, Ippolito D'Aste, Leopoldo Marenco, Marcelliano Marcello; oltre alla sede torinese, si prevedevano rappresentanze nelle altre provincie italiane, affidate, come già si è detto, a Pepoli, Ferrari, Martini, Colucci, Battaglia (anche per queste notizie si consulti Gazzetta Piemontese, 6 settembre 1855, Fatti diversi. Società degli autori drammatici italiani; 20 ottobre 1855, Fatti diversi. Arte drammatica cit.). Anche di questa società, tuttavia, presto si perdono le tracce.

[114] La Perseveranza, 5 agosto 1865, Notizie varie; Il Sole, 11 agosto 1865, Società Nazionale degli autori italiani d'opere drammatiche e musicali. Il fondo sociale sarebbe stato costituito da una tassa d'ingresso da stabilirsi, non superiore a 40 lire e pagabile a rate, nonché da un «tenue provento» da fissarsi sulla riscossione dei diritti d'autore dei soci.

del Conservatorio Lauro Rossi, del librettista Francesco Maria Piave, di Giuseppe Lamperti, dell'avvocato Pier Ambrogio Curti.[115] Quest'ultimo soprattutto, insieme a Ferrari e a Lamperti, rivestì un ruolo importante. Poeta, romanziere, autore di strenne, critico teatrale, mecenate di artisti, presidente della Società delle miniere, avvocato attivissimo e versatile, patriota – era stato processato nel 1857 per un articolo teatrale ma poi assolto – Curti era a Milano figura assai nota, anche per il suo impegno politico nelle fila dei democratici; nel 1867, tra l'altro, sarebbe entrato come deputato alla Camera.[116]

Il comitato si preoccupò immediatamente di individuare nella legge 2337, entrata in vigore il 1° agosto, «punti che possono essere diversamente interpretati» e per i quali fossero necessarie delucidazioni; inoltre richiamò l'attenzione degli autori sulle adempienze a loro carico e sulle scadenze stabilite.[117] Erano sorti, in effetti, parecchi dubbi che era urgente sciogliere: per le opere pubblicate fino al 31 luglio 1865 era fissato il termine perentorio di tre mesi per depositare le dichiarazioni relative e il termine stava per scadere. Era urgente chiarire se anche per queste opere fosse obbligatorio il deposito delle copie, se si dovessero produrre tante dichiarazioni quante erano le opere denunciate e, soprattutto, se il versamento della tassa di 7 lire imposta dal regio decreto che accompagnava la legge fosse previsto per ciascuna opera. Secondo il comitato milanese, la risposta possibile era in tutti e tre i casi negativa. La legge non faceva parola del deposito; d'altronde, in caso contrario, si doveva prevedere l'imbarazzo di una quantità immensa di opere che in tre mesi gli uffici delle prefetture avrebbero dovuto sostenere: a Milano il solo Ricordi avrebbe dovuto depositare circa 30.000 opere. Così era molto più ragionevole la possibilità di una dichiarazione complessiva valida per più opere. Si argomentava infine che dalla tassa fossero esentate le opere pubblicate prima del 25 giugno 1865: sia perché già eventualmente gravate di analoghi balzelli in forza di leggi precedenti, sia perché per molti autori ed editori sarebbe risultato troppo gravoso versare la tassa per tutte le opere: si tornava a citare Ricordi, che per le sue 30.000 pubblicazioni avrebbe dovuto pagare un'imposta di 210.000 lire. Eppure, secondo il comitato, le prefetture erano di ben altro avviso:[118] fu quindi sollecitato il pa-

---

[115] Ricordiamo anche i nomi del maestro Paolo Giorza, del coreografo Giovanni Casati, del direttore di musica della Guardia Nazionale Gustavo Rossari, del maestro Nicola Ferri, dello scrittore Vitaliano Prina. A Curti e Lamperti fu assegnato il compito di redigere lo statuto.

[116] Su Curti si leggano la voce in *DRN*, vol. I, il profilo di Antonio Ghislanzoni in *Rivista Minima*, 31 agosto 1865, *Tribuna milanese*, A. DE GUBERNATIS, *Dizionario biografico degli scrittori contemporanei* cit., pp. 332-333, *La Riforma*, 9 luglio 1878, *Rassegna letteraria* e *La Farfalla*, 22 aprile 1877, vol. III, n. 9, *Acquarelli del pubblicismo milanese*.

[117] *Il Sole*, 10 settembre 1865, *Comunicazioni*. Si veda anche *La Nazione*, 20 settembre 1865, *Fatti diversi. Società Nazionale degli Autori d'opere drammatiche e musicali*.

[118] Le prefetture, in effetti, erano nel giusto. Non mancarono negli anni successivi casi di editori – anche seri, come la ditta Lucca – che tentavano di pagare una tassa per più

rere del ministero di Agricoltura, Industria e Commercio e richiesta una proroga del termine fissato per le dichiarazioni, anche in considerazione del fatto che per molti autori che si trovavano all'estero il termine di tre mesi era insufficiente.[119]

Nonostante questo avvio promettente, gli obiettivi dei promotori di una Società degli autori non furono immediatamente raggiunti. Dopo più di un anno si annunciava che essa andava costituendosi «con perseverante pazienza, e malgrado i mille ostacoli che incontra».[120] Per dare nuovo impulso e pubblicità all'iniziativa, nel gennaio 1867 veniva fondato a Milano il settimanale *Il Teatro Italiano*, diretto da Enea Crivelli. Nel *Programma* la direzione esprimeva la speranza che – conclusasi con la guerra del 1866 la fase delle lotte per l'indipendenza – la libertà potesse finalmente garantire una rigogliosa e civile fioritura artistica e permettere ai cultori del teatro e della musica di misurare le loro forze intellettuali. La nuova rivista intendeva discostarsi dalle formule e dai toni generalmente adottati dagli altri giornali teatrali, che servivano per lo più la bottega di un'agenzia o le necessità di promozione degli artisti abbonati. Si sarebbe esercitata una critica imparziale, si sarebbe rivolta l'attenzione su argomenti generali di vitale importanza per gli artisti e i lavoratori dello spettacolo: sui repertori, sullo stile recitativo, sulla giurisprudenza teatrale, sulla legislazione dei diritti d'autore.[121] A proposito della nuova legge in materia, il giornale ne riconosceva in questi termini i possibili vantaggi: grazie ad essa un autore avrebbe potuto «sottrarre i proventi a lui dovuti alla mala fede, alla rapacità, agli abusi, alle piraterie dei monopolisti, degli incettatori, degli speculatori». Era però essenziale che la legge non generasse «con pericolosa anomalia una ufficiale perturbazione al diritto ed al concetto di proprietà, producendo così la confusione del cavillo, laddove essa intendeva di creare l'ordine del diritto». Intanto il giornale denunciava che ancora non era stato pubblicato il regola-

opere con l'espediente di rilegarle in un solo fascicolo (ASM, *Prefettura*, b. 1398, il ministro di Agricoltura, Industria e Commercio al prefetto di Milano, 14 aprile 1876 e 19 maggio 1876). Sonzogno implorò che fosse almeno accolta una dichiarazione complessiva, anziché quattro, «avuto riflesso alla ingente maggiore spesa cui dovrebbe sottostare quando dovesse pubblicare nei giornali [...] quattro dichiarazioni anziché una complessiva» (*ivi*, b. 1182, il prefetto di Milano al ministro di Agricoltura, Industria e Commercio, 26 aprile 1874), ma non fu assecondato (*ivi*, la risposta del ministro, 3 maggio 1874). Nel 1876 furono indirizzate al ministero istanze dirette ad ottenere una diminuzione della tassa di 10 lire stabilita per ciascuna opera dichiarata; il ministero cercò di appurare attraverso le prefetture se le lamentele fossero fondate, ma non ricevette risposta (*ivi*, b. 1499, il ministro di Agricoltura, Industria e Commercio al prefetto di Milano, 15 maggio 1876, 7 maggio 1877, 1° giugno 1877). Poco dopo il ministero fu soppresso.

[119] *Il Sole*, 31 ottobre 1865, *Notizie varie*.

[120] *Il Teatro Italiano*, 3 gennaio 1867, *Programma*.

[121] *Ibidem*. Il giornale si avvaleva della collaborazione, oltre che di Ferrari, Lamperti, Rossi, Curti, dei commediografi Leopoldo Marenco e Luigi Vallardi, dell'avvocato Eugenio Zuccoli, del coreografo Carlo De Blasis, del giornalista e romanziere garibaldino, non-

mento promesso, esiziale per chiarire «molte e sostanzialissime cose che nella legge erano pretermesse, o dimenticate, od accennate confusamente».[122] L'esperienza del *Teatro Italiano* era però destinata a breve vita.[123]

Pressoché contemporanea all'iniziativa milanese fu quella, promossa a Firenze, di alcuni autori – primo fra tutti l'ex revisore teatrale Giovanni Sabbatini – che nel maggio 1865, in occasione del Centenario dantesco, si riunirono in un'associazione per la difesa dei propri diritti e dei propri interessi. Erano numerosi gli autori che avevano sottoscritto la prima circolare: tra gli altri Ferdinando Martini, Tommaso Gherardi del Testa, Giuseppe Costetti, Ippolito Tito D'Aste, Parmenio Bettoli, David Chiossone, Luigi Gualtieri, Paolo Giacometti, Luigi Suner, Achille Torelli, Eugenio Checchi, Gaetano Gattinelli, Carlo D'Ormeville, Francesco Dall'Ongaro.[124] Il nuovo sodalizio accese immediatamente il fuoco della polemica scagliando pesanti accuse nei confronti delle compagnie drammatiche e minacciando di ricorrere al Parlamento per salvarsi dalla «pirateria» dei capocomici.[125] Il grande attore Luigi Bellotti Bon rispose con una lettera pubblicata su *La Nazione*. Egli rivendicava a sé il merito di aver incoraggiato, fin dal 1858, gli autori italiani, imbarcandosi nell'impresa di creare un repertorio italiano; in cinque anni aveva commissionato per la propria compagnia ben 78 commedie, buona parte delle quali aveva raccolto gli applausi del pubblico. Né, a suo giudizio, potevano essere accusati di pirateria grandi interpreti come Alamanno Morelli, Ernesto Rossi, Cesare Dondini, Amilcare Belotti ed altri.[126] Come Bellotti Bon anche Ernesto Rossi rese pubblica la sua indignazione in una lettera inviata a Sabbatini, presidente della neonata società, per chiedere rettifiche.

In merito agli interventi dei due capocomici, gli autori fiorentini discussero a lungo in un'adunanza del 27 giugno. Ammisero che le osservazioni di Bellotti Bon erano, per quanto lo riguardavano personalmente, giustissime, ma ribadirono sostanzialmente le proprie accuse: la costituenda Società aveva deliberato di «garantire con tutti i mezzi legali la proprietà intellettuale, violata [...] dalla

ché futuro deputato nelle file della Sinistra, Medoro Savini, di Francesco Gabba e Luigi Romani.

[122] *Il Teatro Italiano*, 3 gennaio 1867, *Società Nazionale degli Autori Italiani d'Opere Drammatiche e Musicali* cit.

[123] La rivista si fuse con *Il Mondo Artistico* nell'aprile 1868.

[124] I nomi dei firmatari si trovano in *La Nazione*, 3 luglio 1865, *Cronaca fiorentina*.

[125] Il testo della circolare relativa, datata 18 maggio 1865, fu pubblicato in *La Nazione*, 25 maggio 1865, *Fatti diversi. Arte drammatica*.

[126] *La Nazione*, 30 giugno 1865, *Fatti diversi*. Nel 1871 Bellotti Bon dichiarava di aver commissionato più di cento commedie in dieci anni e inaugurava il nuovo decennio con un programma artistico che prevedeva la formazione di altre due compagnie entro il 1874; le tre compagnie avrebbero recitato un repertorio «essenzialmente italiano», senza escludere però i «notevoli lavori stranieri» (*L'Opinione*, 11 settembre 1871, *Appendice. Rivista drammatico-musicale*).

più parte dei capocomici». Esistevano senz'altro compagnie oneste, ma erano, come quelle citate da Bellotti Bon e da Rossi, un infimo numero a fronte delle 60 e più che lavoravano in Italia.[127] Seguì una durissima replica di Rossi, che però si concludeva con l'auspicio della costituzione di un'associazione degli autori, a patto che il processo non si fondasse «sulla base dell'ostilità coi capocomici».[128] Vari attori e conduttori di compagnie si riunirono per protestare contro le accuse della Società, minacciando addirittura di astenersi dal rappresentare i nuovi lavori di tutti gli autori che avevano firmato la circolare del 18 maggio: fino a quando autori e attori si sarebbero lasciati trascinare dal «desiderio di rappresaglia e da meschine garuzze», dai «rancori che separano e indeboliscono», sarebbe stato difficile realizzare la speranza di «dare all'Italia un teatro italiano».[129]

La diatriba tra attori e autori non era destinata a spegnersi presto. Riflettendo sui termini di questo conflitto di interessi in un'appendice pubblicata su *La Nazione* nel 1867, Luigi Capuana scrisse: «La guerra è stata dichiarata, e ne abbiamo vedute appena appena le prime avvisaglie», ma ormai il trionfo dei diritti d'autore era assicurato. I timori dei capocomici erano infondati: certamente ora agli autori era dovuta per legge una retribuzione «convenevole», quando prima essi erano costretti ad accontentarsi «di poche centinaia di franchi», se non del semplice onore di vedersi rappresentati; certamente a ragione i capocomici denunciavano che le condizioni del teatro drammatico in Italia erano «infelicissime», che Accademie e proprietari teatrali pretendevano quasi metà degli introiti di ogni stagione, che la «piaga» degli abbonamenti riduceva l'ingresso ad un prezzo meschino, che i municipi erano già gravati dalle doti ai teatri musicali, che metà della paga serviva per comprare i costumi e per i viaggi. Così essi minacciavano di rappresentare soltanto «roba» francese, oppure, nell'eventualità che anche gli autori francesi reclamassero un giorno i loro diritti, di attingere dal repertorio di produzioni dimenticate e ordinare traduzioni dallo spagnolo e dal tedesco. E tuttavia, secondo Capuana, i diritti d'autore non avrebbero costituito un «peso così enorme», come gli attori paventavano, anzi li avrebbero preservati dal rischio di doversi lamentare dei «quattrini sprecati in opere meschine e cadute dopo una prima rappresentazione». Gli autori, dal canto loro, non si sarebbero più lamentati per opere pagate poche centinaia di franchi che poi servivano per «impinguare le cassette degli impresari».[130] So-

---

[127] A proposito, inoltre, di alcune considerazioni svolte da Ernesto Rossi sugli attori italiani, gli autori affermavano nel verbale: «[...] ci consentirà di non convenire in ciò ch'essa scrive, signor cavaliere, non essere in Italia, tranne pochi, che attori *straccioni*» (*La Nazione*, 3 luglio 1865, *Cronaca fiorentina*).

[128] *La Nazione*, 9 luglio 1865, *Fatti diversi*.

[129] *La Nazione*, 26 luglio 1865, *Fatti diversi. Dissidio fra autori ed attori in Italia*. Si veda anche *Il Trovatore*, 27 luglio 1865, *Sciopero de' capocomici*.

[130] *La Nazione*, 16 agosto 1867, *Rassegna drammatica. Autori ed attori*.

prattutto avrebbero potuto vivere del proprio lavoro senza «sforzarsi [...] ad una sciagurata fecondità».[131] Gli attori, concludeva Capuana, avrebbero dovuto chiedere a se stessi un considerevole sforzo organizzativo e una maggiore professionalità: un salto di qualità, insomma, che lasciasse alle spalle l'«istinto artistico», l'improvvisazione, la sciatteria della messinscena, il «barbaro barocchismo» della recitazione.[132]

Intanto la Società degli autori fiorentina raccoglieva nuove adesioni[133] e procedeva alla elezione di un comitato permanente per gettare le basi definitive di una associazione fra gli autori drammatici italiani.[134] Nell'adunanza del 7 agosto il comitato fu eletto: ne facevano parte il deputato, patriota, scrittore, giornalista Filippo De Boni, come presidente, quindi Sabbatini, Dall'Ongaro, Costetti, Martini.[135] Due anni più tardi le società nate a Firenze e a Milano presero in considerazione l'opportunità di una fusione, con lo scopo di vigilare affinché la legge sui diritti d'autore non rimanesse «lettera morta».[136] Nascevano negli stessi anni altre società, che univano agli obiettivi dell'incoraggiamento e della mutualità – e spesso a quelli speculativi – la salvaguardia dei diritti d'autore: come la Società d'incoraggiamento fra letterati e compositori di musica, nata per iniziativa di Baldassare Boni.[137]

L'idea della costituzione di una società su scala nazionale si rivelò però prematura. Ancora per parecchi anni gli autori avrebbero continuato a salvaguardare i propri interessi ognuno per sé. La documentazione fornisce un'idea delle strategie da loro attivate individualmente a tale scopo. Emblematica sotto questo aspetto è la figura di Paolo Ferrari, che ebbe il suo daffare a diramare circolari indirizzate ai municipi, ai capocomici e alla stampa per evitare la rappre-

[131] Secondo Capuana la sorte degli autori italiani era «la più miserabile di tutti gli autori d'Europa» (*La Nazione*, 17 agosto 1867, *Rassegna drammatica. Autori ed attori*).

[132] *Ibidem*.

[133] Tra le altre quelle di Gioacchino Pepoli, Filippo De Boni, Riccardo Castelvecchio, Vittorio Bersezio, Angelo Brofferio, Luigi Capuana, Felice Govean, Ulisse Mengozzi (*La Nazione*, 21 luglio 1865, *Cronaca fiorentina. Società drammatica italiana*). Vennero coinvolti anche i commediografi napoletani: dell'operazione fu incaricato Achille Torelli, il quale fece pubblicare su *Omnibus* un invito indirizzato a quaranta scrittori drammatici residenti a Napoli, un numero che fece esclamare a Ghislanzoni: «Misericordia! quanti letterati!» (*Rivista minima*, 15 agosto 1865, *Minime*). Nella lista degli autori napoletani figura anche il nome del censore Pietro Micheletti.

[134] *La Nazione*, 21 luglio 1865, *Cronaca fiorentina. Società drammatica italiana* cit. La legge sulla proprietà letteraria, per il comitato fiorentino, sarebbe rimasta lettera morta se gli autori non si fossero dati da fare, curandone «il continuo esercizio». Inoltre occorreva coordinarsi alla Società degli autori francesi e compiere «un'opera di morale artistica», impedendo che i lavori degli autori d'oltralpe si presentassero al pubblico italiano «rabberciati e malmenati secondo l'usanza della maggior parte dei traduttori teatrali» (*La Nazione*, 14 agosto 1865, *Società drammatica italiana*).

[135] *La Nazione*, 11 agosto 1865, *Cronaca fiorentina. Società drammatica italiana*.

[136] *La Nazione*, 4 luglio 1867, *Cronaca fiorentina*.

[137] *Gazzetta Musicale di Milano*, 10 novembre 1867, *Varietà*.

sentazione delle sue commedie senza averne dato il consenso scritto, pubblicandole con omissioni e mutilazioni,[138] firmando con le compagnie innumerevoli contratti pieni di puntigliose clausole. L'intenzione era anche quella di evitare recite poco accurate che compromettessero il successo delle sue opere, o di impedirne la rappresentazione in teatri periferici o di scarsa notorietà: esse infatti si sarebbero così deprezzate e sarebbero risultate meno appetibili per i teatri di maggiore importanza.[139]

In tribunale si discussero moltissime cause sorte in merito a controversie sulla proprietà letteraria. Una delle più famose contrappose Carlo Barbini e Leopoldo Marenco: l'editore milanese aveva fatto stampare il dramma di Marenco *Il falconiere di Pietra Ardena*, l'autore dal canto suo aveva diramato una circolare ai municipi affermando che l'opera era incompleta e appellandosi all'art. 13 della legge. Così anche il noto autore drammatico e futuro deputato Francesco De Renzis, dopo aver pubblicato su *Nuova Antologia* un suo proverbio in versi omettendone l'ultimo, pretendeva di essere ancora in diritto di dare o negare il suo consenso alla rappresentazione. Spesso i tribunali davano ragione agli autori, ma molti contestavano tali sentenze, appellandosi alla ragionevolezza e obiettando che agli autori faceva comodo un'interpretazione eccessivamente letterale della legge.[140]

[138] Come meglio si spiegherà in seguito, le pubblicazioni incomplete erano spesso oggetto di controversie. Il capocomico Antonio Schiavoni, per esempio, protestò di aver acquistato la fortunata commedia di Ferrari *Cause ed effetti*, pubblicata di recente per i tipi di Carlo Barbini insieme ad altre opere con una vera e propria campagna pubblicitaria, «intendendola in buona fede opera compiuta»; dichiarò inoltre di non essersi avveduto delle mutilazioni, poiché l'autore stesso forniva nelle sue note informazioni esaustive: l'opera era anche in quella forma pienamente adatta alla rappresentazione. L'Ufficio diritti d'autore di Milano, di fronte a tali insistenze, non poté che prenderne atto e concludere che Ferrari e Schiavoni «interpretavano la legge in senso diverso» (ASCMi, *Spettacoli pubblici, Teatri. Diritti d'autore*, b. 21, f. 7, verbale del 13 agosto 1872 e lettera dell'Ufficio diritti d'autore di Milano a quello di Bologna, 29 agosto 1872).

[139] Ovviamente l'attenzione e gli scrupoli erano maggiori quanto più un'opera poteva riempire le sale dei teatri e garantire buoni incassi: come, ad esempio, per *Cause ed effetti* (*L'Arte Drammatica*, 6 aprile 1872, *Notiziario*) o per *La donna e lo scettico*. Ecco l'esempio di un contratto tra Ferrari e Alamanno Morelli: «Si dichiara [...] di avervi conceduto facoltà di recitare con la compagnia da voi condotta e diretta, nei teatri d'Italia, eccettuati quelli di Milano e Livorno, la mia commedia *La donna e lo scettico*. Nei teatri eccettuati di Milano e Livorno non permetterò la recita della detta commedia che dopo l'agosto p.v. [...]. Vi dichiaro pure di aver ricevuto come corrispettivo [...] 600 lire. Portandovi in teatri ove la censura teatrale esigesse tagli o mutazioni alla commedia, questi cambiamenti non potranno farsi che previo il mio consentimento» (ASCMi, *Spettacoli pubblici, Teatri. Diritti d'autore*, b. 17, f. 1, contratto di P. Ferrari, 8 febbraio 1865). Si veda anche (*ivi*, b. 18 A, f. 1) il contratto tra Ferrari e Cesare Vitaliani, con cui il capocomico aveva acquistato il diritto di rappresentazione per cinque anni di tutte le commedie di Ferrari pubblicate «completamente». Tra i documenti dell'Ufficio diritti d'autore milanese si riscontrano contratti, dichiarazioni, proteste di altri autori – Leopoldo Marenco, Felice Cavallotti, Ettore Dominici, ecc.

[140] Si legga anche il parere del giornale *I Diritti d'Autore*, 1° aprile 1871, s.t.

È certo che gli autori drammatici, soprattutto quelli più amati dal pubblico, furono favoriti, in termini economici, dalla legge sulla proprietà letteraria, che contribuì ad elevare il valore delle opere che erano oggetto di accordi speciali e ne consentì rappresentazioni più rispettose.[141] *L'Arte Drammatica* provò a fare i conti in tasca a Paolo Ferrari, calcolando che *Il Suicidio* gli aveva reso 35.000 lire.[142]

Ci fu anche chi riuscì a sfruttare la legge per fondare fortune più vaste. Come era prevedibile, arrivò il momento in cui non fu più possibile rappresentare gratis le opere francesi. La concorrenza del repertorio d'oltralpe penalizzava gli autori italiani, che più volte si erano rivolti alla Società degli Autori francesi perché «facesse valere i propri diritti in Italia e mettesse fine in tal modo ad una concorrenza morale oltremodo dannosa al teatro italiano».[143] Gli autori francesi dapprima fecero orecchio da mercante, paghi del largo spaccio nella penisola delle loro opere stampate, ma quando qualcuno di loro iniziò ad accettare di essere pagato – come Victorien Sardou –, il fronte si spaccò.[144] Da quel momento, non appena gli autori d'oltralpe provvedettero alla tutela delle loro opere in Italia, si aprì una corsa all'accaparramento delle opere francesi,[145] in cui si distinsero capocomici, agenti e uomini di teatro particolarmente scaltri.[146] Nel 1878 si costituì a questo fine una «lega» tra cinque compagnie – Morelli, Bellotti Bon, Cesare Rossi, Giuseppe Pietriboni e Luigi Monti – che fece lanciare un grido di allarme sulle sorti del repertorio italiano. Qualcuno – come Carlo D'Ormeville – osservò tuttavia che spettava agli autori italiani «creare al teatro straniero la più seria ed efficace concorrenza».[147]

[141] Come scrisse V. RIVALTA nel suo studio *Storia e sistema del diritto dei teatri* cit., p. 241.

[142] A seconda del numero delle piazze teatrali e della durata della privativa l'opera era costata alle compagnie – che in gran numero l'avevano richiesta – dalle 10.000 lire alle 600 lire (*L'Arte Drammatica*, 3 novembre 1877, *Notiziario*). A Cavallotti *Il Cantico dei cantici* aveva reso 20.500 lire.

[143] *L'Opinione*, 24 febbraio 1873, *Appendice. Rivista drammatico-musicale*. La possibilità di sfruttare gratuitamente una miniera di commedie era il motivo principale per il quale il repertorio di molte compagnie era formato quasi interamente da opere francesi. Sulla questione si era soffermato anche C. TENCA nel suo *Dell'industria libraria in Italia* cit., pp. 86-88. Più voci si levarono anche per sostenere l'opportunità di una riforma della convenzione franco-italiana del 1862, lesiva alla «dignità delle lettere nazionali» (*I Diritti d'Autore*, 1° febbraio 1870, *Adunanza del Comitato Consultivo*; il testo della convenzione con la Francia si trova in *I Diritti d'Autore*, 1° marzo 1870; si veda anche *I Diritti d'Autore*, 1° marzo 1870, *Desideri di modificazioni alla Convenzione italo-francese*).

[144] *La Perseveranza*, 30 giugno 1876, *Appendice. Rassegna drammatico-musicale*.

[145] *L'Arte Drammatica*, 23 dicembre 1876, *La circolare dell'Avvocato di Morelli!*.

[146] Tra questi vi era chi millantava intenzioni degne di lode: l'agenzia del giornale fiorentino *Il Teatro Italiano* firmò, attraverso un plenipotenziario, l'ingegnere Demetrio Diamilla Müller, un contratto per la «tutela delle produzioni francesi in Italia», assicurando di averne concluso uno analogo per la tutela dei lavori italiani in Francia: ma qualche critico protestò che tale reciprocità fosse solo presunta (si leggano per esempio le osservazioni di D'Arcais in *L'Opinione*, 3 luglio 1876, *Appendice. Rivista drammatico-musicale*).

[147] *Gazzetta dei Teatri*, 4 luglio 1878, *La Lega*.

Si rivelò altrettanto abile il più volte citato Vittorio Bersezio – autore della famosissima *Le miserie di mônssù Travet* e di altre fortunate commedie, giornalista, critico teatrale, quindi deputato[148] – che negli anni Settanta prese ad acquistare i diritti di traduzione delle opere, in particolare delle "novità", di molti commediografi francesi, e soprattutto della produzione di Sardou, «la più preziosa e la più ricercata»,[149] e finì per esercitare un vero monopolio sul repertorio francese, in regola con le prescrizioni della legge sui diritti d'autore. A credere alla voce di numerosi giornali teatrali, nei primi tempi Bersezio aveva ceduto i lavori di cui aveva la privativa a prezzi modici; poi, non appena si era reso conto della sete di «buoni lavori nuovi che chiamino gente in teatro», aveva iniziato ad affacciare «pretese enormi». Alcune tra le migliori compagnie avevano allora deciso di fare a meno dei lavori appartenenti a Bersezio, anche se con non lieve danno.[150] Bersezio si difese, protestando di non essere altro che il «socio» di alcuni autori francesi, il loro traduttore, delegato a difenderne in Italia i diritti.[151]

Sotto l'ombrello della legge si creò quindi nel settore del teatro di prosa un vero mercato delle commedie, gestito da qualche compagnia,[152] da Bersezio, dall'agenzia del periodico fiorentino *Il Teatro Italiano*,[153] dalla cosiddetta Società romana per l'acquisto, la tutela e l'incoraggiamento delle opere drammatiche in Italia,[154] che di lì a poco avrebbe suscitato un vero e proprio vespaio di

[148] Sulla sua figura si consulti la voce di Valerio Castronovo in *DBI*, vol. IX, pp. 423-426.

[149] *L'Arte Drammatica*, 10 luglio 1880, *Il commercio drammatico in Italia* (che riproduceva un articolo del giornale teatrale romano *Il Suggeritore*).

[150] *Ibidem*. Sull'accordo tra Bersezio e Sardou si veda anche *La Nazione*, 8 aprile 1875, *Teatri*. Bersezio combinava affari anche con gli editori: ad esempio Carlo Viviani, proprietario della Libreria Editrice di Milano, acquistò da Bersezio per un anno e per la sola piazza meneghina la proprietà di una futura commedia di Sardou (*L'Arte Drammatica*, 26 aprile 1879, *Notiziario*). D'Arcais fu tra i primi a denunciare il «commercio» di Bersezio, che, a suo avviso, contribuiva al ritorno delle produzioni francesi nel repertorio delle compagnie italiane (*L'Opinione*, 18 febbraio 1876, *Notizie teatrali ed artistiche*).

[151] *L'Arte Drammatica*, 27 marzo 1880, *Bersezio e la Lega*.

[152] Il capocomico Bellotti Bon, che allora gestiva tre compagnie, cercò di assicurarsi le opere dei più noti autori drammatici italiani, commissionando loro le commedie con regolare contratto; qualche critico notò che da quel momento l'ispirazione era venuta a mancare, e così i buoni lavori: era impossibile «fare assegnamento sulla fantasia a giorno fisso», né la carriera teatrale poteva essere affine a quella burocratica (così affermò D'Arcais in *L'Opinione*, 9 giugno 1875, *Appendice. Rivista drammatico-musicale*).

[153] Per ulteriori informazioni sull'attività di questa agenzia e sulle polemiche nate in proposito si leggano *L'Opinione*, 29 maggio, 6 giugno, 10 luglio 1876, *Appendice. Rivista drammatico-musicale*.

[154] La Società romana era nata come società di incoraggiamento per i lavori drammatici italiani su iniziativa di Eugenio Tibaldi e di «aristocratici azionisti», come li definì D'Ormeville (*Gazzetta dei Teatri*, 21 dicembre 1882, *A Ferdinando Martini*). Essa acquistava opere italiane e francesi, per poi rivenderle alle compagnie. Nonostante questo tipo di speculazione fosse del tutto lecita, l'attività della Società di Tibaldi, negli anni successivi, die-

polemiche, e, presto, da Adolfo Re Riccardi; si generalizzarono così contratti che prevedevano diritti di assoluta «esclusività» – contratti che erano alla portata delle compagnie più abili, più solide e più ricche, mentre penalizzavano non poco le compagnie secondarie.[155]

Ferdinando Martini misurò in questi termini la portata del mutamento avvenuto in vent'anni:

«C'è stato un tempo, lo so, nel quale agli scrittori francesi non si pagava un soldo per diritto d'entrata e una commedia dell'Augier e del Dumas costava a un capocomico cinquanta lire sborsate con stento e di malavoglia al suggeritore che traduceva, come nel *Figlio di Giboyer* – un lys élevé dans un fumier – un figlio educato da uno spazzacamino».

Scrittori, italiani o francesi che fossero, ricorrevano invano ai tribunali per difendersi da quella che appunto chiamavano la pirateria dei capocomici. Finalmente era intervenuta una provvida legge sulla proprietà letteraria. La conseguenza era stata anche la formazione di monopoli, leciti del resto, ma soprattutto la salvaguardia della dignità degli artisti.[156] Quanto alle compagnie secondarie, «che importa – chiedeva Martini – all'incremento e al decoro dell'arte ci sieno cento cattive Compagnie in Italia?».[157]

de adito ad una vera e propria *querelle*: molti critici, tra cui Leone Fortis, Francesco D'Arcais, Carlo D'Ormeville, Federico Verdinois, la accusarono di monopolizzare il repertorio a danno dei capocomici, di penalizzare quello italiano e di imbarbarire il gusto del pubblico (si considerino a titolo d'esempio le argomentazioni di Leone Fortis in *Il Pungolo*, 7/8 dicembre e 8/9 dicembre 1882, *Questioni d'arte. Lettera aperta a Paolo Ferrari*, che intendeva replicare ad un intervento di Paolo Ferrari, apertamente solidale al progetto della Società romana, pubblicato sul *Popolo Romano* (nonché sulla *Gazzetta dei Teatri*, 23 novembre 1882, *Lecito ma iniquo!*, e 7 dicembre 1882, *Acquisto, Tutela ed Incoraggiamento*). Non mancò chi, come Ferdinando Martini, prese apertamente le difese di Bersezio come della Società romana (*La Domenica Letteraria*, 3 e 10 dicembre 1882, *Chiacchiere della domenica*).

[155] La stampa teatrale denunciava spesso questo sistema. *L'Arte Drammatica* lo giudicava oltremodo dannoso e riteneva che le compagnie potessero accontentarsi dei diritti di «priorità di piazza»; il suo direttore, Icilio Polese Santarnecchi, finì per proclamarsi perfetamente d'accordo «coi socialisti i quali coll'abolizione della proprietà individuale, intesero ed intendono sempre di preservare il diritto di proprietà, *universalizzandolo*» (*L'Arte Drammatica*, 26 agosto 1877, *Due Dame e Cleopatra*).

[156] L'articolo di Martini è riprodotto in *Gazzetta dei Teatri*, 14 dicembre 1882, *A Ferdinando Martini*.

[157] *Gazzetta dei Teatri*, 21 dicembre 1882, *A Ferdinando Martini*. Rispondendo alle obiezioni di Martini, D'Ormeville faceva osservare che in Italia le compagnie primarie «si riducono a sette od otto» e bastavano appena ai teatri delle principali città italiane, nei quali soltanto si svolgeva la loro sfera d'azione: esse si avvicendavano «con un continuo *chassez-croizet* dal Gerbino al Paganini, dal Rossini al Brunetti, dal Manzoni al Niccolini, dal Valle al Sannazaro». A detta di D'Ormeville, una miriade di centri minori esigeva spettacoli e solo le compagnie secondarie potevano appagare questa richiesta.

Anche gli editori più agguerriti furono pronti ad approfittare dell'opportunità fornita dalla legge sui diritti d'autore. Per quelli che stampavano letteratura drammatica – i Sanvito, i Barbini, i Ducci, i Riccomanni, ecc. – si trattava di acquistare anche i più lucrosi diritti di rappresentazione. La strategia degli editori musicali è invece assimilabile, anche se sulla più vasta scala imprenditoriale, a quella degli autori drammatici. Degli autori musicali essi erano poi i rappresentanti. Scriveva D'Arcais:

«[...] nelle presenti condizioni del teatro italiano non v'è autore che possa far a meno dell'editore. I diritti di stampa e di rappresentazione di un'opera musicale sono siffattamente uniti e confusi fra di loro, le difficoltà di tener dietro agl'impresari nomadi e alle compagnie musicali vaganti, per riscuotere i diritti d'autore, son così numerose, le consuetudini hanno radici così profonde, i mezzi de' quali gli editori dispongono, sia a danno, sia a vantaggio dei compositori, sono così potenti, che nessun maestro può sottrarsi al giogo di un editore».[158]

Sulle pagine della *Perseveranza* Filippi, affezionato paladino di Casa Ricordi, registrò con soddisfazione il «vantaggio reale» della legge 2337, grazie alla quale opere musicali che erano prima «in preda alla licenziosa usurpazione del pubblico», come molte di quelle di Donizetti, Mercadante, Bellini ed altri, che non fruttavano nulla né ai vivi né agli eredi dei morti, grazie alla nuova legge erano divenute «pieno ed esclusivo diritto» di Ricordi che ne aveva fatto acquisto. Lo stesso editore era stato investito di regolare procura da Rossini per far valere in suo nome e nel suo interesse in Italia i diritti d'autore su molte sue opere.[159]

Come già si è accennato, negli anni successivi alla pubblicazione della legge gli editori settentrionali e quelli meridionali pretesero la proprietà su scala nazionale di opere musicali e libretti di cui prima avevano l'esclusività nelle rispettive provincie. Si osservò che la legge era «molto imperfetta, per ciò che riguarda le prove da presentarsi alle RR. Prefetture di acquistata proprietà»: era sufficiente ottemperare all'art. 20, mentre sarebbe stato più saggio e previdente predisporre procedure più complesse e meticolose; si aggiunga che i municipi avevano dato in qualche caso interpretazioni diverse.[160] Sorsero quindi cause clamorose tra le case editrici più potenti – Ricordi, Lucca, Cottrau, Fabbricatore – per la proprietà di opere famosissime, che si trascinarono a lungo mettendo in difficoltà i municipi, ai quali gli editori trasmettevano circolari di protesta gli uni contro le pretese degli altri.[161]

---

[158] *Gazzetta dei Teatri*, 11 settembre 1877, *Gli editori di musica*.

[159] *La Perseveranza*, 27 agosto 1866, *Appendice. Rassegna drammatico-musicale*.

[160] *Il Secolo*, 27 dicembre 1868, *Diritti d'autore*.

[161] *Il Secolo*, 27 aprile 1869, *Proprietà musicale*. Si prendano ad esempio la circolare inviata da Ricordi ai prefetti in ASM, *Prefettura*, b. 659, Tito Ricordi al prefetto di Milano,

Gli editori musicali sfruttarono inoltre l'art. 13 della legge – che richiedeva, per una esecuzione, l'autorizzazione dell'autore o di chi detenesse la proprietà di un'opera inedita o solo parzialmente stampata –, pubblicando le riduzioni delle opere ma non gli spartiti e noleggiando quest'ultimi alle imprese. È noto che Ricordi finì in tal modo per esercitare una vera e propria tutela sulla Scala in particolare e sui teatri che richiedevano opere di sua proprietà, concedendole solo a patto che fossero garantite esecuzioni dignitose e intervenendo nella scelta dei cantanti e delle scenografie.[162] La stampa teatrale – almeno quella legata alle agenzie e alle imprese – non cessò mai di denunciare non solo – come si è visto – il prezzo dei noli, ma anche la «dittatura» dell'editore e si spesero fiumi di inchiostro in occasione dei grandi rifiuti di Ricordi all'Apollo di Roma,[163] al San Carlo di Napoli, alla stessa Scala. Affermava a questo proposito D'Arcais:

«Gl'impresari che conducono i teatri, i municipii che li sussidiano sono completamente esautorati e sottoposti alla volontà, qualunque essa sia, dell'editore; la carriera stessa degli artisti dipende dagli editori, i quali hanno facoltà di approvarli o rifiutarli per le opere più accreditate».

Non a caso gli editori, come gli agenti, erano tutti «nemici acerrimi» di una riforma dell'ordinamento teatrale nel senso più volte indicato dallo stesso D'Arcais: il teatro a repertorio, che avrebbe svincolato le imprese dalla tirannia degli editori.[164]

10 settembre 1868, e quella di Teodoro Cottrau al municipio di Milano, in ASCMi, *Spettacoli Pubblici, Teatri. Diritti d'autore*, b. 20, f. 3, che parlava di «sconci» nell'esercizio dei diritti d'autore.

[162] Su Ricordi in particolare e, in generale, sul nuovo ruolo acquisito dagli editori musicali nel periodo in questione si leggano le considerazioni di FRANCESCO DEGRADA in *Musica, musicisti, editoria. 175 anni di casa Ricordi. 1808-1983*, Milano, Ricordi, 1983, pp. 14-15.

[163] A proposito della vertenza tra Ricordi e l'Apollo, che occupò diffusamente le pagine della stampa della capitale, si veda l'intervento di Ricordi in *Gazzetta Musicale di Milano* (4 gennaio 1874, *Le solite cose romane*), nel quale l'editore, giustificando il suo rifiuto di concedere *Aida* a quel teatro, così descrisse un'esecuzione a cui aveva assistito: «Mi trovavo seduto negli scanni vicini all'orchestra, e rimasi scandalezzato del contegno di molti professori d'orchestra, e specialmente dei violini: era un cianciare interminato, un dimenarsi inquieto sulle seggiole, un motteggiare questo e quello; senza parlare di alcuni che, durante le battute d'aspetto, leggevano i giornali e d'altri che ammiravano con tanto di cannocchiale le veneri romane sedute nei palchi. Uno de' professori di violino suonava sdraiato, appoggiando il manico dell'istrumento sui ginocchi: un altro invece di fare i *tremoli*, a risparmiarsi tanta fatica, tirava l'arco, tenendo le note!!!... E frattanto il Direttore d'orchestra batteva furiosamente tutti i quarti e semiquarti delle battute, col naso cacciato in mezzo alle pagine della partitura». Una replica di D'Arcais e la successiva risposta di Ricordi si trovano in *Gazzetta Musicale di Milano*, 25 gennaio 1874, *Cose romane (Botta e risposta)*.

[164] *Gazzetta dei Teatri*, 11 settembre 1877, *Gli editori di musica* cit. L'articolo di D'Arcais prendeva spunto dal rifiuto del *Mefistofele* di Boito al San Carlo.

Suscitò clamore la causa sollevata dall'impresario Filippo Moreno, che ebbe – come affermò *L'Euterpe* – «il coraggio di sfidare l'onnipotenza del Ricordi» e fece rappresentare al teatro Carcano di Milano il *Conte Ory* di Rossini, ormai defunto, malgrado l'opposizione dell'editore e avvalendosi degli artt. 8 e 9 della legge 2337, poiché l'opera era stata rappresentata sul solo manoscritto per la prima volta più di quarant'anni prima, nell'agosto 1828. Ricordi lo denunciò, affermando che l'art. 9 non era applicabile alle opere sceniche.[165] Il Consiglio di Stato gli diede ragione,[166] ma la questione rimase assai controversa.[167] Per gli editori fu comunque una vittoria: in effetti, se l'interpretazione fosse stata favorevole a Moreno, molte delle opere musicali più applaudite avrebbero potuto essere rappresentate in quegli anni senza il consenso degli autori o dei loro aventi causa, mediante il semplice pagamento del 5% sull'introito lordo e moltissime altre sarebbero passate ogni anno in questa categoria.[168]

Impresari e capocomici non mancarono di manifestare il proprio malcontento. Le strategie messe in atto dalle imprese per salvaguardare quanto possibile l'incasso serale erano strettamente legate a quelle volte ad arginare gli effetti della politica fiscale governativa che le colpiva e saranno analizzate nel prossimo capitolo. Per quanto più strettamente riguarda la legge sui diritti d'autore, ricordiamo l'iniziativa del *Palcoscenico*, appoggiata da molti altri periodici teatrali, di indirizzare una petizione alla Camera perché fossero studiate per la legge 2337 «modificazioni profonde e razionali».[169]

Una petizione fu trasmessa nel maggio 1873 anche dal neonato Consorzio degli appaltatori di Teatri, che aveva sede a Milano presso la direzione del giornale *Le Arti Sceniche*. Vi si denunciavano «i gravi danni e le enormi vessazioni

[165] Ricordiamo che l'art. 9 distingueva in generale, per la durata e l'esercizio del diritto di riproduzione e spaccio delle opere dell'ingegno, due periodi: quello della vita dell'autore se durava più di 40 anni dalla pubblicazione dell'opera, o quello di 40 anni se l'autore moriva prima, dopodiché cominciava un secondo periodo di altri 40 anni durante il quale l'opera poteva essere riprodotta senza il consenso dell'autore e solo a condizione di pagargli un premio.

[166] Per il testo di questa importante sentenza si consulti il periodico *I Diritti d'Autore*, 1° febbraio 1870, *Parere del Consiglio di Stato*. Sul caso si veda anche ASM, *Prefettura*, b. 723 bis, il prefetto di Milano al ministro di Agricoltura, Industria e Commercio, 28 maggio 1868, e *ivi*, il prefetto di Milano a Filippo Moreno, 20 ottobre 1869.

[167] Lo stesso Scialoja – in un parere scritto su richiesta del ministero di Agricoltura, Industria e Commercio a proposito della questione Moreno – definì inesatto il parere del Consiglio di Stato, ma ammise che il legislatore «non ebbe dinanzi alla mente il caso da risolvere, e però non usò nessuna espressione che, neppure per indiretto, aiuti a risolverlo» (*I Diritti d'Autore*, 1° febbraio 1870, *Il diritto di rappresentazione sulle opere sceniche e l'art. 9 della legge*).

[168] Il commento del *Secolo* (26 ottobre 1869, *Corriere della città. Opere teatrali*) sulla sentenza del Consiglio di Stato fu il seguente: «Questa decisione favorisce [...] di molto gli Editori di musica, speriamo che non ne vorranno fare un monopolio».

[169] *L'Euterpe*, 18 giugno 1869, *Il Gran Kan dell'Arte Melodrammatica*.

cui soggiacciono le Amministrazioni dei Teatri di Musica per l'ambigua interpretazione e poca chiarezza della legge stessa quali vengono usufruite ad esclusivo beneficio di sole due case commerciali di Milano». Si faceva osservare inoltre che la legge sui diritti d'autore – e soprattutto l'interpretazione di alcuni suoi articoli favorevole ai grandi editori – aveva «prodotto la cessazione di tutte le piccole industrie tipografiche musicali, delle copisterie e la rovina dei Teatri di terza categoria dei piccoli centri di popolazione rimasti quasi tutti chiusi». Soprattutto l'interpretazione dell'art. 13 si era rivelata poco conforme ad equità, poiché «nell'Arte musicale non ha mai esistito, né potrà mai in avvenire esistere, un lavoro che possa letteralmente dirsi *completamente* pubblicato». Per questo gli «onnipotenti editori» avevano la facoltà di negare il diritto di rappresentazione di un gran numero di lavori «a seconda del loro capriccio»: procurandosi altrimenti gli spartiti, gli impresari cadevano nel reato di contraffazione, «che milita interamente a favore» degli editori stessi. I proprietari teatrali, infine, proponevano che fossero radiate le «dichiarazioni tardive», presentate «per eludere la legge in merito alla caducità in cui erano incorsi i vantati proprietari di non pochi lavori musicali», e di risolvere «l'anacronismo» di scorgere sugli Elenchi ufficiali delle proprietà persino sei dichiarazioni di proprietari diversi sopra una medesima opera.[170]

A fronte di questa vera e propria guerra di interessi che, scatenata dalla promulgazione della legge 2337, contrapponeva autori, capocomici, editori, impresari col suo strascico di polemiche e di veleni sulla stampa, la pubblicistica e gli studi sui diritti d'autore, che nel primo ventennio postunitario fiorirono numerosi, pretesero di fornire un contributo imparziale e sistematico al dibattito sull'argomento e all'esatta applicazione della legge, ma finirono per trasferire sul piano teorico le controversie generate dalla complessa materia.

Sulla questione della proprietà letteraria intervennero scrittori e studiosi – come Manzoni, Tommaseo, Ermolao Rubieri, Giuseppe Bozzo Bagnera, letterato palermitano autore di pubblicazioni sulla letteratura drammatica nonché professore di letteratura presso l'Università di Palermo –, commediografi e politici – come Cavallotti e Chiaves –, uomini politici – come Giovanni Siotto Pintor e Pasquale Stanislao Mancini –, editori – come Francesco Lucca, che sulla necessità di riforme alla legge 2337 pubblicò un opuscolo –, economisti – come Ferrara, Boccardo, Angelo Marescotti, lo stesso Scialoja, giuristi e avvocati – come Moisè Amar,[171] Odoardo Toscani, Prospero Ascoli, Enrico Rosmi-

---

[170] La petizione si trova in AC, *Proposte di legge*, vol. 179, n. 217, *Petizione alla Camera del Consorzio degli Appaltatori dei Teatri*, Milano, 3 maggio 1873; era firmata da Cesare Piacentini e Luigi Bartezzaghi.

[171] A proposito di Amar, ricordiamo che egli fu tra i primi in Italia a dedicarsi alla elaborazione del diritto industriale e della proprietà letteraria, tra l'altro introducendone stabilmente l'insegnamento, nel 1877, presso la facoltà di Ingegneria dell'Università di Torino; il suo trattato, più volte citato, pubblicato nel 1874, fu la prima opera organica e com-

ni, Cesare Losana, Valentino Rivalta, Raffaele Drago, Ulisse Mengozzi, Felice Mangili,[172] alcuni perché chiamati a risolvere le molteplici cause di giurisprudenza teatrale, altri perché impegnati negli uffici municipali dei diritti d'autore: come Drago, impiegato al Comune di Genova,[173] e Mengozzi, responsabile dell'Ufficio diritti d'autore di Firenze.[174]

Proprio a Firenze uscì nel gennaio 1870 il primo numero del già menzionato mensile *I Diritti d'Autore*, diretto dall'avvocato Enrico Scialoja, figlio del senatore Antonio Scialoja, in seguito affiancato da Mengozzi. Il periodico si proponeva di «agevolare a tutti gli interessati l'esercizio dei diritti d'autore», e si divideva in due parti: la prima era compilata su documenti ufficiali comunicati dal ministero di Agricoltura, Industria e Commercio, quali le disposizioni governative, le convenzioni internazionali, le dichiarazioni dei diritti d'autore e le statistiche delle rappresentazioni eseguite nei teatri italiani; nella seconda parte erano pubblicati articoli e interventi sulle questioni più interessanti e più delicate connesse all'esercizio dei diritti d'autore, notizie, recensioni, pubblicità. Presso la direzione del giornale fu aperto un vero e proprio ufficio dei diritti d'autore che forniva consulenze e appoggio e garantiva un servizio prezioso agli abbonati e agli interessati – comprese eventuali azioni legali. Il servizio era offerto in particolare agli autori di opere sceniche, per i quali era più difficile far rispettare i propri diritti ovunque. L'ufficio si proponeva anche di «frenare l'indecorosa concorrenza delle traduzioni francesi», esigendo dalle autorità italiane parità di trattamento.[175] Fu altresì istituito presso la direzione un Comitato consultivo che si assicurò la collaborazione di Antonio Scialoja, presidente, dell'editore Gaspero Barbèra, dell'autore drammatico Achille Torelli, dell'avvocato Raffae-

---

pleta sui diritti d'autore uscita in Italia. Sulla sua figura si veda il profilo biografico tracciato da ROBERTO ABBONDANZA in *DBI*, vol. II, pp. 633-634.

[172] Per una bibliografia sull'argomento sino al 1883, peraltro incompleta, si consultino VLADIMIRO PAPPAFAVA, *Intorno al carattere giuridico ed alle vicende storiche del diritto di proprietà sulle opere di letteratura ed arte*, Zara, Tip. del Narodni List, 1883 e, fino al 1890, E. ROSMINI, *Legislazione e giurisprudenza sui diritti d'autore* cit., pp. 9-11.

[173] A Raffaele Drago dedica un paragrafo RAFFAELE ROMANELLI, nel suo *Sulle carte interminate. Un ceto di impiegati tra privato e pubblico: i segretari comunali in Italia, 1860-1915*, Bologna, Il Mulino, 1989, p. 73. Drago fu autore di vari scritti di contabilità comunale, di giurisprudenza e di metereologia statistica, nonché di un'autobiografia, *Ricordi di un segretario comunale. 1857-1907*. Sulla questione dei diritti d'autore scrisse il già citato *Osservazioni sopra il progetto di legge presentato al Senato dal ministro di Agricoltura Industria e Commercio nella tornata del 18 novembre 1862*, e *Annotazioni alla legge 25 giugno 1865*, Genova, Tip. della *Gazzetta dei Tribunali,* 1865, oltre che numerosi pareri su cause e sentenze relative all'argomento.

[174] Di ULISSE MENGOZZI si legga *Manuale esplicativo la giurisprudenza e la pratica amministrativa che regolano la tutela dei diritti di proprietà sulle opere dell'ingegno*, Torino, eredi Botta, 1871, e *Opere dell'ingegno. Prontuario alfabetico per la interpretazione della legge 25 giugno 1865* cit. Mengozzi si cimentò anche nella stesura di testi teatrali.

[175] *I Diritti d'Autore*, 1° gennaio 1870, s.t.

le Drago, di Urbano Rattazzi, di Domenico Berti, di Carlo De Cesare e, più tardi, di Celestino Bianchi. Il Comitato invitò i lettori a sottoporre dubbi e osservazioni, che sarebbero stati oggetto di analisi e studi.[176] Il periodico si prefisse di rimanere fedele al programma «di imparzialità fra gli interessi in lotta delle varie classi»[177] e, come utile sussidio, fu mandato in dono a prefetture e comuni dal ministero. Esso inoltre, nonostante cessasse le pubblicazioni nel settembre 1871, diede un notevole contributo alle riflessioni e alle discussioni sulle possibili riforme che – come era generalmente riconosciuto – era indispensabile apportare alla legge 2337.

5. Una legge imperfetta

A pochi anni dalla pubblicazione della legge e del suo regolamento si dovettero registrare e, da parte ministeriale, ammettere disfunzioni, inadempienze imputabili alle autorità predisposte al controllo, violazioni e, non ultime, disposizioni poco felici, che si erano rivelate, sul piano della prassi, fonte di incertezze e di conflitti. La legge rivelò aporie e punti deboli eclatanti proprio nelle prescrizioni relative alle opere sceniche.

La procedura necessaria per far valere i diritti d'autore comportava – come alcuni osservarono – «lungaggini inutili» e «insopportabili complicazioni»[178] e il ministero fu spesso accusato di scarsa solerzia nel trasmettere gli elenchi ufficiali delle opere dichiarate, tanto preziosi per il lavoro dei municipi. Inoltre il passaggio dalle precedenti legislazioni a quella del 1865 e le disposizioni transitorie della stessa si erano rivelate «feconde sorgenti di quistioni di grave momento»; alcune di esse furono discusse nei tribunali e dal Consiglio di Stato.[179]

Gli episodi di contravvenzione erano numerosi e di diversa natura. L'ex libraio Giovanni Ponzoni e l'editore Francesco Sanvito pubblicarono a Milano e

---

[176] *I Diritti d'Autore*, 1° gennaio 1870, *Notizie varie*.

[177] *I Diritti d'Autore*, 1° febbraio 1870, *Il diritto di rappresentazione sulle opere sceniche e l'articolo 9 della legge* cit.

[178] O. Toscani, *Studio sulla proprietà letteraria ed artistica* cit., p. 146.

[179] *I Diritti d'Autore*, 1° maggio 1870, *Le disposizioni transitorie della legge 25 giugno 1865*. Moltissimi autori e cessionari, ad esempio, approfittarono delle disposizioni dell'art. 40, che consentiva loro la possibilità di chiedere l'applicazione della nuova legge anche alle opere precedentemente pubblicate, a patto che adempissero alle formalità prescritte entro due mesi a partire dal 1° agosto 1865, termine poi prorogato di altri due mesi: furono 1618 le dichiarazioni di questo tipo eseguite. Altri però si fecero sfuggire l'occasione, o per ignoranza, o per leggerezza, o per non sobbarcarsi altre spese, o perché paghi di esercitare i propri diritti secondo le modalità delle leggi anteriori, magari in una sola parte della penisola, salvo pentirsene quando, due anni dopo, si trovarono esclusi dalla tutela municipale. Gli editori di musica – più previdenti e perspicaci, ma anche forniti di maggiori capitali – si affrettarono ad ottemperare immediatamente all'art. 40 (si veda a tale proposito *L'Arte Drammatica*, 29 giugno 1872, *Diritti d'autore*).

diffusero nel febbraio 1870 una memoria in cui lamentavano che la legislazione sui diritti d'autore estesa nel 1861 nelle provincie meridionali era rimasta «lettera morta». L'operazione predisposta dal ministero di Agricoltura, Industria e Commercio, che prevedeva di contrassegnare tutti i volumi delle opere già stampate per le quali gli editori dovevano fare la rivelazione richiesta dal decreto del 17 febbraio 1861, non era stata attivata per mancanza di controlli e le contraffazioni erano proseguite. La legge del 1865 avrebbe dovuto in seguito dissipare gli equivoci e ripristinare la legalità, ma: «[...] pei contraffattori napoletani non valgono punto le disposizioni vigenti né vecchie né nuove»; essi approfittavano – si osservava – della confusione sorta dall'avvicendarsi di leggi e decreti dal 1861 al 1865. Era quanto mai urgente, pertanto, «un provvedimento sinceramente tutorio e corroborato da una sanzione penale», per evitare che «il povero danneggiato, dopo fatto la spia e il delatore, sia costretto a spendere in depositi giudiziari ed in assistenza forense ingenti somme».[180]

Un caso assai frequente di infrazione alle disposizioni della legge 2337 – esteso in tutto il Regno – era quello della indebita esecuzione di fantasie, trascrizioni, divertimenti, studi che riproducevano in realtà opere tutelate e di proprietà altrui.[181] Gli editori musicali vigilavano e perseguivano questo genere di contraffazione con puntiglioso accanimento,[182] ma le cause non erano sempre facili: la legge 2337 prevedeva, come si è visto, che gli "esperti" giudicasse-

---

[180] *I Diritti d'Autore*, 1° marzo 1870, *Sulla contraffazione libraria nelle provincie meridionali*, e 1° giugno 1870, *Sulla contraffazione libraria*. A proposito dell'opuscolo di Sanvito e Ponzoni, l'organo dell'Associazione Tipografico-Libraria Italiana, *Bibliografia Italiana* (15 giugno 1870, *Cronaca*, *s.t.*), ebbe parole taglienti: se proprio si volevano invocare provvedimenti – scrisse in sostanza – la sede indicata per una possibile iniziativa di sensibilizzazione e di mobilitazione era l'Associazione libraria stessa, in grado di assicurare ad un'istanza «un valore morale assai più notevole che se dessa venisse presentata da pochi editori rappresentanti esclusivamente gli interessi di una città». La polemica la dice lunga sul grado di coesione e di coordinamento degli editori in quegli anni. Ciò non toglie che il loro malcontento sui risultati effettivi della legge 2337 sfociasse in una chiara richiesta: «Dal Governo il commercio librario attende una sola cosa, la *riforma della legge sulla proprietà letteraria*» (*Bibliografia Italiana*, 15 marzo 1870, *Cronaca*, *Gli interessi della Libreria*). Così la questione venne sollevata sia dal Congresso Tipografico-librario di Napoli del 1871, sia da quello di Venezia del 1872 (*Bibliografia Italiana*, 30 aprile 1873, *Cronaca*, *La legge sui diritti d'autore al Senato del Regno*).
[181] Una causa famosa riguardò la *Messa* di Verdi: ne era stata pubblicata una riduzione per canto e pianoforte dalla Ricordi, che fu però illecitamente eseguita: era impensabile – si osservò da parte dell'editore – che per cinque o dieci lire un editore o un autore cedessero l'uso di un'opera non solo per motivi di studio o per diletto privato, ma per soddisfare migliaia di spettatori paganti (*Gazzetta Musicale di Milano*, 30 agosto 1874, *Profanazioni Musicali*, in cui era riprodotto un articolo del *Monitore di Bologna*).
[182] Si legga ad esempio *Gazzetta Musicale di Milano*, 24 novembre 1867, *Una questione di proprietà artistica*: l'articolo era firmato da Ricordi, il quale si lamentava di «minori editori o stampatori di musica» che eludevano la legge pubblicando poco dignitosi «raffazzonamenti».

ro quando fantasie e riduzioni fossero una mera riproduzione e quando invece potessero ritenersi opere originali. Questa sorta di discrezionalità aveva, nei fatti, permesso la proliferazione di riproduzioni dei motivi di numerose opere «senza alcun serio pericolo di molestie»[183] e vanificato così i pur nobili e assennati princìpi a cui si era ispirato il legislatore.

Ricordi si trovò spesso a denunciare anche altri tipi di reati: in particolare la riproduzione parziale o integrale di libretti di sua proprietà,[184] ma anche la rappresentazione non autorizzata[185] o l'esecuzione mutilata di qualche opera del suo catalogo.[186] Come affermò lo stesso editore milanese, le lacune della legge obbligavano gli editori «ad un'infinità di processi, contro gente per la maggior parte nulla-tenente, e quindi senza vantaggio alcuno per la parte lesa, quando il processo è vinto».[187]

Del resto l'esperienza aveva dimostrato che non era assolutamente sufficiente che la legge prescrivesse l'indennizzo da parte del contraffattore all'autore o al suo avente causa del danno arrecatogli; la multa stabilita variava, come si è accennato, da 500 a 5.000 lire, ma in realtà avveniva che:

«[...] la difficoltà estrema di provare il vero danno sofferto, quella di dover agire qua e là contro molti spacciatori diversi (se si vuol efficacemente reprimere una contraffazione), le lungaggini della procedura, le spese considerevoli da avanzarsi, la soverchia indulgenza che i contraffattori incontrano in ordinario nei giudici»

---

183) M. AMAR, *Dei diritti degli autori* cit., p. 143; si veda anche O. TOSCANI, *Studio sulla proprietà letteraria ed artistica* cit., pp. 106-107, che rilevava la difficoltà oggettiva di riconoscere in una trascrizione il grado di originalità sufficiente a considerarla un'opera, appunto, originale.

184) Per spaccio di libretti del *Profeta* di Casa Ricordi fu multato il libraio napoletano Bartolomeo D'Ambra, benché «la poesia del libretto incriminato non corrisponda nella forma dei versi quasi per nulla all'autografo» (*Gazzetta Musicale di Milano*, 7 novembre 1880, *Cronaca giudiziaria*). Sempre a Napoli furono condannati tre giovani imputati di «spaccio delittuoso per le vie della città» di alcuni libretti di Ricordi (*Gazzetta Musicale di Milano*, 1° febbraio 1880, *Cronaca giudiziaria*). Si veda anche la causa intentata e vinta contro Antonio Rollini e tre tipografi romani che avevano il primo ordinato e gli altri stampato *circolari teatrali*, vendute al prezzo di due soldi all'Alhambra, dove si rappresentavano alcune opere Ricordi. Le *circolari* contenevano un riassunto sommario dei libretti e per questo ne costituivano una riproduzione parziale; soprattutto esse facevano concorrenza ai libretti integrali, sempre di Ricordi (*Gazzetta Musicale di Milano*, 5 febbraio 1882, *Cronaca giudiziaria*).

185) Si consideri in M. AMAR, *Dei diritti degli autori* cit., p. 501, la causa contro il comune di Castellammare di Stabia.

186) *Ivi*, p. 313, è citata la causa contro l'impresario Vincenzo Jacovacci, che per l'indisposizione di un artista aveva rappresentato *La forza del destino* di Verdi non integralmente.

187) *Gazzetta Musicale di Milano*, 3 giugno 1877, *Proprietà artistica e letteraria*.

rappresentavano ostacoli notevoli a un'efficace lotta contro le contravvenzioni,[188] una lotta che potevano sostenere con qualche successo solo le grandi imprese editoriali.

Al problema insoluto dell'impunità di cui facilmente godevano i trasgressori non era estraneo il modo in cui era gestito il controllo da parte degli enti che erano stati preposti alla tutela dei diritti d'autore: i municipi.

L'Ufficio comunale di Milano fu tra quelli che meglio funzionarono, insieme agli Uffici di Genova, Firenze, Napoli, Mantova, Bologna, Venezia, Piacenza, Siena, Livorno – sia a credere alla stampa,[189] sia per ammissione dello stesso ministero di Agricoltura, Industria e Commercio.[190] Ma nel complesso si dovettero ammettere, a un anno e più di distanza dall'attivazione del servizio, numerose inadempienze e irregolarità. Come risulta da una circolare trasmessa il 25 novembre 1868 dal prefetto di Milano ai sottoprefetti della provincia e ai sindaci del circondario, «recenti reclami di parti interessate farebbero supporre che non tutti i municipii sieno entrati nello spirito della legge e che pochi abbiano disposto per la formazione di un apposito ufficio per l'applicazione della legge».[191]

Tra i reclami pervenuti merita una menzione quello diretto da Tito Ricordi per mezzo di una circolare a tutte le prefetture e le sottoprefetture del Regno, nella quale l'editore milanese denunciava che «pochissimi» municipi provvedevano al disimpegno delle incombenze a loro affidate e che «nella massima parte delle città d'Italia le Autorità Comunali non si prendono nessun pensiero ad esigere dalle Imprese teatrali» l'osservanza della legge; ovunque, secondo Ricordi, si registravano scandalose contravvenzioni generalmente impunite:

«[...] e così il sottoscritto, che nell'interesse suo e dei compositori da esso rappresentati ebbe cura di adempiere scrupolosamente e con non lieve sagrificio a tutte le formalità di tasse, ecc prescritte dalla nuova legge per valersi delle sue proprietà, si vede leso ne' suoi più sacrosanti diritti e gli manca l'appoggio delle Autorità designate dal Governo stesso a sostenerli, essendo stato persino costretto più volte a citare in giudizio le Autorità stesse e farle condannare a tutti i danni per aver contravvenuto alla legge».[192]

---

[188] *I Diritti d'Autore*, 1° giugno 1870, *Sulla contraffazione libraria* cit.

[189] Ad esempio *Il Secolo*, 5 novembre 1868, *Diritti d'autore*.

[190] Si vedano in ACS, *MAIC, Divisione terza, Diritti d'autore. Opere teatrali*, b. 2, f. 4, le lettere inviate dal ministro ai sindaci delle città menzionate tra aprile e maggio 1870, in cui egli manifestava soddisfazione per la tutela che presso questi municipi trovavano i cultori delle opere drammatiche e musicali.

[191] ASM, *Prefettura*, b. 659.

[192] *Ivi*, Tito Ricordi al prefetto di Milano, 10 settembre 1868.

Negli anni successivi i lamenti, raccolti in genere da quella parte della stampa meno sensibile agli interessi dei capocomici, si sarebbero moltiplicati anche da parte dei commediografi. Cavallotti – riferiva *Il Mondo Artistico* – «si lamenta, e non a torto, della nessuna cura che si prendono i Municipi italiani di far rispettare la legge sulla proprietà letteraria», accusandoli «di permettere che i capocomici intaschino tranquillamente anche i decimi degli autori».[193] Paolo Ferrari a sua volta, in una lettera ai sindaci italiani, denunciò la diffusa abitudine di permettere ai capocomici di recitare lavori stampati in edizione non integrale: i comuni erano «incompetenti a decidere le quistioni che possono sorgere fra autori e capocomici», che interpretavano in senso opposto l'art. 13.[194] Secondo la *Gazzetta Musicale di Milano*, gli autori, per salvarsi dal pericolo di rappresentazioni indecenti delle proprie opere, erano costretti a «privarsi del lucro della stampa, rimanendo per l'incuria delle autorità municipali, in mercé dei comici».[195] I municipi si difendevano talora replicando che anche gli autori si rivelavano spesso negligenti e poco solleciti: non di rado le somme a loro disposizione giacevano a lungo nelle casse comunali e le amministrazioni si dovevano preoccupare persino del loro recapito. Si osservava inoltre che molte opere che i loro autori definivano «stampate in forma incompleta» erano però provviste di note a pie' pagina che le rendevano rappresentabili a tutti gli effetti.[196]

Per quanto riguarda gli editori, lo stesso ministero di Agricoltura, Industria e Commercio ammetteva che essi avevano contribuito ad aggravare gli obblighi e le responsabilità dei municipi: «discordi tra loro e vantando eguali diritti sulle stesse opere», con i loro cataloghi avevano posto le autorità comunali in imbarazzanti incertezze sia per i consensi sulle rappresentazioni, sia per la devoluzione del premio agli aventi diritto.[197]

---

[193] *Il Mondo Artistico*, 6 luglio 1872, *I diritti d'autore*. Si veda anche *La Riforma*, 11 giugno 1872, *Rivista artistica*, che riportava tre lettere di Cavallotti, pubblicate sul *Gazzettino Rosa* e sul *Tempo* di Roma, e denunciava: «[...] cruda guerra oggidì fanno i municipii d'Italia agli scrittori drammatici». A proposito delle preoccupazioni finanziarie di Cavallotti e della sua battaglia per la tutela dei diritti d'autore, e di riflesso dei propri interessi, si leggano le osservazioni di Cristina Vernizzi nella *Introduzione* a F. Cavallotti, *Lettere. 1860-1898*, Milano, Feltrinelli, 1979, pp. 22-23; molte lettere, del resto, attestano quanto Cavallotti contasse sui proventi delle sue opere teatrali.

[194] *Il Mondo Artistico*, 23 luglio 1872, *Una quistione di diritti d'autore*.

[195] *Gazzetta Musicale di Milano*, 14 febbraio 1875, *Per i poveri autori*.

[196] *Il Mondo Artistico*, 6 luglio 1872, *I diritti d'autore* cit. Anche D'Arcais difese i municipi: gli effetti della loro tutela erano stati scarsi «perché davanti all'impresario anche il Municipio è disarmato»; le cause dell'imperfetto funzionamento della legge nel settore delle opere sceniche andavano individuate, a suo parere, nell'ordinamento stesso dei teatri: in Italia l'impresa teatrale viveva in uno stato di licenza e anarchia (*La Nazione*, 20 marzo 1868, *Varietà. Della proprietà artistica*: l'articolo riportava il testo di una conferenza di D'Arcais «sulle condizioni della proprietà artistica in Italia», tenuta durante un'adunanza dell'Accademia annessa all'Istituto musicale fiorentino).

[197] Il ministero proponeva a questo riguardo di invitare gli editori milanesi Ricordi e Lucca a fugare i dubbi predisponendo, d'accordo con gli editori napoletani Cottrau e Fab-

È vero anche che, come già si è detto, l'applicazione concreta delle disposizioni previste dalla legge generava equivoci, dubbi di interpretazione, semplici inconvenienti burocratici di non facile soluzione: sfogliando la documentazione presente nell'Archivio della prefettura di Milano, si incontrano parecchie pratiche complesse, che prefettura, municipio e ministero si palleggiavano in un fitto carteggio triangolare.

Pertanto è comprensibile che molti municipi non avessero neppure predisposto uffici appositi e che, anzi, alcuni di essi si fossero addirittura rifiutati di accollarsi la responsabilità del servizio. Il comune di Torino, ad esempio, oppose un reciso rifiuto, adducendo a motivi l'incostituzionalità delle disposizioni che attribuivano ai municipi la tutela dei diritti d'autore – onere che non poteva essere «imposto dal potere esecutivo» – e l'impossibilità di far eseguire il regolamento «per difetto delle necessarie facoltà coercitive».[198] Se quest'ultimo argomento era difficilmente contestabile, il primo fu oggetto di pareri controversi. Il Consiglio di Stato e alcuni esperti di diritto sentenziarono che tutti i mezzi a disposizione dell'esecutivo per obbligare i comuni all'osservanza del regolamento erano «giuridicamente applicabili». Nei fatti non si andò oltre gli inviti e gli ammonimenti.[199] Il comune di Ancona, d'altro canto, aveva attivato il servizio per tempo e correttamente, ma le difficoltà incontrate erano state tali «da procurare anche qualche dispiacere agli Ufficiali Municipali delegati»; impresari e proprietari teatrali non si curavano affatto delle ingiunzioni che provenivano dalle autorità comunali, le quali a loro volta non potevano intervenire «senza entrare in collisione con la stessa Autorità Politica». In pratica era avvenuto che gli impiegati municipali incaricati dei debiti controlli erano stati messi alla porta dagli stessi appaltatori e che non si erano potuti evitare «abusi» e «infrazioni»; di conseguenza, dal luglio 1869, il municipio di Ancona aveva di fatto cessato di svolgere la funzione richiesta dalla legge 2337.[200]

---

bricatore, un solo catalogo delle opere musicali nel quale, o per «transazioni amichevoli» o per «aggiudicazioni», fosse determinato il possesso dei diritti di ciascun editore su ogni opera musicale (ASM, *Prefettura*, b. 723 bis, f. 6, il ministro di Agricoltura, Industria e Commercio al prefetto di Milano, 22 febbraio 1869).

[198] Non vi erano, in effetti, prescrizioni per impresari e capocomici in merito al sindacato che l'autorità municipale era incaricata di esercitare sull'introito lordo dello spettacolo per poterlo accertare; essa non aveva facoltà di emanare disposizioni a questo riguardo, né il potere di acconsentire o vietare i pubblici spettacoli (M. AMAR, *Dei diritti degli autori* cit., pp. 497-499 e 506-507).

[199] M. Amar (*ivi*, p. 504) affermava che «forse» le leggi vigenti non davano al governo «mezzi» tali da costringere i comuni ad applicare il regolamento. Ad ogni modo, risulta significativo che, quando l'editore di Milano Natale Battezzati pubblicò una *Guida pratica degli Uffici comunali per la tutela dei diritti d'autore sulle produzioni teatrali*, nonostante il *battage* pubblicitario solo 15 comuni ordinarono l'opera (*Bibliografia Italiana*, 31 dicembre 1873, *Cronaca, Proprietà letteraria*).

[200] ACS, *MAIC, Divisione terza, Diritti d'autore. Opere teatrali*, l'assessore anziano del municipio di Ancona al ministro di Agricoltura, Industria e Commercio, 12 marzo 1870.

Ma non mostrarono entusiasmo nemmeno i comuni più solerti. Dopo qualche anno di intensa e dispendiosa attività da parte dell'Ufficio diritti d'autore, anche l'amministrazione municipale milanese diede segni di insofferenza. Il sindaco si lamentò in una lettera al ministero di Agricoltura, Industria e Commercio:

«I conflitti cogli Autori, Editori, Capicomici, Direttori di compagnie etc furono molti e replicati. Il provento accordato dalla legge e regolamento ai municipj sui controlli è di tale tenuità in confronto alle spese di personale, di stampati etc che su questo argomento è bene non entrare in dettagli».[201]

Prendendo atto del malumore serpeggiante negli ambienti dell'amministrazione comunale, il prefetto di Milano cercò di convincere il ministero della necessità di sollevare i municipi dal «grave onere» che il regolamento aveva loro addossato. Sarebbe risultata utilissima – suggeriva il prefetto – l'istituzione di «associazioni di autori» che ne condividessero le responsabilità soprattutto nell'opera di controllo; anzi sarebbe giunta più che mai opportuna una circolare dello stesso ministero che sollecitasse e promuovesse una simile istituzione. Nel frattempo, più modestamente, si poteva venire incontro ai municipi pubblicando ogni mese, anziché ogni semestre, il sommario delle dichiarazioni per i diritti d'autore.[202]

La legge 2337 e il regolamento relativo suscitarono critiche e obiezioni anche in merito alla formulazione e al contenuto stesso di alcuni articoli, che, accettabili sulla carta, avevano però costituito sul piano operativo fonte di dispute dottrinali e di conflitti d'interesse. Non mancarono, del resto, interventi volti a mettere in discussione, più generalmente, gli stessi assunti di base della legge e il concetto giuridico che l'aveva ispirata. Per citare il più famoso, Felice Cavallotti, in un libello scritto durante la sua prigionia nel carcere di Milano nel 1870, cercò di dimostrare che la legge 2337 era «più gesuitica di tutte le altre» nel tentativo di conciliare, in una sorta di compromesso, filosofie opposte e, soprattutto, nella preoccupazione di stampo «conservatore» di rimuovere e trascurare il principio della proprietà letteraria come diritto pieno, assoluto, inviolabile, e non *sui generis*, e della sua perpetuità.[203]

---

[201] ASM, *Prefettura*, b. 1069 bis, f. 6, il sindaco di Milano al ministro di Agricoltura, Industria e Commercio, 11 agosto 1873 cit. Anche il Tribunale civile di Torino ammise in una sentenza che «la ritenuta accordata ai Municipii è inadeguata agli obblighi loro imposti specialmente nelle città popolose» (M. AMAR, *Dei diritti degli autori* cit., p. 500).

[202] ASM, *Prefettura*, b. 1069 bis, f. 6, il prefetto di Milano al ministro di Agricoltura, Industria e Commercio, 9 ottobre 1873 cit. Il consiglio del prefetto sulla pubblicazione degli elenchi fu accolto (*Il Mondo Artistico*, 8 dicembre 1873, *Cose diverse*).

[203] F. CAVALLOTTI, *Della proprietà letteraria ed artistica e sua perpetuità. Lettera al deputato Antonio Billia di Felice Cavallotti*, Milano, Libreria Dante Alighieri, 1871. Scrive Cavallotti che occorreva «ritornare una volta all'idea semplice, chiara, naturale di questo diritto» e riconoscere alla proprietà artistica «il carattere vero, assoluto e sacrosanto di *pro-*

Per limitarsi, ad ogni modo, a menzionare i punti della legge più contestati, fu messa in discussione, innanzitutto, la distinzione in tre categorie dei teatri in base alla quale – ricordiamo – la percentuale sull'introito lordo dovuta ai diritti d'autore variava del 15%, del 12%, del 10% a seconda che un teatro fosse di 1°, di 2° o di 3° ordine. Per Amar tale distinzione si appoggiava ad una «duplice presunzione», talvolta purtroppo fallace: che nei teatri primari non si accettassero che opere dal «maggiore merito intrinseco» e che per il prezzo più elevato dei biglietti in tali teatri il profitto fosse più consistente.[204] Si osservava che le imprese teatrali erano spesso tanto più dispendiose e rischiose quanto maggiori erano l'importanza di un teatro e le aspettative del pubblico: la proporzione stabilita dal legislatore era dunque, in pratica, ingiusta.[205]

Anche le disposizioni sulla durata del diritto d'autore non smisero di sollevare contestazioni e valutazioni contrastanti, soprattutto perché la distinzione in due periodi e il fatto che il prolungarsi del primo dipendesse dall'incognita e variabile durata della vita di un autore avevano spesso generato confusione.

Ma, tra gli altri, il più contestato fu senza dubbio l'art. 13 della legge, oggetto di una guerra senza esclusione di colpi tra editori e autori teatrali da un lato e capocomici ed impresari dall'altro. Buona parte della stampa teatrale tentò di suggerirne una interpretazione più consona agli interessi degli impresari,[206] quando non si impegnò in una violenta campagna per la sua riforma «in senso favorevole alla libera riproduzione»[207] – campagna strettamente legata a quella contro gli editori.[208]

Dal canto loro quest'ultimi, insieme a commediografi e musicisti, proponevano addirittura di equiparare opere edite e opere inedite, richiedendo in en-

prietà» – termine da intendersi non nel senso *letterale*, ma nel senso *proprio* (*ivi*, p. 22). Si veda anche A. GALANTE GARRONE, *Felice Cavallotti* cit., pp. 269-272.

[204] M. AMAR, *Dei diritti degli autori* cit., p. 480.

[205] P. ASCOLI, *Studio sulla proprietà letteraria ed artistica* cit., p. 182. Anche Ascoli osservava che la classificazione dei teatri non teneva conto delle «circostanze speciali», prime fra tutte la possibilità di disporre di sussidi municipali e la loro consistenza (*ivi*, p. 181).

[206] Si considerino a tale proposito le precisazioni che Ricordi si premurò immediatamente di fare in *Gazzetta Musicale di Milano*, 13 ottobre 1867, *L'articolo 13 della legge sulla proprietà delle opere dell'ingegno*, e 20 ottobre 1867, *Ancora dell'articolo 13 della legge sulla proprietà delle opere dell'ingegno*.

[207] «Abbiamo una legge sui diritti d'autore resa affatto inutile da una sola frase dell'art. 13», anzi dalla clausola «purché completamente stampata», che condizionava la rappresentazione di un'opera al consenso dell'autore e di chi per lui: così protestava la *Rivista Teatrale Melodrammatica* (15 luglio 1872, *Diplomazia teatrale*). Si leggano anche *Rivista Teatrale Melodrammatica*, 15 giugno 1871, *Caro Arlecchino*, e 8 giugno 1871, *La legge sui teatri*. Alcuni periodici teatrali richiesero inoltre «la totale abrogazione della legge retro attiva», vale a dire l'interpretazione data all'art. 9 che aveva «con un tratto di penna» reso di dominio privato molte opere musicali altrimenti di dominio pubblico (si vedano l'intervento di Amintore Galli in *L'Euterpe*, 10 marzo 1870, *Della legge sui diritti d'autore*, e *Il Trovatore*, 2 marzo 1870, *Cose diverse. Legge sulla proprietà artistico-letteraria*).

[208] *L'Euterpe*, 2 settembre 1869, *La legge sui diritti di autore e sulle opere d'ingegno*.

trambi i casi l'autorizzazione dell'autore, sostenuti da molti giuristi, studiosi e critici teatrali. Si osservava che la distinzione introdotta dall'art. 13 aveva privato il pubblico dei lettori della possibilità di disporre di numerose opere drammatiche, mentre i cultori della musica avrebbero dovuto attendere anni per poter studiare molti spartiti.[209] Secondo Amar, la disposizione dell'art. 13 era «affatto eccezionale», aveva «menomato di molto» i diritti degli autori di opere adatte a spettacolo ed era stata «grandemente censurata»: era «voto unanime» abrogarla.[210]

6. Una nuova legge

Il ministero di Agricoltura, Industria e Commercio prese ben presto atto delle lamentele sollevate dai municipi e dalle diverse categorie interessate ad una revisione della legge 2337. Essa, come affermò il ministro, Stefano Castagnola, «nella pratica sua applicazione [...] non ha potuto evitare quistioni e dubbi che vogliono essere prontamente risoluti e spiegati perché la tutela dei diritti d'autore riesca efficace e completa».[211]

Con decreto del 15 gennaio 1870 fu nominata una commissione che studiasse le riforme da introdursi. Vennero chiamati a comporla il giornalista e critico teatrale Francesco D'Arcais,[212] l'editore Gaspero Barbèra, il drammaturgo Paolo Ferrari, gli avvocati Enrico Scialoja e Raffaele Drago. Più tardi Ferrari venne sostituito da Vittorio Bersezio.

Furono interpellati i principali municipi del Regno, che formularono osservazioni e proposte;[213] furono raccolti anche i suggerimenti trasmessi dai privati. Nel marzo 1870 la commissione presentava al ministro la propria relazione: ricor-

---

[209] Affermava Eugenio Zuccoli in *Il Mondo Artistico* (26 aprile 1868, *Una questione di Proprietà Artistico-Letteraria*) che in Italia gli spartiti completamente pubblicati erano «pochissimi», laddove in Francia ogni melodramma di successo era presto stampato anche in edizioni economiche alla portata di tutti.

[210] M. Amar, *Dei diritti degli autori* cit., pp. 108-109 e p. 510.

[211] AP, *Senato*, Legisl. X, Sess. 1869-70, *Atti Interni*, n. 63, *Progetto di legge per modificazioni alla legge sui diritti spettanti agli autori delle opere dell'ingegno* cit., p. 3.

[212] Non mancarono periodici teatrali che si lamentarono della nomina di D'Arcais, «alter ego» – come lo definivano – di Ricordi (*Rivista Teatrale Melodrammatica*, 8 agosto 1873, *Cose inutili!*).

[213] I municipi chiedevano che si stabilissero norme precise ed efficaci per il controllo degli introiti serali, che si fornisse loro un mezzo efficace per impedire le rappresentazioni non regolari, che si provvedesse ad una pubblicazione più chiara e spedita dei *Sommari* delle dichiarazioni, che si definissero meglio i rapporti con gli autori esteri, che in loro favore fosse stabilito un compenso anche per le opere rappresentate sulla scorta di accordi speciali e che fosse presa in considerazione la convenienza di affidare alle autorità di Pubblica Sicurezza gli oneri attribuiti ai municipi (M. Amar, *Dei diritti degli autori* cit., pp. 524-526).

diamo, tra le numerose proposte, quelle di fissare la durata del diritto d'autore ad un solo periodo uniforme e invariabile di 80 anni dalla pubblicazione di un'opera (secondo il testo primitivo steso dalla commissione Scialoja), di abrogare l'art. 13[214] riservando all'autore il diritto esclusivo di rappresentazione anche sulle opere edite, di mantenere la tutela municipale riducendola però alla sola constatazione del consenso dell'autore,[215] di riservare per cinque anni all'autore di un'opera musicale il diritto esclusivo di composizione su motivi di una sua opera, di far corrispondere le multe al danno arrecato, di concedere un nuovo termine per gli autori di opere sceniche che non avevano approfittato dei benefici dell'art. 40, di proporzionare le tasse per la dichiarazione alla entità delle opere fissandone una minima per quelle drammatiche inedite.[216] La commissione riconosceva che l'abrogazione dell'art. 13 correva il rischio di incoraggiare i capocomici a rappresentare produzioni tradotte dal francese: per questo proponeva di assoggettarli anche per le opere straniere all'adempimento di alcune formalità.[217]

Pochi mesi dopo, nella tornata del 26 luglio 1870, Castagnola presentava al Senato – di concerto con il ministro di Grazia e Giustizia Matteo Raeli – il suo progetto di legge per le modifiche alla 2337; le proposte contenute corrispondevano sostanzialmente a quelle caldeggiate dalla commissione presieduta da D'Arcais.[218]

[214] Esso, si argomentava, considerato astrattamente era seducente perché sembrava al tempo stesso agevolare la rappresentazione delle opere sceniche ed assicurare all'autore una più equa retribuzione; nella prassi, di contro, si era constatato che faceva perdere all'autore una parte considerevole dei suoi diritti sull'opera stampata, creava nell'autore o negli aventi causa un interesse contrario a quello del pubblico, affidava ai municipi, per le opere stampate, un incarico «troppo estraneo alle loro attribuzioni» e che non potevano praticamente eseguire, disconosceva l'importanza della rappresentazione come modalità di pubblicazione a tutti gli effetti; era invece «di sommo interesse», per un autore che rispettasse il suo nome e curasse il successo delle proprie opere, scegliere il teatro, il pubblico, gli attori più adatti per la rappresentazione.

[215] Il ridimensionamento del ruolo dei municipi era strettamente correlato all'abolizione dell'art. 13. I municipi, in genere, non eseguivano o non riuscivano a far rispettare pienamente la legge, così gli autori erano stati spogliati del diritto di rappresentazione delle opere edite senza poter quasi mai approfittare del premio. Tuttavia le «condizioni speciali» dell'arte drammatica in Italia – il gran numero di teatri sparsi in molti comuni, il numero infinito di compagnie girovaghe, il tipo di legislazione teatrale – rendevano necessaria la tutela dei municipi.

[216] La relazione della commissione D'Arcais si può leggere in I Diritti d'Autore, 1° maggio 1870, Notizie varie; si veda anche M. AMAR, Dei diritti degli autori cit., pp. 526-533.

[217] Secondo la commissione, il pericolo e il danno della concorrenza francese «andava ogni giorno scemando» perché il «gusto italiano» si era ormai rivolto a favore delle opere originali (ivi, p. 531).

[218] AP, Senato, Legisl. X, Sess. 1869-70, Atti interni, n. 63 cit. Specifichiamo tuttavia che si consigliò di portare da cinque a otto anni il periodo in cui era riservato all'autore il diritto esclusivo di comporre fantasie e trascrizioni sui motivi di una sua opera. Inoltre si era proposto di considerare come contraffazione anche lo spaccio di copie manoscritte – un fenomeno che riguardava soprattutto le opere musicali.

Lo spirito del progetto Castagnola emerge con evidenza nei passi relativi all'art. 13: si legge nella lunga relazione ministeriale che all'utile dei capocomici «non devono e non possono sacrificarsi gli interessi più vitali e i diritti più sacri degli autori».[219] Alla funzione dei municipi erano dedicate molte osservazioni. In particolare si asseriva che «l'azione necessariamente fiscale e vessatoria» dell'autorità comunale la poneva «in continua lotta, in contestazioni, in diverbi con gli impresarii, coi capo comici, coi direttori degli spettacoli» e le faceva perdere «quel prestigio» che doveva circondarla; il suo sindacato cadeva poi nel ridicolo quando lo stesso spettacolo comprendeva opere diverse e quasi conveniva «star sempre coll'orologio alla mano». Per questo si era pensato di lasciare ai comuni un unico compito: quello di verificare che le opere fossero rappresentate previa autorizzazione degli autori. Già da tre anni le autorità comunali erano incaricate di questa tutela e sarebbe stato inopportuno trasferire il servizio – come qualcuno aveva suggerito – alle autorità di Pubblica Sicurezza: in tale caso, per giunta, la tutela agli autori avrebbe assunto il carattere di «un provvedimento di polizia».[220]

Quanto alla durata del diritto d'autore, la preoccupazione di semplificare «l'economia della legge» e di evitare il più possibile alle stesse autorità municipali incertezze e contestazioni aveva dettato l'opportunità di assumere come base il momento della pubblicazione di un'opera, a prescindere da altri fattori, e il termine fisso di 80 anni a decorrere da quella data. A proposito della *vexata quaestio* dell'interpretazione dell'art. 9, la commissione e il ministero avevano riflettuto sulla famosa sentenza del Consiglio di Stato, che non l'aveva ritenuto applicabile alle opere sceniche: indubbiamente l'accoglimento di questo principio avrebbe creato «una notevole differenza di trattamento» tra gli autori di opere sceniche e gli autori di opere artistiche, letterarie e scientifiche, per i quali il diritto esclusivo di permettere la riproduzione delle loro opere sarebbe durato solo 40 anni, anziché 80 come per i primi. Si proponeva pertanto di sancire in tutti i casi il diritto esclusivo di riproduzione e di rappresentazione per 80 anni.[221]

Rispetto alle proposte della commissione, il ministero aveva aggiunto quella relativa agli autori stranieri, anzi più in particolare a quelli francesi: si intendeva eliminare una clausola dell'art. 39 della legge 2337, riconosciuta dalla convenzione italo-francese, per la quale i municipi, mentre erano in grado di conoscere le opere dichiarate dagli autori inglesi, tedeschi, svizzeri, belgi, spagnoli – costretti a registrare presso il ministero di Agricoltura, Industria e Commercio le opere per le quali intendevano esercitare il loro diritto nella nostra penisola –, non conoscevano quelle degli autori francesi, che non erano tenuti a fare alcuna dichiarazione in Italia.[222]

[219] *Ivi*, p. 15.
[220] *Ivi*, p. 19.
[221] *Ivi*, pp. 22-23.
[222] *Ivi*, pp. 30-31.

Concludendo, il progetto ministeriale aveva, si può dire, accolto le istanze di editori e autori, ma era venuto incontro solo parzialmente all'appello di numerosi comuni italiani, appena alleviandone gli obblighi. Anche alcuni giuristi manifestarono la propria delusione. Affermò Amar: «È un principio generale di buona amministrazione, che le pubbliche autorità non debbano ingerirsi negli interessi dei privati più di quello che esiga l'ordine pubblico».[223] E ancora: «L'aiuto che si vorrebbe dare» agli autori «è una vera protezione, contraria ai principii di eguaglianza».[224] Inoltre, privando gli autori di ogni tutela, si contribuiva ad incoraggiarne l'organizzazione, che in Italia ancora tardava a decollare. Infine Amar sosteneva che se proprio era necessario l'intervento di un'autorità delegata al controllo, questa non poteva essere che l'autorità di Pubblica Sicurezza, già incaricata di sorvegliare per altri fini i pubblici spettacoli.[225]

L'*iter* legislativo del progetto Castagnola fu estremamente lungo e difficoltoso. Basti dire che si concluse solo cinque anni più tardi.[226] Nel frattempo la sua conversione in legge venne sollecitata dagli autori, dagli editori e dalla stampa politica, anche da quella filogovernativa, che gli dedicò viva attenzione. Si chiedeva *L'Opinione*:

«Fu soltanto per mancanza di tempo che quel progetto venne lasciato in disparte, oppure sorsero dubbi e difficoltà sui principii stessi ch'esso consacrava?».

Quella «riforma ampia e radicale» proposta da Castagnola nella sua relazione si era evidentemente rivelata «impresa troppo ardua» e lo stesso ministro si era risolto a ridimensionarla, rappresentando un progetto meno ambizioso. Dal 1870, intanto, osservava ancora *L'Opinione*, «nuovi fatti sono avvenuti, nuovi inconvenienti si sono manifestati» e la necessità di modificare la legge del 1865 era sentita ancora più diffusamente.[227]

---

[223] M. AMAR, *Dei diritti degli autori* cit., p. 537.

[224] *Ivi*, p. 538.

[225] «Né si dica – concludeva Amar – che l'ufficio loro è meramente di polizia, imperocché se tale misura può avere una giustificazione, quella si è appunto della necessità di tutelare maggiormente i diritti di una classe di cittadini, e questo è appunto uno degli uffici principali della polizia» (*ivi*, p. 540).

[226] Il progetto, come si è detto, fu presentato il 26 luglio 1870, ma la sessione si chiuse poco dopo. Lo stesso progetto fu ripresentato al Senato il 6 dicembre 1870, ma non venne discusso. Il ministro Castagnola si risolse dunque a riformularlo in una versione succinta, proponendolo nella tornata del 26 novembre 1872: alcune modificazioni alla legge 2337 erano «raccomandate» da necessità «urgenti e manifeste» (AP, *Senato*, Legisl. XI, Sess. 1871-72, *Atti Interni*, vol. II, n. 73). Il progetto fu approvato dalla commissione del Senato (si trova *ivi*, n. 73 A, la *Relazione* della commissione) che presentò le sue conclusioni l'11 febbraio 1873. In questa veste il progetto venne approvato dal Senato pochi giorni dopo senza obiezioni o discussioni degne di nota (AP, *Senato*, Legisl. XI, Sess. 1871-72, *Discussioni*, tornata del 26 marzo 1873, pp. 2103-2109), ma la chiusura della sessione mentre esso era allo studio degli uffici della Camera impedì la conversione in legge.

[227] *L'Opinione*, 29 luglio 1873, *La proprietà letteraria ed artistica*.

Un anno più tardi il quotidiano romano tornava a ribadire la necessità di una sollecita riforma alla legge 2337: «[...] la legge è imperfetta, ma, in complesso, non si può dire che sia stata dannosa. Ora però è necessario trarre profitto dall'esperienza di parecchi anni». Visto che era stata disattesa la speranza di una riforma completa, non restava che accettare i «pochi miglioramenti» che il ministero proponeva e auspicare che poi «il Governo e il Parlamento non si addormentino».[228]

Sul problema di una revisione della 2337 si soffermò anche la commissione, alla quale si è già fatto cenno, nominata dal ministro della Pubblica Istruzione Correnti per esaminare in generale le condizioni del teatro drammatico in Italia, che, ricordiamo, concluse i lavori nel 1872. Essa osservò nella sua relazione che, in attesa di provvedimenti, le condizioni degli scrittori drammatici in merito alla tutela della loro proprietà erano tutt'altro che liete: eccetto le compagnie primarie, tutte le altre – una novantina – vivevano «di rapina». Una buona legge sui diritti d'autore avrebbe dovuto assicurare agli scrittori di opere drammatiche e melodrammatiche la possibilità di vivere del frutto dei propri lavori teatrali senza servire gli interessi della speculazione. La commissione, accogliendo fondamentalmente le proposte del progetto Castagnola, era però dell'avviso di affidare la riscossione dei premi agli ufficiali del ministero delle Finanze già incaricati di riscuotere la tassa sui teatri, senza ricorrere alla tutela dei municipi che aveva fatto cattiva prova.[229]

Il progetto di legge Castagnola, più propriamente la sua seconda versione, più concisa e limitata, fu oggetto di studio e di dibattito anche in sede di Uffici parlamentari. Numerosi interventi sollevarono dubbi sulla riconferma delle responsabilità dei municipi,[230] altri manifestarono preoccupazione sulla durata del diritto d'autore, che pareva eccessiva,[231] o sulla possibilità che la nuova legge rendesse «sempre più difficile pei piccoli Paesi le rappresentazioni sceniche».[232]

[228] *L'Opinione*, 23 febbraio 1874, *I diritti degli autori*.
[229] *L'Opinione*, 24 marzo 1873, *Appendice. Teatro drammatico-italiano*. Si veda anche M. AMAR, *Dei diritti degli autori* cit., p. 541.
[230] A nome dell'Ufficio 1°, Carlo Brunet si preoccupò delle difficoltà ancora notevoli che i municipi avrebbero dovuto affrontare, mentre l'Ufficio 3° raccomandò che fosse imposto ai sindaci il «minor numero di oneri»; anche Mancini, per l'Ufficio 4°, manifestò delle perplessità e l'Ufficio 6° chiese di «esonerare l'autorità comunale da ogni atto o ingerenza attribuitagli dalla legge» (AC, *Proposte di legge*, vol. 179, n. 127, *Verbale* della commissione per lo studio del progetto di legge Castagnola, s.d., ma 30 maggio 1873, e *ivi, Deliberazioni degli Uffizi* intorno allo stesso).
[231] Si prendano in considerazione, per esempio, le deliberazioni dell'Ufficio 3° della Camera, che addirittura proponeva il termine di 40 anni, nonché quelle dell'Ufficio 6° e dell'Ufficio 7°. L'Ufficio 8° raccomandò che si provvedesse al caso in cui venisse riconosciuta l'utilità di riprodurre un'opera e che l'autore o i suoi eredi si rifiutassero (*ibidem*).
[232] Si vedano le raccomandazioni dell'Ufficio 7° (*ibidem*).

Il nuovo ministro di Agricoltura, Industria e Commercio Gaspare Finali, ad ogni modo, ripresentò il progetto sostanzialmente invariato il 17 novembre 1873.[233] L'Ufficio centrale del Senato lo definì «accettabile», anche se i suoi componenti «pur dissentendo in parte su' motivi» erano giunti unanimemente alla conclusione che la legge in vigore richiedesse «maggiori e più estese riforme, che il presente progetto non rechi». Tuttavia esse avrebbero suscitato «molte complicate quistioni» e richiesto tempi eccessivamente lunghi.[234] La commissione del Senato accoglieva quindi il progetto Finali, apportando però un'aggiunta all'art. 3.[235] La sua relazione fu presentata il 31 gennaio 1874; il 26 febbraio il progetto fu discusso al Senato e quasi interamente approvato. Lo stesso Scialoja ammise che esso tendeva a «migliorare la condizione degli autori e l'esecuzione stessa della legge».[236]

Il progetto stava per affrontare anche l'altro ramo del Parlamento, quando la decisione ministeriale di introdurvi altre e più significative modifiche ne rese indispensabile un ulteriore esame. Come avrebbe spiegato lo stesso Finali nella relazione che introduceva il nuovo progetto, egli in un primo tempo aveva ritenuto plausibile lasciare ai municipi la tutela dei diritti d'autore, solo ridimensionandone i compiti, ma nel frattempo erano intervenuti alcuni fatti che lo avevano spinto a cambiare idea: parecchi autori drammatici, ad esempio, pretendevano che i loro diritti si estendessero anche alle opere di cui non era stato ancora effettuato il deposito. Inoltre era stata sollevata una grave questione dalla Deputazione dei pubblici spettacoli di Bologna in merito alla *Messa funebre* in onore di Manzoni, per la quale era sorto il lecito dubbio se fosse da considerarsi compiutamente pubblicata. Persino il Consiglio di Stato si era dichiarato incompetente. Finali si era perciò risolto ad ammettere l'inopportunità di lasciare ai municipi responsabilità così delicate, che non li avrebbero liberati dal pericolo di essere chiamati a giudizio. Proponeva quindi di abolire l'ingerenza

[233] AP, *Senato*, Legisl. XI, Sess. 1873-74, *Atti Interni*, vol. I, n. 1.

[234] «Di che non è a meravigliare pensando come trattisi della più controversa, e ad un tempo della più intima ed immateriale delle proprietà» (*ivi*, n. 1 A, p. 6).

[235] Esso fissava il termine di tre mesi dalla pubblicazione o dalla prima rappresentazione o esecuzione di un'opera per le dichiarazioni a garanzia dei diritti d'autore, ma stabiliva che dovessero rimanere saldi gli effetti delle dichiarazioni tardive «eccettoché, dopo la scadenza del detto termine, altri abbia riprodotto l'opera, o acquistato all'estero copie per rivenderle nello Stato». La commissione proponeva una formulazione che eliminasse ogni ambiguità specificando che l'autore, in caso di dichiarazioni tardive, non avrebbe potuto opporsi allo spaccio di «quel» numero di copie già riprodotto, ma che poi avrebbe recuperato, per così dire, il suo diritto: qualsiasi penale che eccedesse i limiti di una «lieve e transitoria limitazione del diritto» sarebbe risultata «enorme, arbitraria, avversa ad ogni giustizia» (*ivi*, pp. 7-11).

[236] AP, *Senato*, Legisl. XI, Sess. 1873-74, *Discussioni*, tornata del 26 febbraio 1874, p. 297. Per l'intera discussione, *ivi*, pp. 295-298.

dei municipi: «[...] si trattava qui [...] di un diritto privato; la pubblica amministrazione non deve quindi intervenire nelle relazioni tra le parti».[237]

Così modificato, il progetto Finali fu approvato dal Senato senza discussioni.[238]

Presso gli Uffici della Camera esso suscitò le consuete obiezioni nella parte relativa alla durata del diritto d'autore – soprattutto per le rappresentazioni delle opere musicali – da parte di San Donato, Coppino e altri.[239] L'ovvia conclusione delle vivaci discussioni fu la proposta, votata solo dalla maggioranza della commissione, di modificare l'art. 3 che regolava la durata del diritto d'autore: il diritto esclusivo di rappresentazione o di esecuzione di un'opera doveva essere attribuito all'autore per tutta la durata della sua vita, o ai suoi eredi se l'autore cessava di vivere prima che fossero trascorsi 40 anni dalla prima rappresentazione, quindi in un secondo periodo di altri 40 anni l'opera poteva essere liberamente rappresentata a condizione di un premio all'autore del 10% sull'introito lordo in assenza di accordi speciali.

Ma in aula – dove il progetto fu discusso il 24 maggio 1875[240] – la modificazione proposta dalla commissione fu contestata e alcuni deputati dichiararono di preferire il testo primitivo della legge elaborato dal governo e già votato dal Senato. Si rivelò decisivo l'intervento del commissario governativo Emilio Morpurgo, che sostenne a nome del governo l'opportunità del periodo unico.[241] Si discusse a lungo, ma finì per prevalere il testo primitivo e la commissione dovette capitolare.[242] Venne invece respinto un emendamento di De Renzis, che proponeva il coinvolgimento delle autorità di Pubblica Sicurezza per il controllo delle autorizzazioni degli autori. Esso, come replicò Macchi a nome della commissione, avrebbe imposto all'autorità politica il dovere di tutelare gli interessi materiali degli autori e degli editori. Scopo precipuo della legge era invece

[237] AP, *Senato*, Legisl. XII, Sess. 1874-75, *Documenti*, vol. VI, n. 113, *Progetto di legge approvato dal Senato del Regno presentato dal ministro di Agricoltura, Industria e Commercio (Finali) nella tornata del 14 aprile 1875. Modificazioni alla legge 23 giugno 1865.*

[238] AP, *Senato*, Legisl. XII, Sess. 1874-75, *Discussioni*, tornata del 16 marzo 1875, pp. 322-324.

[239] AC, *Progetti di legge*, vol. 211, *Verbale* della commissione di studio per il progetto di legge n. 113, 23 aprile (1875) e *Deliberazioni degli uffici intorno al progetto n. 113.*

[240] AP, *Camera*, Legisl. XII, Sess. 1874-75, *Discussioni*, tornata del 24 maggio 1875, pp. 3522-3533.

[241] *Ivi*, pp. 3524-3526. Morpurgo, tra l'altro, era in quel periodo segretario generale del ministero di Agricoltura, Industria e Commercio.

[242] La questione non smise comunque di sollevare obiezioni. Un giurista come Odoardo Toscani (*Studio sulla proprietà letteraria ed artistica* cit., p. 138) affermò che con l'art. 3 «si andò all'estremo opposto» e «si sancì una disposizione di speciale favore per gli autori di opere sceniche»: «giustamente» invece il relatore della commissione della Camera Mauro Macchi aveva osservato che esso avrebbe potuto privare una generazione del beneficio di poter assistere ad un'opera.

quello di metterli «nella condizione comune di tutti i proprietari»: «Ci pensino loro».[243]

Il progetto di legge Finali il 10 agosto 1875 diventava la legge 2652. In genere essa fu accolta come un progresso sì, ma pur sempre modesto. *Il Pungolo* la definì «un passo timido assai e corto corto».[244] Quanto ai comici, già da tempo si erano rassegnati al fatto compiuto. Autori come Paolo Ferrari, invece, ebbero la soddisfazione di poter pubblicare la propria opera completa e integrale.[245] Non cessò però il timore di illecite rappresentazioni o di violazioni della legge. E, in effetti, esse continuarono a verificarsi. Si moltiplicarono, a maggior ragione, gli appelli di chi – come Felice Cameroni – sosteneva l'esigenza di fondare un'istituzione per la tutela dei diritti d'autore simile a quella che raccoglieva gli autori francesi.[246]

---

[243] AP, *Camera*, Legisl. XII, Sess. 1874-75, *Discussioni*, tornata del 24 maggio 1875 cit., pp. 3522-3523. Si propose di affidare, semmai, ai prefetti il compito di trasmettere gli elenchi delle rappresentazioni fatte in una provincia in un determinato periodo per conoscenza degli autori. Morpurgo però fece osservare che le statistiche raccolte presso il ministero di Agricoltura, Industria e Commercio erano in genere condotte «con grandissima difficoltà».

[244] *Il Pungolo*, 30 maggio 1875, *Proprietà letteraria*.

[245] *L'Arte Drammatica*, 8 settembre 1877, *Opere di Paolo Ferrari*.

[246] *L'Arte Drammatica*, 16 ottobre 1875, *Sui diritti d'autore*.

CAPITOLO V

FISCO E TEATRI

1. Le tasse sui teatri: prime iniziative

La vera e propria offensiva del ministero delle Finanze nei confronti degli esercizi di pubblico spettacolo coincise con il generale inasprimento fiscale che la politica finanziaria inaugurata a partire dal 1867 aveva reso necessario. Ciononostante l'ipotesi di una tassa che colpisse i teatri maturava da tempo.

Nel gennaio del 1862 un gruppo di parlamentari – in testa Antonio Gallenga – aveva presentato un apposito disegno di legge. Si suggeriva l'imposizione di una tassa di cinque centesimi «a ciascuna persona ammessa a' teatri, sì di prosa che di musica» – tassazione che si sarebbe estesa anche ai circoli di equitazione ed acrobatici, ai balli pubblici e a «tutti gli spettacoli intesi a semplice trattenimento del pubblico».[1] Secondo Gallenga l'iniziativa aveva raccolto diffusi consensi in Parlamento.[2] Si trattava «in massima di una tassa sopra un oggetto di lusso», un lusso che in Italia era stato «spinto all'ultimo estremo» ed era divenuto, alla stregua del tabacco, «materia di prima necessità». I sostenitori del progetto non ignoravano le ovvie obiezioni: che la tassa avrebbe scoraggiato il dramma e la musica, che avrebbe ostacolato la «cultura delle arti belle» e il «senso morale che il teatro ben condotto» tendeva a sviluppare, che avrebbe nuociuto agli interessi dei lavoratori del settore, che avrebbe prodotto introiti insufficienti a giustificarne l'imposizione. Nel suo svolgimento Gallenga si sof-

---

[1] AP, *Camera*, Legisl. VIII, Sess. 1861-62, *Documenti*, vol. III, n. 172.

[2] AP, *Camera*, Legisl. VIII, Sess. 1861-62, *Discussioni*, tornata del 17 gennaio 1862, pp. 716-718. Avevano sottoscritto il disegno di legge Gallenga i deputati Sanguinetti, D'Ondes-Reggio, Fenzi, Silvestrelli, Minghelli-Vaini, G. Morelli, Lacaita, Mischi e Menotti, che in prevalenza facevano parte della maggioranza.

fermò a confutare in particolare quest'ultimo argomento. Egli ricordò che la Francia – «dalla quale prendiamo anche troppo e, mi si permetta di dire, servilmente le nostre istituzioni politiche» – ricavava dai soli teatri parigini una somma annua di due milioni e mezzo di franchi a favore della pubblica beneficenza. A suo avviso era plausibile prevedere che in Italia i teatri avrebbero reso all'erario altrettanto.[3] Quella suggerita da Gallenga doveva essere una tassa di bollo, nella misura di un soldo, vale a dire cinque centesimi, per ogni biglietto. Se essa fosse parsa eccessiva per i piccoli teatri e non adeguata agli utili dei maggiori, la Camera avrebbe potuto adottare semmai un'imposta proporzionale del 10%, estesa opportunamente agli abbonamenti e ai palchi.

Per il momento tale proposta fu lasciata cadere. Essa, del resto, appariva più provocatoria che operativa, priva com'era del supporto di dati e di stime certe. Ancora mancavano, in effetti, un censimento dei teatri italiani e un sondaggio sui bilanci delle singole sale, mentre era ancora in nuce un piano tributario organico per coprire il disavanzo statale.

Un'imposta sui teatri fu ripensata e riproposta in un contesto diverso, quando la crisi economica del 1866 e la guerra contro l'Austria fecero precipitare la situazione finanziaria e posero all'ordine del giorno il problema del risanamento. Nel frattempo, fra il 1866 e il 1867, fu approntata, come sappiamo, una prima statistica sui teatri e fu decretata la loro classificazione in tre categorie. In questa occasione dovettero emergere l'estrema modestia di un'altissima percentuale delle sale della penisola e, insieme, la difficoltà di presumere, anche approssimativamente, il loro reddito. Come avrebbe fatto notare, per esempio, il prefetto di Venezia in una nota al ministero di Agricoltura, Industria e Commercio, in quella provincia, fatta eccezione per la Fenice, il reddito lordo dei teatri non poteva «stabilirsi con precisione, giacché, né sono aperti sempre, né si aprono per un tempo determinato, né a spettacoli della stessa importanza»; quanto al massimo teatro lirico veneziano, esso poteva contare sopra un reddito lordo annuale che oscillava tra le 295.000 e le 300.000 lire fra dote e incassi, eppure anche la sua amministrazione era «quasi sempre passiva per le eccessive esigenze del pubblico, e più ancora per quelle degli artisti principali di canto e di ballo e degli editori di musica».[4]

Fu altresì evidente che un gran numero di teatri, non solo quelli d'opera e non solo i più prestigiosi, contavano su una sovvenzione statale (ma ancora per

[3] Gallenga fece osservare che il numero dei teatri era aumentato e che spettacoli come i balli mascherati e le rappresentazioni nelle arene erano in grado di attirare un pubblico foltissimo. Egli riferì di aver trovato in estate a Milano raccolti all'Arena 30 o 40 mila spettatori che avevano pagato il biglietto d'ingresso dai 50 centesimi alle due o tre lire. Sempre secondo Gallenga, un impresario di Torino – di fronte alla possibilità di un'imposta sui teatri – avrebbe affermato che «quanto a lui, prenderebbe volentieri a venire a patti col Governo, e pagare alla finanza un annuo appalto di franchi 4.000, onde essere esonerato dalla tassa» (*ivi*, p. 717).

[4] ACS, *MAIC, Divisione terza, Diritti d'autore. Opere teatrali*, b. 1, f. 2, il prefetto di Venezia al ministro di Agricoltura, Industria e Commercio, 6 aprile 1869.

breve tempo, perché i teatri cosiddetti demaniali stavano per passare all'amministrazione dei rispettivi municipi) o comunale. Basta scorrere gli elenchi pubblicati in vari numeri del periodico *I Diritti d'Autore*,[5] in cui è riportata per ogni teatro la dote del 1868, per avere un saggio del fenomeno. Si trattava di cifre più spesso «eventuali» che «fisse», perché determinate dalle esigenze delle stagioni o degli spettacoli in programma e dagli "umori" dei Consigli comunali, e variavano notevolmente: si andava dalle 100-400 lire di sussidio dei teatri di Reggiolo, di Mussomeli o di Porto Maggiore, alle 2.000-5.000 lire del Civico di Vercelli o del Garibaldi di Caltagirone o del Municipale di Argenta, alle 25.000 del Teatro Grande di Brescia o dell'Alighieri di Ravenna, alle 50.000 lire del Vittorio Emanuele di Messina, alle 169.000 lire della Fenice di Venezia, alle 230.000 lire della Scala di Milano, alle 430.000 lire del San Carlo di Napoli – il teatro italiano dotato del maggiore sussidio. Se si aggiunge che la stampa dava spesso notizia di clamorosi fallimenti di impresari, con il loro strascico di proteste da parte degli artisti piantati in asso senza paga, e degli stenti di un gran numero di compagnie di prosa girovaghe, emergeva con sufficiente evidenza la povertà di risorse che angustiava l'industria teatrale del Regno: un mondo in cui il profitto sembrava un'eccezione più che una regola, legato a felici congiunture più che frutto di gestioni capaci, e che avrebbe quindi offerto margini irrisori al prelievo fiscale. Ricordiamo infine che i proprietari teatrali erano soggetti all'imposta sui fabbricati (che la legge dell'11 maggio 1865 aveva fissato nell'aliquota uniforme del 12,5% dei redditi imponibili), nonché alla tassa sulla ricchezza mobile, che dovevano versare anche impresari e capocomici. Tuttavia, in un momento in cui l'incubo del disavanzo tormentava l'intera classe dirigente e andava maturando l'ipotesi della tassa sul macinato, parve conforme a giustizia colpire un consumo volontario e non vitale, nella convinzione che l'entità moderata dell'imposizione avrebbe mutato di poco sia le sorti degli esercenti di pubblici spettacoli, sia quella del loro pubblico.

Fu dunque il ministro delle Finanze Scialoja a presentare alla Camera nel gennaio 1867 un disegno di legge per l'unificazione delle tasse sulle concessioni governative e sugli atti e provvedimenti amministrativi. Nell'ambito di queste misure era prevista un'imposta per ottenere la licenza per spettacoli e trattenimenti pubblici eseguiti in luoghi chiusi, così come di aprire alberghi, trattorie, osterie, locande, caffè. Le «modiche» tasse proposte, secondo le parole del ministro, non erano altro che «un tenue corrispettivo della conseguente tutela governativa, diretta in questi casi, più che ad altro, all'interesse particolare dei richiedenti».[6]

---

[5] Si vedano i numeri di maggio, giugno e luglio 1870, *Elenco delle opere sceniche rappresentate od eseguite in Italia nel primo trimestre del 1870*.

[6] AP, *Camera*, Legisl. IX, Sess. 1866-67, *Documenti*, n. 30, *Progetto di legge presentato dal ministro delle finanze Scialoja nella tornata del 17 gennaio 1867*, p. 4.

Il progetto fu ripresentato da Cambray-Digny nella successiva legislatura[7] e approvato dalla commissione di studio della Camera nell'aprile 1868,[8] per poi essere convertito in legge il 26 luglio 1868 ed entrare in vigore il 1° settembre dello stesso anno. Per un corso di non meno di 20 rappresentazioni era prevista una tassa di 100 lire per i teatri di primo ordine, di 50 lire per i teatri di secondo ordine e di 20 lire per quelli di terzo ordine; per un corso di non più di cinque rappresentazioni la tassa era rispettivamente di 20, 10 e 5 lire.[9]

Pressoché contemporanea all'imposizione della tassa sulle concessioni governative fu la decisione di aumentare le tasse di registro e di bollo: già Scialoja e Depretis, del resto, avevano ordinato studi sulla loro revisione. La commissione incaricata di esaminare la proposta del dazio sulla macinazione dei cereali, ascoltate e discusse le considerazioni del ministero delle Finanze, formulò un progetto di legge in proposito,[10] che presentò alla Camera l'11 marzo 1868. La tassazione dei teatri rientrava nel capitolo dedicato al bollo. Si affermava che già da tempo era stata oggetto di studio l'introduzione di una tassa sui biglietti dei teatri, simile a quella applicata sui biglietti ferroviari dal luglio 1866. «A confortarne la estensione ai teatri – proseguiva la relazione – ricorreva la osservazione che il viaggio è quasi sempre necessario, mentre l'intervento ai pubblici spettacoli è volontario, quello sovente spesa indispensabile, questo di mero piacere». Era infondato, secondo la commissione, il timore che l'imposta costituisse un ostacolo alle imprese teatrali, «a ciò ripugnando la tenuità della medesima». Si era a lungo discusso se non fosse il caso di stabilire una tassa di un tanto per cento sugli incassi serali, ma molti commissari avevano fatto osservare che in quel modo si correva il rischio di colpire le imprese anziché il pubblico e di duplicare l'imposta sulla ricchezza mobile: era prevalso dunque il partito di applicare una tassa sui biglietti. Il progetto stabiliva una tassa di bollo di cinque centesimi per i biglietti dal prezzo inferiore ad una lira e una tassa del 10% per quelli dal prezzo superiore ad una lira, per gli abbonamenti e i palchi. Il versamento sarebbe stato eseguito da chi avesse ottenuto la licenza richiesta dagli ordinamenti di Pubblica Sicurezza e «colle norme e cautele stabilite con regola-

---

[7] AP, *Camera*, Legisl. X, Sess. 1867-68, *Documenti*, vol. IV, n. 158, *Progetto di legge presentato dal ministro delle finanze Cambray-Digny nella tornata del 4 febbraio 1868*. Nel progetto Scialoja il provento annuo presunto della tassa sulle licenze per gli spettacoli pubblici era di 25.000 lire (si veda *Quadro dimostrativo dei proventi annui presunti* [...], in AC, *Proposte di legge*, vol. 75, n. 30), mentre in quello presentato dal suo successore era di 20.000 lire (*ivi*, vol. 96, n. 158, *Quadro dimostrativo dei proventi annui presunti* [...]).

[8] AP, *Camera*, Legisl. X, Sess. 1867-68, *Documenti*, vol. IV, n. 158-A, *Relazione della Commissione sul progetto di legge presentato dal ministro delle finanze Cambray-Digny*.

[9] AC, *Proposte di legge*, vol. 96, n. 158, *Emendamenti al progetto di legge sulle concessioni governative*.

[10] AP, *Camera*, Legisl. X, Sess. 1867-68, *Documenti*, vol. II, n. 94-C, *Relazione presentata dalla Commissione intorno al dazio sulla macinazione dei cereali. Modificazioni alla legge sul registro e bollo*.

mento approvato per decreto reale». Nell'Allegato A alla relazione era riportato il calcolo degli introiti che si supponeva di ottenere dall'introduzione del nuovo tributo: la previsione era quella di ricavarne ogni anno un milione di lire.

In questa forma l'articolo e l'intero progetto erano stati approvati dalla Camera nella seduta del 21 maggio 1868. Senonché la commissione esaminatrice del Senato, presieduta da Scialoja, trovò contestabile proprio l'articolo relativo alla tassa sui teatri: le disposizioni sancite nella formulazione originaria rendevano la sua applicazione assai difficoltosa, specialmente nel caso in cui non fosse possibile il riscontro dei biglietti e, di conseguenza, il calcolo degli spettatori paganti. La commissione del Senato aveva optato invece per una modalità di riscossione semplice, uniforme, spiccia: proponeva cioè una tassa del 10% sul prodotto lordo quotidiano dei teatri, facilmente verificabile anche con «l'aiuto della numerazione, di ciò che i Francesi chiamano *tourniquets*».[11]

In sede di discussione in aula, il 30 giugno 1868, il commissario regio, Gaspare Finali, dichiarò di condividere l'intenzione di semplificare l'applicazione dell'imposta e di accettare la nuova formulazione dell'articolo, ma avvertì che quest'ultimo, così modificato, avrebbe sortito l'effetto di diminuire la tassa sui biglietti dal prezzo inferiore a 50 centesimi. Soprattutto si levarono voci di perplessità e di dissenso sull'opportunità del nuovo balzello. Il deputato Filippo Galvagno temeva che esso fosse «troppo grave» e che avrebbe segnato la rovina di tutte le compagnie comiche e dei proprietari di teatri, particolarmente di quelli sussidiati dai municipi; alcuni piccoli teatri avrebbero finito per dover pagare 5.000 o 6.000 lire all'anno. Pier Francesco Leopardi mise in guardia sulla probabilità che talora i teatri fossero costretti a pagare una tassa su un incasso che non bastava a compensare le spese per lo spettacolo: credeva più giusto applicarla al prodotto netto. Giuseppe Gallotti paventava il pericolo che la tassa provocasse un aumento del costo degli ingressi e questo un calo degli spettatori. Giovanni Lauzi al medesimo proposito fece osservare che un aumento in percentuale del prezzo dei biglietti avrebbe avuto la nefasta conseguenza di allontanare gli avventori anche per l'impiccio di pagare i cosiddetti «rotti»: una difficoltà, questa, che sarebbe perdurata, dato «l'imbarazzo della mancanza della piccola valuta, non che dei biglietti, sui quali non sempre si vuole o si può dare il restante». I teatri italiani non potevano permettersi un calo di pubblico per la situazione generalmente precaria dell'impresariato teatrale. Salvatore Correale, deputato della Sinistra, aggiunse che, quando fosse scemato il concorso ai teatri, la gioventù avrebbe passato le serate altrove, in luoghi «dove infine la morale ne soffre immensamente».

Nonostante questi interventi, la proposta di Gallotti di ridurre al 5% la tassa proposta dalla commissione non fu approvata: l'art. 23 fu infine votato senza

---

[11] AP, *Camera*, Legisl. X, Sess. 1867-68, *Discussioni*, tornata del 30 giugno 1868, pp. 1115-1118.

ulteriori modifiche. Il commissario regio era intervenuto a sostenere l'inopportunità di un ripensamento, dopo che erano state decise «tasse di natura ben più grave». Scialoja dal canto suo si era opposto con fermezza a qualsiasi alternativa: la tassa non poteva che essere riscossa sul prodotto lordo, sia perché era problematico verificare con precisione le spese di un'impresa teatrale, sia perché la nuova imposta doveva distinguersi da quella sulla ricchezza mobile; con essa, in altre parole, non si aveva intenzione di colpire le imprese, ma quanti in definitiva si permettevano un lusso.

La nuova legge sul registro e sul bollo fu varata il 19 luglio 1868; dal 1° gennaio 1869 sarebbero andate in vigore le disposizioni relative alla tassa sui teatri.

Sulle pagine della stampa nel frattempo si erano già accese le polemiche in merito. Qualche quotidiano plaudì in un primo momento all'iniziativa del ministero delle Finanze. La *Gazzetta di Milano* definì «buona» la «massima che si accosta al principio delle leggi suntuarie e colpisce il lusso», poiché l'obiettivo ideale di un'imposta era che essa arrivasse a colpire il superfluo anziché il necessario; semmai era ingiusto che le entrate previste fossero destinate alle casse statali anziché a quelle dei comuni, che si trovavano a sostenere la gran parte delle spese destinate ai teatri.[12] «Ecco una tassa contro cui non si alzeranno certamente i clamori della moltitudine – commentò *Il Secolo* da parte sua – e che nessuno vorrà tacciare d'ingiusta e d'inopportuna»: la tassa era equa, perché colpiva spese «dove il superfluo si presenta evidentissimo», e giustificata dagli oneri che lo Stato sopportava per «mantenere il buon ordine dei teatri», soprattutto con il dispiego delle forze di Pubblica Sicurezza. Essa avrebbe recato «lieve danno» agli interessi delle imprese perché modica, così come un eventuale aumento del prezzo dei biglietti sarebbe risultato insensibile.[13]

Una settimana dopo, con toni più pacati, il quotidiano milanese avrebbe ribadito in un articolo in prima pagina che solo una volta superato il pericolo di una bancarotta generale lo Stato avrebbe potuto concorrere a mantenere il decoro del teatro e della musica; era auspicabile tuttavia il tentativo di conciliare le esigenze finanziarie con gli interessi legati alle sorti dei teatri musicali sussidiati, concedendo ai municipi la facoltà di stabilire una sovrattassa sui biglietti. *Il Secolo* pubblicava tra l'altro la lettera dell'ingegnere F. A. Masetti, il quale un anno prima aveva lanciato l'idea di una moderata imposta sui biglietti per costituire un fondo destinato al finanziamento dei principali teatri italiani; senonché tale idea era stata sì raccolta, ma sfruttata altrimenti, a solo beneficio dell'erario statale. Egli aveva elaborato il suo progetto prendendo spunto dalla tassa «onerosissima» – il cosiddetto *diritto dei poveri* – dell'11% imposta sugli accessi dei

---

[12] *Gazzetta di Milano*, 2 maggio 1868, *Appendice. Rivista settimanale.*
[13] Concludeva il quotidiano milanese che, stabilita una modalità di percezione semplice e sicura, la tassa sui teatri avrebbe potuto rendere all'erario anche tre o quattro milioni (*Il Secolo*, 25 aprile 1868, *La tassa sui teatri*): previsione che si sarebbe rivelata, a dir poco, ottimistica.

teatri parigini e basandosi su uno studio dei bilanci dei teatri principali: ne era risultato che, imponendo una tassa di cinque centesimi su biglietti e abbonamenti di tutte le sale della penisola, il fisco avrebbe potuto riscuotere annualmente due milioni e mezzo di lire. Masetti aveva così preparato e pubblicato uno schema di legge, accolto con interesse da molti quotidiani – tra i quali *La Riforma*, *L'Opinione*, *Il Pungolo* – e lo aveva trasmesso a Rattazzi, allora presidente del Consiglio, tramite il deputato milanese Pier Ambrogio Curti; poi non ne aveva saputo più nulla, salvo apprendere dalla stampa i particolari delle modifiche alla legge sul bollo.[14]

Mentre i giornali filogovernativi si limitavano per lo più a pubblicare articoli di carattere meramente informativo, quelli teatrali trasmisero le prime voci di protesta. Amilcare Sangalli su *Don Marzio* definì la tassa oltremodo «intempestiva» e parlò della «tremenda catastrofe» che minacciava il teatro italiano, del destino di centinaia di famiglie, della fuga all'estero di numerosi artisti, delle difficoltà di impresari e compagnie.[15] Il governo, secondo i princìpi economici più «liberali», avrebbe dovuto evitare ingerenze nelle imprese commerciali dei privati, senonché – sottolineava Sangalli – quella teatrale era un'impresa particolare, coinvolta nel «progresso morale e intellettuale d'un popolo»; inoltre essa, come le industrie manifatturiere, era ancora troppo fragile per fare a meno dell'incoraggiamento statale.[16]

Per *L'Euterpe* la tassa era iniqua, perché non operava le debite distinzioni fra i teatri dei grandi centri e quelli periferici e perché era una «tassa sopra le tasse», visto che colpiva il prodotto lordo; essa era «vessatoria, inquisitoria e tale che urta ed offende ogni diritto di libertà commerciale e industriale». L'esperienza del resto aveva provato che il più meschino aumento del costo dei biglietti rendeva «diserti» i teatri. Il governo in questo modo soffocava, anziché incoraggiare, le industrie e le oneste imprese.[17] Così *Il Trovatore* – descritto il quadro delle difficili condizioni in cui versavano sia il teatro musicale che quello di prosa[18] – concludeva amaramente: «E la morale ci farà questo bel guadagno, che saranno diserti i Teatri e piene le osterie».

---

[14] *Il Secolo*, 2 maggio 1868, *La tassa sui teatri*. Per il progetto del testo di legge si consulti ASM, *Prefettura*, b. 628, F. A. Masetti al presidente del Consiglio dei ministri, 20 giugno 1867.

[15] *Don Marzio*, 30 novembre 1868, *L'imposta sui teatri*.

[16] *Don Marzio*, 31 dicembre 1868, *L'imposta sui teatri*; si veda anche *Don Marzio*, 14 dicembre 1868, *L'imposta sui teatri*.

[17] *L'Euterpe*, 21 dicembre 1868, *Della tassa dell'11 per cento sopra i pubblici spettacoli*. Si legga anche *Frusta Teatrale*, 10 ottobre 1868, *Le tasse sui teatri*, che riportava e sottoscriveva le osservazioni e le proteste pubblicate dal periodico teatrale *Il Sistro*.

[18] «Un Impresario che paghi tutti i quartali è come l'araba fenice [...]. Fallimenti, fughe [...], artisti sul lastrico: ecco il bilancio de' Teatri in Italia». Quanto al teatro drammatico: «E sapete che cosa significhi per un capocomico il *far buoni affari*? Vuol dir guadagnare (oltre la propria paga) tre o quattro mila lire in capo all'anno, assai meno di ciò che gli si toglierà coll'imposta del 10% sull'incasso lordo» (*Il Trovatore*, 20 dicembre 1868, *La tassa su' teatri*).

Quanto ai capocomici, per prima si levò la voce di Luigi Bellotti Bon, il quale, in una lettera data alle stampe, lanciò un accorato allarme, inaugurando la sua lunga e accanita battaglia contro il fisco: con la nuova legge il teatro italiano sarebbe ben presto tornato alle origini – due tavoli su due cavalletti al centro delle piazze come palcoscenico e il giro dello «scodellotto», le esibizioni delle future Malibran nei caffè, accompagnate da qualche suonatore di chitarra cieco e sciancato.[19]

2. L'APPLICAZIONE DELLA LEGGE SUL BOLLO

L'art. 23 della nuova legge sul registro e sul bollo, quello relativo ai teatri, andò in vigore il 1° gennaio 1869. Con il decreto del 15 ottobre 1868 si erano stabilite le norme per accertare il prodotto lordo delle sale da spettacolo. Il compito di riscuotere la nuova imposta fu affidato alle autorità locali di Pubblica Sicurezza. Tuttavia, ad agevolare le operazioni di calcolo e prelievo, si decise di adottare il sistema del cosiddetto «abbonamento», vale a dire del versamento da parte del contribuente di una somma *forfait*, determinata presuntivamente in base alle dichiarazioni delle imprese, «sulla metà del prodotto lordo, di cui è suscettibile il teatro o luogo di trattenimento in ragione della sua capacità e dei prezzi».[20]

Come si notò, sarebbe stato, in effetti, davvero arduo e dispendioso controllare l'incasso serale effettivo di quattrocento teatri e di qualche migliaia di baracche di ambulanti sparsi per tutta la penisola: il sistema, dunque, sollevava da parecchie noie le autorità locali. Il provvedimento, d'altro canto, risultava particolarmente vantaggioso per le imprese, sia perché le esentava da fastidiose, quotidiane operazioni di calcolo, sia perché non limitava le possibilità di profitto. Inoltre il ministero delle Finanze aveva prescritto ai ricevitori di «usare ogni possibile larghezza nella determinazione del prodotto presunto, valutando all'uopo tutte quelle circostanze speciali e locali, che possono influire a diminuirlo»; tanto più era necessario applicare con moderazione la nuova imposta «nei piccoli paesi, ove i prodotti dei teatri sono in generale di pochissima importanza». I prefetti sarebbero dovuti intervenire a «rimuovere» eventuali difficoltà e a «conciliare ogni divergenza».[21]

Il decreto sembrava dunque tenere conto dei timori del mondo teatrale e tentare una soluzione di trattativa e di compromesso sul terreno della prassi, al di là del dettato della legge. Evidentemente ciò non bastò. Nel novembre 1868

---

[19] *I Diritti d'Autore*, 1° giugno 1870, s.t.

[20] AP, *Leggi e decreti del Regno d'Italia*, 1868, vol. 22°, decreto n. 4650 del 15 ottobre 1868, pp. 1816-1821; *La Nazione*, 14 gennaio 1869, *Documenti governativi*.

[21] *Ibidem*.

si ebbe infatti notizia dell'iniziativa di alcuni impresari e direttori di compagnia – promossa dal capocomico Giovanni Battista Zoppetti – che formularono e sottoscrissero un emendamento alla legge 19 luglio 1868 e lo trasmisero al ministero delle Finanze e a quello della Pubblica Istruzione.[22]

Frattanto anche i giornali che avevano inizialmente approvato la tassa sul prodotto lordo dei teatri mostrarono di aver mutato parere: come *Il Secolo*, che sostenne le ragioni dei capocomici, «nel riflesso che una tassa è pur forza pagarla, sempre nei limiti della ragione, e non già una tassa illogica come quella che veniva imposta colla suddetta legge».[23] Anche la *Gazzetta Piemontese* appoggiò l'iniziativa di Zoppetti e definì la tassa «esagerata e rovinosa», una «inumana vessazione», che rischiava di segnare per l'arte teatrale «una decadenza deplorabile».[24]

La petizione degli impresari trovò sostenitori in Parlamento. Il deputato veneziano Giacinto Pellatis la raccolse e, dapprima tentata, ma vanamente, la strada di una sospensione dell'esecuzione dell'art. 23, ottenne l'assicurazione della retroattività delle disposizioni contenute in un suo progetto di legge, nel caso che questo fosse stato approvato.[25] Si trattava di un progetto articolato, che prevedeva sia una tassa di bollo fissa e proporzionale al costo dei biglietti, sia un aumento della cosiddetta «tassa di apertura», quella dovuta per le concessioni governative e accettata senza significative resistenze dalle imprese.[26]

Il progetto, presentato nella seduta del 16 gennaio 1868, non fu preso in considerazione durante la sessione e fu ripresentato in quella successiva, più di un anno dopo, in parte modificato rispetto alla versione precedente.[27] Le modifiche contemplavano ulteriori vantaggi per i teatri più popolari: essi sarebbero stati esentati sia dalla tassa di bollo sia da quella sulle concessioni governative quando il biglietto d'ingresso fosse inferiore a 40 lire. Inoltre il nuovo progetto operava una distinzione tra il teatro drammatico e quello musicale, proponendo che per gli spettacoli d'opera, mimici e coreografici la tassa di bollo

---

[22] *Il Secolo*, 10 novembre 1868, *Tassa sui teatri*.

[23] *Il Secolo*, 25/26 dicembre 1868, *Cronaca. Tassa pei teatri*.

[24] *Gazzetta Piemontese*, 24 novembre 1868, *Gli impresari teatrali d'Italia al Parlamento Nazionale*.

[25] *Il Secolo*, 31 dicembre 1868, *La Tassa sui Teatri*.

[26] AP, *Camera*, Legisl. X, Sess. 1868-69, *Discussioni*, tornata del 16 gennaio 1869, pp. 8737-8738. Il progetto Pellatis era sottoscritto dai deputati Di San Donato, Luigi Ferraris, Omar, Fambri, Serristori, Macchi, Curti, Fossombroni, Oliva, Cortese. Nella medesima seduta venne data lettura di una petizione del Pio Istituto teatrale, fondato nel 1828 a favore del personale della Scala e della Canobbiana, che chiedeva di essere esentato, per le rappresentazioni organizzate a beneficio dei soci, dal pagamento della tassa, o quantomeno che essa fosse ridotta alla quota imposta sulle rendite dei corpi morali. La petizione era trasmessa e raccomandata dal deputato milanese Angelo Villa Pernice (*ivi*, p. 8736).

[27] AP, *Camera*, Legisl. X, Sess. 1868-69, *Documenti*, vol. IV, n. 75, *Progetto di legge presentato dai deputati Pellatis e Di San Donato. Sostituzione di altra tassa a quella ora vigente sopra i pubblici spettacoli*.

fosse aumentata del 10% per i teatri di secondo ordine e del 20% per quelli di primo ordine. L'art. 2 del progetto introduceva un criterio inedito: esso stabiliva di sottoporre all'imposta sul bollo anche i palchi nei teatri di ragione e di godimento di società anonime, di comuni o di altri corpi morali, in base alla loro posizione. Come osservò a questo proposito Pellatis nel suo svolgimento in aula, il 28 aprile 1870, tale categoria di consumatori era stata del tutto dimenticata, eppure da essa si sarebbe potuto trarre un utile: in questo modo la tassa imposta ai proprietari dei palchi avrebbe compensato la riduzione «a proporzioni minime» della tassa di bollo per le imprese e le compagnie. Per quanto riguarda la tassa di apertura – fissata dalla legge vigente di 100, 50 e 20 lire per stagione nei teatri di primo, secondo e terzo ordine – se ne proponeva un aumento abbastanza consistente. Pellatis dichiarò di aver così assecondato il desiderio degli imprenditori teatrali: essi avrebbero pagato ben volentieri una tassa fissa anche alta per la concessione di apertura, «pur di essere liberi dalle molestie» della tassa sul prodotto lordo. Un'imposta nata per colpire i consumatori aveva finito per gravare, come l'esperienza di un anno e più aveva dimostrato, sui produttori.[28]

Il complesso e meditato disegno di legge fu quindi trasmesso alla commissione incaricata di riferire sui progetti finanziari, la quale però giudicò inattuabili le proposte di Pellatis.[29] Peraltro esse non furono apprezzate neppure dagli operatori teatrali e da parte loro fu generale il voto sfavorevole:[30] il sistema degli abbonamenti sperimentato nel 1869 aveva temperato ed attutito gli effetti della legge sul bollo ed evidentemente gli impresari preferivano accontentarsene piuttosto che rischiare salti nel buio.

Altri progetti erano stati nel frattempo resi pubblici. Ulisse Mengozzi dichiarò in un suo studio di condividere il timore che le nuove imposte potessero ostacolare «la rigenerazione del teatro italiano, ora bene avviato, ma non completamente all'altezza della sua sacra missione»; tuttavia innegabilmente il teatro poteva formare «la posizione e talvolta la ricchezza» di quanti vi lavoravano ed era ragionevole tassare tale reddito. Mengozzi auspicava, in conclusione, una tassa proporzionale sui biglietti d'ingresso e, in sostituzione di quella di apertura, un'imposta sulla concessione della patente di esercizio a impresari e capocomici; le compagnie sarebbero state distinte in tre categorie in base al loro merito e al loro reddito e la tassa doveva applicarsi in ragione della categoria. Le proposte di Mengozzi suggerivano chiaramente di avviare, attraverso un'intelligente politica tributaria, un processo di regolamentazione nel mondo

[28] AP, *Camera*, Legisl. X, Sess. 1868-69, *Discussioni*, tornata del 28 aprile 1870, pp. 1229-1231.

[29] *La Perseveranza*, 13 maggio 1870, *Imposta sugli spettacoli e sui teatri*.

[30] Membri di direzioni teatrali e alcuni dei più noti appaltatori erano stati interpellati a Firenze (*ibidem* e *Il Mondo Artistico*, 15 maggio 1870, *Cronachetta*).

dello spettacolo, regno dell'anarchia, delle consuetudini e dell'approssimazio-
ne: così difficilmente sarebbero circolati «speculatori disonesti, e turbe d'ignoranti piovuti nell'arte stessa dal vagabondaggio o dai più vili mestieri».[31]

Erano intanto giunti i primi dati sulle entrate prodotte dalla tassa sull'introito lordo dei teatri, dati così significativamente lontani dalle attese da indurre il
ministero delle Finanze, attraverso quello dell'Interno, a richiamare ad una più
attenta e rigorosa esazione le autorità locali coinvolte. Secondo la circolare ministeriale, le somme riscosse erano «molto inferiori ad ogni più moderata previsione» e «lungi dal corrispondere all'importanza effettiva degli introiti» degli
spettacoli rappresentati nel Regno. Si ribadiva inoltre che, stabilendo le modalità di liquidazione della tassa, si era operato un calcolo «ben vantaggioso agli
impresari», in confronto alle tassative disposizioni dell'art. 23 della legge.[32] La
stessa relazione presentata al Senato nel luglio del 1870 dalla commissione incaricata di studiare le possibili modifiche alla legge sui diritti d'autore avrebbe rivelato che «nella massima parte dei teatri esistenti in Italia l'autorità di Pubblica Sicurezza non è riuscita ad eseguire che assai imperfettamente» la sorveglianza che le era stata affidata dal decreto dell'ottobre 1868 per la riscossione
della tassa governativa: essa – vi si concludeva – aveva incontrato nella sua applicazione «molteplici e gravissime difficoltà».[33]

Si può supporre che negli uffici delle questure si fossero avviate, all'inizio
delle stagioni, febbrili trattative per determinare l'ammontare dell'abbonamento. Mengozzi denunciava che ne era stata compromessa «la dignità del Governo», costretto a «scendere a transazioni di tal sorta di abbuonamenti», come a
Firenze nel Carnevale 1868-69, dove l'operazione si era ridotta «ad una meschinità vergognosa».[34] A Milano nella medesima stagione i teatri della città, secondo gli accordi con l'erario, avrebbero pagato complessivamente 20.000 lire,
di cui 13.000 sarebbero state versate dagli impresari dei Teatri regi: «[...] la
somma più cospicua che si sia pagata per la suddetta tassa» – assicurava *La
Lombardia* – poiché in altre città come Torino e Firenze la quota versata dai
teatri era «in proporzione assai più tenue».[35] La *Gazzetta Piemontese* osservava
dal canto suo che teatri di uguale importanza, come la Scala, il Regio di Torino,

---

[31] *I Diritti d'Autore*, 1° giugno 1870, *s.t.* cit.

[32] *La Perseveranza*, 12 giugno 1869, *Tassa sui prodotti dei teatri*. Più tardi lo stesso ministero fu costretto a ricordare che le tasse sugli spettacoli dovevano colpire indistintamente sia le rappresentazioni a scopo di lucro sia quelle a scopo di beneficenza (si legga la circolare in *L'Euterpe*, 7 luglio 1870, *Varietà. Tassa sugli spettacoli teatrali*). Sulle difficoltà di
esazione dell'imposta sul prodotto lordo e sulle istruzioni impartite ai funzionari di Pubblica Sicurezza e di Finanza si sofferma E. ROSMINI, *La legislazione e la giurisprudenza dei
teatri e dei diritti d'autore* cit., vol. I, pp. 58-68.

[33] AP, *Senato*, Legisl. X, Sess. 1869-70, *Atti interni*, n. 63, *Progetto di legge per modificazioni alla legge sui diritti spettanti agli autori delle opere dell'ingegno* cit., p. 17.

[34] *I Diritti d'Autore*, 1° giugno 1870, *s.t.* cit.

[35] *La Lombardia*, 1° gennaio 1869, *Cronaca e fatti diversi*.

la Pergola di Firenze, erano stati tassati in misura sensibilmente diversa e parlava di «ingiuste oppressioni», di «favoritismo il più corruttore» e del rischio di una «profonda demoralizzazione».[36] È facile quindi arguire che la discrezionalità ammessa dal decreto del dicembre 1868 avesse offerto i margini ad un'applicazione della legge non perfettamente uniforme e imparziale.

La documentazione, d'altra parte, rende conto della caparbia resistenza opposta ai ricevitori del bollo da parte di impresari e appaltatori, impegnati a giustificare puntigliosamente le loro «dichiarazioni» e, ovviamente, determinati a pagare il meno possibile.

Nella rigogliosa piazza milanese la tassa sui pubblici spettacoli nel 1870 aveva reso all'erario circa 43.350 lire, alle quali andavano aggiunte 13.550 lire come residuo degli abbonamenti per gli spettacoli dell'anno precedente. Rispetto al 1869 la cifra era aumentata di un terzo – un incremento notevole, tenuto conto che durante l'anno erano rimasti chiusi per molti mesi il teatro della Stadera, il teatro Milanese, il nuovo Tivoli ed erano stati demoliti il Ciniselli e l'Ippodromo.[37] Tutti gli operatori del settore senza eccezioni denunciavano situazioni di grave disagio finanziario.

L'impresario del Carcano, Filippo Moreno, nel gennaio 1869 aveva supplicato prima una riduzione della tassa sul prodotto lordo pattuita, quindi di esserne addirittura totalmente risparmiato. Osservava Moreno nella dichiarazione che il suo teatro si trovava in posizione periferica ed era privo di un bacino d'utenza consistente; il fitto annuo inoltre era «enorme» per una sala aperta nei pochi mesi invernali. Aggiungeva che il pubblico era popolare e non avrebbe sostenuto un aumento del prezzo degli ingressi, in più la vendita dei palchi era minima – anzi, molti erano «seralmente regalati, perché la platea non viene frequentata dalle signore» – e i posti concessi gratuitamente erano numerosi.[38] Informava ancora Moreno che quel teatro, nonostante le economie, esigeva una spesa giornaliera di 650 lire, ma in tre serate di recita l'incasso era stato di sole 800 lire: il deficit accumulato durante quella malaugurata stagione era di ben 8.000 lire; egli si era risolto a sospendere il programma e, «nell'interesse di provvedere al proprio decoro e alla specialità di uomo onesto», aveva radunato l'intero personale «per ottenere delle riduzioni» delle paghe.[39] Raccapezzate alla meglio le residue risorse, Moreno fece istanza per un'altra serie di rappre-

---

[36] Mentre la Scala avrebbe pagato 13.000 lire, il Regio doveva versare 7.500 lire e la Pergola 2.500 lire (*Gazzetta Piemontese*, 5 gennaio 1869, *Macinato*).

[37] *La Perseveranza*, 25 gennaio 1871, *La tassa sugli spettacoli*. Nei primi tre mesi del 1869 la tassa versata dai teatri milanesi aveva dato un incasso di 17.763 lire (si vedano le cifre per ciascun teatro riportate in *Il Pungolo*, 8 aprile 1869, *Cronaca cittadina. Tassa sui teatri*).

[38] ASM, *Questura*, b. 132, f. 4, dichiarazione di prodotto lordo rilasciata da F. Moreno, 1° gennaio 1869.

[39] *Ivi*, istanza alla Regia direzione del Demanio, Ufficio del Bollo straordinario, di F. Moreno, 4 gennaio 1869.

sentazioni, proponendo una rateizzazione della somma dovuta all'erario.[40] La stessa questura confermò la misura del disastro finanziario dell'impresa: anche con gli ultimi spettacoli essa aveva fatto «cattivissimi affari» e versava «in circostanze economiche così limitate da meritare tutti i possibili riguardi!».[41] Questo non impedì a Moreno di affrontare anche la stagione autunnale.[42]

Il successivo impresario del Carcano, Pietro Rovaglia, non incontrò maggiore fortuna. La sua dichiarazione relativa al prodotto lordo della stagione in corso[43] risultò così poco convincente che l'ispettore della questura si risolse a giustificarla, suggerendo di accontentarsene: realmente gli incassi erano esigui, sia per la concorrenza della Canobbiana, sia perché il provento dei palchi era più «apparente» che effettivo: era noto che l'impresa, per attirare il pubblico, offriva «sotto mano gratuitamente alle famiglie del quartiere di P.ta Romana i palchi», paga dei soli ingressi.[44] Anche in questa circostanza ne avevano fatto le spese gli artisti, «che si assoggettarono per conto proprio al rischio delle perdite eventuali». Rovaglia aveva comunque proseguito il corso delle recite, programmandone altre venti e patteggiando con l'erario una tassa di circa 196 lire: infine aveva gettato la spugna, versandone solo i due quinti.[45] Gli era subentrato Paolo Poli Lenzi, anch'egli oltremodo preoccupato di dimostrare l'ammontare irrisorio dell'introito previsto: si lamentava, in particolare, del numero eccessivo dei biglietti gratuiti, distribuiti necessariamente a giornalisti, agenti, artisti e parenti, che raggiungeva i 200.[46]

Tutti i teatri milanesi sembravano presentare un simile quadro di difficoltà, o perlomeno di precarietà finanziaria. Il conduttore del Ciniselli, nell'agosto del 1870, sosteneva di aver dovuto calcolare il prezzo minimo degli abbonamenti concessi ai militari e agli artisti, nonché le eccezionali «attuali gravissime preoccupazioni politiche»,[47] mentre durante i mesi invernali l'inclemenza del clima poteva scoraggiare il pubblico.[48]

Il teatro della Commenda, in grado di accogliere 1000 spettatori, era situato «in un luogo spopolato», praticamente «in meso a delli orti» – come affermava l'impresario Baldassarre Borghi, evidentemente poco avvezzo alla lingua scritta; per giunta si trattava di un teatro scoperto, per cui «appena che cade quatro

[40] *Ivi*, dichiarazione di prodotto lordo rilasciata da F. Moreno, 1° marzo 1869.

[41] *Ivi*, il questore al revisore dell'Ufficio del Bollo straordinario, 8 agosto 1869.

[42] *Ivi*, istanza di F. Moreno alla questura, 10 agosto 1869.

[43] *Ivi*, 6 dicembre 1870. Si trattava del prodotto lordo presunto di 30 rappresentazioni di opere musicali; la tassa proposta da Rovaglia ammontava a 288 lire.

[44] Aggiungeva l'ispettore (si legga, *ivi*, il suo rapporto al questore, 30 gennaio 1871) che il proprietario del Carcano aveva ottenuto il sequestro degli attrezzi e degli introiti serali fino al versamento del saldo dell'affitto.

[45] *Ivi*, l'Ufficio del Bollo straordinario al questore, 4 maggio 1871.

[46] *Ivi*, dichiarazione rilasciata da P. Poli Lenzi, 17 maggio 1871.

[47] *Ivi*, b. 133, f. 2, dichiarazione rilasciata da Eugenio Lombardi, 10 agosto 1870.

[48] *Ivi*, dichiarazione rilasciata da Natale Guillaume, 25 febbraio 1869.

ghoccie d'aqua non si fanno la metà delle spese serali».[49] Analogamente l'impresario del teatro Stadera assicurava che esso era «l'infimo di tutti per i suoi scarsissimi introiti», per la posizione periferica e per la mancanza di dignitose compagnie che accettassero di recitarvi.[50] Quello del Santa Radegonda, Silvestro Sebastiani, si pentì presto di aver supposto un introito serale di 220 lire nelle prime trattative con l'erario. In vista della stagione successiva, quella 1870-71, confermò tale media presunta a denti stretti, dichiarando di ritenere forse più conveniente il controllo d'ufficio; finalmente nel Carnevale 1871-72 strappò una riduzione della tassa fissando l'introito medio serale a 180 lire.[51] Nel 1877 l'imposta sugli incassi del Santa Radegonda sarebbe nuovamente salita, desunta da un incasso medio serale di 226 lire. Come osservò in quella occasione il questore, tale cifra poteva apparire eccessivamente scarsa, in verità era assolutamente plausibile: le «catastrofi» che quel teatro aveva conosciuto ultimamente dimostravano che era impensabile gravarlo di un'imposta maggiore; l'impresario – informava il questore – «dopo che vi sagrificò tutto quel poco che aveva, dovette per i debiti contratti sparire da Milano senza lasciare traccia di sé».[52]

Oltremodo penosa era la situazione di Angela Bosani, vedova Fiando, conduttrice del teatro Gerolamo, che dava spettacoli di marionette. Fu ritenuta inammissibile la sua istanza di ridurre la tassa sugli introiti del teatro proporzionalmente a quella pagata dal S. Simone, un'altra sala milanese destinata ad analoghe rappresentazioni: quest'ultima era di minore importanza sotto ogni riguardo e faceva incassi così meschini da indurre i fratelli Prandi, che la gestivano, a sospendere il programma.[53] L'impresa del teatro Gerolamo venne sollevata dal pagamento della terza rata di 230 lire, ma non fu comunque in grado di saldare il debito con l'erario e si dovette procedere al sequestro degli incassi serali.[54] La Bosani tornò ad insistere e si raccolsero informazioni: ella era «sprovvista d'ogni patrimonio» e versava nelle «maggiori ristrettezze», tanto

[49] *Ivi*, f. 4, dichiarazione rilasciata da B. Borghi, s.d. (ma marzo 1872). Tuttavia due anni dopo Felice Cameroni avrebbe parlato della gestione della Commenda come di «un affare eccellente e sicuro»; l'introito medio serale era di 180 lire, ma qualche sera l'incasso poteva raggiungere le 1.200 lire: «pubblico grasso, incassi idem» (*L'Arte Drammatica*, 15 agosto 1874, *Trattato elementare di geografia drammatica*).

[50] ASM, *Questura*, b. 136, f. 3, dichiarazione rilasciata da Giovan Battista Ferrini, 3 febbraio 1869.

[51] *Ivi*, b. 135, f. s. n., dichiarazioni rilasciate da S. Sebastiani il 21 dicembre 1870 e il 16 dicembre 1871.

[52] *Ivi*, il questore al ricevitore dell'Ufficio del Bollo straordinario, 4 agosto 1878. Per Cameroni le difficoltà del teatro erano dovute soprattutto al suo pessimo stato: si trattava di «un pozzo, che riedificato, potrebbe diventar d'oro» (*L'Arte Drammatica*, 15 agosto 1874, *Trattato elementare di geografia drammatica* cit.).

[53] ASM, *Questura*, b. 133, f. 11, il questore al ricevitore dell'Ufficio del Bollo straordinario, 25 febbraio 1869.

[54] *Ivi*, il ricevitore dell'Ufficio del Bollo straordinario al questore, 24 maggio 1868.

che i pochi suoi effetti e il mobilio, compreso quello del teatro, erano vincolati da pegno. Il Gerolamo era una sala angusta e poco frequentata a causa della «decadenza degli spettacoli di marionette»; il biglietto d'ingresso era poco costoso perché gli spettacoli erano destinati ai bambini, di contro la pigione dei locali era sensibilmente gravosa ed assorbiva buona parte degli incassi. In conclusione la Bosani non avrebbe potuto sostenere una tassa elevata, altrimenti sarebbe stata indotta ad abbandonare un'impresa che si era sobbarcata «perché quasi un retaggio di famiglia».[55]

Più di tutte risultano interessanti le dichiarazioni di Carlo Fossati, proprietario e conduttore dell'omonimo teatro milanese. Esse lasciano senza dubbio intuire una discreta cultura e uno spirito imprenditoriale vivace. «Dolente di dovere ad ogni stagione ricorrere alle istanze, per ottenere che la tassa [...] sia per quanto possibile contenuta nei limiti dell'equità e della giustizia», Fossati giustificava le sue proposte redigendo generosi e impeccabili *postscripta*. Nella stagione estiva del 1869 egli programmò 80 rappresentazioni, ma tenne a spiegare che negli ultimi tempi gli introiti del teatro erano «di molto diminuiti»: si trattava di una sala frequentata dagli operai nei giorni di festa e per il resto della settimana dagli abbonati che vi erano attirati dal «tenuissimo prezzo di 20 centesimi per recita». Per giunta nella zona erano stati accordati molti permessi a saltimbanchi e ad ambulanti; essi esercitavano una concorrenza non trascurabile, insieme al vicino Carlo Porta, che dava spettacoli giornalieri a 10 centesimi o a ingresso libero, e al Ciniselli: non era giusto – protestava Fossati – vedere i teatri stabili chiusi per carenza di pubblico, mentre i baracconi posticci, meno tassati, prosperavano.[56] Nel maggio 1871 Fossati domandò la riduzione della tassa alla metà di quella fino ad allora corrisposta, «che per i tempi che corrono è già più del bisogno pesante». Egli osservò di essere costretto a pagare un'imposta sui fabbricati, la tassa sulla ricchezza mobile, la tassa di Arti e Commercio e denunciò «l'indelicato procedere della locale Autorità municipale», che aveva permesso l'installazione a 100 metri dal Fossati di una baracca di legno che aveva aumentato la concorrenza.[57] Mentre in una dichiarazione depositata per la licenza di una stagione estiva Fossati si preoccupava della partenza dei milanesi dalla città, in vista della stagione invernale si lamentava della nebbia particolarmente fitta nella zona di ponte Vetero e di Piazza Castello e del gran numero di sale, tutte aperte.[58] In altre circostanze egli se la prendeva con la trasformazione dei caffè cittadini in caffè *chantant*, dove per il modico prezzo di un «rinfresco» gli avventori passavano intere serate tra le melodie: ci si pote-

[55] *Ivi*, l'ispettore della sezione III al questore, 28 novembre 1870.
[56] *Ivi*, f. 10, dichiarazione rilasciata da C. Fossati, 31 luglio 1869.
[57] *Ivi*, dichiarazione rilasciata da C. Fossati, 8 maggio 1870.
[58] *Ivi*, dichiarazione rilasciata da C. Fossati, 28 dicembre 1872.

va facilmente capacitare «di quanto poco rimanga da razzolare».[59] Notiamo che in genere le proposte di abbonamento avanzate da Fossati erano accettate dai funzionari della questura, i quali semmai si accontentavano di annotare: «sebbene appaja in limiti alquanto ristretti».[60]

Anche i teatri più prestigiosi della città accusavano spesso condizioni di disagio finanziario. Il nuovo ed elegante teatro della Commedia, che presto avrebbe preso il nome di teatro Manzoni, era capace di 600 spettatori, senonché ogni sera le entrate gratuite erano 250, i palchi che si potevano affittare erano pochissimi e la concorrenza delle altre sale milanesi era accanita: l'impresario calcolava perciò un introito serale medio di 704 lire.[61] Le previsioni per il periodo estivo erano peggiori: il pubblico che il teatro Manzoni era destinato a raccogliere si trovava «alla campagna», i forestieri erano pochi per le «condizioni sanitarie» della città; molte, di contro, erano le sale aperte.[62]

Il teatro Dal Verme, come il Manzoni inaugurato recentemente, capace di 1300 spettatori, non navigava in migliori acque. Nel luglio 1873 la media degli introiti era di 170 lire per spettacolo, secondo la direzione dell'impresa: se l'erario non ne avesse accettato le proposte, essa si sarebbe trovata nella necessità di chiudere il teatro e di gettare sul lastrico più di cento famiglie.[63]

Per quanto concerne la Scala, al termine della stagione 1868-69 l'impresa appaltatrice Bonola e C. implorò il ministero dell'Interno di concederle un sussidio e «il condono e la rifusione della tassa governativa» – di 13.000 lire, ricordiamo – già versata: altrimenti, di fronte alla «enorme cifra di *deficit*» e con il deposito di cauzione già in parte intaccato, le sarebbe risultato impossibile stipendiare l'orchestra e il coro.[64] La misura dell'imposta che il massimo teatro

[59] *Ivi*, dichiarazione rilasciata da C. Fossati, 21 giugno 1873. Secondo la testimonianza di Fossati, la compagnia che recitava nel suo teatro in quei giorni in una delle tre recite date aveva guadagnato 52 centesimi.

[60] *Ivi*, dichiarazione rilasciata da C. Fossati, 2 aprile 1872. Per ricorrere ancora alle parole di Felice Cameroni, il Fossati era «una miniera di carta monetata, per dieci mesi all'anno. L'Eldorado delle compagnie di secondo ordine. Il *tocca e sana* di tanti capocomici, compromessi dalle altre città. Introito massimo lire 1300, medio lire 300. Neppure una sera di *forno*. Poche esigenze nel popolino spettatore, molti biglietti in cassetta, senza la seccatura dei critici schifiltosi» (*L'Arte Drammatica*, 15 agosto 1874, *Trattato elementare di geografia drammatica* cit.).

[61] ASM, *Questura*, b. 133, f. 3, dichiarazione rilasciata da E. Lombardi, s.d. (ma dicembre 1872).

[62] *Ivi*, dichiarazione rilasciata da E. Lombardi, s.d. (ma agosto 1873).

[63] *Ivi*, b. 136, f. 4, dichiarazione rilasciata da Giuseppe Lamperti, 20 luglio 1873.

[64] *Ivi*, *Prefettura*, *Gabinetto*, b. 777, dichiarazione rilasciata dall'impresa Bonola e C., 29 marzo 1869. Tra l'altro l'impresario affermava che, «per quanto straordinario sia il concorso del Pubblico al Teatro della Scala, col prezzo obbligato dal biglietto d'ingresso e d'abbonamento, gl'introiti di cui è suscettibile tutto il Teatro non si ravvisano in alcuna maniera sufficienti a coprire il dispendio necessario per spettacoli che valgano a far affluire un numero rilevante di spettatori. In una parola le spese sono sempre sproporzionate agli introiti»; la tassa aveva portato l'ultimo «tracollo alle speranze d'un pareggio». La risposta

milanese avrebbe dovuto versare era stata oggetto di non facili trattative. Bono-la aveva avanzato l'offerta di pagare circa 9.000 lire, ma il questore l'aveva defi-nita iniqua, individuando nelle argomentazioni dell'impresa palesi stonature e calcoli imprecisi: un numero eccessivo di ingressi gratuiti, un'indicazione ine-satta del prezzo dei biglietti, più spesso di cinque lire anziché di tre lire come dichiarato, l'esclusione della somma ricavata dall'affitto della quinta fila dei palchi e così via.[65]

In conclusione, la documentazione presa in esame suggerisce diverse rifles-sioni. In primo luogo vi sono comprese dichiarazioni redatte – sembra di poter-ne inferire – dopo l'esperienza di stagioni discrete o fortunate; esse erano prive di «osservazioni» e si limitavano ad indicare la cifra del prodotto lordo medio presunto: i dichiaranti, evidentemente, la ritenevano plausibile ed erano per-suasi che sarebbe stata accettata anche senza giustificazioni. Inoltre gli impresa-ri erano interessati a denunciare una media di incassi il più possibile bassa: ta-cevano quindi sulle serate in cui i loro teatri erano gremiti di pubblico – serate che pure erano registrate in gran numero nelle cronache teatrali dell'epoca. Si può obiettare che parte degli spettatori fosse entrata gratuitamente, ma il loro numero, in mancanza di controlli, rimaneva comunque imprecisato ed era pos-sibilmente "gonfiato" nelle dichiarazioni. Le autorità locali, come più fonti at-testano, erano disposte all'indulgenza, sia per non essere costrette ad attivare un capillare servizio di controllo, sia per evitare proteste e disordini in seguito ad eventuali chiusure delle sale. Non si dimentichi poi il ruolo dei municipi, ta-lora proprietari e spesso finanziatori delle sale teatrali, quindi necessariamente annoverati tra i contribuenti. Infine l'entità della tassa rimaneva contenuta «per effetto di mutue concessioni fra i contraenti».[66]

Dunque è senz'altro vero quanto il ministero delle Finanze avrebbe più volte sottolineato: il cespite d'entrata fornito dall'imposta sul prodotto dei teatri non corrispondeva alle loro risorse effettive. Ciò detto, rimane comunque difficile negare che quella teatrale fosse – come l'avrebbe definita Pasquale Stanislao Mancini[67] – un'arte «povera».

Non mancavano d'altra parte eccezioni: a parte un numero esiguo di cantan-ti di fama, si trattava di imprenditori più capaci e più scaltri, proprietari, locata-ri o impresari di teatri dislocati nel cuore delle città principali, in grado di at-trarre ampie fasce di pubblico e di assicurarsi le compagnie migliori. Giuseppe

del ministero era stata comunque recisamente negativa (*ivi*, il prefetto di Milano all'impre-sa dei Regi Teatri di Milano, 14 aprile 1869).

[65] *Ivi*, *Questura*, b. 132, f. s.n., il questore al ricevitore dell'Ufficio del Bollo straordina-rio, 13 dicembre 1868.

[66] Così si sarebbe espresso in un intervento in Parlamento il deputato Marcora (AP, *Camera*, Legisl. XIII, Sess. 1878-79, *Discussioni*, tornata del 31 marzo 1879, p. 5412).

[67] AP, *Camera*, Legisl. XII, Sess. 1874-75, *Discussioni*, tornata del 2 dicembre 1875, p. 4866.

Costetti, nel capitolo dedicato ai proprietari teatrali del suo *Figurine della scena di prosa*, afferma addirittura che «non c'è teatro il quale non faccia affari grassi» e cita l'«enfiteuto del Valle di Roma, il sig. Baracchini»,[68] che «possiede 120-130 mila lire di rendita», Cosimo Caiani, concessionario del teatro Niccolini di Firenze, Francesco Righetti, avvocato, locatore del Carignano di Torino, Carletti, del bolognese Teatro del Corso, Carlo Gerbino, pure avvocato, proprietario dell'omonimo teatro torinese.[69] Costetti rivelava altresì gli espedienti a cui i proprietari ricorrevano per realizzare i massimi profitti. Essi trattenevano una parte dell'introito serale per il fitto e stabilivano «a spanne» l'ammontare delle spese serali, che infine risultavano molto più elevate di quanto realmente non fossero: contro questa cifra «batte il muso il povero capocomico». Inoltre i proprietari si riservavano ogni sera tre o quattro dei migliori palchi e una decina di poltrone – i primi ad essere venduti nel camerino dell'impresa. Se la stagione camminava a gonfie vele, essi si intascavano gran parte degli incassi; in caso contrario restavano loro le «amplificazioni» delle spese serali e «il tamarindo».[70]

La categoria esposta ai maggiori rischi era quella degli appaltatori e degli impresari. Per costoro le possibilità di guadagno erano legate a doti manageriali che non tutti possedevano, tanto più che, come avrebbe affermato Yorick in un articolo del 1882, era finito «il tempo in cui Berta filava» e impresari «baggiani e neghittosi» non avevano più la «soddisfazione di arricchire» senza preoccuparsi di catturare e accontentare un pubblico ormai smaliziato.[71] Secondo un critico autorevole ed esperto come Biaggi, il successo di una stagione risultava «per tre quarti» opera della sagacia e della abilità dell'impresario: condurre a buon fine una serie di spettacoli con profitto «per sé, per il pubblico, per l'arte» era tutt'altro che impossibile, se si azzeccava la scelta del programma, delle compagnie, dei cantanti, della messinscena e se si operavano intelligenti econo-

[68] Su Antonio Baracchini si leggano anche gli apprezzamenti di D'Arcais in *L'Opinione*, 18 novembre 1872, *Appendice. Rivista drammatico-musicale*. Anche Ferdinando Morini, costruttore del Politeama fiorentino e proprietario del Principe Umberto, era annoverato tra gli speculatori teatrali più attivi e capaci (*L'Opinione*, 27 febbraio 1869, *Cronaca di Firenze*, e 9 gennaio 1871, *Rivista drammatico-musicale*).

[69] G. Costetti, *Figurine della scena di prosa* cit., pp. 171 sgg.

[70] *Ivi*, pp. 180-182. Si legga anche (*ivi*, pp. 182-186) la gustosa descrizione di una serata in cui l'avventore prevede che il teatro sarà vuoto e invece trova la platea occupata «con precisione matematica» ed è costretto ad acquistare una poltrona. Soprattutto dai fragorosi applausi e dalla tipologia del pubblico in platea egli si renderà presto conto che «è sera di *macche*, come le chiamano a Firenze: di *polizze*, come dicono a Bologna: di *doira*, come le nominano a Torino»: sono le famiglie degli artisti e degli impiegati del teatro opportunamente disposte ad occupare i posti più economici.

[71] *La Nazione*, 11 settembre 1882, *Rassegna drammatica*. Anche D'Arcais in quegli anni avvertiva che era finito «il tempo dell'apatia e de' facili guadagni»: gestioni obsolete, come quelle di certi Accademici, che non avevano il coraggio di «distruggere i privilegi e le consuetudini antidiluviane», non reggevano più la concorrenza di imprese scese in campo con

mie.[72] Ai capocomici e alle compagnie restavano margini di profitto ridotti, ulteriormente limitati dall'inevitabilità di un continuo nomadismo. Si ha tuttavia l'impressione che fosse il personale del teatro ad essere ordinariamente penalizzato e a pagare lo scotto più alto di gestioni dall'esito infausto: le masse accettavano, come si è visto, una riduzione della paga, pur di conservare l'impiego, o si rassegnavano all'insolvenza di impresari senza scrupoli.

L'aumento della pressione fiscale, insieme all'introduzione della legge sui diritti d'autore, inevitabilmente indusse proprietari e appaltatori di teatri ad inaugurare strategie imprenditoriali più dinamiche e aggressive. Molte sale in quegli anni furono ristrutturate: più eleganti ed accoglienti, potevano attirare un pubblico ammodo e benestante. Altre amministrazioni tentarono la via di una politica dei prezzi più spregiudicata: come Carlo Gerbino, accusato da D'Arcais – con le imprese del Principe Umberto di Firenze e del Politeama romano – di compromettere la qualità degli spettacoli attirando il pubblico più popolare con il biglietto di platea a 50 centesimi.[73] Al municipio di Torino alcuni «speculatori» avevano proposto di trasformare il Carignano in teatro a gallerie: a tale proposito sorse una *querelle* tra D'Arcais, che si disse profondamente deluso dal desiderio di «ritrarre dal teatro Carignano qualche profitto materiale»,[74] e la *Gazzetta Piemontese*: il quotidiano diretto da Vittorio Bersezio affermò che il Carignano era un teatro «morto» per «quei benedetti palchi, i quali, tenendo alti i prezzi, *aristocratizzano* gli spettacoli al punto da non renderli accessibili alle così dette masse – che pure formano il vero *pubblico teatrale*».[75] Il Nazionale di Torino riaprì nel luglio 1875: abbattuta una serie di palchi, erano state aperte due gallerie semicircolari; tali innovazioni – come riferiva una corrispondenza dell'*Opinione* – potevano «aver pregio dal lato della speculazione industria-

«armi nuove» (*L'Opinione*, 14 dicembre 1868, *Appendice. Rivista drammatico-musicale*). A proposito della necessità di mettere in atto nuove strategie di gestione dei teatri si veda l'interessante articolo *Finis Canobbianae* in *L'Arte Drammatica*, 13 aprile 1878, nel quale venivano ampiamente analizzate le ragioni del fallimento dell'impresa Preda e Pedretti che aveva appaltato la Canobbiana di Milano in quella stagione: «d'ignoranza assoluta» e l'inesperienza nel settore dell'impresariato teatrale, la fallimentare scelta dei balli, la «trascuranza» nell'accaparrarsi gli abbonati, le economie ingiustificate, il repertorio zoppicante e la mancanza di una opportuna *réclame* «che può apportare la benevolenza del giornalismo».

[72] *La Nazione*, 9 aprile 1871, *Rassegna musicale*. A proposito dell'ignoranza e della scarsa cultura imprenditoriale della gran parte degli impresari italiani il critico musicale fiorentino era feroce: a suo avviso essi appartenevano «alla specie più grossolana dell'intelletto umano», operavano «a mosca cieca», procedevano «a furia di pregiudizii», «ignorantissimi dell'arte» e «della pratica tecnica», cumulavano «sbagli su sbagli, aberrazioni sopra aberrazioni», stringevano «i contratti più spallati»: a loro, insomma, andavano attribuite le maggiori responsabilità delle «grandi traversie» dei teatri lirici italiani (*La Nazione*, 23 luglio 1870, *Rassegna musicale*).

[73] *L'Opinione*, 24 giugno 1872, *Appendice. Rivista drammatico-musicale*.

[74] *L'Opinione*, 10 giugno 1872, *Appendice. Rivista drammatico-musicale*.

[75] *Gazzetta Piemontese*, 15 giugno 1872, *Cronaca cittadina*.

le», poiché avevano reso il teatro «accessibile a tutte le classi, a tutte le fortune sociali»: si erano stabilite ben cinque categorie di posti e di prezzi, oltre ai palchi rimanenti.[76]

Un altro mezzo per promuovere la vendita dei biglietti fu la pubblicità. Nel novembre del 1873 per la prima volta a Milano apparve agli occhi del pubblico del Fossati un «sipario-*réclame*»: si trattava della «quarta pagina di un giornale qualunque, disegnata e colorita con qualche artistica pretesa».[77] Il critico della *Gazzetta Piemontese*, in un articolo del 1879, denunciò il ricorso alla pubblicità diffusosi negli ultimi anni tra gli operatori teatrali: i manifesti si erano trasformati in «enormi cartelloni che da terra salgono fino alle finestre del primo piano, con caratteri da speciale», le opere erano annunciate con l'altisonante termine di «capolavoro» o di «commedia brillantissima», la presenza degli autori alle rappresentazioni serviva da ulteriore richiamo; e «che dire poi di certi titoli scovati di fresco, di certi cognomi inusitati?».[78] Intanto il ricorso all'operetta, come fonte sicura di «lauti guadagni» e «fortunate speculazioni»,[79] era diventato frequente e andava incontro alle esigenze di svago e di evasione di un pubblico probabilmente stanco delle tante commedie a tesi.

Gli ostacoli posti dal fisco, insomma, finirono per stimolare la ricerca di formule diverse di gestione. Contemporaneamente la necessità di difendere i comuni interessi promosse la mobilitazione del mondo teatrale.

3. Contro la tassa

Durante gli anni che seguirono, si assistette ad un'offensiva via via più intensa e organizzata contro la tassa sul prodotto lordo dei teatri. La politica di rigore finanziario inaugurata dal governo Lanza-Sella aveva inasprito l'esazione dell'imposta. Fin dal settembre del 1870 sulle pagine della stessa *Opinione*, che aveva approvato e giustificato sia l'imposta sul macinato sia quella di registro e bollo, D'Arcais non poté esimersi dall'affermare che i teatri fiorentini lottavano «coraggiosamente» contro l'esattore. Se non era lecito protestare contro l'esecuzione di una legge approvata dal Parlamento, era però lecito «deplorare che i tempi corrano così tristi per le arti».[80]

Evidentemente nei mesi successivi i teatri dovettero conoscere gli effetti delle nuove disposizioni governative e la protesta si riaccese. I più attivi e batta-

---

[76] *L'Opinione*, 11 luglio 1875, *Notizie teatrali ed artistiche*.

[77] *Frusta Teatrale*, 10 novembre 1873, *Cronaca locale*.

[78] *Gazzetta Piemontese*, 8 aprile 1879, *Rivista drammatica*. Si veda anche *La Nazione*, 5/6 giugno 1876, *Rassegna drammatica*, e 2 ottobre 1877, *Rassegna musicale*.

[79] *La Nazione*, 26 aprile 1875, *Rassegna drammatica*.

[80] Continuava il critico: «Se per molti mesi furono possibili temperamenti senza offendere la legge, perché sono diventati impossibili ora appunto che la guerra e la politica han-

298

glieri si rivelarono i proprietari dei teatri torinesi, i quali nel febbraio 1872 inviarono una petizione al Parlamento in occasione delle discussioni in corso sulla riforma della tassa di bollo e, soprattutto, in seguito alla diramazione di una circolare «draconiana» del ministero dell'Interno, che suggeriva un'applicazione più rigorosa della legge. Nella relazione si affermava che il sistema del *forfait* si era pressoché generalizzato, prediletto sia dagli operatori teatrali, perché esso toglieva di mezzo «una inquisizione, una vessazione poc [*sic*] men che intollerabile», sia dalle autorità di Pubblica Sicurezza, perché eliminava la necessità di un «servizio abnorme». Non erano mancate proteste alla volta del principio che informava la legge, ma, nei fatti, la tassa era stata applicata in un primo periodo in misura «abbastanza equa e tollerabile» e nel segno di una collaborazione tra operatori teatrali e fisco. Così era avvenuto anche a Torino, senonché, in occasione del rinnovo del *forfait* per l'ultima stagione, le pretese del ricevitore del Bollo erano state così elevate e rigorose, che molti teatri avevano addirittura preferito il sistema della «riscossione sulla cassetta». Ciò aveva messo a nudo la sostanziale ingiustizia della legge, di cui ora si chiedeva una modifica.[81] Nelle altre industrie – protestavano gli autori della petizione – le norme per la tassa di ricchezza mobile stabilivano un minimo non soggetto ad imposta: i teatri erano invece colpiti sul prodotto lordo, quando invece le spese erano assai ingenti – superiori a 250-300 lire per sera anche nei teatri di terz'ordine[82] – e i proventi sempre incerti e soggetti a sensibili variazioni. Era dunque evidente che la legge sul bollo doveva essere «temperata» da criteri di applicazione intelligenti e flessibili, conformi «alla verità e diversità delle circostanze». Il regolamento dell'ottobre 1868, come era stato interpretato in un primo tempo, aveva avuto questo effetto. Le recenti disposizioni invece invitavano ad attenersi – nel calcolare il prodotto lordo sul quale stabilire la somma *forfait* – alla metà dei proventi lordi presunti in base alla sola capacità di un teatro, «facendo astrazione da ogni altra considerazione» ed «erigendo così la capacità in elemento uni-

---

no reso molto difficili le imprese teatrali?» (*L'Opinione*, 19 settembre 1870, *Appendice. Rivista drammatico-musicale*). Si legga anche un altro duro attacco alla politica di Sella da parte di D'Arcais in *L'Opinione*, 8 gennaio 1872, *Appendice. Rivista drammatico-musicale*.

[81] Non si trattava più, secondo i proprietari torinesi, di una tassa di bollo, ma di una tassa di quota che colpiva l'esercizio dell'industria dei pubblici spettacoli. Il testo integrale della relazione è in *L'Arte Drammatica*, 24 febbraio 1872, *Svegliamoci!!!*

[82] La relazione ne faceva un elenco completo: le spese per il fitto o per gli interessi dei capitali impiegati nella costruzione del teatro, le spese di restauro e manutenzione del fabbricato e degli impianti – compresi quelli antincendio –, le spese onerosissime per le assicurazioni contro gli incendi, l'imposta sui fabbricati, la paga e l'alloggio di un custode, il fitto dei magazzini annessi, l'imposta municipale per la conservazione e il restauro dei selciati, le indennità di amministrazione e le spese per lo spettacolo: per l'illuminazione, per la scenografia, per lo stipendio di inservienti, orchestra, coro, cantanti, ballerini, comparse, per i diritti d'autore, per la stampa ed affissione dei manifesti soggetti a bollo, per la licenza di dare spettacoli (*ibidem*).

co a tenersi a calcolo». I firmatari della petizione, piuttosto, avrebbero preferito che fosse ripreso in considerazione il progetto Pellatis.[83]

Intanto anche altri «giornaloni inquartati e politici», come li definiva *L'Arte Drammatica*,[84] erano insorti contro la tassa. La *Gazzetta Piemontese* aveva appoggiato senza riserve l'istanza dei proprietari dei teatri torinesi, che intanto avevano chiesto udienza al sindaco e minacciavano uno sciopero.[85] Sul suo giornale, la *Cronaca Grigia*, l'ex deputato Carlo Righetti aveva pubblicato un articolo estremamente duro contro la tassa, a suo avviso destinata, «per la sua stessa violenza, a inaridire in pochi anni la fonte da cui scaturisce», e resa «ancora più schifosamente ingiusta dalla continua pressione» che Sella – «l'uomo più bottegaio e meno artista che sia al mondo» – esercitava sugli esattori.[86] *L'Arte Drammatica* intanto segnalava che gli artisti e i capocomici ancora esitavano ad «alzare la loro voce per proteggere i comuni interessi».[87]

Nell'ottobre 1875 Luigi Bellotti Bon pubblicò sul primo numero del periodico fiorentino *Il Teatro Italiano* un lungo articolo sulle condizioni dell'arte drammatica in Italia, in cui protestava in particolare contro la «gravezza» della tassa sulla ricchezza mobile, oltre che di quella sul prodotto lordo. La protesta di Bellotti Bon raccolse l'adesione del fior fiore della critica teatrale e musicale italiana.[88] D'Arcais esortò gli onorevoli Martini e De Renzis ad assumere l'iniziativa di qualche provvedimento legislativo e soprattutto a «persuadere ad ap-

---

[83] La petizione era firmata da Gaetano Pasquario e C. per il Balbo, Egisto Spettoli per il D'Angennes, Luigi Casalegno per il Vittorio Emanuele, Angelo Piola Caselli per lo Scribe, Barnaba Panissa e Giovanni Plura per l'Alfieri, Claudio Calandra per il Rossini, Carlo Gerbino per il Gerbino, Carlo Majat per il Circolo Milano. *L'Arte Drammatica* sosteneva l'istanza senza aggiungere parole «per sì colossale questione», solamente riferendo che la compagnia Pezzana Gualtieri, allora in scena al Gerbino, versava ogni sera 70 lire di tassa (*ibidem* e *Il Secolo*, 22 febbraio 1872, *La tassa sugli spettacoli teatrali*).

[84] *L'Arte Drammatica*, 7 settembre 1872, *La tassa iniqua*.

[85] *Gazzetta Piemontese*, 2 marzo 1872, *Cronaca cittadina. Tassa sui teatri*. Lo sciopero, secondo il quotidiano torinese, non avrebbe costituito grave danno ai pochi proprietari, «ma danno gravissimo a migliaia di lavoratori ed artisti». Il giornale denunciò spesso le pretese dell'erario nel Carnevale del 1872. Riferì che l'impresario del Balbo aveva dovuto mandare a monte i suoi «veglioni» settimanali, perché per ogni ballo avrebbe dovuto versare una tassa di 100 lire; inspiegabilmente altri teatri avevano pagato una tassa in proporzione minore (*Gazzetta Piemontese*, 17 gennaio 1872, *Cronaca cittadina. Le tasse sui teatri*). In un'altra occasione il quotidiano denunciò che per un gran concerto al Vittorio Emanuele a beneficio del Ricovero di mendicità, l'Intendenza di Finanza aveva incassato una tassa di 350 lire (*Gazzetta Piemontese*, 25 marzo 1872, *Cronaca cittadina. Tassa sui teatri*).

[86] *Cronaca Grigia*, 1° settembre 1872, *La tassa iniqua*. Si veda anche *L'Arte Drammatica*, 7 settembre 1872, *La tassa iniqua* cit.

[87] *Ibidem* e *L'Arte Drammatica*, 5 ottobre 1872, *Notiziario*.

[88] Tra i vari interventi si leggano quelli di Filippi (*La Perseveranza*, 4 novembre 1875, *Appendice. Rassegna drammatico-musicale*), di Yorick (*La Nazione*, 18 ottobre 1875, *Rassegna drammatica*) e di D'Arcais (*L'Opinione*, 25 ottobre 1875, *Appendice. Rivista drammatico-musicale*).

provarlo i loro amici della Sinistra, che furono sempre i più accaniti nemici del teatro italiano».[89]

Un anno più tardi, quando la Sinistra era ormai salita al potere, *Il Bersagliere* – organo del ministro Nicotera – pubblicando un'ennesima protesta dell'attivissimo Bellotti Bon[90] affermò che le disposizioni di cui l'attore si lamentava – e che erano state «davvero la rovina del teatro drammatico» – erano opera della passata amministrazione. Una soluzione poteva giungere dalla Camera che a giorni il Paese avrebbe eletto: quando essa avesse riconosciuto «che il teatro non è un'istituzione di tolleranza, come lo riguardarono sin a poco tempo fa gli uomini che in Italia tennero la pubblica cosa», allora il mondo dello spettacolo avrebbe potuto sperare in una abolizione della tassa, «la quale non ha ragione di essere in alcuna maniera».[91]

Ma le speranze di un allentamento della pressione fiscale sui teatri dovettero svanire,[92] anzi nuove minacce si profilarono di lì a poco.

[89] Il critico dell'*Opinione* non risparmiava le sue critiche neppure ai capocomici, compreso Bellotti Bon, i quali si ostinavano nel sistema delle compagnie nomadi, che non rispondeva più «alle mutate condizioni del paese» e «alla civiltà dei tempi» (*ibidem*).

[90] Il noto attore fu protagonista di una tenace battaglia per una diversa interpretazione dell'art. 3 della legge 14 giugno 1874 sulla riscossione della tassa di ricchezza mobile, secondo la quale i direttori di compagnie teatrali avrebbero dovuto, perché considerati «esercenti di professioni, arti e industrie», e quindi parificati agli esercenti di stabilimenti industriali, pagare la tassa anche per gli artisti scritturati, «salvo il diritto di rivalersene mediante ritenuta». Bellotti Bon cercò invece di dimostrare che per «esercenti di arti» si intendevano gli artigiani. Nella tornata del 2 dicembre 1875, durante la discussione sul bilancio di prima previsione dell'entrata del 1876, Mancini aveva sollevato la questione: era a suo avviso inconcepibile trattare alla stregua di lavoratori manuali gli artisti: essi erano invece «pensatori, e talvolta creatori di sublimi concepimenti dello spirito, educatori delle masse». La risposta di Minghetti, ministro delle Finanze oltre che presidente del Consiglio, era stata evasiva: egli ammise l'ambiguità dell'art. 3, ma fece notare che il suo scopo era quello di evitare che tanti si sottraessero al pagamento della tassa di ricchezza mobile: tra questi attori e cantanti, che sfuggivano ad ogni controllo. La questione si trovava comunque «nel processo amministrativo» ed era opportuno lasciare che questa fase si concludesse. Mancini replicò pronosticando uno «sciame di controversie» (per la discussione si veda AP, *Camera*, Legisl. XII, Sess. 1874-75, *Discussioni*, tornata del 2 dicembre 1875, pp. 4865-4871). Ad ogni modo, nel maggio 1877, il tribunale di Firenze diede ragione a Bellotti Bon. In una lettera l'artista ringraziò pubblicamente quanti in Parlamento avevano patrocinato la sua causa e citò, oltre a Mancini, anche De Renzis, Pepoli, Cairoli, Visconti Venosta, Alvisi, Cantelli, Cavallotti, Martini (*L'Opinione*, 25 ottobre 1875, *Appendice. Rivista drammatico-musicale* cit.; *L'Arte Drammatica*, 19 maggio 1877, *Vittoria!*).

[91] L'articolo del *Bersagliere* è riprodotto in *L'Arte Drammatica* (30 settembre 1876, *Le 14.886 lire di Bellotti Bon*), che manifestava apertamente le proprie perplessità.

[92] Si veda ad esempio *Gazzetta dei Teatri*, 3 marzo 1877, *Cose varie. La tassa sui teatri*, e *L'Arte Drammatica*, 20 aprile 1878, *Agli Onorevoli signori [...] del Giury Drammatico permanente in Milano*.

In appendice e come allegato al Bilancio per l'esercizio 1879, il 23 aprile dello stesso anno il ministro delle Finanze Agostino Magliani presentò alla Camera otto disegni di legge, tra i quali quello relativo alla riscossione della tassa sui teatri. Esso prevedeva alcune significative modificazioni alla legge 13 settembre 1874, in particolare all'art. 63, in cui era stato trasfuso l'art. 23 della legge 19 luglio 1868.

Nella parte iniziale della sua relazione Magliani aveva fatto esplicito riferimento alle osservazioni svolte poche settimane prima in un intervento alla Camera da Giuseppe Marcora, a suo avviso generalmente condivise dal Parlamento. Si discuteva sul bilancio di prima previsione dell'entrata per il 1879 e il deputato milanese aveva affermato che ulteriori economie si dovevano ottenere da eventuali riforme alle leggi già esistenti e dalle correzioni «suggerite dall'esperienza e dagli studi particolari». Una di tali leggi era quella sul bollo. Marcora rivelò di aver avuto «il compito poco gradito di sorvegliare per parecchi anni [...] il teatro alla Scala» e si era dovuto persuadere che l'imposta sul prodotto lordo era male applicata «per mancanza di esperienza» e perché fondata su «criteri poco attendibili»; sarebbe stata più efficace una tassa sui biglietti, staccati da «registri a madre e figlia» distribuiti dal ministero. Marcora aveva inoltre ricordato che per le arti rappresentative l'Italia era diventata «il porto franco del mondo»: vi si combinavano affari, si formavano le compagnie e si provvedeva alle altre esigenze tecniche dei due terzi dei teatri europei, americani, asiatici. Questo traffico sfuggiva in gran parte al fisco: servivano quindi «norme più eque, più pratiche, più conformi alla natura degli affari in discorso», affari «d'indole specialissima». Anche il Codice di Commercio avrebbe dovuto disciplinare le numerose «consuetudini, che ne regolano l'interpretazione e l'esecuzione fra le parti».[93] Magliani promise studi e ringraziò per i suggerimenti, ma in verità il suo progetto di legge risultò assai deludente.

Da tempo, rivelava il ministro delle Finanze nella relazione di accompagnamento,[94] si studiavano provvedimenti per rendere più efficace l'esazione della tassa sul prodotto lordo dei teatri.[95] Magliani stilava un bilancio degli effetti

---

[93] AP, *Camera*, Legisl. XIII, Sess. 1878-79, *Discussioni*, tornata del 31 marzo 1879, pp. 5412-5413.

[94] AP, *Camera*, Legisl. XIII, Sess. 1878-79, *Documenti*, vol. VIII, n. 207, *Progetto di legge presentato dal ministro delle finanze interim del tesoro Magliani nella tornata del 23 aprile 1879.*

[95] Lo stesso presidente del Consiglio e ministro delle Finanze Depretis, del resto, due anni prima aveva ammesso che i proventi delle tasse sul bollo, non solo di quella che toccava ai teatri, continuavano a diminuire, forse per «difetti» della legislazione, forse perché l'amministrazione non usava «tutta la severità necessaria» (AP, *Camera*, Legisl. XIII, Sess. 1876-77, *Discussioni*, tornata del 27 marzo 1877, p. 2321).

della legge dopo dieci anni dalla sua introduzione. Il sistema del *forfait* era stato applicato per ragioni di opportunità, tuttavia non aveva evitato reclami e difficoltà di riscossione. In effetti, in mancanza di norme certe per determinare la capacità dei singoli teatri, le autorità di Pubblica Sicurezza e gli uffici finanziari vi supplivano con «calcoli discretivi», non sempre esatti, «talvolta improntati a soverchio rigore, tal altra ad eccessiva larghezza». La conseguenza era duplice: un introito minore di quello previsto e una palese disparità di trattamento dei teatri del Regno. Per mezzo di ingegneri del Genio civile si era provveduto a stabilire con esattezza la capacità di ciascun teatro, ma la disposizione non era stata applicata ovunque e in genere era risultata inefficace. Gli impresari, grazie alla connivenza con le autorità locali, erano riusciti comunque ad ottenere transazioni o temperamenti. Il provento della tassa dunque, oscillante intorno alle 500 mila lire annuali, era rimasto stazionario a dispetto delle circolari, troppo modesto «in confronto alle molte ed assidue cure che incombono gli uffici per ottenerlo». Non per questo le proteste e le rimostranze degli operatori teatrali erano cessate.

Il ministro tuttavia aveva deciso di riformare, anziché di abolire, l'imposta sui teatri, poiché era tra quelle «eminentemente volontarie e voluttuarie». Diverse possibilità erano state passate al vaglio: l'applicazione di un bollo sugli ingressi era il sistema più semplice ed equo in teoria, ma il meno attuabile in pratica; era stata scartata anche l'ipotesi di unificare la tassa di bollo e la tassa di licenza aumentando opportunamente l'entità di quest'ultima: tale soluzione avrebbe penalizzato i teatri secondari. Era parso quindi miglior partito perfezionare il sistema vigente, innanzitutto stabilendo per legge le norme per procedere ad un accertamento della capacità delle sale, quindi prelevando il 12% dal prodotto lordo presunto di ciascun teatro calcolato in base alla sua capacità e all'affluenza media di spettatori: si sarebbe supposto che in occasione di spettacoli ogni teatro fosse pieno per due terzi, se capace di oltre 3000 spettatori o posto in città con meno di 30.000 abitanti, oppure per tre quarti, se posto in città con più di 30.000 abitanti.[96] Dalla tassa erano esentati gli spettacoli ambulanti, dati nelle baracche costruite provvisoriamente, sia per la lieve entità dei prezzi d'ingresso, sia per la difficoltà di stabilirne con precisione la capacità: per questa categoria Magliani proponeva l'unificazione dell'imposta sul bollo e di quella sulle licenze.

I verbali delle lunghe discussioni che impegnarono gli Uffici della Camera incaricati di studiare il progetto e le controverse decisioni che ne sortirono rendono conto dell'ostilità e del diffuso dissenso maturati in ambito parlamentare

---

[96] All'impresario sarebbe stato riservato il diritto di rivalersi della tassa sugli spettatori che accedevano gratuitamente al teatro per diritto di proprietà dei palchi, mentre per i prezzi ridotti riservati agli abbonati sarebbe stato stabilito, in mancanza di prova diretta, un *minimum* (AP, *Camera*, Legisl. XIII, Sess. 1878-79, *Documenti*, vol. VIII, n. 207 cit.).

contro un inasprimento della pressione fiscale sui teatri.[97] Alcuni deputati –
come Achille Plebano, Nicolò Melchiorre, Vittorio Odiard e Salvatore Correale – fecero sì notare che era necessario compensare l'abolizione della tassa sul
macinato, ma a larga maggioranza gli Uffici avanzarono riserve nei confronti
del progetto Magliani. Molti dei componenti si mostrarono preoccupati per le
sorti del teatro italiano e, ritenendo iniquo il criterio «geometrico» della capacità, dichiararono di preferire una moderata tassa di bollo sui biglietti, o comunque sull'introito effettivo;[98] altri si pronunciarono per il mantenimento del
sistema in vigore; altri ancora trovavano inopportuna una tassa sui teatri.[99] In
definitiva solo l'Ufficio 6° approvò tutti gli articoli del progetto, che venne formalmente o sostanzialmente criticato.

D'altra parte la reazione di protesta degli operatori teatrali di tutta la penisola fu tempestiva e unanime. Essi sfruttarono il canale dei giornali specializzati –
nati in gran numero negli ultimi anni – per dare il via ad una durissima campagna di stampa. La compattezza con cui il mondo dello spettacolo gestì la delicata vertenza, considerata vitale per gli interessi del settore, dà un'idea del processo di coordinamento e di organizzazione che esso andava conoscendo in
quel periodo.

In soli quattro giorni una memoria stesa da Bellotti Bon raccolse circa 150
firme;[100] il Giury drammatico nazionale, di cui si parlerà diffusamente più
avanti, nato due anni prima su iniziativa di alcuni capocomici e presieduto da
Paolo Ferrari, incaricò gli avvocati milanesi Enrico Rosmini e Stefano Interdonato – quest'ultimo era anche un noto autore teatrale – di redigere uno studio
accurato e competente sul progetto Magliani;[101] i proprietari teatrali di Torino
stesero un'altra petizione al Parlamento – in testa il municipio stesso che era di-

[97] AC, *Proposte di legge*, vol. 279, n. 207, *Deliberazioni degli Uffici intorno al progetto di
legge n. 207.*
[98] Si considerino ad esempio gli interventi di Di Sambuy, Mongini, Cordova, Righi, De
Renzis, Martini, Alli Maccarani (*ibidem*).
[99] Così Sella, per il quale «il teatro è una scuola di moralità, non bisogna allontanare il
popolo» (*ibidem*).
[100] *L'Arte Drammatica*, 17 maggio 1879, *Osservazioni sul nuovo progetto di legge*. Si vedano anche *Gazzetta dei Teatri*, 22 maggio 1879, *Assassinio premeditato*, e *Il Trovatore*, 18
maggio 1879, *Interessi teatrali*.
[101] Nel *Reclamo,* inviato al Parlamento e al governo, Rosmini e Interdonato si proposero di dimostrare l'assurdità delle disposizioni proposte, che calcolavano il prodotto presunto sulla capacità del teatro supponendo un'affluenza di spettatori costante «ed in una
misura assolutamente sproporzionata ad ogni probabilità e verosimiglianza». Esse dunque
avrebbero alfine insterilito, anziché aumentare, un cespite d'entrata, salvaguardando lo
spettacolo ambulante (Bellotti Bon aveva parlato a questo proposito di «paterna benevolenza per gli sconci spettacoli che si danno nei baracconi che deturpano le piazze e le vie»).
La proposta era quella di fissare la tassa sul bollo al 5% sul prezzo dei biglietti (il *Reclamo*
è in *Il Pungolo*, 25/26 dicembre 1879, *La tassa sui teatri*).

304

venuto proprietario del Regio e del Carignano[102] – che raccolse la simpatia del ministro di Agricoltura, Industria e Commercio;[103] la critica teatrale prese immediatamente posizione contro l'aumento della tassa.

Di particolare interesse fu la serie di articoli pubblicati dal critico della *Nazione* Yorick. Egli dimostrò che il disegno di legge proposto dal ministro delle Finanze era «copiato» dalla *loi de l'assistance publique*, vigente in Francia, dove era oggetto delle più disparate lagnanze. Le differenze tra l'organizzazione teatrale d'oltralpe e quella italiana erano notevoli.[104] Eppure, nonostante i vantaggi del teatro sussidiato, privilegiato e protetto, anche in Francia la tassa aveva alla lunga prodotto i suoi effetti negativi: la critica e la stampa più serie non facevano che gridare alla rovina e alla vergogna del teatro. Anche in Italia, malgrado le terribili profezie sul futuro dell'industria teatrale suggerite dal progetto Magliani, il paventato aumento della pressione fiscale non avrebbe provocato – secondo Yorick – la rovina di proprietari e imprese, ma più probabilmente «la moltiplicazione degli spettacoli frivoli, laidamente indecenti e sguaiati», le «*pièces à femmes*», le «riviste piene di nudità e di salacità»: solo questi sarebbero stati in grado di riempire i tre quarti dei posti, di cui il progetto Magliani parlava.[105] Anche Yorick insisteva sulla assoluta mancanza di fondamenti del criterio della capacità: teatri con il medesimo numero di posti presentavano spesso enormi disparità.[106] Sarebbe stato più ragionevole stabilire una tassa

---

[102] La petizione fu presa in considerazione dalla commissione di studio sul progetto Magliani (AC, *Proposte di legge*, vol. 279, n. 207, *Al Parlamento italiano*). Si veda anche *Gazzetta Piemontese*, 2 giugno 1879, *Contro la nuova legge della tassa sui teatri*. Il quotidiano torinese aveva riservato critiche pesanti al nuovo disegno di legge (*Gazzetta Piemontese*, 7 maggio 1879, *Rivista drammatica*, e 14 maggio 1879, *La legge sui teatri*).

[103] Egli dichiarò di ritenere «non destituite d'attendibilità» le considerazioni svolte dai proprietari torinesi (ACS, *MAIC, Ispettorato generale del Commercio. Divisione Commercio interno*, b. 6, f. 5, il ministro d'Agricoltura, Industria e Commercio al ministro delle Finanze, 7 giugno 1879).

[104] Se ne legga l'esposizione di Yorick in *Gazzetta dei Teatri*, 5 giugno 1879, *La nuova tassa sui teatri*. In Francia l'imposta sui pubblici spettacoli, istituita nel novembre 1796, era esclusivamente municipale, perché riscossa dai municipi e spesa in opere di beneficenza entro i confini dei municipi stessi; il governo si limitava a determinare il limite massimo delle percentuali imposte. La misura dell'aliquota era stabilita caso per caso e teneva conto di numerose variabili. I teatri di Parigi, inoltre, godevano di condizioni particolari: un grande bacino d'utenza, il turismo, un generoso sussidio statale, compagnie permanenti, una più lunga «tenuta» degli spettacoli. In provincia, dove tali condizioni non sussistevano, la tassa era riscossa mediante «abbonamento».

[105] *Gazzetta dei Teatri*, 29 maggio 1879, *La nuova tassa sui teatri*. Yorick raccolse poi i suoi articoli in un opuscolo dal titolo *Parere per la verità intorno al progetto di legge per la tassa sui teatri*. Filippi sottoscrisse senza riserve le considerazioni del critico della *Nazione* (*Il Mondo Artistico*, 4 giugno 1879, *La tassa sui teatri*, e *La Perseveranza*, 4 giugno 1879, *La tassa sui teatri*). Si legga anche l'intervento di D'Arcais in *L'Opinione*, 16 giugno 1879, *Appendice. Rivista drammatico-musicale*.

[106] *Gazzetta dei Teatri*, 12 giugno 1879, *La nuova tassa sui teatri*.

modica ma imporla alle corse dei cavalli, alle lotterie, agli spettacoli dei filo-drammatici – i quali spesso facevano una concorrenza «sleale e perniciosa» ai teatri – e agli spettacoli degli ambulanti.[107] Il teatro – concludeva il critico fio-rentino – doveva, in quanto «azienda di spettacoli», sostenere un onere fiscale come tutte le altre imprese, ma esso doveva essere il più possibile equo.[108]

Il ministero delle Finanze dovette prendere atto di una così energica e gene-rale levata di scudi. Bellotti Bon riferì di essere stato ricevuto a Roma – in rap-presentanza di più di 600 firme di proprietari, impresari, capocomici – da mini-stri, deputati e senatori, di averli trovati «tutti ben disposti» e di essere stato in-vitato a presentare in un rapporto una sua proposta.[109] Il rapporto in breve fu steso e pubblicato. Esso prevedeva una tassa che colpisse l'incasso effettivo me-diante un balzello di cinque centesimi per ogni lira sui biglietti d'ingresso di qualsiasi tipo di spettacolo e un sistema di riscossione che superasse le diffi-coltà più volte rilevate mediante una rivoluzionaria organizzazione delle bigliet-terie.[110]

Il progetto, tuttavia, incontrò subito opposizioni. Un anonimo impresario, in un intervento su *L'Arte Drammatica*, dichiarò di preferire piuttosto quello di Magliani.[111] Il dibattito si riaccese e Bellotti Bon dovette tirare amaramente le proprie conclusioni: nel mondo dello spettacolo molti non amavano le innova-zioni né «un controllo troppo indagatore sui teatri».[112] Uniti contro la tassa, artisti e impresari si trovavano divisi sul terreno delle proposte.

Infine si avverarono i pronostici della *Lombardia*, che aveva definito il pro-getto Magliani un «pesce d'Aprile».[113] Nel giugno 1879 D'Arcais poté conclu-dere che esso era ormai «spacciato» e che per una volta «l'opinione pubblica» era stata «più forte della volontà dei ministri».[114]

Nel gennaio del 1883 Luigi Bellotti Bon si tolse la vita nella sua casa milane-se; in una lettera scritta poche ore prima del suicidio e indirizzata a Filippo Fi-lippi egli adduceva a motivo del suo tragico gesto una «crisi finanziaria» che non era riuscito a scongiurare, alludendo ad «accaparratori» che «ci fanno pa-gare *mille* quello che pagavamo *dieci*» e con i quali era impossibile compete-

[107] *Ibidem.*

[108] *La Nazione*, 12 giugno 1879, *Fra un'Appendice e l'altra. Corriere drammatico.*

[109] *L'Arte Drammatica*, 31 maggio 1879, *Lettera di Bellotti Bon.*

[110] *L'Arte Drammatica*, 7 giugno 1879, *Rapporto a S. E. il comm. Magliani.*

[111] *L'Arte Drammatica*, 7 giugno 1879, *Fra i due mali il minore.* Secondo *La Perseveran-za* (12 giugno 1879, *Ancora della tassa sui teatri*) l'impresario in questione era il dirigente di uno dei più belli e dei più importanti teatri di Milano. Contro il progetto di Bellotti Bon si espresse anche, in un opuscolo pubblicato a Genova, l'impresario Emilio Taddei (*L'Arte Drammatica*, 27 giugno 1879, *Replica dell'Impresario al cav. Bellotti Bon*).

[112] *L'Arte Drammatica*, 27 giugno 1879, *Risposta all'articolo dell'Arte Drammatica del 7 giugno firmato un Impresario.*

[113] *La Lombardia*, 20 maggio 1879, *L'arte scenica e la legge Magliani*; si veda anche *Il Trovatore*, 8 giugno 1879, *Interessi vitali.*

[114] *L'Opinione*, 16 giugno 1879, *Appendice. Rivista drammatico-musicale* cit.

re.[115] La notizia ebbe una vasta eco e fu accolta con grande commozione. La morte del noto attore, a prescindere dalle cause effettive della sua crisi e del suo fallimento,[116] fu pretesto di una nuova ondata di proteste contro le imposte che gravavano sulle imprese teatrali. Gli ambienti politici e ministeriali non mancarono di recepire il rinnovato malcontento. Il ministro degli Esteri Mancini, in una lettera pubblicata sul *Corriere del Mattino* di Napoli, ribadì una sua convinzione, più volte sostenuta in passato, ma invano – erano i «tempi del programma dell'*economia sino all'osso*» –, vale a dire che era «indeclinabile dovere del Governo» considerare il teatro e la musica «non solo come mezzi di educazione e di coltura nazionale, ma benanche come fonti ubertose di ricchezza industriale».[117] Il suicidio di Bellotti Bon non è forse estraneo alla decisione del ministro della Pubblica Istruzione Baccelli di accelerare la convocazione della Giunta drammatica governativa istituita, come si dirà più avanti,[118] l'anno precedente. Dalla stampa politica si levarono anche voci meno allarmistiche. Certo, la crisi di molte compagnie italiane – scriveva ad esempio *Fanfulla* – era un fenomeno evidente e grave, ma una delle sue principali cause era ascrivibile proprio al numero eccessivo di attori e capocomici: «Il tempo, eterno giustiziere, compie già inesorabile, il suo processo di selezione».[119] Si preparavano tempi altrettanto difficili anche per i proprietari di teatri. Tra il 1880 e il 1881 alcuni gravi incendi – in particolare quello del Ring Theater di Vienna e del Teatro italiano di Nizza – avrebbero sollevato anche in Italia vivo allarme per le condizioni di sicurezza che erano in grado di garantire le sale della penisola. Qualche prefettura ordinò ispezioni di controlli, come a Milano, dove la commissione

[115] *Corriere della Sera*, 1/2 febbraio 1883, *Corriere della città. La morte di Luigi Bellotti-Bon.*

[116] Giuseppe Costetti, nel suo volume *Il teatro italiano nel 1800* (cit., pp. 204-205), li attribuisce all'eccessiva e incauta intraprendenza del capocomico, che aveva fondato ben tre compagnie, le quali però alla lunga si erano fatte concorrenza a vicenda, e si era avventurato in un'impresa rivelatasi a conti fatti infausta: quella di «monopolizzare le commedie italiane», nonché, peggio ancora, quelle francesi, «pagando a peso d'oro a Parigi pur le cattive». La parabola umana e professionale di Bellotti Bon si inscrive dunque nel contesto di quel dinamismo imprenditoriale che investì, come si è visto nel precedente capitolo, il mondo del teatro, soprattutto a partire dagli anni Settanta, e di cui egli finì suo malgrado per diventare una vittima.

[117] *Corriere del Mattino*, 9 febbraio 1883, *Bellotti Bon e Sarria*. Poco prima di Bellotti Bon era morto, «dopo una lenta agonia tormentata nello squallore della miseria», il compositore Enrico Sarria. Il direttore del *Corriere del Mattino*, Martino Cafiero, in un suo commento sulle dolorose e pressoché contemporanee vicende dei due sfortunati artisti, aveva osservato che il mondo del teatro e della musica, venuti meno gli incoraggiamenti «regali, papali, ducali, aristocratici», era stato abbandonato a se stesso dai governi liberali.

[118] Si veda cap. VII, par. 4.

[119] *Fanfulla*, 25 settembre 1883, *Corriere di Roma*. Anche il critico Federico Verdinois denunciò il fenomeno del «moltiplicarsi di compagnie drammatiche, l'una contendente all'altra le scene, il repertorio, la fama, il pane quotidiano» (*Corriere del Mattino*, 3 febbraio 1883, *Luigi Bellotti-Bon*).

per la sicurezza dei teatri venne insediata nel giugno 1882.[120] Si impose in molti casi la necessità di ristrutturazioni e di adattamenti – una ulteriore "briga" soprattutto per le imprese finanziariamente più deboli.

[120] Il *Corriere della Sera* dedicò in questi anni numerosi articoli al problema della sicurezza nei teatri, denunciando trascuratezze ed abusi (si vedano ad esempio gli articoli del 13/14 dicembre 1881, *A proposito di incendi in teatro*, e del 18/19 dicembre 1881, *La sicurezza nei teatri*). Secondo i calcoli di Carlo D'Ormeville, nel 1882 erano stati completamente distrutti dagli incendi 2 teatri in Italia e 35 all'estero, mentre gli incendi parziali e i focolai domati sul nascere erano stati 8 in Italia e 18 all'estero (*Corriere del Mattino*, 5 febbraio 1883, *Arte e Artisti*).

CAPITOLO VI

INIZIATIVE, DIBATTITI, CONGRESSI:
GLI SVILUPPI NEGLI ANNI '70 E NEI PRIMI ANNI '80

1. Il fenomeno dei dilettanti: le Società filodrammatiche

Tutte le fonti dell'epoca concordano nel registrare, all'indomani dell'Unità, il considerevole aumento in tutta la penisola di gruppi di cittadini che si costituivano in società per coltivare la propria passione per il teatro. Nel corso degli anni '70 questo fermento assunse la dimensione di un vero e proprio fenomeno, in quanto tale rilevato dalle cronache coeve; basti considerare che la sola Firenze nel 1877 contava una sessantina di Società filodrammatiche.

In quel periodo il mondo del dilettantismo teatrale non solo conobbe un'espansione eccezionale, ma subì anche una radicale trasformazione rispetto al passato. A tale riguardo giova riferire le osservazioni svolte da Giuseppe Costetti a proposito dei filodrammatici nel suo studio, già menzionato, del 1879.[1] I dilettanti che aveva conosciuto quando era giovane – scrive Costetti – non esistevano più, semmai se ne poteva ancora trovare qualcuno superstite «nei teatrini di casa di qualche famiglia dabbene nel fondo di una provincia»: palcoscenici modesti approntati nei guardaroba, un centinaio di sedie prese in prestito dalle parrocchie, la spinetta scordata in un angolo, un «apparecchio ingenuo» per sipario, costumi e trucchi approssimativi, attori impacciati, incerti nella dizione, pieni di pudore e di imbarazzo. I filodrammatici erano ormai tutt'altro: recitavano nei grandi teatri pubblici, «franchi», «imperturbati», qualche volta egregiamente. Le signorine affrontavano un repertorio «audacemente scollacciato», gli uomini sfidavano i grandi ruoli, emuli dei più famosi attori. Costetti individuava tre categorie di filodrammatici: gli «accademici», che risiedevano

[1] G. Costetti, *Figurine della scena di prosa* cit., pp. 243-259.

in una qualunque delle numerose città italiane, gli «escursionisti», che privi di sede e itineranti recitavano nei comuni di campagna, e i «proverbiali», vale a dire quelli che si dedicavano alla recitazione di proverbi e che in genere appartenevano all'aristocrazia. Recitare era una mania che si era diffusa in tutti i settori della società: i filodrammatici erano numerosi tra gli aristocratici come tra i borghesi arricchiti, tra i piccoli borghesi come tra gli operai. Si può riportare anche la testimonianza di D'Arcais, per il quale un tempo si parlava dei dilettanti con «alto disprezzo» e il recarsi ad una loro recita era «un sacrificio a cui un galantuomo si sobbarcava per espiare qualche grosso peccato»; le cose però erano cambiate: ora di questo «straordinario movimento di dilettanti» era «mestieri tener conto».[2]

Accanto alle Società più antiche e prestigiose, come l'Accademia filodrammatica di Milano, la prima nata in Italia, che aveva fornito un modello imitato in tutta la penisola,[3] se ne contavano molte altre. Alcune riuscivano a conquistare una certa fama grazie all'attenzione prestata loro dalla stampa locale, mentre altre, quelle più popolari, erano raramente menzionate o del tutto ignorate.

Il periodico milanese *L'Euterpe* parlò di numerose Società di giovani cittadini fondate nel capoluogo lombardo per dare «rappresentazioni ad invito»: la rivista citava, oltre al Teatro dei Filodrammatici,[4] l'«elegante e simpatico teatrino» in via Palermo della Filodrammatica Gustavo Modena, sempre «affollato e animatissimo»[5] e la sala del Teatro Milanese.[6] *Il Pungolo* riferiva che a Nerviano, nel mandamento di Rho, la signora Elena Crespi aveva aperto una sala in

[2] *L'Opinione*, 29 settembre 1873, *Appendice. Rivista drammatico-musicale*.

[3] Si leggano in *Corriere della Sera*, 24/25 gennaio 1877, *L'Accademia dei Filodrammatici*, le considerazioni in merito: lo Statuto dell'Accademia milanese era stato «copiato» ovunque, benché avesse bisogno di essere riformulato «da cima a fondo». Sulla storia di questa prestigiosa Accademia si leggano EMILIO GUICCIARDI, *Il nuovo teatro di un'Accademia milanese 1798-1970*, Milano, Accademia dei Filodrammatici, 1970, e *Accademia dei Filodrammatici di Milano. Due secoli. 1796-1996*, a cura di SANDRO BAJINI, Milano, viennepierre edizioni, 1996.

[4] Le recensioni degli spettacoli dati dall'Accademia milanese erano solitamente molto buone. Essa aveva saputo «informarsi ai progressi dei tempi», emancipandosi dalle produzioni francesi per puntare sul repertorio italiano (*Gazzetta di Milano*, 7 gennaio 1866, *Notizie varie*). Nel 1869 l'attore Amilcare Belotti era entrato nell'Accademia come istruttore: «strenuo difensore del teatro italiano», egli promise di abituare i dilettanti ad «un genere di recitazione nazionale» (si veda il giudizio di Amilcare Sangalli in *L'Euterpe*, 25 febbraio 1869, *Amilcare Belotti al Filodrammatico di Milano*).

[5] *L'Euterpe*, 11 novembre 1869, *La Filodrammatica Gustavo Modena*; *L'Euterpe*, 25 novembre 1869, *Filodrammatica Gustavo Modena*. A proposito di questi dilettanti Genesio Morandi affermava che era «imperdonabile» non sentire da loro «la lingua della nazione parlata come si deve», soprattutto considerando che si trattava di attori giovani, colti e «di non volgar ceto» (*ibidem*).

[6] Se ne vedano lo Statuto e le modalità di associazione in ASM, *Questura*, b. 134, f. 2.

cui si recitavano commedie e drammi; gli attori erano «semplici coloni».[7] Dai documenti della questura milanese risulta che nei pressi di Porta Magenta, al teatro della Cascina Bonetta, recitava una società di giovani dilettanti: tra i soci figuravano guantai, parrucchieri, calzolai, «fabbricatori» di gazzose e altri artigiani, un pittore, un agente di commercio, un «imprenditore», un «agiato».[8] Sempre a Milano agiva la Società dei dilettanti del Convento della Fontana, vicino a Porta Garibaldi, che però poteva recitare solo periodicamente: in alcuni mesi il locale era inagibile perché serviva per la coltivazione dei bachi da seta![9] Nel 1870 nacque una Palestra drammatica operaia che recitava a beneficio della stampa democratica e della biblioteca dell'istituzione, allo scopo di «istruire la classe operaia, col mezzo del teatro, divertendola».[10] Negli stessi anni si segnalava una compagnia di dilettanti intitolata a Tommaso Grossi, che metteva in scena drammi sociali e alla quale però fu sospesa la licenza perché gli attori si permettevano sistematicamente aggiunte e variazioni, violando le prescrizioni della censura «in modo da eccitare passioni politiche e indurre biasimo in confronto delle istituzioni nazionali».[11] Invece l'Associazione drammatica-musicale Orfeo-Goldoni aveva programmi meno austeri: recitava opere buffe e farse in dialetto milanese.[12]

Anche Torino e Firenze videro fiorire numerose società di dilettanti. Nel capoluogo piemontese, dopo il trasferimento della capitale a Firenze, al teatro d'Angennes recitavano per beneficenza ben due Società filodrammatiche, una in francese e l'altra in italiano.[13] Le cronache della città pubblicizzavano gli spettacoli della Società filodrammatica italiana, della Società filodrammatica degli Amici della beneficenza, della Società promotrice dell'arte teatrale in Italia, della Filodrammatica Terenzio, della Società filodrammatica «I figli del progresso», della filodrammatica Silvio Pellico e dell'Accademia filodrammatica, che raccoglieva «la buona società torinese».[14] Nel 1880 un comitato di ap-

---

[7] *Il Pungolo*, 5 agosto 1865, *Cronaca cittadina e notizie varie.*

[8] ASM, *Questura*, b. 133, f. 1, *Teatro Cascina Bonetta. Elenco dei soci*, agosto 1869.

[9] *Ivi*, f. 7, l'ispettore della sezione VII al questore di Milano, 24 marzo 1879.

[10] Nel programma della Società, che si definiva «patriottica e democratica», si osservava che il teatro era per gli operai analfabeti una «potente scuola»; la Palestra avrebbe recitato preferibilmente lavori di autori italiani, che trattassero «della storia nostra dalla fondazione di Roma a tutt'oggi» e «degli episodi della nostra vita politico-sociale», nonché della vita dei «grandi uomini», senza distinzione di nazionalità, che «colla penna, colla spada, colla scienza, colle arti, colle industrie, colla guerra, colla politica, illustrarono l'umanità» (*ivi*, b. 134, f. 4, *Programma* della Palestra drammatica operaia, s.d., ma maggio 1870).

[11] *Ivi*, b. 135, f. *S. Radegonda*, il questore al prefetto di Milano, 4 ottobre 1869.

[12] Si veda ad esempio *ivi*, f. *Teatro Re Nuovo*, *Programma* del 10 dicembre 1871. Tra le altre iniziative milanesi ricordiamo anche l'inaugurazione, nel 1881, del Circolo drammatico-musicale: nel comitato promotore figuravano, oltre al presidente Giuseppe Soldatini, Cesare Cantù e Paolo Ferrari (*Il Pungolo*, 2/3 settembre 1881, *Corriere dei Teatri*).

[13] *Gazzetta Piemontese*, 30 marzo 1867, *Cronaca cittadina.*

[14] *Gazzetta Piemontese*, 11 gennaio 1875, *Cronaca cittadina. Accademia filodrammatica.*

passionati di teatro e di maestri di musica si propose addirittura di radunare le forze di tutti i dilettanti della città,[15] con esiti però negativi. Anche il Circolo degli Artisti, che era sopravvissuto alla crisi seguita al trasferimento della capitale, benché dotato di un modesto bilancio trovò modo di adattare il proprio salone, trasformandolo in un teatrino, e di mettere insieme una compagnia di canto e un'orchestra di tutto rispetto, composte solo da dilettanti.[16]

D'Arcais asserì con convinzione che in nessuna città italiana si trovavano filodrammatici valenti quanto quelli fiorentini.[17] Anche il capoluogo toscano annoverava in effetti numerosissime Accademie; «ottima» era quella dei Fidenti, di cui già si è parlato, che riuniva artisti, alunni della scuola di recitazione e dilettanti e che spesso dava spettacoli dall'esecuzione inappuntabile.[18] Esistevano inoltre, tra le più note, l'Accademia filodrammatica Riccoboni, quella del teatro Alfieri, la Teobaldo Ciconi, la Paolo Ferrari, la Gustavo Modena, la Alessandro Manzoni.

Il dilettantismo, del resto, era un fenomeno generalizzato, che coinvolgeva le grandi città come i piccoli centri. Prendiamo l'esempio della Società filodrammatica Regina Margherita di Piedicavallo, un paesino in provincia di Cuneo. A Piedicavallo ci si doveva annoiare parecchio, gli uomini erano costretti a stare lontani molti mesi per lavorare, i giovani non avevano che i balli «in locali insalubri». Giunto nel paese intorno al 1875, il sacerdote don Giovanni Giuseppe Perino può presto constatare lo scarso successo di scuole e biblioteche, che «non recano buoni frutti se non quando i soggetti sono abbastanza educati per saperle apprezzare»; allora fonda una specie di circolo aperto ai giovani, ma deve ingegnarsi per «trattenerli con divertimenti onesti». Ecco allora che «un fatto speciale mostrava evidente la via da prendersi»:

«La gioventù di Piedicavallo si piace di associarsi per istudiare commediole, e recitarle in pubblico. Questo era un mezzo opportuno».

Allora don Perino dà vita ad una compagnia di dilettanti, propone le opere più «adatte», dirige le prove. Intanto i guadagni delle rappresentazioni date in aperta campagna e nelle piazze cementano «l'unione e lo spirito di solidarietà» e nel 1878 viene fondata una vera e propria società, alla quale l'associazione operaia locale concede il suo spazioso salone. Gli introiti della prima stagione, oltre a coprire le spese, consentono di fare un'offerta a favore dell'asilo d'infanzia del paese. Si pensa addirittura alla costruzione di una sede più grande che,

---

[15] *Gazzetta Piemontese*, 27 febbraio 1880, *Lettere, Arti e Teatri. Società filarmonico-melodrammatica.*

[16] *Gazzetta Piemontese*, 17 novembre 1869 e 2 dicembre 1874, *Appendice. Rivista musicale.*

[17] *L'Opinione*, 22 maggio 1871, *Appendice. Rivista drammatico-musicale* cit.

[18] *L'Opinione*, 26 giugno 1871, *Appendice. Rivista drammatico-musicale.*

grazie ad una sottoscrizione, viene effettivamente realizzata: una «vasta tettoia, chiusa di solidi muri costrutti in modo che lo stabile [...] possa servire per due case d'abitazione [...] precedendo il caso, certo non sperato, che si debba alienare»; il modesto teatrino può contenere 400 spettatori. Occorre però, per sanare i debiti e per sopperire alle esigenze di una decorosa messinscena, l'aiuto finanziario «di qualche provvida mano, amante dell'educazione popolare, e desiderosa del vero miglioramento di questo ceto operaio». Così don Perino si risolve a scrivere al ministro della Pubblica Istruzione.[19]

Al ministero giungevano da tutta la penisola istanze come quella della Società filodrammatica di Piedicavallo: i circoli si attivavano per procurarsi sovvenzioni[20] o per ottenere lo statuto di Enti morali, magari servendosi delle raccomandazioni dei prefetti o dei deputati locali.[21] Alcune Società mantenevano una scuola di recitazione; altre si dedicavano all'incoraggiamento, organizzando concorsi drammatici.[22] Di fronte alle numerose richieste il ministero adottò il criterio di concedere «incoraggiamenti» solo alle istituzioni che «avevano già dato i loro frutti, lasciando all'iniziativa privata la cura di dare sviluppo a quelle che sono ancora sul nascere».[23]

Nei critici del tempo era comunque chiara e quasi orgogliosa la consapevolezza che la diffusione delle Società filodrammatiche e filarmoniche fosse un indice non trascurabile del grado di organizzazione raggiunto dalla società civile

[19] ACS, *M.P.I.*, *Dir. gen. AA.BB.AA.*, *Arte drammatica e musicale*, b. 7, f. 46, *Società filodrammatica Regina Margherita in Piedicavallo (Biella)*, 15 marzo 1881.

[20] Tra le prime a chiedere un sussidio si mosse la Società filodrammatica del Buon Pastore di Palermo (la sua istanza del 20 marzo 1863 si trova *ivi*, f. 43); la risposta del ministro fu addirittura sorpresa e quasi stizzita: egli invitò le autorità locali, «anziché farsi interpreti di tali domande, a tentar sempre dapprima di eccitare l'energia privata e l'iniziativa cittadina, e non di volger tutto al Governo quasi che non possa promuoversi alcuna impresa utile o sentita senza il suo soccorso o senza l'opera sua. Appunto quanto più libero è lo Stato, tanto più ristretto deve essere l'ingerimento governativo» (*ivi*, 10 marzo 1863).

[21] Si vedano ad esempio *ivi*, f. 26, il deputato Antonio Lacava al ministro della Pubblica Istruzione a proposito della supplica dell'Accademia filodrammatica di Beneficenza di Genova, 4 luglio 1867; *ivi*, f. 27, l'istanza della Società filodrammatica di Larino, s.d. (ma gennaio 1868); *ivi*, f. 32, le istanze dell'Accademia filodrammatica di Messina, numerose tra il 1860 e il 1865; *ivi*, f. 28, l'istanza dell'Accademia dei Concordi di Livorno, ottobre 1869; *ivi*, f. 47, l'istanza della Società Goldoni di Pisa, 20 maggio 1870; *ivi*, f. 44, l'istanza della Accademia filodrammatica del Teatro della Minerva in Perugia, 7 febbraio 1882; *ivi*, f. 64, l'istanza della Società filodrammatica veronese, 14 aprile 1882; *ivi*, b. 4, f. 15, l'istanza dell'Accademia filodrammatica di Argenta, 15 ottobre 1872; *ivi*, f. 19, l'istanza dell'Accademia dei Risorti in Buonconvento, 13 settembre 1877.

[22] Come il concorso indetto dall'Accademia degli Esperienti filodrammatici di Milano nel marzo del 1866 (*ivi*, f. 35, la sua istanza al ministro della Pubblica Istruzione, 5 aprile 1866); la commissione esaminatrice era composta da Giulio Carcano, Pier Ambrogio Curti e Leopoldo Marenco.

[23] *Ivi*, b. 7, f. 64, il ministro della Pubblica Istruzione alla Società filodrammatica veronese, 25 aprile 1882.

e della vivacità della libera iniziativa. Nella Roma pontificia, non a caso, simili istituzioni mancavano. «Tra noi – affermava il critico teatrale Trouvè Castellani nel 1871 – non si conosce per anco la forza dell'associazione individuale»: la ritrovata libertà avrebbe dovuto farla risorgere.[24] E ancora:

«La forza collettiva è la più gran forza esistente. L'associazione individuale genera la forza collettiva: questa associazione, questa forza collettiva, noi l'abbiamo nella società filodrammatica».[25]

Nel 1870 Roma era infatti una delle pochissime città italiane in cui non esisteva una Società filodrammatica degna di questo nome. Negli anni immediatamente successivi all'Unità la città vide tutta una serie di iniziative destinate a colmare questa lacuna. Nell'ottobre 1871 su progetto di Gaetano Gattinelli, Marcantonio Colonna e altri cittadini nacque l'Accademia filodrammatica romana, che trovò con facilità un gran numero di soci.[26] Altre compagnie di dilettanti guadagnarono in breve tempo gli onori della cronaca: l'attivissimo Circolo filodrammatico – una delle poche Società a disporre di un teatrino in via della Stamperia capace di 450 spettatori[27] –, la Alamanno Morelli, presieduta dal conte Luigi Pianciani, prima sindaco di Roma, poi deputato, e dall'onorevole Annibale Lesen – anch'essa con un teatrino in via del Governo Vecchio capace di circa 300 spettatori[28] –, la Pietro Cossa, la Cinzia.[29]

Persino presso la comunità italiana di Tripoli nacque, nel 1880, una Società filodrammatica. L'iniziativa si doveva a Parmenio Bettoli, il quale, appena stabilitosi in quella città come corrispondente di alcuni quotidiani italiani, si era proposto di «dare qui il maggiore possibile risalto alla nostra Colonia» e in particolare di diffondervi l'idioma italiano che già aveva «assai buone radici». A Tripoli non esistevano scuole italiane governative, ma solo due istituti privati e

---

[24] *La Riforma*, 19 dicembre 1871, *Rivista artistica*.

[25] «A lei dunque – proseguiva Trouvè Castellani – il servirsi dell'una e dell'altra cosa in vantaggio dell'arte e della giovine generazione. Colla libertà nasce il bisogno d'attività, di lavoro: la libertà rinvigorisce gli animi, la schiavitù invece li abbatte, li prostra» (*La Riforma*, 9 aprile 1872, *Rivista artistica*).

[26] *L'Opinione*, 10 aprile 1872, *Appendice. Rivista drammatico-musicale*. Al 1° dicembre 1871 i soci dell'Accademia erano 92 (l'elenco è in ACS, *M.P.I.*, *Dir. gen. AA.BB.AA.*, *Arte drammatica e musicale*, b. 7, f. 55). Notizie sul comitato promotore e sui termini del progetto si trovano anche in *L'Opinione*, 13 ottobre 1871, *Cronaca di Roma*, e 4 dicembre 1871, *Appendice. Rivista drammatico-musicale*. Gattinelli si adoperò affinché all'Accademia fosse annessa una Scuola di declamazione, sull'esempio dell'Accademia dei Fidenti di Firenze (si veda la sua istanza al ministro della Pubblica Istruzione del 2 giugno 1872 in ACS, *M.P.I.*, *Dir. gen. AA.BB.AA.*, *Arte drammatica e musicale*, b. 7, f. 55).

[27] *L'Opinione*, 18 gennaio e 14 luglio 1873, *Appendice. Rivista drammatico-musicale*.

[28] *L'Opinione*, 8 aprile 1878, *Appendice. Rivista drammatico-musicale*.

[29] Sulle Società filodrammatiche romane dopo Porta Pia si legga anche Ugo Pesci, *I primi anni di Roma capitale. 1870-1878*, Roma, Officina Edizioni, 1907, pp. 323-326.

non gratuiti, uno israelitico, l'altro femminile, al quale erano iscritte ragazze ebree, cattoliche, greche, protestanti. I figli dei coloni italiani indigenti, che formavano la grande maggioranza della comunità, erano quindi costretti a frequentare le scuole dei frati francescani e delle suore maltesi, dove «l'istruzione è nulla e la educazione antipatriottica, reazionaria, spirante l'odio contro noi spiritati, scomunicati, dannati d'italiani». Per garantire un'occasione di «pratica» della lingua italiana al di fuori degli istituti religiosi, Bettoli, con l'aiuto del giovane artista siciliano Giuseppe Angeloni, aveva promosso la nascita di una compagnia di dilettanti – l'Accademia filodrammatica tripolina – e la fondazione di un piccolo teatro, intitolato a Goldoni, dove recitare di preferenza lavori italiani. Tra le difficoltà incontrate, la più seria fu quella di reperire attrici. Il progetto tuttavia fu realizzato nonostante l'ostilità manifesta e congiunta del console francese a Tripoli e del prefetto della Missione apostolica.[30]

Molti guardavano con favore al dilettantismo teatrale e alla sua diffusione per motivi facilmente intuibili: recitare era un divertimento nobile e bello, certo più raccomandabile del gioco, dell'osteria, dell'ozio; inoltre – si ripeteva – le società che riunivano i cultori del teatro costituivano un'occasione di stimolo per la cultura cittadina; infine lo spirito di associazione era una manifestazione di libertà e un segnale di intraprendenza.[31] Tuttavia, quando nel corso degli anni '70 il fenomeno assunse dimensioni imponenti, la stampa teatrale più vicina agli interessi delle compagnie di attori professionisti iniziò ovviamente a lamentarsene. «Vanno non solo dilaniate, ma distrutte certe compagnie di così detti dilettanti che come tante cavallette infestano Milano» – imprecava il *Monitore dei Teatri*, denunciando l'impudenza di molti dilettanti analfabeti che non si vergognavano di interpretare i capolavori e che recavano «danni enormi alla letteratura, al buon senso e agli altri artisti».[32] *L'Arte Drammatica*, a sua volta, parlava di «brigantaggio», di «occupazione» dei teatri da parte dei filodrammatici.[33] Tale vee-

[30] Si veda l'istanza di Bettoli al ministro della Pubblica Istruzione, datata 10 novembre 1881, in ACS, *M.P.I.*, *Dir. gen. AA.BB.AA.*, *Arte drammatica e musicale*, b. 7, f. 63; vi sono riportati il repertorio della compagnia e l'elenco dei dilettanti, in cui tra l'altro figurano molti nomi indigeni. Bettoli chiedeva un sussidio per proseguire la sua opera; il ministero degli Affari Esteri raccomandò a quello della Pubblica Istruzione la supplica di Bettoli, che infine fu parzialmente accontentato (si consulti *ivi* la documentazione delle trattative). Altre notizie si possono ricavare da una serie di lettere riservate di Bettoli a Mancini, allora ministro degli Esteri, dell'ottobre 1881 (in MCRR, b. 703, f. 12).

[31] Come affermava il prefetto di Messina in una sua lettera al ministro della Pubblica Istruzione del 9 maggio 1865, non si poteva disconoscere che «tutto ciò che tende a favorire lo spirito d'associazione in un paese dove disgraziatamente fu sempre per l'addietro senza riposo combattuta, meriti la maggiore simpatia e tutte le cure del Governo» (ACS, *M.P.I.*, *Dir. gen. AA.BB.AA.*, *Arte drammatica e musicale*, b. 7, f. 32).

[32] La rivista milanese invocava l'intervento delle autorità: era necessario imporre ai dilettanti di dare recite interamente gratuite proibendo il cosiddetto «bacile», oppure costringerli a far pagare il biglietto ordinario e a versare al fisco la tassa corrispondente (*Monitore dei Teatri*, 11 agosto 1873, s.t.).

[33] *L'Arte Drammatica*, 1° settembre 1877, *Brigantaggio*.

menza aveva la sua matrice nella crescente preoccupazione che le compagnie italiane nutrivano di fronte alla possibilità – evidentemente tutt'altro che irreale – di una effettiva concorrenza da parte dei dilettanti.

D'altronde palesi manifestazioni di ostilità giungevano anche da parte della critica più autorevole. Yorick condusse sulle pagine della *Nazione* una implacabile battaglia contro le «combriccole» di dilettanti, «raccapezzate alla meglio nelle classi meno istruite e meno educate della società». A suo avviso, il «male» era diventato «enorme», in quanto i filodrammatici aprivano teatrini al pubblico pagante e di fatto si andavano trasformando in compagnie permanenti, attirando nelle proprie fila «giovinotti illusi e presuntuosi» che provenivano per lo più dalle «retrobotteghe della città». Questi dilettanti montavano sul palcoscenico per ambizione, per vanità, per capriccio, si radunavano con la scusa di ammazzare il tempo e sotto pretesto di scansare la «tentazione al peggio» e poi finivano per credersi veri artisti; per di più frequentavano ogni sera i teatri intrufolandosi senza pagare come corrispondenti e collaboratori di giornali teatrali. Grazie alla «colpevole indulgenza» della stampa, le cronache cittadine erano così inondate di annunci pomposi che attiravano il pubblico «gocciolone». Affermava ancora Yorick che i dilettanti non rispettavano la proprietà letteraria: in questo modo sfruttavano gratis il repertorio delle compagnie[34] e sfuggivano al fisco.

Anche D'Arcais, che aveva sempre accolto con entusiasmo la nascita di nuove Società filodrammatiche, finì per ridimensionare il proprio giudizio. A suo parere era impossibile impedire ai dilettanti di esercitare un loro sacrosanto diritto, dunque, per eliminare quella che molti ritenevano una «piaga dell'arte», rimaneva un'unica soluzione: privare la loro vanità del «principale alimento» di cui si nutriva, cioè la pubblicità che i giornali locali ne facevano. Per D'Arcais perciò era auspicabile che la stampa cessasse di occuparsi dei dilettanti e stendesse su di loro un velo di silenzio. Tali Società potevano essere benemerite, ma non recavano alcuna utilità all'arte drammatica, limitandosi all'imitazione dei grandi attori e alla riproduzione del loro repertorio. Così – affermava D'Arcais – esse andavano perdendo l'occasione di compiere un'operazione culturale che avrebbe potuto essere memorabile: il recupero dell'antico repertorio italiano e la diffusione di quelle opere dimenticate che il pubblico raramente aveva modo di conoscere e apprezzare. Tale impresa era stata affrontata invece, nello stesso periodo e più audacemente, dalle Società musicali della penisola.[35]

---

[34] A quanto riferiva il critico della *Nazione* (nel numero del 30 agosto 1877, *Fra un'Appendice e l'altra. Corriere drammatico*) la domenica precedente *Ferréol* di Sardou a Firenze era stata recitata contemporaneamente in quattro teatrini da quattro diverse Società filodrammatiche. La polemica di Yorick non riguardava però quelle «comitive» di «oneste persone, di giovani ben istruiti e ben educati», forniti di un certo grado di cultura letteraria, che intendevano solo divertirsi (*La Nazione*, 4 aprile 1881, *Rassegna drammatica*).

[35] *L'Opinione*, 16 settembre 1878, *Appendice. Rivista drammatica. I filodrammatici*.

I critici musicali del tempo segnalarono, rallegrandosene, il risveglio dell'interesse per la musica strumentale e corale ed il conseguente aumento del suo consumo. I concerti pubblici si fecero più frequenti, mentre anche nei salotti delle famiglie abbienti si diffondeva l'abitudine di offrire buona musica.[36] Il merito era in buona parte delle Società musicali nate in gran numero in quel periodo. Nel 1872 le Accademie filarmoniche erano 70, con 5201 soci; soltanto quattro di esse esistevano prima del 1800, 29 erano sorte tra il 1800 e il 1860 e ben 38 nel primo decennio postunitario. Un altro dato indicativo riguardava il numero delle bande musicali non militari e delle fanfare: nel 1872 se ne contavano rispettivamente 1494 e 113, con 40.478 suonatori le prime e 2190 le seconde; anche in questo caso nel 1800 ve ne erano pochissime – solo 51 –, tra il 1800 e il 1861 ne erano nate 721, mentre 835 erano state fondate dopo l'Unità.[37] Nel 1875 venne diffuso il rapporto sullo stato della musica italiana steso per il ministro dell'Interno del Belgio da Xavier Van Elewyck, che aveva visitato l'Italia per conto del suo governo.[38] Il rapporto, come osservarono i critici italiani, era improntato a «un grande ottimismo».[39] Alla fine del primo ventennio postunitario tuttavia era pressoché unanime il riconoscimento di un progresso «reale, innegabile, evidente».[40]

---

[36] Si veda a questo proposito *L'Opinione*, 27 dicembre 1875, *Appendice. Rivista drammatico-musicale*. A proposito di concerti pubblici e privati, si legge in una *Cronaca Milanese* del *Mondo Artistico* del 5 aprile 1871 che a Milano suonatori e direttori d'orchestra erano piombati «come locuste» e le mura della città erano tappezzate di avvisi e «di nomi più o meno celebri stampati a lettere di scatola».

[37] Sono statistiche fornite dal volume *L'Italia Economica nel 1873* cit., p. 278.

[38] Xavier Van Elewyck, *De l'état actuel de la musique en Italie*, Paris-Bruxelles, 1875. Van Elewyck aveva visitato tutti i conservatori italiani, tutte le principali cappelle e un buon numero di scuole private, senza trascurare i teatri, i concerti, le orchestre militari, le tendenze dei nuovi compositori, la critica. Le sue conclusioni erano le seguenti: «L'Italie est loin d'être tombée en décadence. Avec des Conservatoires organisés comme les siens, avec les artistes de génie et les critiques éminents qu'elle possède [...] cette contrée bénie restera toujours la Patrie des Beaux-Arts, l'Eden du dilettantisme, le bur naturel et légitime des peregrinations artistiques» (pp. 169-170).

[39] *L'Opinione*, 30 agosto 1875, *Appendice. Rivista drammatico-musicale*. La pubblicazione di Van Elewyck suscitò grande interesse fra i critici musicali italiani e fu ampiamente recensita: si leggano ad esempio le considerazioni di Stefano Tempia in *Gazzetta Piemontese*, 23 agosto 1875, *Bibliografia musicale,* e 30 agosto 1875, *Rivista musicale*, per il quale Van Elewyck era stato «fin troppo benevolo», e quelle di Filippi in *La Perseveranza*, 18 agosto 1875, *Appendice. Rassegna Drammatico-Musicale*, che a sua volta parlò di «affettuosa indulgenza».

[40] Così Filippi in *La Perseveranza*, 27 marzo 1879, *Appendice. Rassegna Drammatico-Musicale*. Filippi parlava di «maggiore fervore negli studi, maggiore coltura, una conoscenza più profonda ed estesa dei classici», di progressi «nell'esecuzione d'insieme», del numero «smisuratamente accresciuto» delle Società musicali.

Firenze fu tra le città più attive in questo settore. Qui, a partire dal 1859, grazie alla calorosa iniziativa di molti cultori erano stati indetti concorsi e si erano moltiplicate le esecuzioni strumentali. In occasione dell'Esposizione nazionale del 1861, nel salone del trono appositamente costruito in fondo all'ottagono aggiunto all'antica stazione della strada ferrata livornese, ebbero luogo parecchi concerti vocali e strumentali, che furono i primi del genere dati a Firenze, per iniziativa del segretario generale della Commissione reale Francesco Carega di Muricce e con la collaborazione della Società di mutuo soccorso tra gli artisti musicali: essi ottennero un «insperato successo».[41] In quegli anni tornarono in auge lo studio e la divulgazione dei temi musicali attraverso letture e conferenze, mentre venivano fondate importanti Società musicali: la Società per lo studio e l'incremento della musica classica, la Società del Quartetto, promossa da Abramo Basevi – esperienza presto seguita a Milano, a Torino e in altre città –, la Società filarmonica fiorentina, la Società musicale Orfeo diretta da Enea Brizzi,[42] la Società Cherubini, la Società orchestrale nata per iniziativa di Jefte Sbolci. Nel marzo 1863 al teatro Pagliano fu inaugurata la prima serie di concerti popolari, istituzione allora in voga nelle principali città europee; l'esperimento venne nuovamente tentato nel 1869 sotto la direzione del barone Hans von Bulow e nel 1872 dallo stesso Sbolci. Nel 1878 il maestro Giovacchino Maglione istituì i concerti di musica religiosa. Molte Società musicali nascevano e morivano, ma, come osservava D'Arcais, «il fatto solo del loro continuo riprodursi» era di per sé indicativo della rinata passione per la musica strumentale. Non passava settimana – riferiva ancora D'Arcais nel 1879 – senza che Firenze offrisse concerti di musica da camera e sinfonica, «alcuni dei quali in forma affatto popolare ed a prezzi mitissimi».[43] Alla fine del secondo decennio postunitario anche Biaggi poteva dichiarare che i progressi compiuti negli ultimi vent'anni erano stati tali da rovesciare il pregiudizio che la musica classica non avesse «attrattive» per gli italiani.[44] Anche nel campo dell'istruzione, in particolare dell'istruzione popolare, si registrarono a Firenze molte iniziative. Nel 1874 Alessandro Landi lanciò l'idea di istituire Società orfeoniche, su modello di quelle che da decenni prosperavano in altri paesi europei con l'obiettivo «di condurre il popolo allo studio del canto, e di toglierlo alla bettola e al

[41] È quanto scrisse in merito lo stesso Carega di Muricce rievocando, vent'anni più tardi, l'avvenimento in una corrispondenza pubblicata in *Fanfulla della Domenica*, 1° maggio 1881, *La musica alle Esposizioni*.

[42] Lo scopo della Società Orfeo era quella di diffondere la cultura musicale e di promuoverne l'incremento, perfezionando in particolare l'esecuzione della musica strumentale. Il Comitato promotore era presieduto da Lorenzo Corsini. A cento suonatori di strumenti a fiato si sarebbe presto aggiunto un numero conveniente di archi, al fine di comporre un'orchestra modellata su quella dei celebri Strauss. (*L'Opinione*, 6 febbraio 1871, *Appendice. Rivista musicale*).

[43] *L'Opinione*, 28 aprile 1873, *Appendice. Rivista drammatico-musicale*.

[44] *La Nazione*, 7/8 gennaio 1879, *Rassegna musicale*.

gioco».[45] Negli stessi anni il torinese Giulio Roberti, grande maestro di canto, stabilitosi a Firenze dopo una lunga permanenza all'estero, vi aveva promosso l'insegnamento musicale popolare, istituendo una scuola di canto corale presso la Pia Casa del lavoro ed un corso di lezioni serali per adulti nella sua abitazione, entrambi gratuiti; i buoni risultati ottenuti indussero il sindaco Peruzzi ad affidare a Roberti l'istituzione dell'insegnamento corale nelle scuole elementari della città e la direzione dell'insegnamento musicale nella Scuola superiore femminile.[46]

Anche Milano, Torino, Bologna, Napoli conobbero un analogo fermento in campo musicale. In una pubblicazione dedicata al capoluogo lombardo, uscita in occasione dell'Esposizione nazionale del 1881, a proposito del gusto musicale si legge che rispetto a vent'anni prima si era assistito «ad un vero rivolgimento».[47] Erano nate la Società del Quartetto, la Società orchestrale, la Società Orchestrale del Teatro alla Scala, la Società del Quartetto corale diretta da Martino Roeder, composta in gran parte da dilettanti tedeschi e stranieri, la Società di canto corale, diretta da Alberto Leoni,[48] la Società di Santa Cecilia, creata per il «canto fermo» e la musica religiosa, presieduta da Tommaso Gallarati Scotti e dall'abate Luigi Anelli e vicina agli ambienti cattolici. Il municipio, dal canto suo, manteneva delle Scuole popolari di musica, divise nella sezione vocale, affidata a Leoni, e in quella strumentale, diretta da Gustavo Rossari, i cui corsi erano assai frequentati.[49] Lo studio della musica addirittura era stato in-

[45] *La Nazione*, 29 settembre 1874, *Rassegna musicale*. Le Società orfeoniche erano sorte all'inizio del secolo in Francia. Si trattava di cori che cantavano senza accompagnamento e che presero il nome di Orphéons – nome ripreso da tutte le Società analoghe nate in seguito anche in Belgio, in Germania, in Svizzera. In Francia nel 1870 le Società orfeoniche erano più di 800, con 40.000 soci. Ovunque esse avevano ottenuto la protezione di municipi e governi, possedevano consistenti capitali e contavano nel loro seno parecchi operai. Landi, allievo del Conservatorio milanese e maestro di canto, aveva insegnato per lungo tempo a Ginevra ed era assai esperto di Società orfeoniche.

[46] Su tali sviluppi si veda la testimonianza dello stesso Roberti in *Il Mondo Artistico*, 13 ottobre 1873, *Ancora delle scuole popolari di canto*, ma anche *Gazzetta Piemontese*, 3 agosto 1873, *Appendice. Insegnamento musicale popolare*, *La Nazione*, 13 febbraio 1871, *Cronaca della città*, e *La Nazione*, 28 gennaio 1872, *Rassegna musicale*. Roberti pubblicò nel 1872 un *Corso elementare di musica vocale* (Firenze, Tip. Claudiana) definito da Biaggi «encomiabile» per l'attenzione dedicata all'applicazione pratica e ai classici italiani: un passo avanti nel processo di aggiornamento, ormai inderogabile, nel campo dei testi didattici (*La Nazione*, 15 dicembre 1872, *Rassegna musicale*). Di Roberti si veda anche lo studio sul canto corale pubblicato negli *Atti* dell'Accademia dell'Istituto musicale di Firenze e riprodotto in *Gazzetta Musicale di Milano*, 2, 9, 23 e 30 agosto 1874, *Il canto corale*.

[47] EDWART, *La musica in Milano*, in *Mediolanum* cit., vol. 1°, pp. 419-444; *ivi*, *Divertimenti*, vol. 4°, pp. 311-322.

[48] Per un bilancio dell'attività di queste due Società corali, le più note di Milano, si veda *La Perseveranza*, 17 maggio e 12 luglio 1875, *Appendice. Rassegna Drammatico-Musicale*.

[49] La Scuola popolare di strumenti a fiato era stata istituita nel 1862 e prevedeva una tassa di iscrizione di 5 lire e il pagamento di 3 lire al mese per i corsi; quella di canto corale

trodotto anche nel Manicomio provinciale, negli Orfanotrofi, nell'Istituto dei ciechi. Nel 1871 nacque la Scuola orfeonica femminile, con il programma di fornire una più vasta educazione musicale alle maestre delle scuole elementari, degli asili e di altri istituti.[50] La Scuola musicale diretta da Giovanni Pontoglio, nata nel 1877, mirava a «propagare l'istruzione nelle classi operaie»: le lezioni erano serali e a prezzi assai modici.[51]

Un altro grande protagonista nel panorama dell'istruzione musicale popolare fu Giovanni Varisco – maestro di canto, autore di numerose pubblicazioni didattiche,[52] responsabile dell'insegnamento musicale presso il Collegio Calchi Taeggi, infaticabile promotore del canto corale.[53] Fin dal 1867 Varisco aveva presentato al ministero della Pubblica Istruzione un progetto che proponeva l'estensione in tutte le scuole del Regno dell'insegnamento del canto corale.[54] Del resto lo stesso Congresso Pedagogico riunitosi a Genova nel settembre 1868 aveva raccomandato che il ministero rendesse tale disciplina obbligatoria nelle scuole.[55] A tale proposito nel 1870 il sovrintendente scolastico Pietro Molinelli istituì una commissione che studiasse la questione: nella relazione finale, stesa dal maestro Alberto Mazzuccato, si caldeggiava l'utilità dell'insegnamento del canto nelle scuole elementari e si formulavano proposte per «assicurarne un buon indirizzo».[56] Il ministero della Pubblica Istruzione, a sua volta, aveva da tempo riconosciuto l'importanza del canto corale nelle scuole e ne

era nata nel 1867 ed era gratuita; dal 1862 al 1868 erano stati rispettivamente 209 gli alunni frequentanti della scuola di strumenti e più della metà aveva trovato lavoro in orchestre e bande; alla scuola di canto corale si erano iscritti il primo anno 120 allievi, mentre 18 maestri elementari avevano frequentato il corso a loro riservato (per queste ed altre notizie, *Il Secolo*, 23 dicembre 1868, *Cronaca*, nonché *Mediolanum*, vol. 4°, *Divertimenti* cit., pp. 315-317).

[50] Anche in tale caso si trattava di una scuola gratuita. Maggiori ragguagli in *L'Euterpe*, 24 marzo 1871, *Varietà. Società orfeonica milanese*, e in *L'Euterpe*, 21 aprile, 28 aprile e 12 agosto 1871, *Scuola orfeonica femminile in Milano*.

[51] *Il Mondo Artistico*, 24 dicembre 1877, *Cose diverse*.

[52] Si consideri per esempio la raccolta di canti e melodie popolari a sole voci *Orfeonista italiano*, pubblicata nel 1869 (*Il Secolo*, 14 giugno 1869, *Notizie varie. Pubblicazione*) e l'*Enciclopedia corale* in più volumi, pubblicata da Lucca tra il 1874 e il 1877 (*Il Mondo Artistico*, 2 settembre 1877, *L'Enciclopedia Corale del maestro Varisco*).

[53] Sulla sua opera si leggano l'appendice di Amilcare Sangalli in *Il Mondo Artistico*, 18 settembre 1881, *Il maestro Varisco e il canto corale in Milano nel 1881* e i cenni biografici redatti da Alessandro Casati in occasione della sua morte in *Gazzetta dei Teatri*, 30 luglio 1885, *Giovanni Varisco*.

[54] Se ne legga un esaustivo riassunto in *Gazzetta Musicale di Milano*, 20 ottobre 1867, *Proposta per istituire le scuole di canto corale in tutto il Regno*. L'idea non era affatto nuova: nel 1861, sempre a Milano, il professore Enrico Wild aveva patrocinato in seno all'Associazione Pedagogica l'opportunità di introdurre il «canto popolare e nazionale» nelle scuole primarie (*La Fama*, 31 dicembre 1861, *Scuola di canto*).

[55] Il testo dell'ordine del giorno è in *Gazzetta Musicale di Milano*, 4 ottobre 1868, *Notizie italiane*.

[56] *L'Euterpe*, 24 febbraio 1870, *Varietà. L'insegnamento del canto*.

aveva prescritto l'insegnamento nelle scuole normali e magistrali, allo scopo di preparare maestri e maestre che potessero impartirlo alle elementari. Tuttavia l'istruzione corale nelle scuole elementari, a prescindere dai regolamenti, di fatto era generalmente trascurata e faceva lenti progressi. A Milano, dopo un impegno iniziale, fu per parecchi anni sospesa.[57] Al contrario essa produsse buoni risultati a Firenze, Roma, Genova e Torino.[58]

Il capoluogo piemontese fu tra i centri più attivi nel promuovere lo sviluppo musicale, anche grazie, come si è già accennato, alle attenzioni dell'amministrazione comunale.[59] Nel 1865 si costituì la Società filarmonica torinese; due anni dopo nacque il Circolo filarmonico Ermione, che ricalcò il proprio statuto su quello delle società operaie, allo scopo di ricoprire anche una funzione di mutuo soccorso.[60] Anche a Torino, nel 1872, sulla base di una sottoscrizione, si inaugurarono i concerti popolari, promossi da un comitato cittadino e diretti da Carlo Pedrotti, che si ripromise di utilizzare «tutte le risorse della città».[61] Il cammino del progetto fu tutt'altro che piano, tanto che il bilancio della terza stagione si chiuse con un *deficit* notevole e i concerti furono sospesi.[62] Tuttavia i promotori non si persero d'animo: erano in gioco non solo il prestigio della città, ma anche la speranza di lavoro per molti maestri di musica;[63] fu dunque necessario mettere in discussione la gestione e il sistema fino a quel momento seguiti, senza perdere di vista la necessità di mantenere contenuto il prezzo dei biglietti e l'obiettivo di educare gradatamente il gusto del pubblico, in genere assuefatto all'ascolto di cabalette e *ouvertures*.[64] Ad ogni modo i programmi ripresero e l'istituzione si consolidò negli anni successivi, trovando il crescente favore del pubblico.[65] Nel 1878 l'Orchestra torinese, insieme a quella della

---

[57] Solo nel 1889 il ministro della Pubblica Istruzione Paolo Boselli stabilì per decreto l'obbligatorietà dell'insegnamento del canto corale nelle scuole del Regno, accolto con grande soddisfazione da quanti da anni lottavano a questo scopo (si veda ad esempio l'intervento di Achille De Marzi in *Il Trovatore*, 30 agosto 1889, *Il canto nelle scuole*).

[58] *Gazzetta di Milano*, 27 novembre 1874, *Rassegna musicale*.

[59] Sulla vita musicale a Torino nel primo ventennio postunitario e sulla sua crescente vivacità si sofferma G. BERCANOVICH, *Vita musicale* cit., pp. 689-708.

[60] *Gazzetta Piemontese*, 31 marzo 1867, *Cronaca cittadina. Nuova Società musicale*.

[61] *Gazzetta Piemontese*, 16 aprile 1872, *Cronaca cittadina. Concerti popolari*.

[62] Le cause di questo parziale fallimento furono analizzate in *Gazzetta Piemontese*, 27 aprile 1875, *Appendice. Rivista musicale*, nonché in *Gazzetta Piemontese*, 7 e 8 novembre 1875, *Varietà. I concerti popolari*, di Giuseppe Depanis.

[63] A tale riguardo si leggano le riflessioni svolte da Bercanovich, membro del Comitato direttivo, in *Gazzetta Piemontese*, 20 aprile 1875, *Appendice. Rivista musicale*.

[64] Si considerino le proposte in merito di Egidio Cora (*Gazzetta Piemontese*, 7 dicembre 1875, *Varietà. Concerti popolari*). Affermava D'Arcais che non vi era città d'Italia dove i promotori di concerti strumentali non avessero dovuto vincere inizialmente l'indifferenza e, qualche volta, l'antipatia del pubblico (*L'Opinione*, 20 aprile 1874, *Appendice. Rivista drammatico-musicale*).

[65] *Gazzetta Piemontese*, 16 giugno 1878, *Rivista musicale*. Sull'esperienza dei concerti popolari si legga l'esaustiva opera in due volumi di GIUSEPPE DEPANIS, *I Concerti Popolari*

Scala di Milano e al Quartetto romano di Ettore Pinelli, si recò a Parigi per partecipare ai concerti organizzati al Trocadero in occasione dell'Esposizione universale: era la prima volta che orchestre italiane si recavano all'estero per una *tournée*. Il successo, artisticamente parlando, fu grande; meno soddisfacente fu l'esito finanziario.[66] Assai positiva fu anche l'esperienza dell'Accademia di canto corale fondata nel 1875 da Stefano Tempia – compositore, critico musicale, maestro di canto e di violino[67] – e da lui diretta fino all'anno della morte prematura, nel 1878, quando fu sostituito da Giulio Roberti; l'Accademia si sosteneva grazie allo zelo di una folta schiera di maestri, di amatori e di dilettanti e al contributo delle sottoscrizioni dei soci fondatori: in pochi anni si formò «un corpo zelante, istruito, maneggevole di cori», in cui cantavano fianco a fianco cittadini facoltosi, impiegati, operai.[68] Anche a Torino, come a Milano, si raccoglieva così l'opera a cui aveva dato impulso agli inizi degli anni '70 lo stesso Roberti e che aveva avuto un'eco anche in altre città italiane: per esempio a Livorno, dove l'amministrazione comunale e la Società per la cultura popolare a partire dal 1875 avevano patrocinato il canto corale gratuito e consentito così in meno di due anni la formazione di una compagine corale diretta da Arturo Malechini che fu definita «la prima d'Italia».[69]

Roma aveva seguito dopo il 1870 gli altri centri della penisola nel recupero dello studio e dell'esecuzione della musica, soprattutto nel settore di quella strumentale, mentre aveva dato autonomo impulso alla musica vocale, che in città aveva radici più salde. Nel 1874 l'Accademia di Santa Cecilia fu riformata e trasformata in Liceo musicale, sotto la presidenza dell'ex ministro Emilio Broglio. Nel 1874 era nata la Società orchestrale, istituita dal grande violinista Ettore Pinelli. Negli stessi anni aveva dato inizio ai suoi concerti la Società musicale, che offrì poi memorabili esecuzioni della *Vestale* di Spontini, del *Messia* di Händel e di altre opere sotto la direzione del maestro Domenico Mustafà.[70]

---

ed il teatro Regio di Torino. Quindici anni di vita musicale*, Torino, STEN, 1914, fondamentale anche per la vita musicale del capoluogo piemontese tra il 1872 e il 1886.

[66] *Ivi*, vol. I, pp. 197-224; *Gazzetta Piemontese*, 6 luglio 1878, *I concerti popolari di Torino a Parigi e il maestro Pedrotti*; 10 luglio 1878, *L'orchestra torinese* (sui commenti della stampa francese); 14 luglio 1878, *L'orchestra torinese*; 5 agosto 1878, *Rivista musicale*.

[67] Si veda la necrologia in *Gazzetta Piemontese* (2 dicembre 1878, *Rassegna musicale*), quotidiano su cui Tempia pubblicava le appendici musicali.

[68] *Gazzetta Piemontese*, 5 febbraio 1877, *Cronaca. Accademia di canto corale*. Sui risultati dell'istituzione, *Gazzetta Piemontese*, 27 gennaio 1880, *Rassegna musicale*; *Gazzetta Piemontese*, 19 dicembre 1881, *Rassegna musicale. L'Accademia di canto corale Stefano Tempia*; *La Nazione*, 4 luglio 1882, *Rassegna musicale*.

[69] *Gazzetta Piemontese*, 7 settembre 1877, *Cronaca. Musica educativa*. Sulle istituzioni musicali torinesi si veda anche *Nuova Antologia*, marzo 1878, *Rassegna musicale*, pp. 163-164.

[70] A proposito delle esecuzioni e del repertorio della Società musicale si leggano la bella appendice di Biaggi in *La Nazione*, 18 luglio 1882, *Rassegna musicale*, e quella di D'Arcais in *L'Opinione*, 18 maggio 1874, *Appendice. Rivista drammatico-musicale*.

Nel 1876 era resuscitata l'Accademia filarmonica, nata nel 1871 ma rimasta inattiva a partire dal 1874, grazie «al pungolo dell'emulazione che spinge alle nobili imprese».[71] Anche nella capitale si tentò l'esperimento dei concerti popolari: raccontò Pinelli che fin dal 1867 erano stati eseguiti nella Sala Dante programmi orchestrali al prezzo di una lira, ma poi erano giunti anni burrascosi, quando «il solo nome di *concerti popolari* rendeva la nostra istituzione invisa alla polizia»,[72] proprio per quell'aggettivo – «popolare» – non gradito. Solo nel 1874 prima e nel 1881 poi il progetto venne ripreso, anche se con risultati non sempre esaltanti.

In conclusione, come ebbe ad osservare Filippi in una serie di *Lettere musicali* pubblicate in *Fanfulla della Domenica*, il vero progresso della musica in Italia non stava nell'aumento del numero dei compositori, quanto «nell'amore cresciuto per i classici» e «nei mezzi molteplici di istruzione».[73] A loro volta l'incremento del consumo di musica cameristica, sinfonica e corale, la diffusione della cultura musicale e il suo perfezionamento diedero nuovo impulso al commercio di spartiti: mentre un tempo non si vendevano che riduzioni, fantasie, ballabili o «opere didattiche della specie peggiore», ora si aprivano negozi per la vendita esclusiva della musica classica, come a Milano nella Galleria De Cristoforis, dove le edizioni classiche economiche si vendevano «a migliaia e migliaia di copie».[74]

Oltre ai progressi sul piano dell'offerta, dell'esecuzione e della fortuna della musica strumentale e corale, nello stesso periodo si deve altresì registrare una

[71] Sono parole di D'Arcais in *L'Opinione*, 25 dicembre 1876, *Appendice. Rivista drammatico-musicale*.

[72] *L'Opinione*, 24 gennaio 1881, *Appendice. Rivista drammatico-musicale*. Affermava D'Arcais che in un'impresa così difficile le perdite erano, in un primo tempo, inevitabili; per questo era necessaria una solida base finanziaria e la consapevolezza di operare un investimento (*L'Opinione*, 30 maggio 1881, *Appendice. Rivista drammatico-musicale*).

[73] *Fanfulla della Domenica*, 21 novembre 1880, *Lettere musicali*; con lo stesso titolo si vedano anche gli articoli nei numeri del 17 ottobre, del 21 novembre e del 19 dicembre 1880.

[74] *La Perseveranza*, 27 marzo 1879, *Appendice. Rassegna Drammatico-Musicale* cit. A proposito del successo delle *Edizioni economiche Ricordi* si leggano *Gazzetta Musicale di Milano*, 5 luglio 1874, *Ai signori maestri, dilettanti di musica, ecc.*, e *L'Opinione*, 23 novembre 1874, *Appendice. Rivista drammatico-musicale*. D'Arcais affermava: «Lo studio della musica si estende e si diffonde in modo straordinario. Gli editori stessi sentono il bisogno di agevolare questa diffusione, mutando, almeno in parte, il modo finora seguito nelle loro pubblicazioni». Nel 1868 Ricordi pubblicò l'intera raccolta delle sonate di Beethoven, «indizio dell'indirizzo che va prendendo in Italia lo studio del pianoforte»: i dilettanti, qualche anno prima, eseguivano solo le fantasie sui motivi delle opere teatrali (*L'Opinione*, 15 giugno 1868, *Appendice. Rivista drammatico-musicale* cit.). Nel febbraio del 1874 l'editore milanese Edoardo Sonzogno lanciava la serie – un volume al mese al costo di una lira – di *La musica per tutti*, «destinata a diffondere al massimo buon mercato i capolavori dei più grandi Maestri dell'arte musicale» (*Bibliografia Italiana*, 28 febbraio 1874, *Cronaca, Stabilimento dell'editore Edoardo Sonzogno in Milano*).

ripresa degli studi musicali: anche in questo settore, come ammetteva il severo Biaggi, si era «alla vigilia di un tempo nuovo» e in ogni città andavano formandosi cultori della letteratura musicale.[75] Si rilevava anche un progressivo miglioramento della qualità della critica musicale italiana, non più, come una volta, «organo esclusivo di editori o compiacente annunziatrice di trionfi teatrali, di scritture e disponibilità»,[76] ma sempre più autonoma e colta.

3. «INCORAGGIAMENTO» E PROMOZIONE: LE INIZIATIVE DEI PRIVATI E DEI MUNICIPI

Come si è potuto constatare, l'iniziativa privata, sostenuta in qualche caso dalle amministrazioni comunali, fu protagonista del fermento che animò in quel periodo la vita musicale della penisola. In misura analoga essa si dimostrò particolarmente vivace anche nell'attività di incoraggiamento e di promozione nel settore teatrale. È impossibile fornire un censimento completo dei progetti proposti o attuati da associazioni e da singoli soprattutto a partire dalla fine degli anni '60, perciò se ne ricorderanno alcuni a titolo esemplificativo. Peraltro si osservi che solo in qualche caso essi erano opera di mecenati altruisti: spesso, in molti solleciti promotori, all'amore dell'arte si intrecciavano meno disinteressate esigenze autopromozionali. Inoltre, benché partite dai privati, le iniziative non escludevano, anzi cercavano di saldare, i legami con gli enti locali e le istituzioni pubbliche, sollecitandone la collaborazione e i sovvenzionamenti.

A Milano risale al 1870 il programma di una Società lirica, elaborato dal maestro Giuseppe Lamperti nell'intento di risollevare le sorti della Scala, combattere la concorrenza parigina e offrire un «nuovo incentivo al commercio cittadino»;[77] per dar vita a questa associazione – come si calcolò – era necessario un capitale di 300.000 lire, suddiviso in 500 azioni. Non mancò chi mise in discussione l'attuabilità del progetto, che in effetti naufragò per mancanza di adesioni.[78] Con obiettivi meno nobili era nata nel 1867 la Società Musicale Euter-

---

[75] *La Nazione*, 6 agosto 1878, *Rassegna musicale*. Nel settore degli studi musicali, tuttavia, i reali progressi erano ancora di là da venire: come ad esempio sosteneva FAUSTO TORREFRANCA, *Problemi della nostra cultura musicale*, in *Nuova Antologia*, 1° maggio 1911.

[76] È un giudizio formulato da Filippi in *La Perseveranza*, 27 marzo 1879, *Appendice. Rassegna Drammatico-Musicale* cit.

[77] Per maggiori dettagli, *La Perseveranza*, 11 marzo 1870, *Società lirica milanese*, e *L'Euterpe*, 17 marzo 1870, *Società lirica milanese*. Il progetto di Lamperti era particolarmente ambizioso e comprendeva l'istituzione di un repertorio stabile, la trasformazione della Canobbiana in un teatro «sperimentale», l'organizzazione di grandi concerti di musica classica, lo sviluppo della scuola di ballo e l'istituzione di una scuola di canto e di una scuola di scenografia. Aderirono all'iniziativa Lauro Rossi, Lodovico Melzi D'Eril, Giorgio Belgioioso, Giovanni Noseda, Eugenio Zuccoli (*La Perseveranza*, 16 marzo 1870, *Società lirica milanese*).

[78] *La Perseveranza*, 3 aprile 1870, *Società lirica milanese*.

pe, che si riprometteva sì di promuovere la produzione di nuovi lavori, di sottrarre le esecuzioni alle unghie degli speculatori e di far conoscere gli artisti attraverso le *matinées*, ma che infine risultò funzionare più che altro come una specie di agenzia, con la sua copisteria musicale, il suo repertorio di edizioni, la sua scuderia di musicisti.[79] Qualche anno dopo grande credito e diffusa pubblicità furono concessi, anche dalla stampa più seria, a tale Cesare Galliera, che riuscì a coinvolgere il direttore del Conservatorio Mazzuccato e altri musicisti nel progetto di una Società d'incoraggiamento per compositori, dietro la quale si celavano intenti speculativi evidenti.[80]

Sempre a Milano, ma per il teatro di prosa, presso l'Accademia dei Filodrammatici si aprì nel 1869 il concorso al cosiddetto Premio Valerio, istituito da un facoltoso cittadino milanese, Alessandro Valerio. Il regolamento prevedeva per i vincitori, oltre ad un premio di 1.000 lire, l'opportunità di rappresentare le proprie opere sulle scene del Teatro dei Filodrammatici. La commissione del concorso, presieduta da Paolo Ferrari, annoverava volti noti della politica, della cultura, delle professioni della città, come Aldo Annoni, Leopoldo Pullè, Giovanni Visconti Venosta, Cesare Cantù, Felice Mangili. Segno del discreto interesse suscitato dall'iniziativa fu il numero dei lavori presentati il primo anno, ben 40: solo 9, peraltro, ottennero un verdetto favorevole e il diritto alla relativa rappresentazione.[81] L'anno successivo, nonostante l'alto numero di aspiranti, il concorso andò deserto perché nessuno fu ritenuto degno del premio. Vennero dunque stabilite nuove regole, ma l'interesse della stampa scemò inesorabilmente.[82]

In un contesto completamente diverso maturarono iniziative come quella dell'industriale tessile nonché deputato Alessandro Rossi di Schio, che nel 1869 aprì un concorso per sei drammi «popolari», allo scopo di «moralizzare gli operai, particolarmente delle officine, e infonder loro sani princìpi economici»,

---

[79] *Il Secolo*, 15 novembre 1867, *Società musicali*. Euterpe era diretta da Michele Tremonger, noto per i *Concerti invisibili* affidati alla sua direzione (*La Frusta*, 20 novembre 1867, *Euterpe. Società musicale*).

[80] Secondo gli statuti della neonata Società, era consentito far rappresentare un lavoro melodrammatico acquistando da 10 a 30 azioni a 100 lire ciascuna: si trattava quindi, almeno in apparenza, di una sorta di cooperativa. Il successo delle singole opere avrebbe deciso del loro futuro; la proprietà sarebbe spettata per metà all'autore e per metà all'associazione. Per altre notizie si vedano *Corriere della Sera*, 14/15 marzo 1876, 22/23 aprile 1876, 7/8 maggio 1876, *Corriere teatrale*; *Corriere della Sera*, 16/17 febbraio 1877, *Società d'incoraggiamento pei maestri compositori*; *Il Mondo Artistico*, 7 marzo 1877, *Società d'incoraggiamento dei giovani maestri compositori*; *Il Secolo*, 29/30 aprile 1877, *Eco dei teatri*.

[81] *Il Secolo*, 24 luglio 1869, *Eco dei teatri*.

[82] *L'Euterpe*, 16 dicembre 1870, *Varietà. Premio Valerio*. Per una riflessione sull'esperienza dell'istituzione si legga *La Perseveranza*, 21 ottobre 1870, *Appendice. Rassegna drammatico-musicale*. Nel 1873, su proposta e grazie all'insistenza di Paolo Ferrari, il premio fu assegnato all'opera di Cavallotti *I Pezzenti* (A. GALANTE GARRONE, *Felice Cavallotti* cit., pp. 293-294).

affidandone e raccomandandone il programma all'onorevole Domenico Berti, quale promotore dell'Associazione per l'educazione nazionale del popolo. Il soggetto, ovviamente, doveva «cavarsi unicamente dai fatti che hanno attinenza colla vita dell'operaio nelle officine» e i manoscritti dovevano essere spediti a Marco Tabarrini, presidente della Società nazionale per l'educazione del popolo, che aveva sede a Firenze.[83] I sei drammi migliori avrebbero ottenuto ciascuno il premio di 200 lire e sarebbero stati messi in scena in una sala che Rossi aveva approntato nel suo opificio: con una capacità di 500 posti, essa fu inaugurata nel 1870, con il nome di teatro Jacquard.[84] E, a proposito dell'interesse rivolto al teatro e alla sua funzione pedagogica dagli esponenti del cosiddetto paternalismo industriale, ricordiamo che anche per i Crespi, anni più tardi, costituì una imprescindibile opportunità costruire una sala teatrale nel loro villaggio operaio presso Trezzo d'Adda.

Qualche anno dopo il «clericalissimo» duca Tommaso Gallarati Scotti istituì il premio di 600 lire per un concorso aperto alle commedie «morali»: il premio sarebbe stato conferito a un'opera che, «nulla contenendo di offensivo contro la morale e la fede cattolica», si distinguesse per merito artistico, non relativo ma assoluto. Il primo anno vennero ammesse 29 opere; malauguratamente quella che era apparsa la migliore alla commissione presieduta da Alessandro Castelbarco non rispecchiava lo spirito del programma perché vi si leggevano «parole velenose» alla volta del pontefice. Infine fu accordata una menzione al-

[83] L'Associazione italiana per l'educazione del popolo già nel 1867 aveva pubblicato un programma di concorso ad un premio di 5.000 lire per un'opera letteraria che «meglio potesse servire la lettura popolare». Il concorso si svolse nell'anno seguente; il comitato chiamato a giudicare i lavori era formato, tra gli altri, da Domenico Berti, Carlo Bon Compagni, Achille Mauri, Niccolò Tommaseo. Per maggiori ragguagli, *La Nazione*, 13 ottobre 1869, *Varietà*.

[84] Si legga la lettera di Rossi in *L'Opinione*, 31 agosto 1869, *Cronaca di Firenze*. Per l'inaugurazione del suo teatro Rossi aveva pensato a due operette comiche; alla loro rappresentazione avrebbero dato il proprio contributo filarmonici e coristi operai. Per il repertorio Rossi aveva fatto tradurre qualche commedia in dialetto piemontese, ma gli serviva qualcosa «di più particolarmente adatto» al suo scopo di formare «un popolo sano, gagliardo, operoso». Sul concorso si vedano anche *La Nazione*, 2 settembre 1869, *Il deputato Alessandro Rossi*, e *L'Euterpe*, 4 novembre 1869, *Concorso drammatico*. Ecco i lavori pervenuti a Tabarrini, ciascuno contrassegnato da un proprio motto: *Cuore d'artista* (*Volere è potere*); *Le bizzarrie del capitano Ambrogio* (*Signor, non sotto l'ombre in piaggia molle*); *Giovanbattista Vico* (*Io veggo un nuovo mondo*); *Chi persevera vince* (*Onorare la sventura è mio costume*); *Un fuoco di paglia* (*Quo circa vivite fortes*); *Amore e invidia* (*Idem*); *La morale del lavoro* (*I' vo gridando, pace, pace, pace*); *Dall'amore alla fortuna* (*Ah! se il mondo sapesse il cuor ch'egli ebbe*); *Lavoro e famiglia* (*Io non ambisco d'immortale alloro*); *Guardatevi dagli intriganti* (*Offro la mia piccola pietra*); *Gli operai* (*Fonte d'ogni ricchezza è il lavoro*); *Le società operaie* (*Doce et delecta*); *Al lavoro* (*Quid potui feci*); *L'artista e l'amante* (*Volere è potere*); *L'operaio* (*Io non posso ritrar di tutti appieno*). Per ulteriori informazioni sul concorso e sulle idee concepite da Rossi a proposito del teatro e della sua valenza educativa si può consultare la biografia di Ferruccia Cappi Bentivegna, *Alessandro Rossi e i suoi tempi*, Firenze, Barbèra, 1955, pp. 163-171.

le prime sei opere che sembravano avvicinarsi «all'ideale prestabilito», affinché non si dicesse che il concorso fosse «una mistificazione». Fu con somma sorpresa che si scoprì, dissuggellando le schede su cui era scritto il nome dei singoli autori, che uno dei lavori premiati era opera di Felice Govean, autore di *Gesù Cristo*, quel dramma che tanta polvere aveva sollevato proprio per il suo presunto intento sacrilego.[85] Il fatto fu oggetto di commenti sarcastici da parte di molti giornali.[86]

A Bologna va segnalata, nel 1871, la costituzione della Società in accomandita Luigi Scalaberni e C. per l'acquisto, la vendita, il nolo, la stampa, la pubblicazione e la rappresentazione di opere musicali, anch'essa destinata ad incoraggiare i giovani talenti, sia italiani che stranieri.[87] La Società, tra l'altro, avrebbe messo a disposizione il teatro del Corso di Bologna per le rappresentazioni di opere prime inedite, in genere particolarmente invise all'impresariato teatrale. Inoltre essa avrebbe giovato alle stesse imprese, presentandosi come mediatrice fra le loro esigenze e quelle «troppo smodate» degli editori.[88] Anche in questo caso si trattava dunque di un progetto commerciale e non alieno da intenti speculativi.

Di ben più ampio respiro fu la proposta lanciata nel 1872 dal deputato e sindaco della città Camillo Casarini: fare del teatro Comunale un «Areopago internazionale dell'arte» sussidiato dallo Stato, che stimolasse un confronto tra l'arte musicale straniera e la tradizione italiana; il Liceo Rossini e la Cappella di S. Petronio avrebbero dovuto ospitare rispettivamente la musica sinfonica e quella sacra. Secondo Casarini a Bologna esistevano gli elementi «per fare grandi cose in arte».[89] La proposta suscitò entusiasmi,[90] ma anche malumori da

---

[85] *Corriere della Sera*, 28/29 agosto 1878, *Un concorso drammatico*. Per la relazione del concorso si veda *L'Osservatore Cattolico* del 12 luglio 1878.

[86] *Corriere della Sera*, 28/29 agosto 1878, *Un concorso drammatico* cit.; *L'Arte Drammatica*, 27 luglio 1878, *Il giurì dei colli torti*, e 31 agosto 1878, *Il giurì del duca Scotti*. L'iniziativa di Gallarati Scotti si inseriva nel contesto di un interesse crescente del mondo cattolico per il teatro: nel settembre del 1878, durante il Congresso degli operai cattolici a Chartres si discusse del tema in una delle relazioni (*Corriere della Sera*, 17/18 settembre 1878, *Il teatro al Congresso cattolico di Chartres*).

[87] Se ne vedano programma e regolamento in *Rivista Teatrale Melodrammatica*, 23 settembre 1871, *Da Bologna*.

[88] *Rivista Teatrale Melodrammatica*, 1° ottobre 1871, *Società in accomandita*; *Il Mondo Artistico*, 19 settembre 1871, *Novellette. Società in accomandita*.

[89] La lettera in cui Casarini illustrava il suo progetto fu pubblicata da *Il Monitore di Bologna* del 27 gennaio 1872 e *La Riforma* del 1° febbraio 1872. Sulla figura di Camillo Casarini si legga il profilo tracciato da Francesco Saverio Trincia in *DBI*, vol. XXI, pp. 186-190.

[90] Come, ad esempio, quello di Giacomo Trouvè Castellani (*La Riforma*, 21 maggio 1872, *Rivista Artistica*). Anche per Biaggi il progetto di Casarini era «nuovo nel concetto, vasto nelle proporzioni, squisitamente estetico negli intenti, fecondissimo di vantaggi» (*La Nazione*, 18 febbraio 1873, *Rassegna musicale*).

parte di quanti vi scorgevano il pericolo di spalancare le porte agli autori stranieri a scapito della tutela del repertorio nostrano.[91] Due anni più tardi Casarini morì e con lui il progetto.

Numerose furono le iniziative nate a Firenze. La città, in coincidenza con la promozione a capitale, aveva vissuto anni intensi anche nel settore della cultura e dello spettacolo – palcoscenico privilegiato, tra l'altro, del dibattito sull'unità della lingua in Italia. Dopo Porta Pia, la preoccupazione dell'amministrazione – in quegli anni retta da Ubaldino Peruzzi – era stata quella di non disperdere tale esperienza.[92] Anche l'arte drammatica fu oggetto di attenzioni. Si ha notizia, per esempio, di una Società per l'incremento del teatro comico in Italia, che nacque nel 1871 su progetto del principe Carlo Poniatowsky – grande cultore di musica e di arte, autore di opere e di romanze e protagonista della vita teatrale della città[93] – e dei commediografi Paulo Fambri e Luigi Alberti, progetto che aveva raccolto l'adesione di numerosi rappresentanti dell'aristocrazia e del mondo della cultura fiorentina.[94] Essa ottenne dal municipio un sussidio di 10.000 lire annue per tre anni e formò una commissione di lettura allo scopo di far rappresentare sulle scene di un teatro fiorentino nuove produzioni che ne risultassero all'altezza, restando inviolata a beneficio dell'autore la proprietà letteraria della nuova opera.[95] Senonché, dopo poche e infelicissime prove,[96] la Società fu co-

[91] Si leggano a tale proposito le considerazioni di Rodolfo Paravicini in *Il Secolo*, 9 febbraio 1873, *Rivista musicale. La proposta Casarini*. D'Arcais definì Casarini «uno degli apostoli della musica wagneriana in Italia» (*L'Opinione*, 27 aprile 1874, *Appendice. Rivista drammatico-musicale*).

[92] Come sottolineava una corrispondenza da Firenze pubblicata in *Il Diritto* (21 aprile 1873, *Arte drammatica*): la giunta e il sindaco, dopo il 1870, «si preoccuparono seriamente dell'avvenire di Firenze, e si posero a studiare tutti i migliori mezzi pei quali fosse possibile il mantenerle il proprio primato facendolo centro d'attrazione per ogni classe di stranieri, focolare di istituti letterari e scientifici, ritrovo di artisti, luogo ad un tempo di studio e di piacere». Sulla vita teatrale a Firenze tra il 1864 e il 1870 si vedano U. PESCI, *Firenze capitale. 1865-1870*, Firenze, Bemporad, 1904, pp. 409-437, e PIERO ROSELLI, *I teatri di Firenze*, Firenze, Bonechi, 1978, pp. 128-132; per il periodo successivo al 1870, *ivi*, pp. 133-136.

[93] *Il Mondo Artistico*, 26 novembre 1872, *Gentiluomini artisti*.

[94] Il Consiglio direttivo era composto anche dal marchese Lorenzo Corsini, dal conte Augusto De Gori, senatore, dai marchesi Ippolito Niccolini e Filippo Piccolellis, da Celestino Bianchi, Carlo Rusconi, Pietro Fanfani, Aleardo Aleardi, Angelo De Gubernatis, dal critico Augusto Franchetti, dal provveditore agli Studi Gaetano Cammarrota, dall'assessore Giovanni Balzani, da Cesare Parrini e Alessandro Martelli; anche i deputati Alessandro Rossi e Stefano Vincenzo Breda avevano sottoscritto le prime azioni. Ulteriori particolari in *La Rivista Europea*, febbraio 1872, *Statuto della Società per l'incremento del teatro comico in Italia*.

[95] *Il Mondo Artistico*, 20 aprile 1871, *Società per l'incremento del teatro comico in Italia*, nonché *L'Opinione*, 21 maggio 1871, *Appendice. Rivista drammatico-musicale*, e *La Perseveranza*, 30 maggio 1871, *Società per l'incremento del teatro comico in Italia*.

[96] Le ragioni di tale insuccesso furono indagate da *La Nazione*, 12 febbraio, 19 febbraio e 22 marzo 1872, *Rassegna drammatica*, e dall'*Opinione*, 5 giugno 1871, *Appendice. Rivista drammatico-musicale*.

stretta a riconoscere il proprio fallimento e, decisa a sciogliersi, stava per restituire al municipio un residuo del primo versamento. Intanto la solida e più prestigiosa Società Filodrammatica dei Fidenti, ricca di vent'anni di esperienza, grazie ai suoi numerosi soci e ad una schiera di dilettanti che in quegli anni superava il numero di 120, era sul punto di lasciare il suo angusto teatrino – come si è già accennato – per prendere in affitto il nuovo ed elegante teatro delle Logge per cinque anni.[97] Poiché inoltre il ministero della Pubblica Istruzione le aveva appena aggregato la Regia Scuola di declamazione, l'Accademia dei Fidenti aveva ritenuto che fosse giunto il momento opportuno per realizzare un vecchio e agognato sogno: quello di fondare una compagnia stabile fiorentina. A questo scopo aveva presentato un progetto al municipio e avanzato la richiesta di un finanziamento; nel frattempo aveva scritturato per il suo teatro buone compagnie, vincolandole a recitare un numero stabilito di nuove opere e a servirsi dei suoi dilettanti. A questo punto però aveva trovato sulla sua strada una pericolosa competitrice, l'Accademia degli Infuocati, proprietaria del teatro Niccolini, che si era dichiarata erede della Società per l'incremento del teatro comico e del relativo sussidio municipale ad essa devoluto e si era altresì appropriata dell'idea dei Fidenti di fondare una scuola e una compagnia permanente.[98] In vista di questo obiettivo, nel successivo Carnevale al teatro Niccolini si sarebbe esibita la compagnia Marini-Ciotti che, in due corsi di recite, avrebbe rappresentato i lavori di autori nuovi o poco noti, assoldando come seconde parti gli allievi della pubblica Scuola drammatica; si sarebbe inoltre formata una commissione composta, oltre che da Morelli e da Virginia Monti, da un rappresentante dell'Accademia Niccolini, uno del municipio e uno della Società per l'incremento del teatro comico in Italia.[99] All'amministrazione comunale fiorentina toccò il compito di scegliere tra i due progetti. La stampa appoggiò apertamente quello dei Fidenti, che fornivano maggiori garanzie di esperienza e di benemerenza: si osservava che, mentre l'Accademia degli Infuocati era una società di 34 membri che sfruttavano la loro sala teatrale per il proprio diletto e a scopo speculativo, quella dei Fidenti era formata da numerosi soci che versavano una quota associativa di 60 lire ogni anno, non aveva fini di lucro ed esercitava un'attività ad ampio raggio anche a titolo di incoraggiamento.[100]

[97] Il Teatro delle Logge, costruito su iniziativa del poeta Arnaldo Fusinato, era stato inaugurato nel 1868. Gli affari andarono a gonfie vele nei primi due anni, quando Fusinato – a quanto pare – poté accumulare una vera fortuna, ma il trasferimento della capitale a Roma pesò notevolmente sulle sorti della nuova sala (S. CAMERANI, *Cronache di Firenze capitale*, Firenze, Leo S. Olschki, 1971, pp. 161-164).
[98] *Il Diritto*, 21 aprile 1873, *Arte drammatica*.
[99] *Il Mondo Artistico*, 18 aprile 1873, *Compagnia drammatica stabile a Firenze*.
[100] *La Nazione*, 24 marzo 1873, *Il teatro drammatico in Firenze*; Ferdinando Martini rese noto il suo parere in merito in un intervento pubblicato dalla *Nazione* (8 aprile 1873, *Il teatro drammatico in Firenze*). L'Accademia degli Infuocati, al contrario, non si era distinta per disinteressato slancio a favore della rinascita del teatro italiano. Quando Ricasoli, allo-

In una riflessione sulla vicenda, Yorick fece osservare che l'obiettivo posto dalla Società per l'incremento del teatro comico di Poniatowsky e compagni, poi fallito, era di grande portata e di tutto rispetto: si trattava di stimolare le «forze vive del teatro» per mezzo di una specie di associazione fra i circoli filodrammatici e le compagnie comiche ambulanti, in modo che i primi «prelibassero» i nuovi lavori degli autori meno noti e dessero a quelle opere e a quei nomi il battesimo della pubblicità, garantendone rappresentazioni dignitose e riscattando il mondo drammatico «dal peccato originale delle imprese, delle accademie, delle società di speculatori, e di capocomici». Tale obiettivo, a suo avviso, poteva essere ereditato solo dai Fidenti.[101]

Ad ogni modo, al di là della polemica sulla precedenza tra le due Accademie, la vicenda fiorentina è significativa perché dimostra come la questione delle compagnie stabili, che tanto andava dibattendosi in quegli anni, iniziasse ad abbandonare il terreno delle chiacchiere per affrontare quello delle proposte fattive. La formula collaudata a Firenze consisteva essenzialmente nell'incontro tra l'iniziativa cittadina e la disponibilità dell'amministrazione comunale. Essa, a conti fatti, si sarebbe rivelata l'unica via percorribile.

4. Teatro «nazionale» e compagnie stabili

Negli stessi mesi in cui a Firenze entrava nel vivo il dibattito sui progetti concorrenti degli Infuocati e dei Fidenti, la relazione della commissione Correnti per il teatro drammatico diventava di dominio pubblico. Essa, tra gli altri temi a cui già si è accennato, aveva affrontato anche quello della fisionomia del sistema teatrale italiano, concludendo che l'assoluta prevalenza del cosiddetto nomadismo delle compagnie fosse un ostacolo allo sviluppo delle arti sceniche. La tesi rispecchiava in particolare le convinzioni di D'Arcais, membro di quella commissione, che da tempo si batteva per il sistema del repertorio e per l'istituzione delle compagnie permanenti. Nella relazione si suggeriva l'istituzione di una compagnia che recitasse a Roma per almeno otto mesi.[102]

ra ministro dell'Interno, aveva offerto un sussidio per mantenere a Firenze per un anno la compagnia Bellotti Bon che allora comprendeva il fior fiore degli attori italiani, l'Accademia aveva fatto sapere che le conveniva di più il consueto avvicendarsi di compagnie (sulle speranze legate a tale iniziativa si legga *La Nazione*, 2 marzo 1862, *Fatti diversi*); recentemente aveva preferito sciogliere un contratto piuttosto che rinunciare alle compagnie francesi (come sostiene *La Nazione*, 5 febbraio 1872, *Rassegna drammatica*; si vedano anche *La Nazione*, 24 marzo 1873, *Il teatro drammatico in Firenze* cit., e *La Nazione*, 14/15 aprile 1873, *Teatro drammatico in Firenze*).

[101] *La Nazione*, 22 aprile 1873, *La questione delle diecimila lire*.

[102] Altri particolari sulla relazione si possono trovare in *L'Opinione*, 24 marzo 1873, *Appendice. Rivista drammatico-musicale* cit.

La questione era dunque «palpitante di attualità»,[103] anche se tutt'altro che recente: dai tempi in cui il gruppo dei romantici milanesi, in testa Federico Confalonieri, aveva progettato la formazione di una compagnia stabile chiedendo al governo, nel 1819, la concessione gratuita della Canobbiana,[104] la creazione di una compagnia modello era stato un vecchio sogno di Gustavo Modena, di Giacinto Battaglia, di Alamanno Morelli, di Guglielmo Stefani, di Gaetano Gattinelli, di Ernesto Rossi;[105] i loro disegni peraltro erano sempre andati in fumo.[106] Nel 1874 due iniziative pressoché contemporanee richiamarono l'attenzione sull'argomento. A Bologna il capocomico Michele Ferrante lanciò l'idea di un «Consorzio per l'incremento del teatro italiano» – un progetto rivolto a tutte le società filodrammatiche, che contemplava come obiettivo precipuo l'incoraggiamento ai commediografi: ogni società aderente avrebbe dato annualmente un numero di recite stabilito a beneficio degli autori italiani e gli introiti avrebbero alimentato il capitale del Consorzio, che la società direttrice avrebbe ricevuto e investito. Il programma prevedeva inoltre una serie di premi ai lavori migliori, ma, soprattutto, l'istituzione di un teatro stabile.[107] In seguito Ferrante formulò più ampiamente le sue proposte in una pubblicazione.[108] Intanto, nel maggio dello stesso anno, la stampa annunciò che il direttore del Teatro Milanese, Carlo Righetti,[109] si era incontrato con il sindaco di Roma Luigi Pianciani in visita a Milano: i due avevano discusso della possibilità di istituire a Roma una «compagnia drammatica nazionale stabile», guardando all'esperienza del parigino Théatre Français.[110] Nello stesso mese Righetti diede alle stampe un opuscolo intitolato *Facciamo un teatro nazionale* (Milano, Tip. E. Civelli); i cardini della riforma da lui caldeggiata erano le compagnie stabili

---

[103] *L'Arte Drammatica*, 29 marzo 1873, *Nostre corrispondenze*.

[104] F. DELLA PERUTA, *Federico Confalonieri liberale moderno*, in ID., *Conservatori, liberali e democratici nel Risorgimento*, Milano, Angeli, 1989, p. 34.

[105] A questo proposito si leggano F. MARTINI, *La fisima del teatro nazionale* in ID., *Al teatro* cit., pp. 113-172, e L. PULLÈ, *Penna e spada* cit., p. 108, pp. 118 sgg., pp. 213-214.

[106] Del progetto Stefani si è già riferito (cap. I, par. 4). Sul tentativo di Rossi si veda *La Nazione*, 1 e 5 febbraio 1862, *Rassegna drammatica*, e 4 gennaio 1873, *Rassegna drammatica*. A proposito del fallimento di Modena, Battaglia, Morelli, in un'appendice sull'*Opinione* del 6 marzo 1865 D'Arcais allude ad «ostacoli creati da particolari circostanze, per impazienza e rivalità d'attori, per il sorgere di moti politici non propizii punto al calmo culto dell'arte, per la indifferenza stessa del pubblico».

[107] *L'Arte Drammatica*, 6 giugno 1874, *Circolare del capocomico Michele Ferrante*; *Il Trovatore*, 10 maggio 1874, *Cose diverse*.

[108] MICHELE FERRANTE, *Il teatro drammatico*, Milano, Carlo Barbini editore, 1874; Filippi la recensì in *La Perseveranza*, 6 gennaio 1875, *Appendice. Bibliografia Drammatico-Musicale*.

[109] Sulla figura di Righetti, noto anche con lo pseudonimo di Cletto Arrighi, si consulti la *Nota biobibliografica* redatta da R. FEDI in CLETTO ARRIGHI, *La Scapigliatura e il 6 febbraio*, Milano, Mursia, 1988, pp. 17-21.

[110] *Il Mondo Artistico*, 12 maggio 1874. *Cose diverse*.

– una a Roma e una a Milano –, la riformulazione del repertorio, che doveva estendersi a produzioni vecchie e nuove e non escludere quelle straniere, e l'abolizione del sistema dell'abbonamento. Righetti non aveva di mira il solo decoro dell'arte, ma anche una speculazione «solida e produttiva»: per questo non aveva trascurato di stendere il capitolo finanziario.

La mossa di Righetti ebbe vasta risonanza e provocò reazioni controverse. Molti, in effetti, manifestarono perplessità, soprattutto sulle possibilità di realizzazione del piano: Righetti – si osservava – aveva lavorato sulla scorta della sua esperienza di amministratore del Teatro Milanese e non aveva tenuto conto delle sostanziali differenze tra la gestione di un teatro come il Milanese e quella di un grande e complesso organismo.[111] *L'Arte Drammatica* bocciò senza mezzi termini il progetto di Righetti: a suo parere esso era poco chiaro a proposito del repertorio, che non prometteva di essere molto diverso rispetto a quello di numerose altre compagnie italiane; inoltre si rifaceva al modello di un teatro parigino, difficilmente riproducibile in Italia, dove le principali città potevano raggiungere una media di dieci mila spettatori l'anno, mentre la capitale francese ne vantava un contingente superiore di cinquanta volte; infine Righetti sottovalutava i vantaggi del sistema degli abbonamenti, che erano il principale cespite delle sale.[112] Anche *Il Mondo Artistico* batteva il chiodo sull'erronea valutazione delle risorse del teatro italiano: «[...] tutti i progetti basati sull'affluenza di un pubblico, che non c'è, saranno illusioni, utopie, controsensi».[113] A dire il vero, sulla questione delle potenzialità dei pubblici italiani i pareri non erano unanimi. Secondo Righetti, ad esempio, una città come Milano avrebbe potuto garantire senza difficoltà 80-100 mila persone intenzionate a non perdere uno spettacolo «che faccia chiasso»: lo avevano dimostrato le 160 repliche di *La principessa invisibile* di Scalvini al Fossati, per non parlare di commedie in vernacolo come *El Barchett de Boffalora* o *Gent de servizi*, opere dello stesso Righetti, rappresentate al Teatro Milanese rispettivamente per 400 e per 250 sere.[114]

Intervenne nel dibattito sul progetto illustrato in *Facciamo un teatro nazionale* anche Eugenio Torelli Viollier, che vi individuò altre contraddizioni e ingenuità, in particolare a proposito del metodo di recitazione, che per Righetti doveva bandire «fin l'ultimo sospetto del falso e del convenzionale»; tale metodo, in realtà, non era altro che quello della compagnia milanese, che recitava in dialetto: applicato a un teatro «nazionale», esso avrebbe fatto pessima prova, co-

---

[111] Come ad esempio osservò *Monitore dei Teatri*, 11 giugno 1874, *Spettacoli milanesi*, e 21 giugno 1874, *Facciamo un Teatro nazionale*.

[112] *L'Arte Drammatica*, 30 maggio 1874, *Facciamo un Teatro nazionale*.

[113] Secondo il periodico teatrale, nessuna città italiana godeva di un bacino d'utenza tale da garantire un grande potenziale di spettatori e il loro frequente ricambio (*Il Mondo Artistico*, 29 giugno 1874, *Il Teatro Nazionale*).

[114] *L'Unione*, 5/6 marzo 1878, *Arte e artisti. Compagnie stabili o compagnie girovaghe?*

me era sempre avvenuto ogni volta che una compagnia dialettale aveva tentato di recitare in lingua italiana. Torelli Viollier, inoltre, si chiedeva come il sistema delle repliche potesse ovviare all'inconveniente della monotonia tanto lamentato nel consueto repertorio delle compagnie; il sistema vigente consentiva almeno di sperimentare la riuscita di un gran numero di opere, quindi favoriva gli autori, che avevano maggiori possibilità di vedere rappresentati i propri lavori.[115]

La proposta di Ferrante fu accolta con più indulgenza: benché avesse scarse opportunità di concreta attuazione, essa per molti aveva il merito di privilegiare il repertorio italiano e di fare affidamento sulla collaborazione delle Società filodrammatiche – quelle sì una risorsa reale e fiorente.

Intanto i progetti di compagnie stabili si moltiplicavano. Nell'aprile 1875 giunse al ministero della Pubblica Istruzione quello di Parmenio Bettoli e Giampaolo Calloud, che prevedeva quattro compagnie – con sede a Roma, Firenze, Milano e Torino –, un sussidio statale annuo di 40.000 lire, prelevate dai proventi della tassa sugli spettacoli, e la concessione gratuita di un teatro da parte dei municipi, nonché la supervisione di una commissione locale nominata dal governo e dai municipi stessi.[116] Il ministero sollecitò il parere di Paolo Ferrari, che espresse il più completo dissenso. Anche per Ferrari le preoccupazioni sui danni provocati dal nomadismo delle compagnie erano esagerate, anzi in genere si disconosceva l'utilità di tale consuetudine: egli ricordava che i continui viaggi procuravano «maggior conoscenza d'usi e caratteri» e impedivano una deleteria dimestichezza tra attori e pubblico; inoltre, secondo Ferrari, il sussidio proposto non era sufficiente a garantire la tranquillità economica degli attori, visto che una compagnia di prim'ordine costava circa 250 mila lire all'anno: il governo, dunque, avrebbe speso molto senza frutto, anzi con il pericolo di «creare un privilegio pericoloso». Ferrari dal canto suo si pronunciava a favore di una sola compagnia stabile a Roma, alle dipendenze del ministero, e auspicava che direttori ed artisti fossero assunti in qualità di impiegati regi.[117] Ad ogni modo, a prescindere dall'opinione espressa da Ferrari, la risposta del ministro della Pubblica Istruzione a Bettoli e Calloud fu estremamente chiara: i rimedi indicati dai due erano giudicati del tutto inadeguati a sottrarre l'arte della recitazione alle sue «necessità», di contro un via libera alla sovvenzione e all'uso gratuito di un teatro avrebbero creato «un precedente pericoloso».[118]

[115] L'Arte Drammatica, 20 giugno 1874, s.t. Non mancarono interventi a favore del progetto di Righetti: come ad esempio quello della Perseveranza, 24 maggio 1874, Teatri e notizie artistiche.

[116] Per altri ragguagli sul progetto Bettoli-Calloud si legga il testo integrale in ACS, M.P.I., Dir. gen. AA.BB.AA., Arte drammatica e musicale, b. 3, f. 8.

[117] Ivi, P. Ferrari al ministro della Pubblica Istruzione, 15 maggio 1875.

[118] Ivi, il ministro della Pubblica Istruzione a P. Bettoli e G. Calloud, maggio 1875. Ricordiamo, tra le altre proposte di teatri stabili, anche quella – lanciata nel 1877 dal periodico fiorentino Il Teatro Italiano – di un teatro «franco-italiano», destinato alla rappresenta-

Sollecitazioni al governo perché riservasse stanziamenti più consistenti e maggiore attenzione al teatro di prosa erano giunte anche in sede parlamentare. Nella seduta del 10 febbraio 1875[119] – si discuteva il bilancio preventivo del ministero della Pubblica Istruzione – Francesco De Renzis, tra l'altro noto autore drammatico, aveva perorato la causa di quella che aveva chiamato la «Cenerentola» delle arti. Anche il deputato siciliano Ruggiero Maurigi era intervenuto per raccomandare l'istituzione «di un teatro permanente italiano» nella capitale, senza il quale – egli dichiarò – «noi non faremo mai nulla che dia un carattere veramente nazionale all'arte drammatica in Italia». Ma la proposta di Maurigi trovò l'immediata opposizione del piemontese Giovanni Battista Michelini, non per niente seguace delle idee liberiste di Adam Smith, per il quale «la questione dell'ingerimento governativo circa i teatri» era «grave questione di economia politica»: tutti gli economisti – affermò Michelini – vi si opponevano e negli Stati Uniti a nessuno sarebbe venuto in mente di proporre un simile impiego del denaro pubblico. Anche l'argomento ricorrente della necessità di proteggere le arti per Michelini era contestabile: la migliore ricompensa alla qualità di uno spettacolo erano gli applausi e l'affluenza del pubblico. Egli invocava piuttosto l'iniziativa di una Società privata:

«Lo spirito di associazione comincia a svegliarsi in Italia, principalmente per le cose simili a quella di cui ragioniamo. Il Governo non deve soffocarlo nel suo laborioso nascimento colla sua concorrenza facilmente vittoriosa».

L'intervento del ministro della Pubblica Istruzione Ruggiero Bonghi fu dello stesso tenore. Nel promuovere l'arte drammatica il governo incontrava una difficoltà pratica – la mancanza di fondi – e una difficoltà teorica non meno trascurabile: quella di trovare le modalità concrete ed efficaci per venire incontro alle esigenze dell'arte teatrale. Per Bonghi essa riceveva il suo principale alimento

«dalle naturali condizioni di una società ricca, potente, varia nelle sue relazioni, vigorosa, attiva, operosa intellettualmente e moralmente».

In una società siffatta il teatro sarebbe fiorito splendidamente, perché non gli sarebbero mancate «né le occasioni, né i concetti», ma, al di fuori di questi presupposti, qualsiasi aiuto da parte del governo non avrebbe prodotto nessun sensibile effetto. Alcune di queste condizioni naturali che favorivano il progresso artistico – proseguì Bonghi – si erano attuate in Italia nell'ultimo decennio e

zione di opere italiane e di capolavori francesi in lingua originale (*L'Opinione*, 26 febbraio 1877, *Appendice, Rivista drammatico-musicale*).

[119] AP, *Camera*, Legisl. XII, Sess. 1874-75, *Discussioni*, tornata del 10 febbraio 1875, pp. 1137-1142.

334

«malgrado l'inerzia necessaria o volontaria del Governo» si era manifestato «un principio di nuova vita, di nuova operosità» nella produzione drammatica. L'unico intervento efficace da parte delle autorità governative era quello volto a favorire «la maggiore diffusione della coltura, che rende la popolazione più intelligente nell'apprezzare questo genere di letteratura». Quanto alla proposta di un teatro nazionale, Bonghi ricordò che in Italia ci si era ormai «allontanati da quest'ordine di idee»: non era esclusa la possibilità che in futuro si ritornasse sui fatti compiuti per porgere aiuti maggiori ad «alcuni orgogli della vita nostra nazionale».

La questione del teatro stabile, come già qualche anno prima quella dei teatri demaniali, riaccese così il dibattito sull'opportunità o meno dell'intervento statale nel settore delle arti. Buona parte della stampa teatrale e qualche critico si lamentarono che in Parlamento non spirasse un vento propizio per il teatro,[120] così quella che sarebbe dovuta essere un'istituzione nazionale era abbandonata nelle mani della speculazione. D'altro canto si rinnovarono anche l'allarme e l'ostilità di fronte alla minaccia di una indebita intrusione dei governi in un settore che, per taluni, doveva godere del massimo grado di libertà: la realizzazione di un «teatro nazionale» risultava, da questo punto di vista, un passo indietro. Felice Cameroni, ad esempio, ribadì in quella occasione che «l'elemento governativo» era «funesto», perché creava sistemi di monopolio, ingiusti ostracismi, una «sistematica avversione» contro ogni radicale innovazione.[121] La *Gazzetta Piemontese*, a sua volta, confessò di nutrire «scarsa fiducia» nella protezione statale sulle arti: era più opportuno sfruttare le maggiori competenze delle Accademie e il sostegno di «generosi e illuminati cittadini». Inoltre, a giudizio del quotidiano torinese, Roma non aveva ancora «per fermo ottenuto il primato intellettuale della Nazione»: Torino, Milano, Napoli e Firenze non erano, a questo riguardo, inferiori alla capitale.[122] Anche *Il Secolo* non condivideva la scelta della capitale come sede di un futuro teatro nazionale: perché tutti gli italiani avrebbero dovuto mantenere una compagnia a Roma? Era auspicabile che le compagnie permanenti nascessero per iniziativa pri-

[120] Così affermava anche D'Arcais, il quale però aggiungeva che «se il governo od i municipi hanno da spender male i denari dei contribuenti, tanto vale che non li spendano» e accusava musicisti e drammaturghi di chiedere solo quattrini (*L'Opinione*, 15 febbraio 1875, *Appendice. Rivista drammatico-musicale*).

[121] *L'Arte Drammatica*, 14 aprile 1873, *Sul teatro nazionale governativo*. Si veda anche *L'Arte Drammatica*, 5 aprile 1873, *Il rapporto della Commissione per l'incremento del teatro drammatico in Italia*. E a proposito del dibattito in Parlamento sollevato dall'intervento di De Renzis: «Appunto perché mi professo comunardo, vorrei che si restringesse al meno possibile l'intervento delle autorità costituite. Togliendo al celebre motto di Proudhon: *Il miglior governo è l'anarchia*, potrebbesi asserire che *il miglior governo è quello che meno governa*. Figurarsi, se non riuscirebbe deplorevole, pericolosa e talvolta ridicola l'azione governativa, in fatto di letteratura, cioè della più sbrigliata manifestazione dell'ingegno» (*L'Arte Drammatica*, 27 febbraio 1875, *La letteratura drammatica a Montecitorio*).

[122] *Gazzetta Piemontese*, 15 maggio 1872, *Il governo e l'arte drammatica*.

vata o municipale e in varie città della penisola e fossero mantenute a spese «dei pubblici che vanno a sentirle, dei Municipi, o, meglio ancora, dei privati cittadini che le ospitano».[123] Yorick, dal canto suo, affermò che una sola compagnia in un solo centro gli sembrava un'astruseria: in Italia esistevano tanti centri dotati di vita, di forza e di importanza propria; per di più le compagnie nomadi avevano un ruolo non secondario nell'avvicinare i pubblici italiani, contribuendo così a formare un pubblico unico, nazionale; grazie ad esse «la civiltà artistica» si diffondeva «negli angoli più lontani dello Stato», dunque anche per gli artisti nomadi si poteva parlare di una «bella e buona missione artistica e civilizzatrice»; infine anche alle compagnie giovava la concorrenza, mentre una situazione di privilegio ne avrebbe compromesso i progressi. Per Yorick, in conclusione, le compagnie permanenti potevano essere auspicabili, ma solo se patrocinate dai municipi e come complemento a una scuola di recitazione, per preparare al teatro una nuova generazione di attori.[124] Per il resto il teatro avrebbe dovuto conservare tenacemente la propria indipendenza, altrimenti, per «una miseria di poche migliaia di lire», si correva il rischio di vedere la contrapposizione tra «un'arte patentata e un'arte vagabonda», «un'arte officiale, governativa, protetta, favorita, incoraggiata» e «un'arte rivoluzionaria, randagia, framassonica, scomunicata, forse mal vista, certo non accarezzata».[125] Anche Torelli Viollier, assolutamente contrario alle compagnie stabili, avrebbe dichiarato la sua avversione non solo nei confronti dell'ingerenza governativa, ma altresì di qualsivoglia protezione, compresa quella dei mecenati: a suo avviso una delle cause principali per cui la letteratura italiana era rimasta negli ultimi due secoli inferiore a quella francese e inglese era il fatto che essa non si fosse mai «mantenuta da sé» e che i letterati italiani fossero stati costretti a vivere di pensioni, elemosine, elargizioni, trasformandosi in cortigiani e parassiti; proprio da tale condizione derivava il «vizio dominante» della nostra letteratura – quel suo sapere «di aulico, di chiuso, di stufa e di salotto», quell'indulgere alla retorica e al convenzionalismo: in essa non si sentiva circolare «il vivo sangue della nazione».[126]

La polemica non si sarebbe affatto smorzata negli anni successivi, anzi avrebbe coinvolto, come era ovvio, i capocomici più noti, gli interessi dei quali

---

[123] *Il Secolo*, 8 aprile 1873, *Eco dei Teatri. Relazione della Commissione governativa*.

[124] Grazie alle compagnie nomadi «un'eco de' grandi centri arriva fino alla cerchia delle provincie più remote, e la voce delle più remote provincie giunge ripercossa tra le quinte fino a' più grandi centri del Regno» (*La Nazione*, 28 aprile 1873, *Rassegna drammatica*).

[125] *La Nazione*, 25 marzo 1878, *Rassegna drammatica*. Sulla inopportunità che lo Stato si sostituisse all'iniziativa privata nel campo dell'arte Yorick si espresse anche in *La Nazione*, 27 novembre 1876, *Rassegna drammatica* cit.

[126] *Corriere della Sera*, 15/16 aprile 1878, *Il Giurì drammatico*.

erano strettamente chiamati in causa.[127] Intanto però si andavano tentando i primi esperimenti di compagnie stabili: tutti, come da molti era stato previsto o auspicato, furono possibili grazie all'azione congiunta di privati e amministrazioni comunali o nacquero su iniziativa delle sole società private.

Il caso di Torino è emblematico. Grazie all'intervento dell'amministrazione comunale, che concesse l'uso gratuito del teatro Carignano, e alla tenacia di Cesare Rossi, nel febbraio del 1877 la Compagnia drammatica della Città di Torino diede inizio alle sue recite; essa, oltre a Cesare Rossi, annoverava attori di primo piano, come Andrea Maggi, Claudio Leigheb, Teresina Leigheb e altri.[128] Subito dopo il Consiglio comunale votò la proposta di concorrere per 200 azioni da 10 lire ciascuna alla sottoscrizione promossa dallo stesso Rossi per un concorso drammatico che avrebbe premiato i migliori lavori rappresentati dalla Compagnia stabile; a tale scopo nacque un'associazione presieduta dal sindaco Luigi Ferraris.[129] La commissione chiamata a giudicare le opere comprendeva, oltre a Ferraris, il deputato Tommaso Villa, il deputato e autore teatrale Desiderato Chiaves, il critico Giuseppe Cesare Molineri.[130] Quando, quattro anni più tardi, a Rossi fu offerta la direzione di una futura compagnia stabile a Roma, egli rifiutò: preferiva rimanere a Torino, dove aveva trovato «favori di ogni genere, facilitazioni d'ogni specie per dar vita al progetto di una vera compagnia stabile», che, in più, l'entusiasmo del pubblico aveva fatto prosperare.[131]

Iniziative analoghe a quella torinese andavano maturando a Napoli, a Roma, a Milano. L'esperienza della napoletana Compagnia dei Fiorentini non fu felicissima: nonostante il grande successo artistico, l'impresa si rivelò rovinosa sot-

---

[127] Ad esempio si prendano in considerazione, in tema di compagnie stabili, la posizione e la strategia di Bellotti Bon in *Corriere della Sera*, 5/6 novembre 1881, *Un progetto del sig. Bellotti-Bon*.

[128] *Gazzetta Piemontese*, 7, 14 e 17 febbraio 1877, *La compagnia drammatica della città di Torino*.

[129] Il resoconto della discussione che ebbe luogo al Consiglio comunale torinese fu riportata da molti periodici teatrali: come *L'Arte Drammatica*, 12 maggio 1877, *Consiglio Comunale di Torino*, e *Gazzetta dei Teatri*, 5 maggio 1877, *Cose varie. Premj ai migliori lavori drammatici*. Si legga lo statuto dell'associazione in *La Nazione*, 15 novembre 1877, *Fra un'Appendice e l'altra. Corriere drammatico*. Il commento di Yorick fu entusiasta: lo statuto era «un gioiello».

[130] Al primo anno di concorso vinse il primo premio *Speroni d'oro* di Leopoldo Marenco e il secondo premio *I Moasca* di Alberto Anselmi (*L'Arte Drammatica*, 30 novembre 1878, *Notiziario*).

[131] Da una lettera di Cesare Rossi pubblicata in *Gazzetta Piemontese*, 22 settembre 1881, *Lettere, Arti e Teatri*. Anche la critica sostenne con calore l'esperimento di Rossi (per esempio quella della *Gazzetta Piemontese*, 6 novembre 1878, *Rivista drammatica*). Sul teatro di prosa a Torino nel periodo postunitario si veda la efficace sintesi di G. Rizzi, *Il teatro di prosa. Piemontesi nel teatro italiano: Attori, pubblico, critici*, in *Torino città viva. Da capitale a metropoli. 1880-1980*, Torino, Centro Studi piemontesi, 1980, vol. I, pp. 449 sgg.; in particolare, sulla compagnia Città di Torino, *ivi*, pp. 464-468.

to il profilo finanziario.[132] Anche nella capitale la già citata Società per l'acquisto, la tutela e l'incoraggiamento delle opere drammatiche in Italia, fondata nel
giugno 1881 con un capitale di 100 mila lire e presieduta da Eugenio Tibaldi,
Giovanni Battista Borghese e Filippo Theodoli,[133] nel novembre 1881 cercò di
mettere in atto il progetto di una compagnia drammatica permanente, scrittu-
rando alcuni artisti e chiamandone alla direzione Paolo Ferrari, che per ricoprire il nuovo incarico lasciò Milano e il suo impegno di insegnante.[134] Quando le
trattative intavolate con i proprietari del teatro Valle per l'uso della sala falliro-
no, si parlò di «una grande quantità di interessi e di pregiudizj coalizzati a combattere la nuova istituzione».[135] Allora la Società cercò di ottenere dall'amministrazione comunale la concessione di un'area adatta alla costruzione di un nuovo teatro. Sulla stampa romana si discusse ampiamente pro o contro la concessione.[136] In quella occasione D'Arcais ebbe modo di riaffermare quanto da
tempo andava scrivendo sulle colonne dell'*Opinione* a proposito della vicenda:
la Società di Tibaldi mascherava a suo parere intenti speculativi, leciti sì, ma
che poco avevano a che vedere con le ragioni dell'arte: il suo progetto non era
«un *avviamento*, ma un *allontanamento*» da quell'ideale di teatro stabile va-
gheggiato da molti anni.[137] Lo stesso ministero della Pubblica Istruzione si
mosse con grande cautela: in una lettera pubblica il ministro in carica, Guido
Baccelli, promise vagamente appoggio morale ed economico, rimandando
qualsiasi decisione al momento in cui la Società avesse aperto il «teatro permanente» e da questo risultasse «indubbiamente l'utilità dell'istituzione».[138]

[132] *La Nazione*, 24 aprile e 5 giugno 1879, *Fra un'Appendice e l'altra. Corriere drammatico*.
   [133] Nel comitato promotore figuravano altri nomi dell'aristocrazia romana, come il
principe Placido Gabrielli, il duca Francesco Borghese, il duca Leopoldo Torlonia, il conte
Carlo Contestabile Della Staffa, il conte Pio Filippani Ronconi. Per il programma della Società si veda *L'Arte Drammatica*, 25 giugno 1881, *Il III Congresso drammatico a Milano*.
   [134] *Il Pungolo*, 5/6 novembre 1881, *Notizie artistiche*; *L'Opinione*, 16 maggio 1882, *Appendice. Rivista drammatico-musicale*; *Il Pungolo*, 5/6 giugno 1882, *Paolo Ferrari ai suoi
elettori*. Ferrari, tuttavia, avrebbe dato le dimissioni dalla carica di direttore artistico della
cosiddetta Compagnia nazionale solo due anni più tardi: essa non era ancora riuscita, in effetti, a trasformarsi in una compagnia stabile (*Corriere della Sera*, 5/6 luglio 1884, *Corriere
artistico*).
   [135] *Il Pungolo*, 5/6 luglio 1882, *Notizie artistiche*.
   [136] Essa, infine, fu rilasciata (*L'Opinione*, 15 agosto 1882, *Appendice. Rivista drammatico-musicale*).
   [137] *L'Opinione*, 31 luglio 1882, *Appendice. Rivista drammatico-musicale*.
   [138] *Il Pungolo*, 25/26 luglio 1882, *La drammatica Compagnia stabile di Roma*. Si legga
anche il commento di Yorick, che approvò pienamente la risoluzione del ministro (*La Nazione*, 14 agosto 1882, *Rassegna drammatica*). Per il critico fiorentino, sotto la «frenesia»
per le compagnie permanenti covava, più o meno latente, la febbre del desiderio di sussidi,
o, possiamo aggiungere, il semplice interesse imprenditoriale (*La Nazione*, 3 luglio 1882,
Rassegna drammatica). Quattro anni più tardi, a proposito delle iniziative promosse dalla
Società romana, D'Arcais avrebbe parlato di un sostanziale fallimento: la compagnia nata

A Milano l'iniziativa per la costituzione di una compagnia stabile fu assunta da un comitato presieduto dal sindaco Giulio Belinzaghi.[139] Essa coglieva l'idea lanciata, come vedremo, durante il terzo Congresso drammatico, quella di fondare a Milano una Compagnia drammatica permanente che avesse il carattere di «istituzione nazionale». Accanto a un numero di artisti di reputata fama, tale compagnia avrebbe dovuto raccogliere molti elementi giovani, proporre un repertorio ricco e vasto, prodursi per cinque anni sulle scene del teatro Manzoni; le sottoscrizioni aperte fra la cittadinanza avrebbero provveduto al capitale necessario.[140] La campagna di sottoscrizione ebbe grande successo.[141] A Roma era stato raccolto un capitale di 150 mila lire, ma lì – come si osservò – aveva concorso a costituire tale somma «un gruppo ristrettissimo di signori dell'alta aristocrazia», mentre a Milano i soci erano assai numerosi e la cerchia si estendeva «a tutte le classi agiate della società»:[142] così in un mese si erano potute raccogliere 127 mila lire. La critica accolse il progetto milanese con minore diffidenza di quella riservata alla Società romana di Tibaldi: D'Arcais, Yorick, Felice Uda ebbero parole di benevolenza;[143] tuttavia la sua realizzazione dovette attendere a lungo.[144]

In definitiva il grande progetto di una o più compagnie stabili finanziate dal governo, che fossero modello, faro, avanguardia per il mondo del teatro italiano, che escludessero la speculazione e puntassero alla qualità, si era stemperato in una serie di progetti più modesti e più prosaici.

come permanente, «riunita con larghi criteri e lautamente retribuita, andò in sfacelo a metà del quinquennio, per le gare degli artisti, per sciocche questioni di convenienza, per mancanza di disciplina»; di concreto rimaneva dunque non il «teatro-istituzione», ma il «teatro-edificio»: era sorto infatti, «ennesimo in Italia», un nuovo teatro, il Teatro Drammatico Nazionale. In conclusione: «[...] di un ardito tentativo che doveva rigenerare l'arte italiana non rimarrà altra memoria che un edifizio dovuto principalmente alla munificenza del municipio, che ha concesso quasi gratuitamente l'area, anziché all'iniziativa di qualche privato speculatore» (F. D'ARCAIS, *Il Teatro drammatico nazionale*, in *Nuova Antologia*, agosto 1886).

[139] I vice presidenti erano Andrea Sola e il direttore del *Pungolo* Leone Fortis; tra i membri del comitato figuravano Ettore Ponti, Carlo Borromeo, Lodovico Melzi D'Eril, Emilio Conti, Renzo Carati, Giulio Carcano, Alberto Weill-Schott, Andrea Maffei, Felice Cavallotti, Leopolo Pullè, Paolo Ferrari, Riccardo Castelvecchio, Carlo D'Ormeville, Filippo Filippi, Carlo Righetti, Enrico Rosmini, Stefano Interdonato, Giuseppe Soldatini (*Il Pungolo*, 19/20 novembre 1881, *Corriere dei Teatri*).

[140] Per il testo integrale del programma si veda *Il Pungolo*, 21/22 novembre 1881, *Appendice artistica. Programma per la Istituzione di una Compagnia drammatica permanente in Milano*.

[141] *Corriere della Sera*, 26/27 gennaio 1882, *Corriere teatrale*.

[142] *Il Pungolo*, 23/24 dicembre 1881, *Corriere dei Teatri*.

[143] *Il Pungolo*, 25/26 gennaio 1882, *Notizie Artistiche*.

[144] Per la storia delle laboriose trattative condotte dal comitato milanese si veda la relazione all'assemblea del 5 maggio 1886 in ENRICO CAROZZI, *Annuario Teatrale italiano per l'annata 1886*, Milano, Tip. Nazionale, 1886, pp. 439-450.

5. L'epoca dei Congressi

Nel corso del secondo decennio postunitario andò via via crescendo anche lo spirito d'iniziativa di autori, capocomici, attori, sollecitati dai profondi mutamenti che il mondo del teatro stava conoscendo. Del resto era inevitabile che la legislazione dei diritti d'autore e i suoi effetti, il nuovo regime fiscale, la concorrenza delle società dei dilettanti, la ridefinizione stessa dei rapporti con le istituzioni – ministeri, municipi, prefetture –, così come l'evoluzione del gusto del pubblico che era allora in corso, ponessero interrogativi inediti ed inducessero ad un ripensamento dei consueti atteggiamenti. Anche il problema della qualità e della ricchezza del repertorio era al centro delle preoccupazioni degli operatori teatrali e veniva alimentando in quegli anni un dibattito ricchissimo di polemiche, ma anche di riflessioni, sulle pagine della stampa.

Come scriveva Yorick in un'appendice del 1873, era assai difficile per un capocomico scegliere il programma di una stagione e farsi un'idea esatta delle preferenze del pubblico italiano «in mezzo alla farragine delle sentenze contraddittorie, de' giudizi discordanti, delle critiche nebulose raccattate qua e là nelle cento platee e ne' mille giornali d'Italia». Vi era grande fermento, ma anche grande incertezza «sullo stato attuale dell'arte, sull'indirizzo del nostro teatro, sulle tendenze della nostra letteratura», mancava un vero capo-scuola, mancava un pubblico inappellabile. Era consolante, tuttavia, «lo spettacolo della grande operosità» dei capocomici – in genere «la più prudente, la più positiva e la più calcolatrice genìa di questo mondo» – che si lanciavano nelle più ardite speculazioni.[145]

Agli inizi del decennio, tra i critici era prevalso un cauto ottimismo sulle sorti della letteratura drammatica italiana: «Un'attività inquieta, nervosa, febbricitante ha invaso le menti de' nostri giovani scrittori»; tutti scrivevano per il teatro: «È un'epidemia».[146] In un anno si vedevano nascere, e spesso morire, un centinaio e più di commedie nuove, scritte in gran parte da autori sconosciuti, «venuti su da ogni angolo, da ogni ripostiglio della società, impiegati, letterati, giornalisti, sarti, imprenditori di aste pubbliche, negozianti, ingegneri, agenti di cambio, dottori in legge e in medicina, artisti drammatici, suggeritori, cavamacchie, e madri di famiglia».[147] Si correva al teatro come «a una California»: d'altronde il teatro era diventato «uno dei pochissimi rami della letteratura che può empire le tasche» ai suoi più fortunati cultori.[148] Intanto in dieci anni si

---

[145] *La Nazione*, 3 marzo 1873, *Rassegna drammatica. L'anno comico 1872-73*.

[146] *La Nazione*, 30 dicembre 1871, *Rassegna drammatica*.

[147] *La Nazione*, 9 settembre 1872, *Rassegna drammatica*.

[148] *La Nazione*, 7 settembre 1874, *Rassegna drammatica. Il pubblico*. Come per il teatro musicale, così per il teatro di prosa qualche voce si alzava spazientita ad esortare il pubblico e la critica a «scoraggiare» la massa di aspiranti drammaturghi: come suggerì Valentino

era andato formando un repertorio italiano, una ventina di discreti drammaturghi lavorava con buon successo – Ferrari, Torelli, Gherardi Del Testa, Costetti, Carrera, Martini, Suner, Marenco e via dicendo – e le compagnie iniziavano a fare a meno delle traduzioni dal francese.[149]

Negli anni seguenti, tuttavia, l'indulgenza lasciò il campo alla disillusione: il tanto sperato e invocato risorgimento del teatro italiano non si era ancora realizzato, anzi qualcuno iniziò a parlare di crisi e di decadenza. Le fonti si erano inaridite, le opere davvero buone erano pochissime, le altre erano rappresentate per una sera e subito fischiate, oppure godevano di un successo effimero per poi essere rapidamente dimenticate. Di conseguenza il repertorio si assottigliava, il pubblico si annoiava e i capocomici erano costretti a fare salti mortali, a mutare spettacolo ogni sera, a ricorrere nuovamente al repertorio francese.[150] Persino il teatro dialettale incominciava a deludere: quello milanese era costituito in gran parte da imitazioni di commedie brillanti e da traduzioni di *pochades* francesi, quello piemontese si faceva sempre più «didattico» e noioso.[151] E i critici ripresero a interrogarsi: perché i progressi del teatro italiano si erano «arrestati a mezza via?».[152] La responsabilità era degli autori – ripeteva tra gli altri D'Arcais – che non facevano alcuno sforzo per conoscere la società italiana e rappresentarla[153] e finivano per imitare i francesi, nei caratteri, nelle immagini, nello stile;[154] molti addirittura non avevano il necessario bagaglio di letture, di studi, di cultura. Non mancava chi attribuiva la fase di stallo del teatro comico italiano alle «fisime della *missione* e dell'*apostolato*», agli «*sproloqui* sulla

Carrera in una *Rivista drammatica* dal sottotitolo eloquente – *Peccati vecchi del teatro nazionale e sue ñuove speranze di redenzione* – in *La Rivista Europea*, ottobre 1870.

[149] *L'Opinione*, 18 ottobre 1869, *Appendice. Rivista drammatico-musicale*. Dieci anni dopo, riflettendo a proposito dell'ottimismo sulle sorti della letteratura drammatica nazionale che si era diffuso tra i critici a cavallo tra gli anni '60 e gli anni '70, lo stesso D'Arcais avrebbe ammesso che esso era soprattutto frutto delle buone speranze per il futuro, piuttosto che dei risultati effettivi: anche allora il cosiddetto «carattere nazionale» del teatro italiano si poteva forse scorgere nell'idillio e nel dramma storico, ma non nella commedia, che era ancora una pallida imitazione di quella francese (*L'Opinione*, 11 agosto 1879, *Appendice. Rivista drammatico-musicale*).

[150] *La Nazione*, 20 giugno 1878, *Fra un'Appendice e l'altra. Corriere drammatico*. A proposito della «invasione straniera» nel repertorio delle compagnie, si leggano gli interventi divergenti di D'Arcais e Leopoldo Piccardi, appendicista della *Libertà* e collaboratore del *Fanfulla*, in *L'Opinione*, 18 dicembre 1876, *Appendice. Rivista drammatico-musicale*, 8 e 10 gennaio 1877, *Appendice. Rivista drammatica. Le produzioni francesi in Italia*, nonché la lettera di Alessandro Ademollo in *L'Opinione*, 6 febbraio 1877.

[151] *La Nazione*, 12 giugno 1879, *Fra un'Appendice e l'altra. Corriere teatrale* cit. Sulla evoluzione del teatro in dialetto milanese si soffermò Cameroni in *L'Arte Drammatica*, 30 gennaio 1875, *Sul Teatro Milanese*: il critico denunciava le «infelici metamorfosi» di Monsieur Alphonse e di Diane De Lys in «sur Fonsin» e «la Signora che se compromett».

[152] *Gazzetta dei Teatri*, 21 agosto 1879, *Il Teatro drammatico italiano*, di F. D'Arcais.

[153] *Ibidem*.

[154] *Gazzetta Piemontese*, 5 febbraio 1873, *La commedia francese e l'Italia*.

scuola dei costumi e sulla cattedra della civiltà», all'inflazione di «tesi» e di retorica;[155] aggiungiamo che anche «il rilassarsi di quella tensione estrema», come scrive Chabod,[156] che aveva caratterizzato gli anni del Risorgimento fino alla presa di Roma, aveva lasciato il posto ad una esigenza di evasione e di disimpegno nel pubblico italiano, che, come si è già accennato, negli ultimi anni aveva mostrato di preferire l'operetta e gli spettacoli più frivoli.[157] Altri accusavano i capocomici di aver perduto il coraggio e la fantasia: occorreva intraprendere qualche ricerca nel repertorio del passato, ad esempio;[158] commedie brillantissime e grandi capolavori, come andava ripetendo Cameroni, erano pressoché ignorati dalle compagnie italiane.[159]

Si discuteva anche sulla presunta mancanza di una vera società italiana e di un'autentica «lingua comica». Ad esempio il critico Leopoldo Piccardi sosteneva che per avere un teatro nazionale occorreva «materiale» con cui edificarlo, vale a dire una società che abbia «vita caratteristica e propria»; senonché:

«Nella odierna vita italiana, mancano le luci forti e mancano le grandi ombre; non è insomma una società formata; ma una società in embrione, pieghevole a tutte le correnti, senza un ideale che la domini e la guidi. L'epoca mediocre condanna il nostro teatro alla mediocrità».[160]

---

[155] *La Nazione*, 7 marzo 1881, *Rassegna drammatica*.

[156] FEDERICO CHABOD, *Storia della politica estera italiana dal 1870 al 1896*, vol. I, *Le premesse*, Bari, Laterza, 1951, p. 509.

[157] A tale riguardo si leggano le riflessioni di Carlo D'Ormeville in *Gazzetta dei Teatri*, 4 ottobre 1883, *Cause ed effetti*.

[158] *L'Opinione*, 16 febbraio 1880, *Appendice. Rivista drammatico-musicale*.

[159] *L'Arte Drammatica*, 5 luglio 1873, *Ai capocomici. Domande e consigli*.

[160] L'articolo di Piccardi, che si interrogava sulle infelici condizioni della letteratura drammatica italiana contemporanea, fu pubblicato in *Nuova Antologia* (novembre 1877, *Il teatro italiano contemporaneo*). Esso fu accolto con ostili ed aspri commenti da D'Arcais come da altri critici: i nemici del teatro italiano – si disse – avevano invaso anche la rocca della prestigiosa rivista fiorentina, dove si era abituati a leggere le critiche garbate e assennate di Augusto Franchetti (*L'Opinione*, 12 novembre 1877, *Appendice. Rivista drammatico-musicale*; si vedano anche *Il Diritto*, 26 novembre 1877, *La decadenza del teatro italiano*, di Francesco Colaci, la replica di Piccardi in *Il Diritto*, 30 novembre 1877, *Questioni d'arte drammatica*, le valutazioni di Luigi Capuana in *Corriere della Sera*, 14/15 gennaio 1877, *Rassegna drammatica. Il teatro italiano*). Qualche decennio più tardi Eugenio Checchi, riflettendo sui deludenti risultati del teatro italiano negli anni postunitari, avrebbe sostanzialmente ripreso la tesi di Piccardi, sottolineando in particolare la funzione a suo parere negativa del municipalismo, così radicato nella realtà sociale e culturale della penisola: «S'era fatto in Italia l'accentramento della vita politica, non quello dell'arte: [...] nessuna delle tre capitali successive, Torino, Firenze, Roma, riuscì ad ispirare gli autori drammatici, e indurli a dipingere una società nazionale, costumi nazionali [...]. Questo sparpagliamento di forze intellettive, non riuscite mai a fondersi in un tutto armonico, impedì la tante volte auspicata risurrezione del teatro italiano» (EUGENIO CHECCHI, *Il teatro italiano negli ultimi cinquant'anni*, in *Nuova Antologia*, luglio 1901).

In merito alle relazioni tra società e letteratura drammatica italiana era diametralmente opposto il parere del già citato Giuseppe Cesare Molineri, studioso di storia della letteratura italiana – materia che insegnava all'Università di Torino –, critico della *Gazzetta Piemontese* e autorevole esperto di letteratura drammatica. Per Molineri quello della insussistenza di una vera società in Italia era un mero luogo comune: venticinque milioni di italiani davano vita ad una società, peccato che nessuno si curasse di studiarla «nella sua intima essenza»; quanto al problema della lingua: «Non è la lingua che inciampa i nostri scrittori drammatici, sì è lo stile, cosa prettamente individuale»; in verità, concludeva Molineri, la retorica regnava sovrana nella letteratura drammatica italiana,[161] quindi la responsabilità dei deludenti risultati nel settore della prosa andavano pienamente attribuiti al livello scadente di quanti scrivevano per il teatro e all'indole stessa, all'*habitus* mentale e culturale dei letterati del nostro paese, scarsamente inclini a osservare la realtà che li circondava e a dare voce e volto ai suoi protagonisti. In termini analoghi si sarebbe espresso in un'opera pubblicata nel 1885 Edoardo Scarfoglio, per il quale «la ragione prima della nostra miseria letteraria sta appunto nella miseria della nostra cultura»; dal 1860 era emerso un numero sproporzionato di scrittori per il teatro, provenienti per lo più «dalla classe degli avvocati», ma anche dal «pecorame dei filodrammatici», «tra gli studenti di ostetricia, tra gl'impiegati al Debito pubblico, tra i maestri elementari e tra i sottotenenti di fanteria»: così – concludeva Scarfoglio – l'arte scenica si era trasformata in un «sudicio mestiere», che speculava «sul cattivo gusto, sull'ignoranza, sulla pazienza del pubblico».[162]

Non mancavano critici più attenti alla evoluzione stessa del pubblico italiano. Alcuni osservavano che lo spettatore "medio" non era più quello di una volta, indulgente, facile a sorprendersi e a commuoversi: la platea era piena di giudici severi, studenti liceali e universitari, dilettanti, critici, giornalisti – gente che si piccava di essere assai competente in materia;[163] d'altro canto, rispetto al passato, quanti si recavano abitualmente a teatro erano in genere più istruiti, più educati, più illuminati, più spregiudicati, quindi i vecchi espedienti, i «mezzucci volgari», i colpi di scena, le «declamazioni pompose», non funzionavano come un tempo.[164]

Infine, a proposito della presunta fase di crisi della nostra letteratura drammatica, si deve dare conto anche delle riflessioni più pacate, se non ottimiste. Molti facevano osservare che anche il teatro francese viveva una crisi analoga e

[161] Su questi temi Molineri intervenne in *Gazzetta Piemontese*, 18 gennaio 1874, *Appendice. Rivista drammatica*, e 24 settembre 1878, *Rassegna drammatica*.

[162] E. SCARFOGLIO, *Il libro di Don Chisciotte* cit., pp. 236-238 e p. 254.

[163] *La Nazione*, 2/3 novembre 1873, *Rassegna drammatica*; *La Nazione*, 10 aprile 1876, *Rassegna drammatica*.

[164] *La Nazione*, 31 agosto 1874, *Rassegna drammatica. Il pubblico*; *La Nazione*, 3 aprile 1876, *Rassegna drammatica*.

che il problema andava dunque analizzato in un'ottica più distante e più ampia.[165] Altri ritenevano fuorvianti i bilanci a breve periodo e suggerivano di non sottovalutare i progressi compiuti. La commissione nominata da Coppino nel 1879 per riferire sulla Scuola di declamazione di Firenze e sui concorsi drammatici, scrisse che sul teatro italiano pesavano ancora «la sciagurata eredità delle antiche e recenti divisioni»:

«È ancora troppo presto per domandare al Teatro una ricca produzione di opere che mostrino chiara l'impronta unica del genio nazionale; ma pure ogni giorno facciamo un passo su cotesta via».[166]

Non si potevano negare, per esempio, il «notevole miglioramento» sul piano della messinscena, dei costumi, delle scenografie,[167] il maggiore affiatamento delle compagnie, l'interesse e la curiosità sempre più diffusi per il teatro, le conquiste legislative ed economiche ottenute dagli autori. Anche tra i critici c'era chi preferiva parlare, più che di un periodo di decadenza, di uno stadio di transizione.[168]

[165] *L'Opinione*, 15 settembre 1873, *Appendice. Rivista drammatico-musicale*. Sulla crisi del teatro francese Yorick pubblicò numerosi articoli (*La Nazione*, 26 luglio 1877, 2 agosto 1877, 9 agosto 1877, *Fra un'Appendice e l'altra. Corriere drammatico*; 2 agosto 1880, *Rassegna drammatica*). Si veda anche *Gazzetta Piemontese*, 2 novembre 1881, *Rassegna Drammatica*.

[166] *La Nazione*, 24 settembre 1879, *La Regia Scuola di Declamazione in Firenze* cit.

[167] Affermava D'Arcais: «Si vedono ancora gli anacronismi, e la decenza dell'allestimento scenico non è pregio di tutte le compagnie indistintamente. Ma quando penso che l'antica Compagnia Reale Sarda vestiva all'istesso modo i greci e i romani e un medesimo salone stile del secolo XVI, serviva per Lorenzino de' Medici, per Francesca da Rimini, per Cristoforo Colombo, per i quattro *rusteghi* e per i bellimbusti del nostro secolo, non ho il coraggio di lagnarmi» (*L'Opinione*, 20 luglio 1874, *Appendice. Rivista drammatico-musicale*). In un articolo del *Fanfulla* del 20 agosto 1883 (*La messa in scena*) l'autore giungeva a rimpiangere «l'arte di mettere insieme alla diavola gli spettacoli», la messinscena «casalinga, senza pretese e bonacciona»: ormai regnava il «realismo», l'«illusione perfetta». Per quanto riguarda la costumistica teatrale, ricordiamo che Ricordi nel 1873 dava inizio alla pubblicazione in fascicoli dei *Costumi teatrali* in cromolitografia, i cosiddetti «figurini» che servivano da modello per artisti, sartorie, imprese teatrali; quelli in circolazione erano «meschinissime litografie colorate» o «indecenti schizzi all'acquarello», nei quali «non si ha alcun rispetto alle tradizioni della storia», quando «il nuovo indirizzo dell'arte in Italia, la migliorata coltura del pubblico, obbligano» a «portare maggiori cure» e «maggior buon gusto artistico» nella costumistica (*Bibliografia Italiana*, 31 marzo 1873, *Costumi teatrali*). Due anni più tardi sarebbe stata annunciata la pubblicazione, a cui già si è accennato, delle dispense di Giuseppe Soldatini.

[168] Come si legge, ad esempio, in *L'Arte Drammatica*, 21 luglio 1883, *Lettere aperte al barone I.D.R.*. Gaetano Gattinelli scrisse che la letteratura drammatica era alla ricerca della «propria forma», un «compito laboriosissimo» perché la società italiana non aveva ancora raggiunto un suo «equilibrio», quel «sicuro andamento» che «offre all'Arte gli elementi delle sue creazioni»: ma una volta che questo processo si fosse compiuto, allora il teatro nazionale sarebbe sorto «spontaneo come ogni altra manifestazione del pensiero, con ema-

Quando poi si passava dalle condizioni della letteratura drammatica a quelle materiali e finanziarie del teatro italiano, le opinioni erano assai contrastanti. Si potevano leggere commenti preoccupati e desolati così come entusiastici resoconti dei segnali positivi, della vitalità e dell'esuberanza del settore. Secondo le statistiche il numero delle sale teatrali in Italia era aumentato. Nel 1880 si contavano 14 teatri di primo ordine, 72 di secondo ordine e 1019 di terzo ordine.[169] In vent'anni il prezzo di una buona commedia era salito «da zero a cinque o sei mila lire», e non mancavano capocomici che potevano permettersi di pagare tale cifra. Secondo i calcoli di Yorick, in Italia per il solo teatro di prosa si spendeva in un anno «la bagatella d'una diecina di milioni»,[170] per cui la «miseria» del teatro italiano era «una frase fatta»: bastava dare un'occhiata ai costi di una compagnia di medio livello, alle paghe di una prima donna che si facesse applaudire, a quanto versavano le imprese teatrali per impegnare un capocomico a un corso di rappresentazioni.[171] E i conti del teatro drammatico non finivano qui: che dire della miriade di teatrini privati e di società filodrammatiche che «asciugavano le tasche» a soci, alunni e protettori?[172] Fra quelle artistiche e quelle filodrammatiche la penisola annoverava cinquecento compagnie, in totale diecimila individui in cerca di gloria; almeno cento erano quelle composte di soli professionisti, vale a dire due mila artisti che bene o male grazie al teatro campavano.[173]

D'altro canto, anche ammettendo un significativo sviluppo del movimento teatrale, rimanevano molti nodi da sciogliere, dalla tutela contro le infrazioni alla legge sulla proprietà letteraria al mutuo soccorso, dalla diffusione delle cosiddette privative sulle opere nuove[174] ai rapporti tra capocomici e attori, dalla questione delle compagnie stabili a quella delle imposte. Su questi ed altri temi anche gli artisti e gli autori trovarono la necessità di confrontarsi. La proposta di convocare un Congresso drammatico partì da Alamanno Morelli – attore, capocomico, già ispiratore, perno, poi direttore e proprietario della celebre Compagnia Lombarda – nel 1876; la sede prescelta fu Firenze, dove si istituì una commissione esecutiva presieduta da Pietro Gabrielli e composta da Antonio Pavan, Valentino Carrera, Angelo De Gubernatis, Tommaso Gherardi Del

nazione naturale» (G. GATTINELLI, *Dell'arte rappresentativa. Manuale ad uso degli studiosi dell'arte drammatica e del canto*, Roma, Francesco Capaccini Editore, 1876, pp. 2-3).

[169] Sono dati forniti dal ministero delle Finanze e riportati in *La Nazione*, 12 febbraio 1882, *Arti e Teatri*.

[170] *La Nazione*, 7 marzo 1881, *Rassegna drammatica* cit.

[171] *La Nazione*, 3 aprile 1876, *Rassegna drammatica* cit.

[172] *La Nazione*, 2/3 novembre 1874, *Rassegna drammatica*.

[173] *La Nazione*, 26 febbraio 1877, *Rassegna drammatica*. Sul movimento e la composizione delle compagnie drammatiche, *La Nazione*, 6/7 marzo 1878, *Fra un'Appendice e l'altra. Corriere drammatico*.

[174] Su questo problema insisteva *L'Arte Drammatica*, 24 giugno 1876, *Quesiti*.

Testa, Enrico Montecorboli, Cesare Parrini, Giuseppe Soldatini ed altri.[175] Si trattava del primo Congresso per il teatro drammatico, mentre nel settembre del 1864 si era già tenuto, a Napoli, un primo Congresso musicale,[176] seguito l'anno successivo da una nuova adunanza a Bologna: già in quella circostanza si era aperta una polemica sulla utilità dei Congressi tra quanti ritenevano comunque proficui il confronto e la discussione e quanti invece li paventavano in nome del pragmatismo e della necessità di concretezza.[177]

Furono in molti a prendere immediatamente le distanze dall'iniziativa di Morelli: tra questi anche critici come D'Arcais, che parlò di una «agitazione sterile»,[178] Parmenio Bettoli[179] e Yorick; si parlò di un'occasione di pubblicità per Morelli, di esibizionismo, di «sfogo di reciproca apologia».[180]

Ad ogni modo il Congresso si aprì il 10 luglio – presenti il sindaco, il prefetto e una sessantina tra attori, autori, avvocati e giornalisti; erano più affollate le gallerie, l'ingresso alle quali era gratuito. Nel discorso di apertura Morelli ribadì la sua fiducia nei Congressi: il mutuo scambio di idee, la conoscenza, i contatti a suo parere erano utili per allacciare legami di solidarietà. «Concorrere alla formazione del teatro nazionale»: questo era il programma di Morelli, che caldeggiava la formazione di compagnie permanenti in diverse città, l'istituzione di licei drammatici, l'abolizione del sistema degli abbonamenti. Il prefetto Giulio Alessandro De Rolland affermò che il teatro aveva un'importante missione da compiere, quella di farsi strumento di moralità e di solida istruzione popolare. Da parte sua il sindaco Peruzzi confessò di aver accolto con soddisfazione l'idea del Congresso, così come le polemiche in merito, poiché nei paesi liberi quanto più numerosi erano i contrasti tanto più necessarie erano le discussioni; egli ricordò anche che, quando da Parigi, dove studiava, tornava a

---

[175] L'elenco e la circolare della commissione stessa del 18 febbraio 1876 si trovano in *L'Arte Drammatica*, 15 aprile 1876, *Commissione esecutiva del primo Congresso drammatico italiano*. Sul programma si leggono gli obiettivi indicati dai promotori: indagare sulle ragioni per cui «il teatro ad onta di qualche bella individualità non sorge a quell'altezza alla quale è pervenuto presso altre nazioni», studiare i mezzi per «migliorare le sorti della drammatica» e le condizioni degli artisti (ACS, *M.P.I., Dir. gen. AA.BB.AA., Arte drammatica e musicale*, b. 3, f. 9, *Programma del primo Congresso drammatico italiano in Firenze*).

[176] Tra i punti all'ordine del giorno l'incoraggiamento ai compositori di opere teatrali, il riordinamento degli istituti musicali, la questione dei diritti d'autore e quella del mutuo soccorso (*Il Trovatore*, 18 settembre 1864, *Questioni del Congresso musicale che dovrebbe tenersi a Napoli*).

[177] Si leggano ad esempio la lettera di Lauro Rossi, presidente del Congresso musicale di Bologna, ai musicisti italiani in *La Nazione*, 9 settembre 1865, *Rassegna musicale*, e, di contro, le considerazioni della rivista *Il Trovatore*, 3 agosto 1865, *Tiratina sul Congresso musicale che si farà a Bologna*.

[178] *L'Opinione*, 3 luglio 1876, *Appendice. Rivista drammatico-musicale*.

[179] Per il critico del *Corriere della Sera* (3/4 luglio 1876, *Corriere teatrale*), «a tutto quanto si riferisce alle arti poco o nulla» potevano giovare «i mezzi artificiali».

[180] *Il Trovatore*, 2 luglio 1876, *Il Giurì drammatico ed il Congresso drammatico*.

Firenze, constatava e misurava con imbarazzo la grande distanza tra lo sviluppo del teatro francese e quello del teatro italiano; ora invece si era formata una «scuola» anche nella penisola, benché i progressi però andassero consolidati, possibilmente affinando la cultura generale del pubblico. Peruzzi fu più prudente a proposito del rapporto tra morale e teatro: a suo avviso il teatro era senza dubbio una fonte di impressioni, ma difficilmente poteva riscuotere successo un'opera che si proponesse manifestamente di «educare». Infine, a proposito del dibattito sulle compagnie stabili, il sindaco chiamò in causa la più generale questione sorta a proposito di iniziativa privata e di ingerenza statale, di accentramento e discentramento; egli ribadì, comunque, che i progressi del teatro erano strettamente congiunti alla diffusione della cultura e alla concorrenza.[181]

Il Congresso proseguì i suoi lavori nei giorni successivi, tuttavia il numero dei partecipanti rimase assai scarso e il programma fu giocoforza ridimensionato: si costituirono cioè due sezioni anziché cinque come era stato previsto, e la stampa registrò l'assenza di «grandi nomi».[182] Non mancò un confronto su temi importanti – ad esempio si discusse di realismo nella relazione di Ferdinando Martini[183] –, ma di fatto non furono affrontati argomenti vitali quali, in particolare, l'ipotesi di una Società degli autori, che, per il momento, sembrava essere nei voti dei politici e dei critici più che dei diretti interessati,[184] oppure il problema altrettanto spinoso della previdenza e del mutuo soccorso per gli artisti e per i lavoratori del teatro.[185] Ad ogni modo, nel suo discorso di chiusura, Peruzzi sottolineò i meriti del Congresso, in particolare quello di aver tentato di diffondere «tra coloro che esercitano quest'arte nobilissima il sentimento della necessità di occuparsi dei propri interessi».[186] Ma i commenti di buona parte della stampa sia politica che teatrale furono impietosi e irridenti: «vanitoso nel programma» e «illusorio negli effetti» fu sostanzialmente definito il Congresso, si parlò di «fiasco», di «bolla di sapone».[187]

[181] Per un resoconto della prima seduta del Congresso si possono consultare *La Nazione*, 12 luglio 1876, *Inaugurazione del Congresso drammatico*, e *Monitore dei Teatri*, 11 luglio 1876, *Il Congresso drammatico*.

[182] Si vedano ad esempio *L'Opinione*, 11 luglio 1876, *Notizie teatrali ed artistiche*, e *Corriere della Sera*, 13/14 luglio 1876, *Corriere teatrale*.

[183] Per il commediografo toscano le critiche alla scuola realista erano «insussistenti»: «Noi – egli affermò – vogliamo rappresentarci un uomo in carne e d'ossa e non un uomo di carta pesta; non crediamo alla virtù moralizzatrice del teatro» (*La Nazione*, 13 luglio 1876, *Primo Congresso drammatico*; *L'Arte Drammatica*, 15 luglio 1876, *Cronaca. Congresso drammatico italiano*). Martini intendeva confutare le tesi esposte da Antonio Sartini nel saggio di cui si è già parlato, *Il realismo nell'arte*, appena pubblicato a Lucca e presentato al Congresso.

[184] Come si alluse in *La Nazione*, 3 luglio 1876, *Rassegna drammatica*.

[185] Sulle richieste, le speranze e gli interrogativi che il Congresso avrebbe dovuto affrontare si legga *L'Arte Drammatica*, 8 e 22 luglio 1876, *Quesiti*.

[186] *La Nazione*, 17 luglio 1876, *Chiusura del Congresso drammatico*.

[187] *Il Trovatore*, 16 e 23 luglio 1876, *Il Giurì drammatico ed il Congresso drammatico*.

Nonostante tale insuccesso, Morelli e i suoi collaboratori non si diedero per vinti e convocarono un secondo Congresso per il Carnevale del 1878, a Milano, proponendo a Paolo Ferrari di accettarne la presidenza; egli si dichiarò disponibile, ma solo a patto che si bandissero le speculazioni e le declamazioni retoriche, limitandosi alla discussione su questioni concrete.[188] Si moltiplicarono gli sforzi sul piano organizzativo: furono diramate centinaia di circolari, di questionari, di proposte di adesione; si ottennero degli sconti ferroviari per i partecipanti; furono pubblicati i nomi di quanti avevano promesso di intervenire.[189] Non per questo Morelli ottenne il favore della stampa, che pareva si fosse «passata la parola d'ordine» per demolire il progetto faticosamente portato avanti e trattava l'argomento con una superficialità e una leggerezza pregiudiziali e ingiustificate.[190]

È un fatto però che il secondo Congresso drammatico ottenne rispetto al precedente uno spazio e un'attenzione assai maggiori sulle pagine dei quotidiani, che gli dedicarono ampi resoconti e commenti. Le adesioni erano state 272, ma a Palazzo Marino alla seduta inaugurale il 24 febbraio 1878 erano intervenuti in 125.[191] Dopo il discorso di ringraziamento di Morelli, parlò il sindaco Belinzaghi che raccomandò, con «la semplicità disinvolta dell'uomo d'affari che non sciupa il tempo in vane parole», di non perdersi nella dissertazione di «idee troppo vaste che qualche volta fanno precipitare anche il buono». Il prefetto, Cesare Bardesono, dichiarò che la sua presenza intendeva dimostrare che il governo riconosceva pienamente «l'importanza politica e sociale» degli argomenti sul tavolo della discussione: la vita nazionale – così si espresse il prefetto – era una creatura recente, lo Stato era in via di formazione e il fervore con cui si lavorava impediva di conoscere «il molto e il bene che facciamo e di discernere quello che omettiamo»; tuttavia per il teatro – come egli riconobbe – si era fatto meno che per altri interessi pubblici: la ragione era che quest'ultimi erano «più o meno organizzati» e avevano «difensori autorevoli e forti», mentre quel-

[188] *Il Mondo Artistico*, 22 dicembre 1876, *Cose diverse*.

[189] *Monitore dei Teatri*, 28 settembre 1877, *Secondo Congresso drammatico*; 26 ottobre 1877, *Giury drammatico italiano*.

[190] Sono considerazioni di Enrico Tettoni, direttore del *Monitore dei Teatri* (31 agosto 1877, *Alamanno Morelli e il secondo Congresso drammatico*), in un caloroso intervento di difesa dell'opera di Morelli, la cui intenzione, secondo Tettoni, non era quella astratta e controversa della creazione di un teatro nazionale, ma quella più positiva, più pratica di discutere sui rapporti tra attori e capocomici, tra capocomici e proprietari teatrali, tra tutti costoro e il governo.

[191] Erano presenti molti critici milanesi, avvocati, cultori del teatro come Andrea Sola, autori, oltre che uomini politici, come Cavallotti e Gioacchino Pepoli, nonché i rappresentanti di municipi, Accademie e Società filodrammatiche (per la cronaca, *Il Pungolo*, 25/26 febbraio 1878, *Secondo Congresso drammatico in Milano*). Molti capocomici non erano potuti intervenire di persona: del resto la stagione di Carnevale era quella più proficua per gli affari ed era impossibile abbandonare le piazze.

lo teatrale era un mondo diviso e con molti nemici, «i preti, i falsi moralisti, gli pseudo-economisti». Esortò Bardesono:

«Organizzatevi adunque, o signori, allargate la vostra base, tracciate il vostro piano, lavorate sopratutto [*sic*] a raccogliere le notizie per una buona statistica delle professioni teatrali».[192]

Il dibattito – si notò – procedette piuttosto prolisso e stentato nella prima fase, mentre fu troppo affrettato nelle conclusioni. Il quesito sulle compagnie stabili, per esempio, fu liquidato con una relazione di Leone Fortis contraria alla loro istituzione;[193] l'assemblea non intavolò una discussione in merito e lo stesso Righetti, che solo quattro anni prima aveva inaugurato una battaglia convinta a favore delle compagnie permanenti, durante il Congresso si accontentò di raccomandare l'istituzione di direzioni artistiche stabili nei principali teatri del Regno. Righetti si sarebbe di lì a poco preoccupato di chiarire la sua posizione in un articolo comparso su *L'Unione*,[194] ma di fatto su un tema allora così attuale e controverso al Congresso non furono portati argomenti nuovi e, soprattutto, come denunciò *Il Pungolo*, si trascurò di far luce sul «lato amministrativo e finanziario della questione con dati di fatto e cifre».[195] Del resto nemmeno su altri punti del programma gli organizzatori si erano preoccupati di raccogliere e mettere a disposizione delle varie sezioni materiale statistico e documentario: così anche il problema del mutuo soccorso finì per essere affrontato senza il supporto di notizie sugli statuti e sui bilanci delle associazioni già esistenti, tantomeno di inchieste e pareri. A proposito di istruzione, ci si limitò a raccomandare l'istituzione di una «sezione drammatica» nei Conservatori di musica, poiché quello dei ginnasi drammatici era un problema «destinato all'avvenire». Fu invece senz'altro meno inconcludente la discussione sulla legislazione teatrale e i diritti d'autore, anche per l'apporto dell'esperienza e della competenza di av-

[192] *Ibidem*. Il discorso del prefetto fu assai applaudito e apprezzato dalla stampa (*Il Secolo*, 25/26 febbraio 1878, *Il secondo Congresso drammatico Italiano*).

[193] Per il testo della relazione e le relative argomentazioni si veda *Il Pungolo*, 2/3 marzo 1878, *Cronaca cittadina. Il Congresso drammatico*.

[194] Come Righetti scrisse, la commissione incaricata di riferire al Congresso sull'opportunità o meno delle compagnie stabili aveva concluso che esse non fossero in grado di mettere radici in Italia, come provava il fallimento dei tentativi fino ad allora compiuti, perché il pubblico italiano si stancava di vedere continuamente gli stessi volti sul palcoscenico. Righetti contestava questa tesi: a suo avviso le presunte abitudini del pubblico, se cattive, andavano mutate, l'importante era che la gestione di progetti in qualche modo rivoluzionari fosse affidata agli uomini giusti: ecco perché i perni e i piloti di una futura riforma avrebbero potuto essere le direzioni artistiche dei teatri, investite di ampie facoltà e, ovviamente, stabili (*L'Unione*, 3/4 marzo 1878, *Arte e artisti. Compagnie stabili o compagnie girovaghe*). Sull'argomento delle compagnie drammatiche Righetti tornò due giorni più tardi (*L'Unione*, 5/6 marzo 1878, *Arte e artisti* cit.).

[195] *Il Pungolo*, 2/3 marzo 1878, *Cronaca cittadina. Il Congresso drammatico* cit.

vocati come Enrico Rosmini ed altri.[196] Qualche giornale notò che per il resto si era parlato soprattutto di denaro, cioè si erano richiesti sussidi e diminuzione delle tasse, il che fece parlare di «mancanza di dignità» nei cultori dell'arte teatrale.[197] Per il *Corriere della Sera* il Congresso era stato un'occasione perduta: l'elenco degli argomenti di discussione distribuito ai membri dell'assemblea provava che vi erano importanti questioni sul tappeto: il teatro drammatico era divenuto «uno dei rami più fiorenti della letteratura in Italia» e dava vita a un'industria non disprezzabile – un'industria che stimolava «una corrente di civiltà e d'unificazione morale fra le provincie italiane»; il pubblico – proseguiva il quotidiano milanese – vi si interessava «moltissimo», ogni tentativo era accolto con simpatia: era una questione d'interesse pubblico, dunque, «promuoverne lo sviluppo, agevolarne il movimento, assicurarne le contrattazioni». Senonché ancora una volta si erano commessi troppi errori e il successo era stato compromesso.[198]

Tale giudizio, in realtà, pare eccessivamente severo, e, in effetti, l'atteggiamento di iniziale diffidenza fu in parte ridimensionato da parte di molti quotidiani: come osservò lo stesso Ferrari nel discorso conclusivo, gli epigrammi e le ironie avevano lasciato il posto a resoconti «seri e rispettosi».[199] L'assemblea congressuale, nonostante le approssimazioni e la genericità di molti relatori, e nonostante le omissioni di alcuni importanti problemi, si attenne alla promessa di circoscrivere la trattazione ai risvolti concreti e agli aspetti tecnici dei vari punti all'ordine del giorno; le relazioni e i dibattiti furono peraltro ricchi di spunti. Il Congresso, inoltre, studiò la possibilità di istituire un'associazione fra gli autori drammatici, esprimendo il voto che essa passasse «nel dominio dei fatti compiuti»: solo l'assenza di una congrua rappresentanza della categoria interessata impedì la formulazione di una bozza di progetto e lo stesso Ferrari, in quella circostanza, si dimostrò poco fiducioso nella possibilità di realizzare in

---

[196] Sulle conclusioni in merito si veda *Il Pungolo*, 1/2 marzo 1878, *Il Congresso drammatico*, e 3/4 marzo 1878, *Cronaca cittadina. Il Congresso drammatico*: si raccomandò in particolare una forma unica di scrittura, lo spostamento della data d'inizio del cosiddetto «anno comico» e il richiamo dei municipi a una più rigorosa vigilanza sull'esecuzione della legge sui diritti d'autore. A proposito della legislazione sui diritti d'autore e di una sua eventuale riforma si legga la relazione di Rosmini e la discussione che ne seguì in *Il Pungolo*, 5/6 marzo 1878, *Cronaca cittadina. Congresso drammatico*.

[197] Tale ad esempio fu il commento del *Corriere della Sera* (28 febbraio/1° marzo 1878, *Il Congresso drammatico*): «È veramente rozzo e degno di un *meeting*, anziché d'un Congresso, questa protesta contro le tasse, questo chiedere favori, mentre si rifiuta di sopportare gli oneri che sono imposti a tutti gli altri cittadini». Si vedano anche *L'Arte Drammatica*, 2 marzo 1878, *Sul Congresso drammatico*, e, per la discussione sulle tasse, *Il Pungolo*, 2/3 marzo 1878, *Cronaca cittadina. Il Congresso drammatico* cit.

[198] *Corriere della Sera*, 26/27 febbraio 1878, *Il Congresso drammatico*.

[199] Come osservò *Il Pungolo*, 4/5 marzo 1878, *Cronaca cittadina. Il Congresso drammatico*. Si veda anche *L'Unione*, 4/5 marzo 1878, *Il 2° Congresso drammatico in Milano. Discorso di Paolo Ferrari*.

Italia una società analoga a quella francese. A proposito, poi, della istituzione di un'associazione nazionale di mutuo soccorso per gli artisti italiani, fu proposta una fusione delle due principali già esistenti, quella milanese e quella napoletana.[200]

I commenti della stampa, pressoché unanimemente negativi in occasione del primo Congresso, furono questa volta di vario tenore: si rinnovarono in qualche caso le manifestazioni di scetticismo,[201] qualcuno si lamentò del fatto che la discussione fosse ruotata intorno agli interessi degli artisti piuttosto che ai bisogni dell'arte,[202] ma in generale non se ne poté contestare la serietà e la vivacità. [203]

6. Il Giurì drammatico

Nel giugno 1876 nasceva, sempre da un'idea dell'attivissimo Morelli, il cosiddetto Giurì drammatico, inizialmente costituito presso la compagnia da lui diretta e preposto alla selezione delle «novità» drammatiche.[204] Lo scopo più alto dell'istituzione era però quello di cooperare al progresso della letteratura drammatica, tramite l'istituzione nelle principali città della penisola di un «areopago di giudici autorevolissimi» per la lettura, l'esame e il verdetto finale di rifiuto o di accettazione dei copioni presentati dai «neo-commediografi». Nel programma steso da Morelli si leggeva chiaramente il tentativo di risolvere il problema della formazione del repertorio e della ricerca dei giovani talenti, che tanto preoccupavano le compagnie italiane. Nei mesi successivi sezioni del Giurì drammatico nacquero in molti centri italiani, sotto il fuoco dei giudizi perplessi, ironici od ostili della stampa, che per lo più giudicò l'operazione inutile e presuntuosa,[205] una «utopia colossale»,[206] una «burletta».[207] Un anno più tardi le sezioni del Giurì erano una ottantina, ma, evidentemente, la disper-

[200] Il Pungolo, 3/4 marzo 1878, Cronaca cittadina. Il Congresso drammatico.

[201] Come quella dell'irriducibile Trovatore (11 marzo 1878, Il Congresso Drammatico in Milano) e quella di Yorick (La Nazione, 11 e 25 marzo 1878, Rassegna drammatica): il critico del quotidiano fiorentino aveva seguito il Congresso con attenzione e ammesso che era «suscettibile forse talvolta, per combinazione, di portare qualche buon frutto», ma la sua diffidenza nei confronti delle assemblee congressuali non si era dissipata; tale ostinazione provocò una piccata replica di Righetti (L'Unione, 14/15 marzo 1878, Arte e artisti. La lettera di Yorick a P. Ferrari).

[202] Il Secolo, 9/10 marzo 1878, Il secondo Congresso drammatico.

[203] Come osservò, unitamente ad altri fogli, Il Mondo Artistico (9 marzo 1878, Il Congresso drammatico).

[204] Si legga il programma in L'Arte Drammatica, 28 novembre 1874, Compagnia drammatica di Alamanno Morelli.

[205] Il Trovatore, 2 luglio 1876, Il Giurì drammatico ed il Congresso drammatico cit.

[206] La Perseveranza, 27 agosto 1877, Appendice. Rassegna Drammatico-Musicale.

[207] L'Opinione, 13 agosto 1877, Appendice. Rivista drammatico-musicale.

sione non doveva favorirne l'efficacia: esse, sparse «da Acquapendente a Costantinopoli», avevano fatto «infelicissima prova». In occasione del Congresso
drammatico milanese, in effetti, ci si propose di studiare il modo di assicurarne
su basi più razionali «l'estensione e la durata», stabilendo magari la sezione
principale a Roma e chiedendone il riconoscimento come ente morale, per rendere il Giurì una istituzione nazionale. Infine a Roma si preferì Milano come
sede centrale, e si optò per una rete di «corrispondenti» nei principali centri
italiani.[208] Nacque così il Giurì drammatico nazionale – con Morelli presidente
onorario, Ferrari presidente effettivo, Pullè e Interdonato vicepresidenti e Giuseppe Soldatini segretario; tra i membri figuravano anche Leone Fortis, Enrico
Tettoni, Carlo D'Ormeville, Filippo Filippi, Enrico Rosmini, Renzo Carati. In
pochi giorni si raccolsero 155 azioni di 50 lire l'una obbligatorie per un triennio: in totale un capitale di 7.750 lire annue, che con il contributo dei capocomici aderenti avrebbe dovuto raggiungere le 10 mila lire annue.[209]

Carlo Righetti si preoccupò di spiegarne il programma e i metodi in alcuni
articoli pubblicati su *L'Unione*.[210] Dal canto loro autorevoli critici – tra gli altri
Torelli Viollier e Yorick – ne misero in discussione i presupposti: i commediografi principianti – essi ricordavano – in Italia erano una legione aguerrita, che
era oltremodo inopportuno alimentare solleticandone la vanità; inoltre un giudizio consultivo non toglieva le castagne dal fuoco ai capocomici, gli unici ad
assumersi i rischi e semmai a pagare i cocci rotti; infine era arduo determinare a
priori, in base alla sola lettura, oltretutto individuale, il valore di un'opera.[211]
Lasciava perplessi anche il fatto che i giovani autori dovessero pagare una tassa
di cinque lire per ottenere la lettura dei propri lavori, che fosse loro tolto, in caso di rappresentazione, l'esercizio dei diritti di proprietà per un anno, mentre i
capocomici membri del Giurì avrebbero goduto per un anno intero l'esclusività della messinscena per una somma di 500 lire: «Carina la protezione!» –
concluse Yorick.[212]

Il Giurì, ad ogni modo, iniziò i propri lavori sulla base di un piano per il
successivo triennio, dopodiché avrebbe conferito il proprio mandato ad un terzo Congresso drammatico che si sarebbe tenuto a Milano o a Torino. In primo
luogo fu aperta una sottoscrizione per un fondo destinato ad un premio annuale di 3.000 lire per il migliore autore e di 2.000 lire per il migliore attore; si decise di escludere dal concorso artisti che avessero già conquistato una certa fa-

---

[208] *Il Pungolo*, 28 febbraio/1° marzo 1878, *Il Congresso drammatico* cit.
[209] Su questi particolari si veda *Relazione del Giurì drammatico nazionale residente in
Milano al III° Congresso drammatico*, relatore Leone Fortis, Milano, Tip. Bernardoni di C.
Rebeschini, 1881, p. 6.
[210] Tra i quali *Arte e artisti. Lettera di Yorick a Paolo Ferrari* (*L'Unione*, 15/16 marzo
1878).
[211] *Corriere della Sera*, 14/15 aprile 1878, *Il Giurì drammatico*; *La Nazione*, 11 marzo,
18 marzo e 1° aprile 1878, *Rassegna drammatica*.
[212] *La Nazione*, 15 aprile 1878, *Rassegna drammatica*.

ma. Furono rapidamente raccolte 125 azioni di 50 lire ciascuna; le adesioni erano giunte da Milano in particolare, ma anche da altre città. Presto un folto numero di manoscritti iniziò a pervenire da ogni angolo d'Italia e la richiesta di esemplari a stampa del manifesto del concorso fu tale che presto la prima abbondantissima edizione fu esaurita.[213]

Il primo anno le opere presentate al concorso furono 140, quelle effettivamente ammesse 135; il Giurì le esaminò in tre successive letture, respingendone 90 e prendendone in considerazione 45. Infine ne furono scelte tre per l'esperimento sulle scene: la commedia *Oro falso* di Antonio Molinari, la commedia storica in versi *Ariosto a Ferrara* del conte napoletano Francesco Garzilli e la commedia in un atto *Donna o angelo?* della milanese Teresa Sormanni. Inoltre furono distribuiti premi e diplomi d'onore ad alcuni attori, benché quelli che avessero accettato di entrare in concorso fossero pochi. I lavori premiati furono recitati al teatro Manzoni dalla stessa compagnia di Morelli, nonché a Roma e a Torino, nel gennaio 1880.[214] A Roma *Oro falso* fu accolto freddamente e la stampa colse il destro per attaccare il Giurì drammatico; a Milano e a Torino, al contrario, la commedia ottenne un discreto successo, ma fu recensita piuttosto negativamente dalla critica.[215] La stessa sorte toccò alla commedia di Garzilli, mentre maggiore fortuna arrise all'opera della Sormanni.[216]

Intanto era stata pubblicata la relazione del primo anno di attività del Giurì – 153 pagine redatte da Leone Fortis e pubblicate da Treves, che ricostruivano la storia e gli intenti dell'istituzione, ne stilavano il «confortante» bilancio finanziario, illustravano gli esiti del concorso.[217] Risultano di particolare interesse le riflessioni svolte a proposito delle tendenze allora individuabili nella letteratura drammatica italiana sulla scorta della lettura di un così alto numero di

[213] Queste ed altre notizie in *La Perseveranza*, 29 luglio 1878, *Appendice. Rassegna Drammatico-Musicale*, e *Gazzetta dei Teatri*, 1° agosto 1878, *Giurì drammatico*.

[214] Sui manifesti che annunciavano lo spettacolo si leggeva che il pubblico era invitato «unicamente» a giudicare se l'opera contenesse o no «la promessa d'un ingegno»: non mancarono frecciate ironiche di fronte a questo stravagante «fervorino», in grado di allontanare anche lo spettatore più indulgente (*L'Arte Drammatica*, 10 gennaio 1880, *Lettera aperta*).

[215] Come scrisse il *Corriere della Sera* (11/12 gennaio 1880, *Corriere teatrale*), esso non sembrava «il lavoro d'un valente scrittore nascente, ma quello d'uno scrittore mediocre già provetto». Una più ampia recensione si trova in *Corriere della Sera*, 12/13 gennaio 1880, *Rassegna drammatica*. Si veda inoltre *Il Trovatore*, 18 gennaio 1880, *La «falsità» dell'«oro»*. Fu invece positivo il giudizio del *Mondo Artistico*, 21 gennaio 1880, *Drammatica*.

[216] Anche per la commedia della Sormanni si legga la recensione del *Corriere della Sera*, 20/21 gennaio 1880, *Corriere Teatrale*.

[217] *Giurì Drammatico Nazionale. Anno 1° – 1878-79. Relazione*, Milano, Treves, 1879. Alla *Relazione* erano tra l'altro allegati l'*Elenco degli Azionisti e delle Patronesse* del Giurì (pp. 90-94) e quello dei lavori respinti, gli autori dei quali dovevano restare anonimi, con le motivazioni sommarie del «rigetto» (pp. 103-122). La relazione fu pubblicata pressoché integralmente anche da *Gazzetta dei Teatri* (nei numeri del 14 agosto, 21 agosto, 28 agosto, 4 settembre, 11 settembre, 18 settembre, 25 settembre, 2 ottobre 1879).

opere. Fortis aveva concluso che in questo settore era evidente «una certa fecondità latente», non sempre «sana e fisiologica», ma ad ogni modo rivelatrice «di una vitalità giovanile e robusta, che può dare col tempo ottimi frutti»; mancava, tuttavia, un «indirizzo speciale», tanto che da quella «farragine un po' informe di lavori» era difficile dire quale scuola drammatica prevalesse – se «il verismo moderno vi predomini sull'idealismo artistico, o questo su quello»: emergeva alfine una sorta di «empirismo», «un po' scettico e un po' svogliato» e l'impazienza degli autori di arrivare, per vie diverse, alla fine dell'ultimo atto.[218] Due anni più tardi, formulando un giudizio globale sulle opere vagliate in occasione del concorso, Fortis avrebbe aggiunto:

«Nel complesso, mancanza d'invenzione e di novità – scarsezza di intenzioni artistiche elevate – una tendenza poco confortante alla imitazione – rarissimi i tentativi coraggiosi e le aspirazioni audaci – una grande preferenza per la via più battuta. Ma in compenso una certa facilità di dialogo, una certa sicurezza d'impasto e di condotta, da cui si può arguire che se i giovani autori sapranno indirizzarsi verso fini artistici più alti, se si lasciassero guidare da più corrette intenzioni, non c'è affatto di che disperare dell'avvenire del Teatro italiano».[219]

Il concorso proseguì negli anni successivi con esiti non diversi, confermando le tendenze esaminate da Fortis. I lavori presentati nel 1880 furono 101, solo nove di essi superarono la selezione delle prime due letture, ma nessuno fu ammesso all'esperimento in scena. La relazione redatta da Andrea Sola è ampia, dettagliata e di notevole interesse. Vi si riconosceva che l'impressione generale ricavata dal vaglio delle opere in gara non era «molto confortante»; parecchi autori lasciavano sì intravvedere «dell'ingegno», ma d'altro canto la loro cultura letteraria si rivelava, se non limitata, superficiale: forse avevano letto, ma non studiato i grandi maestri – Shakespeare, Alfieri, Goethe, Hugo. Particolarmente scadenti erano apparsi i drammi in versi, mentre quelli storici sembravano ormai godere di scarsa fortuna, visto che ne erano stati presentati pochissimi; la stessa considerazione era valida per le cosiddette commedie «di tipi e di carat-

---

[218] Fortis azzardava l'ipotesi che molti lavori attendessero da anni nei cassetti e fossero stati scritti in momenti diversi, sotto l'influenza di diverse correnti letterarie: era naturale che non presentassero «quel requisito di una spiccata fisionomia artistica che avremmo desiderato più assai dei pregi individuali». Nella descrizione e nella analisi delle opere in concorso ben traspare lo sforzo di ricavarne elementi preziosi per un'indagine sullo stato e il destino della letteratura drammatica italiana. Ai lavori respinti Fortis dedicava ben 36 fitte pagine: una fatica improba, anche per il lettore, come osservò Torelli Viollier, nonostante lo stile «scorrevole e festivo del relatore» (*Corriere della Sera*, 10/11 agosto 1879, *Il Giurì drammatico*). Anche Yorick apprezzò il lavoro di Fortis, che aveva passato in rassegna i lavori ad uno ad uno «con sobrietà di critica, elevatezza di pensiero, squisitezza di modi» (*La Nazione*, 14 agosto 1879, *Fra un'Appendice e l'altra. Corriere drammatico*).
[219] *Relazione del Giurì drammatico nazionale residente in Milano al III° Congresso drammatico* cit., p. 12.

354

teri». Il difetto comune rilevato dai giurati nelle opere presentate al concorso era stata, anche in questa occasione, l'assenza di un «programma», di un «concetto creatore», di un soggetto «drammatizzabile», di un'idea originale insomma; inoltre si era notata la pessima inclinazione a dilungarsi nei monologhi e a cadere «in certe vecchie pastoie convenzionali». La qualità letteraria che emergeva nella maggior parte dei lavori – a conferma delle conclusioni tratte anche da Fortis – era la particolare scioltezza dei dialoghi, in genere corretti e pregevoli sotto il profilo linguistico e stilistico: «un progresso vero» – affermava Sola – di cui rallegrarsi, visto che negli ultimi anni il pubblico era divenuto «via via sempre più esigente anche per la forma».[220]

L'attività del Giurì drammatico va comunque ricordata per un'altra fatica compiuta dai suoi membri, questa sì destinata, assai più del concorso, a dare qualche frutto. Il secondo Congresso drammatico, in effetti, aveva conferito alla nuova istituzione un duplice e «gravissimo» mandato: quello di adoperarsi per la formazione di una «forte e vigorosa» Società di mutuo soccorso fra gli artisti di teatro e quello di promuovere una Società generale italiana degli Autori – due questioni che il Congresso non aveva che intavolato e che il Giurì, lungi dall'illusione e dalla presunzione di poterle risolvere, si era proposto di analizzare affidandosi alla competenza di due commissioni di esperti.

Alla fine degli anni '70 esistevano nella penisola alcune Società di mutuo soccorso tra artisti di teatro e musicisti, nate in luoghi e tempi diversi nel corso del primo ventennio postunitario. La prima, a cui già si è fatto cenno, era stata fondata a Milano all'indomani dell'Unità, nel novembre 1860, su modello di quella già esistente in Francia da oltre trent'anni, allo scopo di fornire un soccorso in caso di malattia e infortuni e assicurare una pensione ai soci; era presieduta da Tommaso Estense Calcagnini e diretta da Augusto Huss, Alberto Mazzuccato, Giovanni Ventura e Luigi Zuccoli.[221] Essa non era da confondersi

---

[220] ANDREA SOLA, *Relazione al Giurì Drammatico nazionale residente in Milano*, Milano, Treves, 1881. Si veda anche *Il Pungolo*, 6/7 aprile 1880, *Corriere teatrale*. Il terzo anno il Giurì esaminò 80 lavori, dei quali uno poté essere rappresentato, *Passato*, del giovane bolognese Ugo Amorini. In totale il Giurì aveva esaminato 316 opere, delle quali quattro erano state messe in scena, 22 ammesse ad una terza lettura, 65 ammesse ad una seconda lettura e 229 immediatamente respinte. Come ammise l'autore della relazione del terzo concorso, Carlo D'Ormeville, i risultati avevano dato ragione «più agli scettici che agli apostoli di questa istituzione»; anche le opere premiate e che poi avevano goduto di un discreto successo, in particolare l'atto unico della Sormanni, non erano certo annoverabili tra quelle che lasciano un'impronta duratura (GIURÌ DRAMMATICO NAZIONALE, ANNO III – 1880-81, *Relazione*, Milano, Pirola, 1882, pp. 4-5). Un bilancio del concorso del Giurì comparve anche nella consueta appendice firmata da Yorick su *La Nazione*, 1° maggio 1882, *Rassegna drammatica*.

[221] Se ne legga il programma e la relativa tabella delle classi, delle tasse e dell'entità dei soccorsi prevista in *Gazzetta dei Teatri*, 8 dicembre 1860, *Società di mutuo soccorso per gli artisti di teatro*.

con «quei parziali» Istituti filarmonici o teatrali che già esistevano in alcune città, i quali provvedevano ai soli addetti dei singoli teatri: la nuova Società era invece nazionale.[222] Venti anni dopo essa contava più di 100 soci e un patrimonio di 90.000 lire.[223] A Milano si registrarono in seguito altre iniziative: per esempio, nel 1875, quella di Pullè, Ferrari, Morelli, Rosmini e un gruppo di facoltosi cittadini, che però finirono per associarsi alla rappresentanza di quella già esistente e vi apportarono un notevole contributo finanziario.[224] In occasione poi del terzo Congresso drammatico, nel 1881, la Società avrebbe presentato un nuovo Statuto «informato ai princìpi liberali», allo scopo di estendere i suoi benefici al maggior numero possibile di artisti.[225]

Nel resto della penisola erano nate altre società, tutte però con un raggio d'azione locale: come la Società di mutuo soccorso fra gli esercenti l'arte musicale in Firenze, presieduta da Lorenzo Niccolini e Carlo Poniatowsky;[226] la Società Piofilarmonica di Torino, presto scioltasi per le discordie interne, e altre due Società torinesi, costantemente in guerra fra loro;[227] nel 1874 anche a Roma si era costituito un comitato per un'Associazione degli artisti di musica presieduto dall'avvocato Benedetto Ferrantini e dal maestro Filippo Sangiorgi, con una propria cassa di mutuo soccorso.[228] Sempre nel 1874 a Torino dai coristi dei teatri della città era stata fondata una Società di mutuo soccorso.[229] Un'altra importante associazione era quella esistente a Napoli per gli artisti drammatici, presieduta da Adamo Alberti.

Negli anni '70 la sensibilità e l'attenzione per i temi della previdenza si fecero più acute e apparve evidente che le società esistenti erano del tutto impari al loro compito. I soci erano in genere poco numerosi, di conseguenza i fondi erano esigui: del resto molti artisti erano restii all'idea di versare contributi, altri erano inadempienti, altri poco onesti,[230] e così non restava che confidare sui soliti mecenati. Se poi risultava impossibile mantenere le promesse incautamente fatte ai soci al momento dell'iscrizione, era indispensabile ricorrere a modifiche dello Statuto, ad aumenti delle quote annue, a decimazioni delle pensioni, con gravi conseguenze anche sul piano della affidabilità; in molti casi, addirittura, non si era potuta evitare la bancarotta.[231] Non dimentichiamo, infine, che

[222] *Gazzetta dei Teatri*, 4 febbraio 1861, *Società di mutuo soccorso per gli artisti di teatro*.
[223] *Corriere della Sera*, 3/4 aprile 1881, *Corriere della città*.
[224] *Il Pungolo*, 6 luglio 1875, *Cronaca cittadina*.
[225] *Corriere della Sera*, 12/13 giugno 1881, *Corriere teatrale*.
[226] *La Nazione*, 12 gennaio 1869, *Cronaca fiorentina*.
[227] *Gazzetta Piemontese*, 1° giugno 1869, *Appendice. Rivista musicale*.
[228] *L'Opinione*, 10 dicembre 1874 e 14 febbraio 1875, *Notizie teatrali ed artistiche*.
[229] *Gazzetta Piemontese*, 17 gennaio 1874, *Cronaca cittadina*.
[230] Considerazioni interessanti sull'argomento si leggono in *Monitore dei Teatri*, 14 settembre e 21 settembre 1877, *Il mutuo soccorso e gli artisti drammatici*.
[231] *Monitore dei Teatri*, 14 settembre 1877, *Il mutuo soccorso e gli artisti drammatici* cit.

la solidarietà «sindacale» tra i lavoratori del settore era spesso labile e il «crumirato» era assai diffuso, soprattutto tra gli orchestrali.[232]

D'altro canto circolavano idee e propositi divergenti su una futura grande Società di mutuo soccorso: qualcuno avrebbe preferito creare associazioni di categoria distinte, altri pensavano ad un unico sodalizio che riunisse tutti i lavoratori dello spettacolo.[233] Dunque, quando durante il secondo Congresso drammatico si era sollevata la questione del mutuo soccorso, era parso ragionevole lavorare su un'ipotesi di fusione delle due Società allora indubbiamente più solide, quella milanese e quella napoletana. Tale ipotesi era stata caldeggiata anche dalla commissione nominata dal Giurì drammatico per studiare lo statuto di una futura Società e composta da Rodolfo Paravicini, Giuseppe Colombo e Stefano Ronchetti Monteviti della Società di mutuo soccorso di Milano, e da tre membri del Giurì stesso – Rosmini, Righetti e Carati. Tuttavia si era presentato un ostacolo insormontabile: mentre la Società milanese aveva dato la sua approvazione all'idea di una fusione, quella di Napoli vi si era opposta.[234]

Per quanto concerne l'obiettivo di una associazione che riunisse gli autori italiani per tutelare i diritti garantiti loro dalla legislazione sulla proprietà letteraria, gli studi della commissione nominata dal Giurì per redigere un progetto concreto furono, come vedremo, particolarmente proficui e di fatto costituirono il cardine delle future iniziative che presto avrebbero condotto alla costituzione della Società italiana degli Autori.

7. IL TERZO CONGRESSO DRAMMATICO

Terminato il triennio di attività, il Giurì drammatico si apprestò, come previsto, a organizzare il prossimo Congresso, sulla base di un programma che prevedeva una decisione sulle sorti dell'istituzione milanese e del concorso già avviato e un dibattito sui temi per così dire scottanti che allora coinvolgevano il mondo del teatro italiano: compagnie stabili, diritti d'autore, imposte. Ancora una volta fu Milano la sede ritenuta più adatta e qui il Congresso fu inaugurato nel giugno 1881, durante l'Esposizione nazionale.

---

[232] Si consideri ad esempio il fatto avvenuto a Napoli nel marzo 1872, particolare per la sua gravità ma comunque indicativo del fenomeno. Alcuni orchestrali del teatro La Fenice, mentre facevano ritorno alle proprie case dopo lo spettacolo, erano stati aggrediti dal presidente della sezione tromboni e da altri nove soci di una associazione di musicisti, i quali, servendosi «degli stocchi e di una pistola produssero gravi ferite a due di essi». Questo perché gli aggrediti avevano accettato di suonare alla Fenice accontentandosi di quello che gli aggressori avevano rifiutato (*L'Opinione*, 28 marzo 1872, *Notizie interne e fatti vari*).

[233] Si pensi ad esempio al progetto del capocomico Raffaello Landini e del suo socio, e suocero, Angiolino Romei per una Società generale di mutuo soccorso (*L'Arte Drammatica*, 10 settembre 1876, *Progetto Landini-Romei*) e quello di Luigi Gattinelli destinato ai soli artisti drammatici (*Monitore dei Teatri*, 14 settembre 1877, *Un po' di tutto*).

[234] *Gazzetta dei Teatri*, 2 ottobre 1879, *Giurì drammatico* cit.

Negli stessi giorni anche i musicisti e i musicologi ebbero un'interessante occasione di studio e di confronto: nell'ambito dell'Esposizione si era allestita una mostra musicale internazionale, la prima nel suo genere in Italia, che tra l'altro aveva consentito di stilare un bilancio sulle condizioni dell'industria degli strumenti in Italia e sulla evoluzione della letteratura didattica.[235] La mostra era stata visitata soprattutto in occasione di alcune «mattinate musicali» in cui si erano proposte musiche arabe, indiane, persiane suonate con strumenti originali, oppure pezzi di musica classica come quelli di Haydn sui famosi clavicembali di Bartolomeo Cristofori, l'inventore del moderno pianoforte: a questi concerti il pubblico accorreva numeroso, poiché con una sola lira d'ingresso poteva godersi la musica e la mostra. Si erano tenute inoltre alcune conferenze[236] e, nello stesso giugno, era stato convocato un Congresso musicale, che, nonostante la scarsa pubblicità e l'attenzione distratta della stampa, lasciò, come avrebbe affermato il critico Ippolito Valletta, una «utile traccia»: la discussione si era più che altro concentrata su problemi di tipo tecnico, ma era stata dotta, essenziale e ricca di spunti, soprattutto in vista dell'obiettivo di uniformare e completare le orchestre italiane, obiettivo divenuto inderogabile dati lo sviluppo e la diffusione delle Società musicali.[237]

Il Congresso drammatico, apertosi alla presenza di 200 partecipanti,[238] fu di tutt'altro tenore: accompagnato dalle solite polemiche, esso sancì la definitiva conclusione dell'esperimento del Giurì. Dopo i discorsi inaugurali, Leone Fortis espose i risultati del lavoro svolto e presentò una proposta intesa a risollevare le sorti del teatro Manzoni di Milano – proposta che ruotava intorno alla costituzione di una compagnia stabile milanese:[239] segno, questo, che gli orientamenti erano radicalmente mutati rispetto a tre anni prima, quando l'idea era stata bocciata senza appello. Dalle ceneri del Giurì nacque perciò un «Comitato pel teatro drammatico italiano», con il compito di lavorare per l'istituzione di una compagnia stabile a Milano. Nei giorni successivi furono lette e discusse le conclusioni sui vari «quesiti» all'ordine del giorno. In particolare, a proposito della spinosa questione della tassa sui teatri, furono per una volta evitate le

---

[235] La mostra, allestita presso il Conservatorio, era stata curata da un comitato presieduto da Carlo Borromeo, che, a detta di Filippi (*Fanfulla della Domenica*, 3 luglio 1881, *Lettere musicali*), aveva fatto miracoli con i pochi fondi a disposizione; sempre secondo Filippi, l'esposizione musicale, benché impostata su «un programma troppo vasto», era comunque interessante e avrebbe costituito un «embrione», un punto di riferimento per iniziative future. Sulla mostra musicale si legga il lungo articolo nell'inserto dedicato all'Esposizione pubblicato da *Il Pungolo*, 5/6 aprile 1881.

[236] Sui temi discussi si veda *La Perseveranza*, 11 luglio 1881, *Appendice. Rassegna Drammatico-Musicale*, e *Gazzetta Piemontese*, 24 luglio 1881, *Dall'Esposizione di Milano*.

[237] *Gazzetta Piemontese*, 21 luglio e 24 luglio 1881, *Dall'Esposizione di Milano*.

[238] *Il Pungolo*, 4/5 giugno 1881, *III° Congresso drammatico nazionale*.

[239] *Il Pungolo*, 13/14 giugno 1881, *La giornata di jeri. III° Congresso drammatico nazionale*.

consuete, infruttuose lamentele, per elaborare due soluzioni alternative tra le quali il governo avrebbe potuto optare.[240] Di particolare rilievo fu la relazione di Enrico Rosmini sui diritti d'autore e la loro tutela, a seguito della quale venne quasi all'unanimità deliberato di sostenere il progetto di legge appena presentato da Cavallotti, Pullè, Martini e altri deputati per modifiche alla legge sulla proprietà letteraria vigente, di sollecitare la Camera e il governo a «porre in chiaro» che la persecuzione delle contraffazioni e in generale delle violazioni del diritto d'autore fosse «di azione pubblica» e, infine, di sollecitare la costituzione di una Società degli Autori sulla base dello Statuto già progettato.[241]

[240] La prima contemplava l'applicazione della tassa ad un quarto, anziché alla metà, della capienza dei teatri e l'istituzione di una commissione municipale per le eventuali controversie sull'ammontare dell'imposta; la seconda proponeva di commisurare in proporzione fissa la tassa sugli introiti, stabilendo una percentuale per recita a seconda della categoria dei singoli teatri: in questo caso, per meglio soddisfare il principio della proporzionalità, le suddette categorie sarebbero dovute salire dalle attuali tre a sei (*Il Pungolo*, 16/17 giugno 1881, *III° Congresso drammatico nazionale*).

[241] *Ibidem*. Sul dibattito svoltosi al Congresso si possono consultare anche *Il Pungolo*, 17/18 giugno e 18/19 giugno 1881, *III° Congresso drammatico nazionale*, e *L'Arte Drammatica*, 18 giugno 1881, *Il III Congresso drammatico a Milano*.

CAPITOLO VII

LA NASCITA DELLA SOCIETÀ DEGLI AUTORI

1. IL CONGRESSO PER LA PROPRIETÀ LETTERARIA

A quindici anni di distanza dalle prime iniziative governative volte ad una codificazione moderna e razionale della proprietà letteraria e artistica, anche tra l'opinione pubblica si poteva ormai misurare il grado di diffusione dell'interesse nei confronti del tema dei diritti d'autore.

Il Congresso che si aprì a Milano nell'ottobre del 1878 fu seguito dalla stampa italiana con interesse vivissimo. Promosso dal comitato direttivo dell'Associazione tipografico-libraria nata nel 1869 – al quale appartenevano molti nomi dell'editoria italiana[1] –, esso raccolse immediatamente l'adesione di commediografi, giuristi, editori musicali da tempo impegnati nelle battaglie e nel dibattito che la questione dei diritti d'autore aveva sollevato: Ferrari, Ricordi, Drago, Panattoni, Amar, Rosmini, Macchi, Enrico Scialoja. Il ministero della Pubblica Istruzione – al quale erano state trasferite le competenze in materia dopo la temporanea soppressione del ministero di Agricoltura, Industria e Commercio – inviò in questa occasione una lettera augurale. Il ministro – vi si leggeva – avrebbe preso «vivo e speciale interesse alle deliberazioni del Congresso, per tutte quelle proposte le quali tendano ad introdurre delle utili modificazioni nella legge e nel regolamento vigenti nel fine di sviluppare sempre

---

[1] Sull'Associazione tipografico-libraria italiana si rimanda a DOMENICO SCACCHI, *Un associazionismo difficile*, in *Storia dell'editoria nell'Italia contemporanea* cit., pp. 201 sgg., e a RENZO ERMES CESCHINA, *I primi quarant'anni di vita dell'Associazione Tipografico Libraria Italiana*, in *Ottanta anni di vita associativa degli editori italiani*, Milano, Associazione italiana editori, 1950.

più questa parte del diritto industriale o di garantire meglio i diritti per la proprietà letteraria».[2]

Il Congresso si inaugurò il 6 ottobre nelle sale della Camera di Commercio con un discorso di Emilio Treves, dal 1875 presidente dell'Associazione tipografico-libraria italiana,[3] il quale di fronte ai duecento convenuti esordì chiarendo con grande efficacia lo spirito e gli scopi dell'iniziativa: quella non era una delle tante «riunioni accademiche, piene di discorsi, occasioni autunnali a feste e banchetti», bensì «una riunione d'uomini d'affari»:

«anche voi, uomini di lettere, siete in questo caso uomini d'affari, – che trattano fra loro di un argomento che li riguarda. Trattiamolo in modo pratico».[4]

Risultava evidente la preoccupazione di evitare la discussione di teorie che avessero scarsa probabilità di essere accolte dal legislatore o la proclamazione di princìpi generali lontani dalla realtà. Non a caso, subito dopo l'apertura dei lavori, l'assemblea si pronunciò a favore della proprietà limitata: la tesi della perpetuità del diritto d'autore raccolse un solo voto. Come osservò Treves:

«Il principio della proprietà in genere è scalzato da più parti ogni giorno, e vi sono scuole non solo socialiste, ma anche scientifiche, che ne impugnano la perpetuità. Non son già i Governi i più contrarj all'estensione dei diritti d'autore, ma le democrazie li negano spesso, e sempre cercano costringerne il campo».

Le «democrazie» – continuò l'oratore – auspicavano che il prodotto intellettuale entrasse a far parte del patrimonio sociale il più presto possibile «per il bene del popolo, dell'istruzione popolare». Si trattava di teorie che era lecito combattere, ma non sottovalutare. E per combatterle con successo era necessario «non esagerare». Del resto – osservò Treves – era ormai assodato che la

---

[2] Anche il ministero degli Affari Esteri promise di tenere presenti eventuali proposte (*Corriere della Sera*, 2/3 settembre 1878, *Congresso per la proprietà letteraria*), mentre il presidente del Consiglio Cairoli inviò un telegramma in occasione dell'inaugurazione.

[3] Sulla sua figura si veda MASSIMO GRILLANDI, *Emilio Treves*, Torino, UTET, 1977. Treves era sempre stato in prima linea nella lotta contro gli attentati al diritto di proprietà letteraria. Sul Congresso del 1878 si legga *ivi*, pp. 365-369. Due mesi prima l'editore milanese aveva denunciato in una lettera alla *Perseveranza* il fenomeno della contraffazione, che dilagava «col favore dei tribunali indulgenti» (*Bibliografia Italiana*, 31 luglio 1878, *Cronaca, Una questione di proprietà letteraria*).

[4] Per il resoconto delle sedute del Congresso e per il rapporto di Treves si vedano i seguenti articoli (dai quali sono tratte le citazioni nel testo): *Corriere della Sera*, 7/8 ottobre 1878, 8/9 ottobre 1878, 9/10 ottobre 1878, *Congresso per la proprietà letteraria*; *La Perseveranza*, 10 ottobre 1878 e 11 ottobre 1878, *Congresso per la proprietà letteraria ed artistica in Milano*; *Bibliografia Italiana*, 15 ottobre 1878, *Cronaca, Congresso per la proprietà letteraria*, e 31 ottobre 1878, *Cronaca, Congresso per la proprietà letteraria ed artistica in Milano*.

proprietà intellettuale era una proprietà *sui generis*, tanto che richiedeva una legislazione speciale.

Sulla base del rapporto letto da Treves, il Congresso si occupò di numerosi punti della legge vigente ancora insoddisfacenti e contestabili. Tra gli articoli discussi più specificamente attinenti alle opere letterarie, che esulano dal tema di questo studio, si accennerà rapidamente a quelli legati alla questione, ancora aperta e controversa, come si è visto, della durata del diritto d'autore. Il Congresso ne discusse ampiamente nel corso della prima giornata di lavori. Si respinsero le proposte estreme e fu adottata una soluzione di compromesso suggerita dall'avvocato milanese Napoleone Perelli. Essa prevedeva anche per le opere letterarie la clausola stabilita per le opere sceniche con la legge del 1875: cioè che il diritto d'autore durasse 80 anni dalla pubblicazione di un'opera e, soprattutto, che fosse completamente abolito il periodo definito in termini tecnici «del dominio pubblico pagante». Tredici anni prima – quando la prima legge italiana sulla proprietà letteraria e artistica era stata varata – esso poteva essere considerato «un beneficio» per gli autori; ora non era più possibile accontentarsene. Per giunta il «dominio pubblico pagante» era «un'illusione»:

«La famiglia dell'autore non può trarre direttamente il maggior profitto dall'opera paterna, ma deve contentarsi di un compenso che, per quanto la legge cerchi di garantire, non è garantito che dalla maggiore o minore probità dei riproduttori».

Altri argomenti trattati dal Congresso erano comuni a tutte le opere dell'ingegno: in primo luogo il problema delle formalità burocratiche e delle spese che gli autori dovevano affrontare per assicurarsi i diritti sulle proprie opere, poi quello, tutt'altro che risolto, delle infrazioni alla legge e infine quello delle trascrizioni. Ad essi il Congresso dedicò la seconda giornata di dibattito.

Autori ed editori protestavano unanimi contro il gran numero di clausole – dichiarazione, deposito, tassa, bollo – che si richiedevano per certificare i diritti e alcuni ne auspicavano la completa abolizione. Si faceva osservare che, dopo tutto quel «lusso di formalità», i dichiaranti avevano in mano un certificato «negativo, derisorio», un pezzo di carta in cui si leggeva: «Il presente certificato *non prova* l'esistenza de' caratteri richiesti dalla legge per l'esercizio dei diritti d'autore, ma attesta soltanto che furono eseguite le formalità prescritte». Questo unico documento di proprietà non provava la proprietà; il suo tenore e il tenore stesso della legge mettevano il giudice nel sospetto che il legislatore avesse voluto proteggere «più il contraffattore che l'autore». Fu fatto altresì presente che sotto la legge austriaca che vigeva nel Lombardo-Veneto le formalità erano numerose, puntigliose, moleste, e richiedevano molti documenti e copie di contratti, ma avevano una loro validità e in cambio veniva fornito «un grande servigio». I legali presenti al Congresso, dal canto loro, ribadirono però l'assoluta necessità della dichiarazione e del certificato: una proposta «troppo ricisa» avrebbe senza dubbio incontrato opposizioni. L'assemblea, infine, si pronunciò a favore dell'aggiunta sul certificato di una clausola che affermasse: «Lo scopo della legge e i diritti degli autori sarebbero tutelati se si stabilisse che la dichiarazione di un'opera nuova si ritiene sempre fatta in nome e nell'interesse dell'autore, e quindi rimane valida ed efficace come fatta da lui medesimo». Fu accolta senza discussioni la proposta di riduzione della tassa per la dichiarazione da dieci a due lire. Essa – si osservò – non avrebbe turbato l'equilibrio delle finanze statali: nel 1877 erano state pubblicate 5743 opere, ma le dichiarazioni erano state appena 331. Diminuendo la tassa, probabilmente il numero delle dichiarazioni sarebbe aumentato.[5]

Quanto alle contraffazioni e alle infrazioni alla legge sulla proprietà letteraria, esse rimanevano ad ogni modo il problema più avvertito. Quand'anche si riuscissero ad accertare, le cause giudiziarie che ne seguivano erano lunghe, fastidiose, costose, e i danni difficili da stimare. Negli altri Stati le pene erano severissime: in Germania, in Austria, in Spagna, in Portogallo era addirittura previsto il carcere. La legge italiana, invece, secondo i congressisti, esigeva riforme proprio in merito al risarcimento dei danni: «Tutto il valore della legge stessa cade dinanzi a questa lacuna».

Il Congresso si occupò anche del caso particolare delle opere sceniche. In proposito il rapporto del comitato promotore affermava: «La sorveglianza di quelle illegali è impossibile, se l'autorità non ci presta ajuto». I compiti di controllo spettavano alle autorità di Pubblica Sicurezza e impresari, direttori, capocomici, appaltatori, artisti dovevano essere ritenuti complici della contraffazione. A questo punto la discussione si animò, perché dal banco della stampa Leone Fortis si levò in difesa dei «poveri artisti». L'avvocato Felice Mangili replicò ricordando che spesso gli impresari erano senza un soldo, mentre molte «prime parti» erano ben pagate e imponevano al capocomico la scelta dei programmi.

Anche l'argomento delle trascrizioni suscitò un vivace dibattito, che vide protagonista l'agguerrito Ricordi. A suo parere la proprietà della musica dove-

---

[5] L'anno successivo le dichiarazioni furono 411, ma scesero a 357 nel 1879 – poche in confronto al numero delle pubblicazioni, come venne denunciato dagli editori, che rinnovarono la richiesta di «facilitazioni» (*Bibliografia Italiana*, 15 febbraio 1880, *Cronaca, Proprietà letteraria nel 1879*). Nel 1880, invece, si verificò «un aumento notevole», proporzionalmente maggiore per le opere musicali: quell'anno le dichiarazioni furono 479, di cui 174 di opere musicali, contro le 107 dell'anno precedente (*Bibliografia Italiana*, 30 aprile 1881, *Cronaca, Le dichiarazioni di proprietà letteraria nel 1880*). Queste cifre, ad ogni modo, come altre fornite in quegli anni dal ministero di Agricoltura, Industria e Commercio, se potevano attestare il grado di fiducia di autori ed editori nella legge sulla proprietà letteraria, non potevano essere un indice del movimento scientifico e letterario che l'Italia conosceva in quel periodo: come si precisava, «pochissime delle opere di qualche pregio che vedon la luce in Italia, domandano la tutela dei diritti d'autore, mentre gli elenchi della proprietà letteraria riboccano di pubblicazioni di pochissimo o nessun conto» (*Bibliografia Italiana*, 15 marzo 1880, *Cronaca, Proprietà letteraria in Italia*).

va essere «compiutamente tutelata», come quella letteraria, e, quindi, doveva essere riconosciuto il diritto esclusivo di un autore di comporre riduzioni e fantasie su motivi di una sua opera: in Francia i grandi maestri vivevano di questo genere e ad essi gli editori musicali ricorrevano volentieri, mentre in Italia si arricchivano i mestieranti. La proposta di Ricordi fu infine approvata a grande maggioranza e il Congresso si chiuse con l'auspicio di un trattato internazionale unico di proprietà letteraria.

L'Arte Drammatica, dando voce ai malumori di capocomici e impresari, fece voti «perché le proposte, perché i pareri emessi da questo sinodo giornalistico-librario-giuridico in difesa della proprietà degli autori e degli editori, rimangano lettera morta».[6] *Il Secolo* stesso, da sempre tenace sostenitore del diritto d'autore, fece notare che durante il Congresso non si era tenuto in alcun conto un altro sacrosanto diritto, quello del pubblico, visto che si erano accavallate «proposte sempre più assolute a favore degli autori e degli editori».[7]

In generale, comunque, i lavori del Congresso milanese raccolsero commenti favorevoli. Odoardo Toscani affermò a riguardo che le discussioni avevano rivelato non solo «un notevole interesse scientifico, ma anche un grandissimo valore pratico».[8] Tuttavia i risultati concreti non furono immediati. Si ottenne per il momento la diminuzione della tassa per le dichiarazioni a due lire; inoltre, in occasione del primo rinnovo di una convenzione internazionale, quella con la Spagna, fu accolta la proposta del Congresso di liberare gli autori dall'obbligo di ottemperare formalità all'estero.[9]

2. IL PROGETTO CAVALLOTTI E I NUOVI PROVVEDIMENTI LEGISLATIVI

Il problema delle contraffazioni finì per preoccupare anche gli ambienti governativi. Di fronte alla «eccessiva e ingiustificata mollezza» dei procuratori del Re, si mosse il ministro di Grazia e Giustizia Zanardelli con una circolare del 24 dicembre 1881, in cui li esortava ad operare «con energia e oculatezza»: co-

---

[6] Nel Congresso, come del resto aveva affermato lo stesso Rosmini, era prevalsa «la tendenza ad infeudare ogni cosa agli editori ed autori» (*L'Arte Drammatica*, 12 ottobre 1878, *La proprietà letteraria e il Congresso di Milano*).

[7] *Il Secolo*, 10 ottobre 1878, *Congresso per la proprietà letteraria*.

[8] Al contrario il Congresso di Parigi, tenutosi pochi mesi prima, nel giugno 1878, in occasione dell'Esposizione universale, era stato «in gran parte traviato dalle discussioni» (O. TOSCANI, *Studio sulla proprietà letteraria ed artistica* cit., p. 31).

[9] Si trattava, come affermò il ministro di Agricoltura, Industria e Commercio Luigi Miceli, dei provvedimenti che potevano essere praticati più agevolmente; al contrario, molti dei voti espressi durante il Congresso e che il ministero aveva «esaminato con vivo interesse» potevano essere presi in considerazione solo dopo molti studi e «formare argomento di proposte legislative» dall'*iter* assai lungo, più che di decreti ministeriali (*Bibliografia Italiana*, 30 aprile 1880, *Cronaca, Riforma alla legge di proprietà letteraria*).

me si legge nella *Gazzetta* di Ricordi, Zanardelli, «uomo d'ingegno egli pure e scrittore d'opere pregiatissime», aveva stimato doveroso «farsi campione della proprietà letteraria e rammentare ai magistrati l'osservanza della legge».[10] Intanto negli stessi mesi si stava preparando un'ulteriore modifica alla legge sui diritti d'autore. Anche questa volta essa riguardava in particolare la produzione letteraria destinata alla rappresentazione nei teatri – segno che la normativa vigente non soddisfaceva ancora i commediografi, per i quali le effettive fonti di guadagno erano, assai più che la vendita delle loro opere a stampa, gli spettacoli.

Non a caso l'iniziativa, in Parlamento, era partita da un gruppo di deputati noti anche come scrittori di teatro – in testa Felice Cavallotti,[11] e poi Martini, De Renzis, Pullè, ai quali si erano aggiunti Alessandro Fortis, Luigi Indelli, Pirro Aporti e Cesare Parenzo. Il 21 marzo 1881 essi avevano presentato al banco della presidenza della Camera un progetto di legge inteso a modificare l'art. 2 della legge sui diritti d'autore del 1875, il quale tra l'altro era condiviso e sostenuto in seno al governo Depretis, in carica dal 29 maggio 1881, da un uomo politico sempre attento alle istanze del mondo del teatro, il ministro degli Esteri Mancini.

Il progetto Cavallotti mirava a garantire una più solida tutela agli autori di opere destinate alla rappresentazione. In effetti, come si osservava nella relazione redatta da Cavallotti stesso, la legge del 1875 aveva sancito il pieno diritto degli autori vietando, come si ricorderà, la messinscena di qualunque lavoro, pubblicato o meno, senza la loro autorizzazione. Tuttavia la nuova legge aveva trascurato di assicurare le condizioni del suo effettivo adempimento, poiché non aveva stabilito quale autorità avesse la facoltà di proibire una rappresentazione in assenza del consenso dell'autore; le compagnie drammatiche, «salvo qualche onorevole eccezione», ne avevano largamente approfittato, danneggiando i commediografi, nonché i pochi capocomici onesti. Le rappresentazioni illecite, che avevano luogo all'insaputa degli autori e senza la scorta dei loro consigli, in genere rendevano un pessimo servizio alle opere stesse. Avveniva così che, per cautelarsi, gli scrittori teatrali rinunciassero alla stampa dei propri lavori – rimedio che però non era valido per quelli già pubblicati e che comunque pregiudicava la diffusione degli inediti, e di riflesso la possibilità di utilizzare un efficace veicolo pubblicitario.[12] Si proponeva perciò che le autorità di

[10] *Gazzetta Musicale di Milano*, 8 gennaio 1882, *La proprietà letteraria*.
[11] Egli, come avrebbe dichiarato, si era risolto a questo passo «tirato per i capelli e non spinto da sentimenti miei, ma dalle istanze di quasi tutti gli autori drammatici italiani che vivono dell'arte loro» (AP, *Camera*, Legisl. XIV, Sess. 1880-81, *Discussioni*, tornata del 12 aprile 1882, p. 9866).
[12] Si legga a tale proposito ciò che scrisse Stanislao Morelli nella prefazione all'edizione della sua opera *Arduino d'Ivrea* (cit., p. V), che egli decise di dare alle stampe perché «la pubblicità è come il vino, che più se ne beve, più mette sete; [...] così una forma di pubbli-

Pubblica Sicurezza, a cui per legge già era demandata la facoltà di permettere o proibire uno spettacolo per ragioni di ordine pubblico, si accertassero preventivamente che un capocomico non violasse la legge sui diritti d'autore, e cioè fosse munito del permesso scritto dell'autore, e tenessero un registro nel quale notificare le autorizzazioni.[13]

L'iniziativa, come era prevedibile, suscitò reazioni di diverso segno. Da una parte fu accolta con simpatia dai paladini della proprietà letteraria e da quanti alla riscossione dei diritti vedevano legati i propri interessi economici, come gli editori musicali[14] o anche quelli di opere a stampa, alcuni dei quali si erano dati da fare affinché il progetto fosse esteso alla produzione libraria in generale;[15] dall'altra destò le apprensioni dei capocomici e della stampa ad essi vicina[16] e la perplessità di qualche autorevole critico. Yorick, ad esempio, in un intervento sulla *Nazione* ancora una volta ribadì, in sostanza, la sua assoluta diffidenza nei confronti della tutela delle autorità governative in materia di spettacoli, alla quale a suo avviso era di gran lunga preferibile «un po' di disordine»; inoltre egli invitava a non sottovalutare i considerevoli vantaggi pecuniari conquistati dai commediografi negli ultimi anni e a tenere conto del fatto che le «spogliazioni incessanti», piuttosto che danneggiare la produzione teatrale, paradossalmente la favorivano, poiché le rappresentazioni «abusive» costituivano comunque per un'opera un canale di circolazione e di pubblicità. Certo restava il problema, reale e grave, della lesione del diritto di proprietà, ma esso, osservava il critico, era comune ad altri produttori di opere dell'ingegno e doveva restare di competenza dei tribunali: perché gli autori teatrali e musicali avrebbero dovuto ottenere, rispetto agli altri, una tutela particolare?[17] Paolo Ferrari aveva pron-

cità invoglia dell'altra per modo, che si ricorre dalla scena alla stampa, dalla stampa alla scena».

[13] L'art. 2 era dunque così modificato. «Chiunque voglia rappresentare un'opera, edita o inedita, adatta a pubblico spettacolo, e soggetta al diritto esclusivo indicato all'articolo 1°, dovrà fornire all'autorità di pubblica sicurezza la prova scritta di averne ottenuto il consenso dell'autore, o dei suoi aventi causa. In difetto di tale consenso scritto, l'autorità di pubblica sicurezza dovrà proibire la rappresentazione. L'autorità stessa dovrà in apposito registro tenere nota delle rappresentazioni da lei consentite, del nome di chi ha dato la rappresentazione, della data del permesso dell'autore od aventi causa, a lei esibito. Di tale registro dovrà dare visione, e rilasciare estratto a qualsiasi autore, od avente causa, che ne faccia richiesta». La relazione di Cavallotti fu pubblicata, oltre che da altri giornali, da *L'Arte Drammatica*, 2 aprile 1881, *La Relazione di Cavallotti*.

[14] Si veda ad esempio *Gazzetta Musicale di Milano*, 18 dicembre 1881, *Proprietà letteraria*, in cui ci si augurava per il progetto Cavallotti una rapida approvazione: «Quanto più la legge tutela gli autori, tanto più si accresce e migliora la produzione letteraria e la conseguente istruzione di un paese».

[15] *Il Pungolo*, 22/23 aprile 1881, *La Proprietà letteraria*.

[16] *L'Arte Drammatica*, 26 marzo 1881, *Progetto Cavallotti, Pullè, De Renzis, Martini, Indelli, Fortis, Aporti, Parenzo*, e 2 aprile 1881, *La Relazione di Cavallotti* cit.

[17] *La Nazione*, 11 aprile 1881, *Rassegna drammatica*. La posizione di Yorick non era affatto isolata. Anche in *Il Teatro Illustrato* (aprile 1881, *Rivista drammatica*) si leggeva: «Se

tamente replicato in una lettera al *Fanfulla*,[18] descrivendo le traversie dell'autore drammatico derubato, costretto ad inseguire il capocomico ladro per tutte le piazze d'Italia e a pagare le spese dei processi senza ottenere soddisfazioni. Così le polemiche proseguirono.[19] Il Congresso drammatico di Milano, tenutosi nel giugno del 1881, avrebbe potuto offrire un'occasione di confronto, ma i capocomici vi si sottrassero – ne erano presenti appena due – e non v'è da stupirsi se infine l'assemblea finì per dare unanime e pieno appoggio, come già si è riferito, al progetto Cavallotti.

Questo, del resto, in un primo tempo era stato accolto con favore anche in sede parlamentare.[20] Il 27 gennaio 1882 Cavallotti aveva pronunciato alla Camera un discorso che aveva trovato apertamente concorde Domenico Berti, allora ministro di Agricoltura, Industria e Commercio, il quale anzi aveva assicurato la sua ferma volontà di risolvere in quel senso le lacune della normativa vigente. Il deputato radicale, con la consueta ironia, aveva sottolineato come il suo disegno di legge fosse sostenuto da deputati di tutti i settori della Camera, dall'amico Pullè, uomo della Destra, a Martini, De Renzis, Indelli, che sedevano al Centro, a Parenzo e Antonio Oliva, della Sinistra, ai radicali Aporti e Alessandro Fortis. Inoltre egli aveva fatto osservare che, benché la circolare di Zanardelli avallasse le denunce degli autori, essa si riferiva alle opere a stampa, quando invece era noto che proprio quelle destinate a pubblico spettacolo subivano una pirateria su vasta scala.[21]

La commissione della Camera incaricata di esaminare il progetto, presieduta dallo stesso Pullè, ne recepì pienamente lo spirito e la sostanza. Essa, come è affermato nella relazione di Carlo Panattoni presentata nella seduta dell'11 marzo 1882,[22] ne aveva apprezzato il valore suppletivo alla normativa in vigore: il progetto cioè si iscriveva a pieno titolo in quel recente «movimento legislativo» volto a

mancano le opere drammatiche nuove, gli autori pensano di conservare gelosamente le rendite delle vecchie».

[18] *Fanfulla*, 21 aprile 1881, *Proprietà letteraria*.

[19] Si veda in merito *L'Arte Drammatica*, 23 aprile 1881, *Fuoco su tutta la linea*.

[20] Si leggano ad esempio i verbali delle riunioni degli Uffici incaricati di esaminare il progetto di legge (AC, *Proposte di legge*, vol. 344, n. 286, *Deliberazioni degli Uffici*): le voci di dissenso furono poche e isolate. Riferiamo tuttavia l'opinione di Antonio Mordini, per il quale era «poco liberale» la proposta di demandare alle autorità di Pubblica Sicurezza l'autorizzazione a rappresentare un'opera, oltretutto sulla scorta di una «prova che può essere revocata in dubbio nel valore suo».

[21] Cavallotti non aveva risparmiato «sferzate a sangue» alle compagnie minori, agli «zingari dell'arte», e ai giornali teatrali, definiti «pezzi di carta, che servono di ricatto alle ballerine, ai cantanti» (espressioni che suscitarono le proteste di *L'Arte Drammatica*, 4 febbraio 1882, *Diritti d'Autore*). Il discorso di Cavallotti è in AP, *Camera*, Legisl. XIV, Sess. 1880-81, *Discussioni*, seconda tornata del 27 gennaio 1882, pp. 8542-8545. Berti´da parte sua aveva dichiarato che l'aggiunta proposta era «richiesta dallo spirito della legge» e che l'art. 2 doveva «acquistare efficacia pratica» con una «disposizione positiva».

[22] AP, *Camera*, Legisl. XIV, Sess. 1880-81, *Documenti*, n. 286-A.

tutelare la proprietà letteraria, al quale l'Italia aveva «largamente partecipato». La commissione aveva riconosciuto che le formule della legge del 1875 si erano rivelate «quando manchevoli, quando per soverchia complessità incerte», per cui di fatto il diritto vi era affermato «più che per il precetto letterale della legge, per il consentimento di una giurisprudenza interpretativa». Da qui l'esigenza di attribuire alle autorità di Pubblica Sicurezza un compito di tutela effettiva, tanto più che, nel caso dei diritti sulle opere dell'ingegno, «a fianco di un interesse privato germina pari e coevo un interesse pubblico». La commissione aveva apportato al progetto originario modifiche formali, distribuendo in articoli distinti quel «complesso di svariati criteri» altrimenti raggruppati, meno propriamente, in un unico articolo; lo scopo rimaneva quello di escogitare «espedienti legali atti a fare argine ai proteiformi espedienti di una cupida e pertinace pirateria». La tutela veniva esplicitamente estesa alle «azioni coreografiche» e alle «composizioni musicali di qualsiasi genere», a tutte le forme di varianti, riduzioni, aggiunte senza esclusioni – dai motivi ridotti o imitati ai cantabili convertiti in ballabili e viceversa, nonché a quella che Panattoni definiva, tra tutte le forme di pirateria, la peggiore: «Alludiamo alle *parodie*, e a quelli impasti fantastici, che, importazione di Francia, hanno serbato il nome francese *féeries*, quasi la patria delle arti non abbia nemmeno un nome per cosifatti [*sic*] ibridismi».[23] Si aggiungeva che l'azione penale, in caso di reato, doveva essere esercitata d'ufficio, senza la necessità di istanze private.

Un'ultima osservazione riguardava la possibilità, contemplata da qualche membro della commissione, di prevedere, nell'azione di controllo da parte delle autorità, un trattamento meno rigido per le più povere compagnie nomadi e per i teatri minori. Ma altre considerazioni avevano suggerito che non fosse il caso. Nel 1875 in Italia le sale adibite a pubblico spettacolo erano 957 sparse in 699 comuni; al 1° luglio 1881 la loro cifra era salita a 1135, delle quali ben 1049 «confusamente» classificate come «inferiori». I criteri di tale classificazione – si osservava nella relazione – erano talora incerti e discutibili. Concludendo, non si poteva correre il rischio di «spaziare nell'empirismo» facendo della legge «campo aperto all'arbitrio». Si era perciò preferita la più consona formula tassativa, prosciolta da ogni incertezza di applicazione. La relazione si chiudeva con la speranza che anche dall'Italia, «tempio di ogni civiltà»:

«si sollevasse una voce a salutare quest'opera di feconda unificazione; che frante le barriere di legislazioni difformi, affratellerà i popoli in una stessa religione del vero e del bello; e realizzato il presagio di Blanc, farà del mondo la patria degli autori».

La discussione sul disegno di legge – che iniziò il 25 marzo 1882 e si concluse nella tornata del 12 aprile 1882 – fu lunga e animata.[24] A dispetto delle pre-

---

[23] *Ivi*, p. 7.
[24] AP, *Camera*, Legisl. XIV, Sess. 1880-81, *Discussioni*, tornata del 25 marzo 1882, pp. 9840-9848, e tornata del 12 aprile 1882 cit., pp. 9856-9870.

visioni, in effetti, il progetto trovò resistenze; fu immediatamente chiaro che esso era stato da taluni interpretato come la concessione di un privilegio ad una sola categoria di autori. Ad esempio il deputato bergamasco Antonio Roncalli – un ingegnere che si occupava di studi di fisica e chimica – si levò a contestare il fatto che l'inventore di una macchina fosse meno tutelato di un commediografo: con la nuova legge – asserì il deputato – lo Stato avrebbe dovuto sorvegliare in ogni angolo della penisola la rappresentazione delle sue opere e adoperarsi perché il loro provento «gli cada proprio in saccoccia intanto che egli fuma il sigaro e fa tranquillamente digestione»; il Parlamento, di contro, avrebbe dovuto proteggere «tutti i parti dell'ingegno umano», e in misura particolare «quelli che costituiscono il benessere della nazione, a preferenza di quelli che servono solo al diletto». Da parte sua Alberto Cavalletto – anch'egli ingegnere ed esperto in materia di lavori pubblici – si lamentò del fatto che la legge sulla proprietà letteraria garantisse in misura insufficiente, oltre agli scrittori drammatici, anche editori e autori di opere letterarie e scientifiche, a loro volta vittime di contraffazioni, ed invitò ad adottare provvedimenti più efficaci anche a loro vantaggio. Mauro Samarelli, nella seduta del 12 aprile, addirittura mise in discussione l'opportunità di ricorrere ad un'azione penale pubblica in caso di contravvenzione, dato che a suo avviso il reato in questione ledeva un interesse privato: secca e immediata fu la replica del guardasigilli, che umiliò l'incauto deputato con una lezione sui primi elementi del diritto penale. L'intervento di Samarelli, di per sé insignificante, va registrato solo perché indicativo degli umori di una parte della Camera: anche il suo collega Pietro Nocito, avvocato e noto giurista, dimostrando maggiore competenza e più sottile ingegno, avrebbe ripreso l'argomento della «natura» del diritto di proprietà intellettuale e della sua violazione, per concludere che il governo non avrebbe dovuto «ingerirsi nella prevenzione di questo reato» obbligando coloro che volevano rappresentare un'opera a produrre il documento comprovante il permesso dell'autore; oltretutto questa «autorizzazione preventiva» – avvertì Nocito – rischiava di «inceppare la libertà del lavoro e dell'industria». Persino Indelli, uno dei deputati che avevano sottoscritto il progetto Cavallotti, trovò che la commissione avesse «troppo esteso il concetto che ispirava la proposta» originaria, soprattutto in merito alle parodie, che non potevano essere considerate plagi, bensì rappresentavano un genere a sé stante, a suo avviso del tutto lecito e degno di rispetto.

Il disegno di legge della commissione fu appassionatamente difeso dal suo relatore, Carlo Panattoni. Egli ricordò che le leggi del 1859 e del 1864 tutelavano in misura soddisfacente le privative industriali, poi precisò che per le opere destinate a pubblici spettacoli non si invocavano «privilegi inusati alle creazioni del pensiero», ma ci si limitava ad armonizzare un principio già sancito dalla legge con l'efficacia dei mezzi atti a garantirlo. Ad ogni modo fu necessario che la commissione presentasse una diversa formulazione degli articoli, concordata con i ministri della Giustizia, degli Interni e di Agricoltura, Industria e Commercio. La nuova versione fu presa in esame il 12 aprile. Vi era scomparsa l'allusione alle parodie e alcune disposizioni, per esempio quelle relative ai registri, erano state eliminate perché avrebbero dovuto essere oggetto di un futuro regolamento. Ma soprattutto essa prevedeva che il consenso dell'autore dovesse essere presentato non più all'autorità di Pubblica Sicurezza, bensì, per motivi di ordine pratico, al prefetto della provincia; tuttavia, per non delegare alle prefetture un'ulteriore ed eccessiva responsabilità, Depretis, ministro degli Interni oltre che presidente del Consiglio, aveva preteso che esse dovessero proibire uno spettacolo, in mancanza del consenso dell'autore, solo su «istanza della parte». Su quest'ultimo punto la maggioranza della commissione aveva dissentito: tale clausola, in effetti, rischiava di compromettere «tutta quanta l'efficacia delle disposizioni», poiché ancora una volta gli autori avrebbero dovuto farsi carico in prima persona della vigilanza sulla rappresentazione dei loro lavori. In aula essa fu dunque oggetto di un'aspra battaglia.

Depretis spiegò le ragioni del suo intervento sul testo del disegno legge. A suo avviso, così formulata e con l'aiuto di un buon regolamento, la nuova legge avrebbe funzionato. Del resto i prefetti non sarebbero stati in grado di esercitare il compito affidatogli – che presumeva la conoscenza di numerosi dati su un'enorme mole di opere – senza una «dichiarazione» da parte dell'autore, rilasciata periodicamente, che informasse sulle opere coperte dai diritti e sui permessi di rappresentazione concessi. Cavallotti replicò che il presidente del Consiglio, con la sua variante, riportava le cose al punto di partenza: le opere registrate erano già note alle autorità, perché pubblicate sul *Bollettino* del ministero di Agricoltura, Industria e Commercio, e ciò non aveva impedito i furti, non tanto nelle grandi città, quanto nei piccoli centri, dove il controllo si allentava; inoltre con le nuove disposizioni gli autori, oltretutto, avrebbero dovuto spedire in tutta Italia copia dei numerosissimi contratti stipulati con questa e quella compagnia. Anche De Renzis invitò Depretis a desistere dalla sua integrazione: trattandosi della richiesta di una dichiarazione e non di una istanza, essa si riduceva ad un «pleonasmo», che celava il timore che gli autori potessero chiedere un risarcimento alle prefetture in caso di errori o inadempienze. Luigi Simeoni, infine, richiamò l'attenzione sulle difficoltà di smascherare gli abusi, e soprattutto di intervenire in tempo, nei teatri di provincia, dove, come era noto, poteva accadere che i capocomici sui manifesti degli spettacoli mutassero i titoli delle opere e omettessero addirittura il nome degli autori.

La discussione proseguì a lungo. Alla fine il ministro di Agricoltura, Industria e Commercio cercò di raccoglierne le fila, suggerendo di accettare l'emendamento di Depretis così interpretato: l'autore, tramite una dichiarazione preventiva, avrebbe comunicato alle prefetture la lista delle sue opere coperte dai diritti ed il nome delle compagnie che potevano rappresentarle, questa «notificazione» sarebbe divenuta un'istanza atta ad impedire uno spettacolo privo della necessaria autorizzazione, il prefetto avrebbe inviato precise istruzioni ai sottoprefetti e ai sindaci e infine un regolamento avrebbe provveduto ad integrare opportunamente la legge. Così prevalse la proposta di sostituire alla clausola «sull'istanza della parte», che in pratica prevedeva una vera denuncia, la formula «sulla dichiarazione della parte», vale a dire quella presentata preventivamente dagli autori alle prefetture.

C'è da credere che Cavallotti e compagni avessero accettato a denti stretti questa soluzione. In fondo per loro si trattava di una mezza vittoria. Anche i pareri della stampa non furono unanimi. Per portare due esempi, in un articolo in prima pagina *La Perseveranza* commentò amaramente l'esito della discussione: la Camera, «forse per la paura di tutelare un diritto riconosciuto», era stata «al di qua del segno»;[25] invece per *La Nazione* le nuove disposizioni erano «in contraddizione coi princìpi che informano tutto il nostro sistema legislativo» poiché sancivano un «privilegio», una «protezione speciale» accordati agli scrittori teatrali e ai compositori, anche se a conti fatti esse si sarebbero rivelate «di difficilissima applicazione e di grave nocumento» per gli autori stessi.[26] Fu subito chiaro, ad ogni modo, che sul piano legislativo ben difficilmente si sarebbe potuto ottenere di più. A maggior ragione, tra gli autori, si consolidò la convinzione che la lotta per la difesa dei propri interessi, ormai esauritasi sul terreno politico, dovesse trovare forme alternative. Non è un caso che in quegli stessi mesi giungesse a maturazione il progetto di un'associazione di categoria che integrasse l'azione delle prefetture e supplisse alle insufficienze delle misure di controllo.

3. La Società italiana degli Autori

La costituzione di un'associazione che vigilasse sull'effettivo rispetto delle leggi vigenti sui diritti d'autore era stata più volte auspicata, sia in ambito parlamentare sia dalla stampa, come opportuno complemento alla normativa sulla proprietà letteraria che in quegli anni si era andata definendo. Tuttavia alla fine del primo ventennio postunitario niente di simile si era ancora realizzato: gli autori della penisola, rispetto ai colleghi francesi, tedeschi e inglesi, accusavano in questo campo un grave ritardo, eppure il nostro paese, in merito alla letteratura giuridica e alle disposizioni legislative sulla proprietà intellettuale era al passo con le nazioni più progredite. Del resto i tentativi compiuti, come si è visto, proprio dagli scrittori teatrali, prima a Torino negli anni '50, poi a Milano e a Firenze immediatamente dopo l'emanazione della legge del 1865, erano pre-

---

[25] *La Perseveranza*, 15 aprile 1882, *I diritti d'autore*. Anche *Il Diritto* (8 aprile 1882, *Proprietà letteraria*) aveva sostenuto con forza il punto di vista di Panattoni e colleghi.
[26] *La Nazione*, 6 maggio 1882, *Modificazioni alla Legge 10 agosto 1875 sui Diritti d'Autore*. Con lo stesso titolo, si vedano anche gli articoli nei numeri del 13 maggio 1882 e del 27 maggio 1882.

sto falliti; tali presupposti erano stati talmente scoraggianti da compromettere ulteriori passi avanti. Di associazioni fra gli autori, quindi, non si era più parlato e tutti gli interessati da quel momento si erano mossi ognuno per sé. Nelle fonti coeve mancano pressoché totalmente adeguate riflessioni sulle ragioni di tale fallimento; negli anni che seguirono l'unificazione ci si può imbattere semmai in qualche riferimento alle responsabilità delle «tirannidi» e delle divisioni territoriali del periodo preunitario, ma ovviamente col passare del tempo esse non ebbero più ragione di essere addotte. Una simile lacuna appare tanto più evidente a fronte della generosità che relazioni, documenti ufficiali, stampa e memorie dimostrano su altre questioni attinenti alla musica e al teatro – una disattenzione, questa, che indica come sulla questione del coordinamento e dell'organizzazione degli autori italiani dovesse ancora prendere corpo persino un dibattito.

Oltre che a tenere presente il quadro di generale arretratezza della penisola, si può se non altro ipotizzare che anche la struttura policentrica del sistema teatrale italiano avesse compromesso le possibilità di un'azione unitaria e posto ostacoli al cammino verso una forma qualunque di associazione. I drammaturghi, come si è visto, erano abbondantemente rappresentati in Parlamento e in effetti in quella sede avevano portato le loro rivendicazioni, ottenendo due modifiche alla legge del 1865; al contrario essi erano privi, nell'ambito della società civile, di un punto di riferimento comune, e persino la stampa teatrale li rappresentava limitatamente. Al contrario gli editori erano organizzati nella Associazione tipografico-libraria, anche se essa, nata, come si è detto, a Torino nel 1869, aveva mostrato segni di vitalità solo dopo il trasferimento a Milano nel 1875. Ciò considerato, si può comprendere innanzitutto come sul piano organizzativo l'apporto dell'Associazione si rivelasse a conti fatti decisivo ai fini della costituzione della Società degli Autori e, in secondo luogo, come i Congressi drammatici potessero offrire un'importante occasione di confronto anche sul tema di un possibile sodalizio tra gli scrittori drammatici; anzi si può affermare che proprio in questo ambito essi fecero registrare i risultati più concreti e significativi.

Durante il primo Congresso svoltosi a Firenze nel 1876, Ferdinando Martini ebbe a rammaricarsi dell'imperdonabile assenza di molti commediografi, che spesso si erano lamentati della scarsa tutela dei loro diritti ed erano ricorsi al ministero, ma poi, quando si era trattato di passare all'azione, erano rimasti latitanti. Fu al Congresso drammatico del 1878, come si è accennato, che la questione fu più seriamente e diffusamente vagliata e si posero le basi di una futura Società. La commissione delegata a studiare lo schema di uno Statuto era stata insediata dal Giurì drammatico, che aveva avuto cura di chiamare a raccolta non solo i rappresentanti dei drammaturghi, come Paolo Ferrari, che la presiedeva, ma anche scienziati, come Francesco Brioschi, letterati, come Tullo Massarani, Cesare Cantù e Giulio Carcano, musicisti, come Antonio Bazzini, artisti, come il pittore Domenico Induno e lo scultore Girolamo Oldofredi Tadini, un astronomo come Giovanni Schiaparelli, uomini di legge che si erano a lungo occupati di giurisprudenza teatrale e di proprietà letteraria, come Stefano Interdonato, Felice Mangili e, soprattutto, Enrico Rosmini, un'assoluta autorità in materia per dottrina ed esperienza, il quale avrebbe portato il contributo più prezioso.

L'associazione, come si legge nella relazione stilata dalla commissione,[27] avrebbe dovuto prestare agli autori un appoggio morale e materiale, favorendo la stampa e la circolazione delle loro opere, sorvegliando la corretta esecuzione dei contratti da essi stipulati e agevolando la riscossione dei compensi dovuti per i diritti. In seno alla commissione era prevalsa la tesi che il sistema vigente in Francia, dove gli autori erano organizzati in più società a seconda delle categorie, non potesse essere applicato in Italia, sia perché lì la molteplicità dei consorzi era «conseguenza dell'esempio e frutto di una lunga esperienza», sia perché nel nostro paese si era «ben lontani dalla straordinaria attività scientifica, letteraria ed artistica» che si svolgeva oltralpe. Così si era creduto più opportuno prospettare un sodalizio aperto a tutti quanti avessero diritti d'autore da far valere, compresi gli editori in quanto «cessionari di un diritto di proprietà» scientifica, artistica o letteraria: solo fondandola su una larga base sarebbe stato possibile assicurare alla Società sin dall'inizio i mezzi per la sua sopravvivenza e fare in modo che la sua azione risultasse efficace. Si era anche deliberato che la Società avesse sede a Milano, sia perché questo era uno dei maggiori centri artistici e letterari della penisola, sia perché vi aveva luogo la maggior parte delle transazioni teatrali. Si era fissata una tassa d'iscrizione «tenue», dieci lire, e un contributo annuo di cinque lire – cifra che, come vedremo, verrà ritoccata in un secondo momento perché eccessivamente bassa; in più ogni iscritto avrebbe dovuto versare alla Società una quota dell'1% dei profitti ricavati dalle proprie opere. L'amministrazione e la rappresentanza erano affidati ad un Consiglio composto da un presidente e da venti membri, eletti tra i soci, che avrebbero prestato la loro opera gratuitamente. Il Consiglio sarebbe stato coadiuvato da un «agente superiore» e da agenti regionali o provinciali, costoro retribuiti. La relazione terminava con due precisazioni: non ci si era fatti l'«illusione» che la società, specialmente nei primi anni di vita, potesse «presentare grandi lucri», ma senza dubbio questi, in caso di solido sviluppo del sodalizio, avrebbero potuto essere notevoli. In secondo luogo era stato stabilito di procedere alla vera e propria costituzione solo quando si fossero raccolte 400 adesioni – condizione che poi venne meno, visto che ci si accontentò di circa 200 iscritti. La relazione era seguita dal testo dello Statuto, il quale, come sappiamo, venne approvato dal Congresso drammatico del giugno 1881.

[27] Se ne legga il testo in *Giurì Drammatico Nazionale, anno 1° – 1878-79. Relazione* cit.

In quella occasione Rosmini pronunciò un discorso importante riguardo alla necessità di istituire una società degli Autori.[28] Dopo un *excursus* storico sulla legislazione e la tutela dei diritti dell'ingegno – una «conquista della civiltà moderna» – sulla quale era straordinariamente documentato, l'avvocato milanese si soffermò sui progressi compiuti di recente in Italia in questo campo soprattutto ad opera del settore teatrale, che aveva stimolato le riforme legislative e, come si espresse Rosmini, gettato le basi di una «larghissima associazione»; quindi ribadì la necessità di una «alleanza» tra gli autori e gli editori per realizzare l'obiettivo della futura associazione e, soprattutto, per assicurarne la vitalità. Essa avrebbe fornito una «assistenza illuminata», «che arrivi là dove non giunge la previdenza dello scrittore, o dove fa difetto la tutela della legge». Nel discorso di Rosmini emerge con chiarezza l'idea che egli si era fatto della società al cui progetto stava lavorando. Essa, in quanto portavoce ideale di quanti contribuivano alla «produzione intellettuale della nazione», avrebbe dovuto discutere non solo di diritti d'autore, ma anche di libertà di stampa e di mutuo soccorso.

Pochi mesi dopo, nell'assemblea generale dell'Associazione tipografico-libraria italiana tenutasi a Milano l'11 settembre 1881, Treves dimostrò la necessità di aprire una sottoscrizione tra i soci per gettare le basi «d'una Società incaricata della tutela permanente della proprietà letteraria, indispensabile per mettere un argine, in qualche modo, al dilagare delle piraterie». Lo stesso giorno, tra i presenti, si erano raccolte 1.300 lire.[29] L'associazione avrebbe dovuto fungere da «Comitato permanente per la protezione della proprietà letteraria», ma non ne erano definiti con precisione né la tipologia, né la composizione, né le funzioni, tantomeno uno statuto – segno che il lavoro degli editori, rispetto a quello compiuto dalla commissione del Giurì drammatico, si trovava ancora ad uno stato embrionale.

La terza e fondamentale tappa del cammino verso la fondazione della Società degli autori fu il secondo Congresso per la proprietà letteraria che si riunì, sempre a Milano, nel settembre dello stesso anno, promosso, come il precedente, dall'Associazione tipografico-libraria, che allora contava duecento soci. Il programma del Congresso verteva pressoché totalmente sulla piaga delle contraffazioni – vero «brigantaggio interno», vergogna e oltraggio alla «civiltà nazionale»[30] – che erano aumentate in proporzione allo sviluppo dell'industria li-

[28] Il discorso fu anche dato alle stampe: E. ROSMINI, *III Congresso drammatico nazionale. Parole dell'avvocato Enrico Rosmini sulla proposta di una Società generale italiana degli autori*, Milano, Pirola, 1881 (da questa pubblicazione sono tratte le citazioni).

[29] *Bibliografia italiana*, 31 ottobre e 15 novembre 1881, *Cronaca, Verbale dell'assemblea generale tenuta l'11 settembre 1881*.

[30] *Gazzetta Musicale di Milano*, 14 agosto 1881, *Proprietà letteraria*. Per il testo della circolare di convocazione al Congresso si veda *Bibliografia Italiana*, 15 agosto 1881, *Cronaca, Assemblea generale 1881*. Per la cronaca del Congresso, *Corriere della Sera*, 12/13 settembre 1881 e 13/14 settembre 1881, *Il Congresso per la proprietà letteraria*. Il testo inte-

braria e ai progressi delle tecniche di riproduzione. Il problema era comune a tutti i rami della letteratura e dell'arte: la narrativa, la musica e il teatro, in primo luogo, ma anche le arti figurative e la divulgazione scientifica. La fotografia e altre tecniche grafiche consentivano agevolmente l'arbitraria riproduzione delle opere pittoriche e delle sculture, così che artisti che allora andavano per la maggiore – come i pittori Eleuterio Pagliano, Giuseppe Bertini, Girolamo Induno, e lo scultore Giulio Monteverde – potevano spesso scorgere i propri lavori «far bella mostra nelle vetrine di complici rivendite».[31] È dunque comprensibile che il programma del Congresso raccogliesse l'esigenza diffusa tra editori e autori di dare voce alle preoccupazioni e alle proteste e di discutere sulle misure a cui ricorrere per fare fronte al fenomeno delle contraffazioni. Eppure esso non contemplava, tra i vari punti all'ordine del giorno, l'opportunità di fondare una Società in difesa dei diritti d'autore.[32] E in effetti gli intervenuti discussero a lungo di frodi e si lamentarono del lassismo delle autorità delegate a vigilare sul rispetto della proprietà letteraria, ma fu grazie ad Enrico Rosmini che venne introdotto il tema trascurato dagli organizzatori del Congresso; l'avvocato milanese propose agli editori e ai letterati presenti la costituzione di un'associazione e dimostrò come questo fosse il mezzo più efficace per tutelare i propri interessi.[33] Si giunse in questo modo alla nomina di un Comitato permanente per la tutela della proprietà letteraria, incaricato di dar vita al più presto alla Società secondo la bozza di Statuto già stesa – come si ricorderà – dalla commissione del Giurì drammatico. Il comitato rappresentava il frutto del coordinamento tra gli editori e gli autori drammatici, anche se soprattutto a quest'ultimi andavano attribuite l'iniziativa e l'elaborazione del progetto.

grale della relazione di Treves e il verbale dei dibattiti si trovano in *Bibliografia italiana*, 15 ottobre 1881, *Cronaca, Processo verbale del secondo Congresso per la proprietà letteraria*.

[31] E. ROSMINI, *III Congresso drammatico nazionale* cit., p. 4. Per citare la denuncia di Rosmini: «Recentissime sono le spudorate contraffazioni dei *Bozzetti militari*, dei *Sogni* e delle *Pagine sparse* di Edmodo De Amicis [...]. E l'*Igiene*, e *Un giorno a Madera*, e la *Fisiologia dell'Amore* del Mantegazza, e le *Poesie* del Carducci, si trovano qua e là nelle edicole e sugli scaffali della Madonna delle Grazie in via Toledo. E le commedie di Ferrari, di Torelli, e tanti altri, non si recitano ogni giorno senza permesso?». Così si lamentava Cavallotti in una lettera a Carlo Panattoni del 16 maggio 1882: «La legge sul diritto d'autore è già votata dal Senato e i furti artistici continuano in Italia alla più bella. Solo nell'ultima settimana [...] di questi furti a me ne son toccati quattro o cinque. Se la legge non va presto in attività, avremo tempo d'essere svaligiati sino alla camicia» (F. CAVALLOTTI, *Lettere* cit., p. 190).

[32] *Corriere della Sera*, 12/13 settembre 1881, *Il Congresso per la proprietà letteraria* cit.

[33] *Corriere della Sera*, 13/14 settembre 1881, *Il Congresso per la proprietà letteraria* cit. Rosmini affermò che anche nella magistratura vi erano uomini «colti e coscienziosi, i quali credono che in questa materia, per certo omaggio ai principii di libertà, non bisogna esser severi»; quindi, senza «la più tenace insistenza della parte interessata», si sarebbe ottenuto ben poco (*Bibliografia Italiana*, 15 ottobre 1881, *Cronaca, Processo verbale del secondo Congresso per la proprietà letteraria* cit.).

Anche Emilio Treves aveva giocato un ruolo importante: da sempre assai sensibile al problema della tutela del diritto d'autore, l'editore milanese già nel 1866 aveva auspicato la costituzione di una «società di uomini di lettere», altrimenti la legge sulla proprietà letteraria sarebbe rimasta «lettera morta».[34] Tuttavia, è chiaro, l'Associazione tipografico-libraria italiana aveva ricoperto, nel processo per la fondazione della Società degli Autori, una funzione importante ma senza dubbio gregaria rispetto a quella svolta dagli autori drammatici. A questo proposito le parole pronunciate dallo stesso Treves durante un'assemblea dell'Associazione del 19 settembre 1882 non potrebbero essere più eloquenti. Alludendo alla nascita della Società, Treves disse che essa era sorta «un po' sotto i nostri auspicii» e poi, riferendosi agli editori e alla loro associazione, proseguì:

«Ad alcuni è sembrato che la nostra Società siasi pel tal modo spogliata di uno dei suoi attributi, qual era quello di vegliare al rispetto della proprietà letteraria. In primo luogo, a ciò non abbiamo punto né poco rinunciato; bensì abbiamo chi ci ajuterà in questo proposito».[35]

Presieduto da Cantù, Rosmini e Treves, il comitato per la tutela della proprietà letteraria, che fu definitivamente costituito nel gennaio del 1882, era anche composto da Ferrari, Pullè, Soldatini, dall'avvocato Napoleone Perelli, da Filippo Bernardoni, allora segretario dell'Associazione tipografico-libraria, da Pietro Edoardo Sacchi, anch'egli editore e membro dell'Associazione e dal noto pedagogista Giuseppe Sacchi, allora alla presidenza dell'Ateneo di Milano. Appena insediatosi, esso decise di dare la massima pubblicità alla circolare di Zanardelli, visto che negli ultimi mesi finalmente si erano avute prove dell'energia spiegata dalle autorità nel perseguire i contraffattori: a Napoli, per esempio, si era assistito al clamoroso sequestro di 18.335 volumi.[36]

La convocazione di un'assemblea generale per istituire la Società venne fissata per il 22 aprile a Milano. L'evento, seguito con attenzione e con favore dalla stampa del capoluogo lombardo, non ebbe però una vasta eco, tanto che fu piuttosto trascurato, ad esempio, dai giornali fiorentini, romani e torinesi. I partecipanti furono comunque numerosi.[37] Dopo il lungo e focoso discorso di

[34] M. GRILLANDI, *Emilio Treves* cit., pp. 242-244.
[35] *Bibliografia Italiana*, 30 settembre-15 ottobre 1882, *Cronaca*, *Estratto del processo verbale dell'Assemblea generale dell'Associazione Tipografico-Libraria Italiana*.
[36] *Corriere della Sera*, 2/3 febbraio 1882, *Corriere della città. Per la proprietà libraria*. Anche in *La Nazione* (23 luglio 1882, *I diritti d'Autore e le contraffazioni*) si legge che la circolare non era caduta nel vuoto e che soprattutto la questura napoletana aveva compiuto «prodigi di zelo e di abilità».
[37] Per la cronaca della riunione si vedano *Il Pungolo*, 23/24 aprile 1882, *La prima Assemblea della Società Italiana degli Autori*, e 24/25 aprile 1882, *La seconda Assemblea della Società Italiana degli Autori*; *Corriere della Sera*, 23/24 aprile 1882 e 24/25 aprile 1882, *La*

Cantù, Rosmini lesse una relazione sull'origine e i motivi dello Statuto e additò il «campo sconfinato» riservato all'azione della Società, dalla tutela delle famiglie degli autori defunti alla espletazione delle pratiche giudiziarie, dalla consulenza giuridica alla messa a punto dei trattati internazionali: problema, quest'ultimo, particolarmente delicato, tanto più in un momento in cui in tutta Europa l'unificazione delle leggi sulla proprietà letteraria era tema all'ordine del giorno.[38] Secondo le intenzioni dei promotori, la Società avrebbe dovuto inoltre esercitare una «incontestabile influenza sul movimento e sul progresso legislativo della nazione».

La discussione sullo Statuto fu assai animata, soprattutto quando venne preso in considerazione l'art. 2, quello che definiva i compiti della Società. Il comitato, come aveva fatto capire Rosmini, intendeva farne non solo una «agenzia di affari», bensì anche un'associazione «promotrice della cultura», che consacrasse le sue forze all'incoraggiamento e alla promozione degli studi e delle pubblicazioni, mentre alcuni oratori espressero la propria preferenza per un organismo dai compiti meno ambiziosi, più circoscritti ed essenzialmente pratici. Torelli Viollier in particolare insistette perché si espungesse dallo Statuto qualsiasi accenno a funzioni di «mecenatismo». Così fu necessario modificare l'art. 2, secondo la proposta di Fortis: la Società – ci si limitò a stabilire – avrebbe rappresentato «moralmente» il corpo letterario. Anche l'art. 17 fu oggetto di dissensi. Il comitato proponeva che le spese dei processi fossero a carico dei soci, mentre qualcuno, tra i quali lo stesso Torelli e l'editore Giuseppe Ottino, avrebbero voluto che fossero interamente sostenute dalla Società – il che tra l'altro avrebbe provocato un effetto deterrente sui contraffattori. In questo caso si adottò una soluzione di compromesso, distinguendo tra processi penali, che non costavano nulla, e cause civili, a carico dei soci, anche se la Società avrebbe anticipato la somma occorrente a quanti non disponessero di mezzi. Allo stesso tempo fu approvata la mozione di Torelli Viollier, nella quale si invitava il futuro Consiglio a studiare il modo di alleviare il peso delle azioni giudiziarie ai soci danneggiati da contraffazioni. Si stabilì quindi una tassa d'ingresso di dieci lire ed una annuale di venti lire pagabili in due rate. Infine si procedette alle elezioni delle cariche sociali: vennero eletti Cantù presidente onorario e Massarani presidente effettivo, mentre il Consiglio risultò formato da dodici membri residenti a Milano, sede della Società[39] – Rosmini, Ferrari,

Società italiana degli Autori; La Perseveranza, 23 aprile e 24 aprile 1882, Notizie cittadine. Assemblea generale della Società Italiana degli Autori; Il Secolo, 22/23 aprile 1882, Cronaca. Proprietà di letterati e artisti, 24/25 aprile 1882, Cronaca. L'assemblea dei letterati.

[38] A questo proposito si legga Il Diritto, 17 aprile, 18 aprile e 21 aprile 1882, L'associazione letteraria internazionale; 18 aprile 1882, L'associazione letteraria, nonché 22 maggio 1882, Unificazione delle leggi e trattati internazionali di proprietà intellettuale.

[39] Non pochi si erano invece augurati che la nuova associazione avesse sede a Roma (anche a questo proposito si veda Il Diritto, 21 aprile 1882, L'associazione letteraria internazionale cit.).

Fortis, Pullè, Carcano, Bazzini, Treves, Perelli, Eleuterio Pagliano, il prof. Tito Vignoli, linguista e insegnante presso l'Accademia scientifico-letteraria di Milano, il prof. Vigilio Inama, studioso di lingue classiche e insigne grecista, nonché preside della stessa Accademia, e l'avv. Luigi Gallavresi – e otto residenti altrove – Michele Amari, Edmondo De Amicis, Giosuè Carducci, Giovanni Prati, Giuseppe Verdi, Cesare Correnti, Francesco De Sanctis, Nicomede Bianchi. Rosmini e Treves assunsero la vicepresidenza, mentre Soldatini ricoprì la carica di segretario. Come scrisse *Il Pungolo*, bastava scorrere questo elenco per prendere atto che vi era «degnamente rappresentata sotto tutti i suoi aspetti, la operosità intellettuale del nostro paese».[40]

La Società sarebbe entrata subito all'opera. Alle sue pratiche, condotte con tempestività e vigore, si dovettero la scoperta e il sequestro a Napoli, nello stesso giugno del 1882, di 3.115 esemplari del *Teatro* di Shakespeare in dodici volumi tradotto da Giulio Carcano e pubblicato da Hoepli.[41] Nei mesi successivi essa estese la propria vigilanza anche oltre i confini italiani, in particolare nell'America del Sud, promosse altri sequestri e si occupò di numerosi casi sottoposti dagli autori, fra i quali la contesa tra il maestro Romualdo Marenco, iscritto alla Società, e Luigi Manzotti, autori rispettivamente della musica e della coreografia del fortunato ballo *Excelsior*, a proposito dei diritti della sua riproduzione nei teatri esteri.[42] Venne inoltre istituita una consulta legale presieduta dall'avvocato Francesco Restelli.

Nonostante la serietà e l'efficienza prontamente dimostrate, la Società nei primi anni di vita sarebbe rimasta «gracilina»: a un anno dalla fondazione, a fronte della previsione di un aumento delle rendite fino a 6.300 lire, poco oltre la metà di questa somma era stata effettivamente raccolta[43] e alla fine del 1884

---

[40] *Il Pungolo*, 16/17 giugno 1882, *Cronaca cittadina. Società degli Autori*. Come rilevò Federico Verdinois, tra i nomi degli editori che avevano aderito alla associazione non figurava nessun editore napoletano (*Corriere del Mattino*, 1° agosto 1882, *Storia di una legge*).

[41] *La Perseveranza*, 18 giugno 1882, *Pirateria libraria*; *Corriere della Sera*, 27/28 giugno 1882, *Società degli Autori*. L'operazione era avvenuta grazie alla preziosa collaborazione della prefettura di Napoli. La città partenopea rimase al centro delle polemiche sulle contraffazioni. L'editore Nicola Zanichelli denunciò: «[...] non è un segreto che le falsificazioni si compiono impunemente in una sola città d'Italia»; Napoli era ricordata, negli ambienti dell'editoria italiana, come «asilo immune di tutti i pirati ed i falsari del regno» e le stesse autorità sembravano «chiudere un occhio sopra un'industria così fiorente e così vantaggiosa alla città». Il suo scritto polemico, pubblicato anche da *La Domenica Letteraria* del 23 aprile 1882 (*Il lamento d'un editore*) sollecitò gli interventi di altri editori, come Felice Paggi e Piero Barbèra, ospitati sulle colonne del medesimo periodico (*La Domenica Letteraria*, 4 giugno 1882 e 25 giugno 1882, *La Crociata degli editori*).

[42] *Corriere della Sera*, 13/14 ottobre 1882, *La Società degli Autori*.

[43] *Corriere della Sera*, 2/3 aprile 1883, *La Società degli Autori*. Nel 1883 il numero dei soci sarebbe addirittura diminuito (*Corriere della Sera*, 7/8 aprile 1884, *Corriere della città. La Società degli Autori*). Per ulteriori particolari si rimanda a TULLO MASSARANI, *Rendiconto morale ed economico della Società italiana degli autori per il periodo dal 23 aprile 1882 al*

i nuovi soci erano appena undici.[44] Si era quindi solo all'inizio di un lungo cammino.[45] E tuttavia è altrettanto evidente che la fondazione della Società degli Autori rappresentava anche il punto di arrivo di un processo che era andato compiendosi negli ultimi anni – anche sotto lo stimolo della parallela opera legislativa – al quale autori ed editori di opere drammatiche e musicali avevano dato un contributo fondamentale. Si era ormai rafforzata la convinzione che la dignità e il prestigio dei letterati, degli artisti, dei musicisti fossero strettamente connessi alla possibilità di ricavare compensi dai frutti della loro attività. Soprattutto le rendite dei commediografi, favoriti da un insieme di fattori – come il più elevato consumo di spettacoli rispetto a quello di libri nell'Italia del tempo, o il duplice canale di diffusione delle loro opere, edizioni a stampa e spettacoli –, avevano fatto presagire che tali compensi potevano essere di una certa entità. Si trattava ora di consolidare i progressi compiuti, aggregando le forze disperse: anche in questo, come in altri campi, l'associazionismo aveva messo radici.[46] Si era così realizzato quello che il ministro di Agricoltura, Industria e Commercio Gaspare Finali, insieme ad altri uomini politici, aveva previsto con

15 marzo 1883, Milano, Tipografia del Riformatorio, 1883. Si era comunque inaugurata la pubblicazione bimestrale di un bollettino di atti e notizie, inoltre era già nata la biblioteca della Società, che dopo un anno contava 100 volumi e numerose pubblicazioni periodiche (*ivi*, p. 6). Come affermò lo stesso Massarani, molti soci erano interessati alla pubblicazione delle proprie opere, ma la Società non poteva assumere edizioni in proprio; essa, semmai, poteva agevolare gli accordi tra editori ed autori: sotto questo aspetto, però, i risultati erano stati modesti (*ivi*, p. 7).

[44] A quella data, dunque, la Società degli Autori contava 196 aderenti, quattro in più rispetto a quasi tre anni prima, quando era stata fondata; il presidente Massarani ammise che si trattava di un numero «scarso», senza però soffermarsi sulle ragioni di questo iniziale insuccesso (T. MASSARANI, *Resoconto morale ed economico della Società italiana degli Autori, per il periodo dal 15 marzo al 31 dicembre 1884*, Milano, tip. Riformatorio Patronato, 1885).

[45] In un articolo dal titolo *I letterati e la legge* pubblicato nel novembre 1888 su *Nuova Antologia* a proposito del XI Congresso internazionale letterario e artistico tenutosi a Venezia, Paulo Fambri avrebbe addirittura rivelato che molti dei «nostri uomini di studio» avevano appreso solo in quella occasione, dal lungo discorso di Leone Fortis, dell'esistenza di una Società degli Autori. Fambri avrebbe anche denunciato l'atteggiamento della stampa italiana, affermando: «Il giornalismo è quasi tutto lontanissimo qui da ogni e qualunque solidarietà cogli interessi letterari». E in effetti in quegli anni l'attenzione e lo spazio dedicati dalla stampa alla futura SIAE e più in generale al tema dei diritti d'autore furono assai scarsi. Sulla storia della Società si faccia riferimento ai seguenti volumi: DOMENICO LAMBRASSA, *SIAE 1882-1962*, Roma, tip. Aristide Staderini, 1962; *SIAE 1882-1972*, a cura della Società italiana degli autori ed editori, Settimo Milanese, Alfieri Lacroix, 1972; *Cronache di cent'anni*, Roma, Società Italiana autori ed editori, 1983.

[46] Negli anni successivi se ne sarebbero avuti altri esempi. Ricordiamo, in particolare, che nel 1883 a Roma un nutrito gruppo di uomini di teatro – tra i quali Martini, Costetti, Bettoli, Giovagnoli, Lotti – avrebbe dato vita alla Società degli autori drammatici che, tra le altre attività, avrebbe svolto anche un'opera importante nel campo della previdenza (CARLO LOTTI, *Istituzioni per l'arte drammatica fondate in Roma*, in *Nuova Antologia*, 16 marzo 1908).

lungimiranza qualche anno prima, nel 1875, presentando la sua proposta di riforma alla legge sulla proprietà letteraria: rendendo «liberi i patti riguardanti le cose teatrali» e sollevando le autorità comunali dai compiti di controllo, si sarebbe stimolata l'iniziativa degli autori stessi, così che alla tutela manchevole ed inefficace degli enti pubblici sarebbe subentrata «quella più valida ed illuminata degli interessati che l'eserciteranno individualmente, ovvero riuniti in Società, del che altri paesi ci hanno dati belli e imitabili esempi».[47]

4. La Commissione permanente per l'arte drammatica e musicale

Nel 1876 il passaggio di consegne alla Sinistra non aveva provocato nessun mutamento sensibile nella politica governativa per i teatri e lo spettacolo: del resto risulterebbe difficile individuare, in merito ai punti di vista sulle questioni attinenti al teatro e alla musica, distinzioni di sorta tra gli uomini della Destra e quelli della Sinistra; il dibattito relativo, semmai, era stato caratterizzato da uno spiccato pluralismo di opinioni, che quasi sempre prescindevano dagli schieramenti. I critici del tempo ne erano ben consapevoli. D'Arcais, per esempio, in una appendice redatta l'indomani della «rivoluzione parlamentare», scrisse che non ci si doveva attendere niente di nuovo, perché i cosiddetti «economisti», tenaci propugnatori dell'idea che il teatro fosse un'industria come le altre, sostenitori dell'iniziativa privata, diffidenti nei confronti della protezione dell'arte da parte dello Stato, erano presenti in tutti i partiti. Così anche nel governo appena costituitosi le buone intenzioni di appassionati cultori del teatro come Mancini avrebbero trovato ostacoli nella opposizione di colleghi come Depretis, Nicotera, Zanardelli, tutti accaniti avversari dei sussidi ai teatri. Certo i presupposti e i segnali – secondo il critico dell'*Opinione* – non erano incoraggianti, bastava considerare che i quotidiani romani della Sinistra dedicavano poco spazio alle questioni teatrali; si poteva però prevedere che essi, divenuti governativi, avrebbero dovuto rivolgere maggiore attenzione alle rassegne artistiche.[48]

Anche nel settore della letteratura drammatica non si poteva parlare di una diversità di indirizzi, di scelte formali e stilistiche, di soggetti, di categorie estetiche tra i commediografi dell'area moderata e quelli dell'area radicale. Una volta, a questo proposito, Cameroni sbottò:

«Possibile che le due scuole antiquate del classicismo e del romanticismo tentino risorgere là appunto, ove il *verismo* dovrebbe trionfare? Possibile, che Cavallotti e Fulgonio, tanto radicali in politica, punto non lo siano in letteratura drammatica?

[47] Si veda la relazione di Finali in AP, *Camera*, Legisl. XII, Sess. 1874-75, *Documenti*, vol. VI, n. 113 cit.

[48] *L'Opinione*, 27 marzo 1876, *Appendice. Rivista drammatico-musicale*.

Possibile, che la commedia sociale (veramente degna dei nostri tempi) abbia per rappresentante il *marchese Colombi* dell'ultra-monarchico *Fanfulla*, e le due vecchie scuole trovino galvanizzatori in due pubblicisti della democrazia più avanzata?».[49]

Le previsioni dei critici dovevano, almeno inizialmente, avverarsi. Malgrado il mondo del teatro avesse trovato interlocutori attenti e sensibili nei ministri Coppino e De Sanctis, tuttavia non si poté certo individuare un orientamento preciso, tantomeno un programma definito di politica culturale – anche per il rapido avvicendarsi dei responsabili al ministero della Pubblica Istruzione. Erano gli anni in cui il concorso drammatico governativo, caduto in una crisi di assai problematica risoluzione, languiva. Erano anche gli anni delle lotte dei proprietari teatrali e dei capocomici contro il famigerato progetto Magliani, che prometteva di mettere in crisi i bilanci già dissestati di molte imprese, mentre l'ultima legge sulla proprietà letteraria risaliva al 1875 – frutto degli studi e dell'esperienza maturata negli anni della Destra – e già autori ed editori erano sul piede di guerra.

Tutta la numerosa famiglia teatrale nelle sue varie categorie faceva sentire la propria voce, convocava congressi, alimentava polemiche, manifestava preoccupazioni e malumori, partoriva un grande numero di progetti, inviava proteste, portava avanti rivendicazioni, esercitava pressioni sul Parlamento, esplorava vie di organizzazione. Agli inizi degli anni '80, come si è riferito, l'iniziativa di un revisione della legge sulla proprietà letteraria era nata dagli autori drammatici: anche se approdata alla meta con un successo parziale, essa aveva pur sempre dato prova delle pressioni che la categoria poteva esercitare in Parlamento e della sua capacità rivendicativa. Nel 1882, infine, il processo di organizzazione degli artisti aveva segnato un primo, rilevante risultato con la costituzione della Società degli autori. I Congressi drammatici, letterari, quello musicale, lo stesso Giurì drammatico – il concorso drammatico del quale, per inciso, aveva suscitato un'attenzione oltremodo maggiore di quella in genere dedicata ai vecchi concorsi governativi – avevano portato agli onori della cronaca questioni fino ad allora discusse nella cerchia degli addetti ai lavori e fornito un canale di risonanza alle ragioni di molti settori del mondo dello spettacolo. Del resto i mezzi di diffusione di lamentele, iniziative, istanze certo non mancavano: le riviste teatrali in Italia erano 56 nel 1881,[50] mentre sui quotidiani politici gli

---

[49] *L'Arte Drammatica*, 9 novembre 1872, *Letteratura drammatica al teatro Santa Radegonda*. Cameroni nell'articolo suddetto recensiva la tragedia di Fulvio Fulgonio *Beatrice*, che era stata incensata immeritatamente da «certe consorterie politiche e letterarie»: quantunque «commendevole», l'opera era foggiata su stilemi tradizionali e ormai superati, dunque era giusto che la «scapigliatura della stampa» reagisse, mostrandosi inesorabile verso i lavori degli amici. Sulle critiche di Cameroni alle opere dell'amico Cavallotti si sofferma ripetutamente A. GALANTE GARRONE, *Felice Cavallotti* cit., pp. 292, 301, 305, 366-367, 430-431.

[50] *Il Secolo*, 19/20 dicembre 1881, *Cronaca. I libri e i Giornali in Italia*: i dati sono ricavati dalla rassegna dei periodici italiani curata dall'Associazione tipografico-libraria italiana.

spazi dedicati al teatro e alla musica erano notevolmente aumentati, per soddisfare la curiosità crescente del pubblico, anzi un «ardore forse esagerato», come scrisse Yorick, «per i segreti delle quinte e per la pratica della ribalta».[51] I municipi non erano rimasti estranei a questa effervescenza e gli stessi uomini ai vertici delle amministrazioni cittadine erano tra i promotori di associazioni e comitati teatrali di disparata natura.

In sede governativa, infine, non si mancò di recepire il fermento e la necessità di attribuire una attenzione più adeguata ai problemi del settore. Tuttavia il sistema delle commissioni temporanee convocate di volta in volta per affrontare singole questioni appariva ormai inadeguato. Abbandonata tale formula, Guido Baccelli – allora per la prima volta alla guida del ministero della Pubblica Istruzione e in quella veste impegnato in una interessante politica di riforme nei settori di sua competenza[52] – riprendendo forse inconsapevolmente un'idea che già era stata di Cavour, poi di Correnti, pensò di creare un organo particolare, una Giunta permanente per l'arte drammatica e musicale, composta da dieci membri di nomina ministeriale – quattro scelti fra i maestri di musica, quattro fra gli autori drammatici, uno fra i critici musicali, uno fra i critici drammatici – presieduta dal ministro stesso; la Giunta avrebbe avuto compiti e poteri consultivi e si sarebbe occupata di insegnamento, di riforme da apportare nell'ordinamento degli Istituti musicali, di concorsi, di compagnie stabili, di richieste di fondi e sussidi e via discorrendo.[53] Tra i primi temi ad essere posti all'attenzione e agli studi della commissione figuravano quelli già emersi negli anni precedenti e ancora in attesa, evidentemente, di un'opportuna disamina – come le condizioni della letteratura drammatica, quelle dell'industria teatrale, la riforma del sistema di prelievo fiscale per le imprese del settore, il regolamento della Scuola di declamazione di Firenze, quello dei Conservatori, il piano di studi degli istituti musicali, l'opportunità di fondare un teatro stabile.[54] Istituita con il decreto del 25 maggio 1882, la Giunta si sarebbe insediata solo nel gennaio 1883, dopo una attenta selezione dei candidati e dei nomi proposti.[55] Ne avrebbero fatto parte autorevolissimi critici, scrittori teatrali e

[51] *La Nazione*, 13 novembre 1876, *Rassegna drammatica*.

[52] Per un profilo biografico di Guido Baccelli si legga la voce redatta da MARIO CRESPI in *DBI*, vol. V, pp. 13-14.

[53] Il testo del decreto relativo si trova anche in *L'Opinione*, 27 maggio 1882, *Notizie ultime. Una nuova Commissione*.

[54] Per la convocazione e le attività di studio e di dibattito della commissione furono previste due sessioni annuali, rispettivamente a marzo e a settembre. La prima sessione fu presieduta, su delega del ministro, dal responsabile della Direzione generale Antichità e Belle Arti Giuseppe Fiorelli. Per un più ampio resoconto, si veda la relazione sommaria dei lavori della prima sessione redatta da Yorick, uno dei membri della commissione, in *La Nazione*, 14/15 maggio e 21/22 maggio 1883, *Musica e drammatica*.

[55] Si consulti a questo proposito la documentazione presente in ACS, *M.P.I., Dir. gen. AA.BB.AA., Arte drammatica e musicale*, b. 2, f. 4. Verdi fu sollecitato dal ministro perché

musicisti, protagonisti a vario titolo delle battaglie e delle discussioni di quegli anni: Lauro Rossi, Amilcare Ponchielli, Arrigo Boito, Filippo Marchetti, Antonio Bazzini, Giuseppe Giacosa, Achille Torelli, Felice Cavallotti, Valentino Carrera, Francesco D'Arcais, Filippo Filippi, Pietro Coccoluto Ferrigni, Leone Fortis. Costoro avrebbero così avuto modo di accedere agli ambienti governativi e di portare in una sede istituzionale il loro bagaglio di competenze insieme alle rivendicazioni del mondo della musica e del teatro. Ricordiamo inoltre che negli anni successivi uomini di teatro che si erano dedicati alla carriera politica sarebbero entrati come funzionari nel ministero della Pubblica Istruzione, occupandone posti chiave: Pullè diventerà segretario generale, Costetti direttore capo della Direzione Antichità e Belle Arti, Carlo Lotti segretario della stessa, mentre Martini reggerà il dicastero dal maggio del 1892 al dicembre del 1894. A partire dal 1882, insomma, si delinea una svolta importante: la musica e il teatro vengono promossi a settori degni di considerazione anche dal punto di vista dell'organizzazione statale, al pari di altri rami della cultura e dell'arte e la stampa, specializzata e non, ne prese atto, riservando all'iniziativa di Baccelli una immediata e diffusa attenzione.[56] A questo risultato si era pervenuti grazie alla convergenza e alla interazione di due fondamentali elementi propulsivi: da una parte la politica condotta in quegli anni dai governi italiani, nel suo complesso, contraddittorio ma non certo negativo sviluppo, snodatasi comunque nel solco di una tradizione squisitamente liberale; dall'altra il crescente dinamismo del mondo dello spettacolo nelle sue varie componenti, per il quale si poteva parlare, vent'anni dopo la proclamazione del Regno, di un profondo rinnovamento, al passo con la generale trasformazione della società italiana.

accettasse di far parte della commissione, ma invano (si vedano, *ivi*, il ministro della Pubblica Istruzione a Verdi, 27 gennaio 1883 e le copie di due lettere di Verdi al ministro stesso, una s.d., l'altra del 15 gennaio 1883). La scelta dei membri della Giunta ministeriale per l'arte drammatica e musicale cadde su uomini molto noti, ai quali erano universalmente riconosciute competenza e autorevolezza nei rispettivi campi; su questo punto, del resto, Baccelli era stato chiaro ed esplicito: nel 1881, chiamando Francesco D'Arcais, da sempre uomo della Destra, a compiere un'ispezione nelle biblioteche italiane per «avere una conoscenza esatta e particolareggiata» delle pubblicazioni musicali da esse possedute, il ministro aveva dichiarato di essersi lasciato guidare «dal criterio della particolare competenza» del critico dell'*Opinione*, «senza tenere alcun conto delle opinioni politiche, le quali debbono essere mantenute in un campo diverso da quello degli studi e della cultura nazionale» (*L'Opinione*, 3 aprile 1881, *Una missione musicale*).

[56] Si legga in merito il commento della *Gazzetta Musicale di Milano*, 13 maggio 1883, *Musica e politica*.

INDICE DELLE OPERE DRAMMATICHE, MUSICALI E COREOGRAFICHE CITATE

Armando Davoy, 169.
Artista e l'amante (L'), 326 n.
Assedio di Alessandria (L'), 200 n.
Assedio di Corinto (L'), 241, 241 n.
Attilia farà da sé, 161.

Ballo in maschera (Un), 41 n., 122.
Bando ai pregiudizi, 85 n.
Barbiere di Siviglia (Il), 123.
Barchett de Boffalora (El), 332.
Bastardo (Il), 171.
Battaglia di Calatafimi (La), 151.
Battaglia di Solferino (La), 150 n.
Beatrice Cenci, 205 n.
Beatrice, 382 n.
Bella Maghelona (La), 25.
Bernabò Visconti delle dodici battaglie e dai 300 cani, 173 n.
Bianca Cappello, 79, 163.
Bizzarrie del capitano Ambrogio (Le), 326 n.
Bombardamento di Palermo (Il), 151.
Borgia (I), 164, 173.
Briganti in Sicilia (I), 176.
Briganti napoletani (I), 152 n.
Buonafede (La), 186.
Burattini aristocratici (I), 196.
Burgravi (I) [Les Burgraves], 173 n.

Caccia alla dote (La), 86 n, 106.
Cacciata degli austriaci da Genova nel 1746 (La), 162.
Caduta di una dinastia (La), 71, 147 n., 163 n.
Calabroni (I), 157.
Cantico dei cantici (Il), 255 n.
Canto dei Titani (Il), 123.
Capitale e mano d'opera, 94.
Capo d'anno del 1863 a Roma (Il), 164.
Caporale di settimana (Il), 82 n., 195, 196 n.
Cappone Alesso, 172.
Carità pelosa (La), 168 n.
Carlo Magno, 25.
Carmagnola (Il), 95 n.
Cause ed effetti, 93, 106, 214, 254 n.
Chi persevera vince, 326 n.
Chiusa delle ginestre (La), 169.
Colpa vendica la colpa (La), 179 n.
Comitato polacco (Il), 160 n.
Compare Bonomi, 76, 77.

O l'una o l'altra, 85 n.
Ombre e corpi, 174.
Onestà povera (L'), 176.
Onesti (Gli), 82 n.
Operai (Gli), 326 n.
Operaio (L'), 326 n.
Ora al sole (Un'), 159.
Ora prima della rivoluzione (Un'), 157.
Orfeo all'Inferno, 25.
Origine di un gran banchiere (L'), 155.
Oro falso, 353.
Oro, carta, cenere, 177.
Otello ossia Il Moro di Venezia, 241.

Padre Ignazio, 165.
Pamela nubile, 47.
Paolo ed Emma, 177.
Parroco del villaggio (Il), 167.
Passato, 355 n.
Pasticcio che potrebbe essere indigesto (Un), 188.
Patria e famiglia, 150.
Perla nera (La), 188.
Pezzenti (I), 325 n.
Pietro o La gente nuova, 51 n., 84.
Poliuto, 145.
Poliziotto (Il), 149.
Polonia (La), 159.
Pontificato e la morte di Sisto V (Il), 205.
Prete Nicola, 166.
Principessa invisibile (La), 332.
Proclamazione del Regno d'Italia (La), 156 n.
Profeta (Il) [*Le prophète*], 265 n.
Profetico sogno d'Italia (Il), 151 n.
Profughi fiamminghi (I), 166.
Protezione (Una), 158 n.
Pubblica confessione di una donna (La), 188.
Pulcinella magico (Il), 25.
Puritani e i cavalieri (I), 156 n.

Quaderna di Nanni (La), 91, 92 n.

Ragabas, 198, 199, 199 n.
Raimondo, 174.
Re Nala (Il), 88 .
Renata, 94.
Repubblica Romana del 1848 (La), 188.
Ridicolo (Il), 94, 105, 106, 214.

INDICE DEI NOMI

Balzani Giovanni, 328 n.

Baracchini Antonio, 296, 296 n.

Barbagallo Francesco, 68 n.

Barbèra Gaspero, 219 n., 224, 224 n., 247, 262, 271.

Barbèra Piero, 220 n., 235 n., 379 n.

Barbieri Ulisse, 188, 189 n., 197, 206, 210 n.

Barbini Carlo, 85 n., 97 n., 142 n., 254, 254 n., 258.

Bardesono Cesare, 197, 348, 349.

Barracco Giovanni, 184.

Barsanti Olinto, 83 n., 108 n.

Bartezzaghi Luigi, 261 n.

Bartoccini Fiorella, 88 n.

Bartoli Adolfo, 102 n.

Basevi Abramo, 318.

Basini Giuseppe, 142.

Bassolini Antonio, 174 n.

Bastogi Pietro, 100, 100 n., 102 n.

Battaglia Giacinto, 36, 37, 226, 248 n., 331, 331 n.

Battezzati Natale, 268 n.

Bazzini Antonio, 373, 379, 384.

Beethoven Ludwig van, 323 n.

Belgioioso Giorgio, 324 n.

Belinzaghi Giulio, 339, 348.

Bellini Vincenzo, 122, 258.

Bellotti Bon Luigi, 31, 47, 50, 76 n., 77, 82, 82 n., 89, 103 n., 251, 251 n., 252, 255, 256 n., 286, 300, 301, 301 n., 304, 304 n., 306, 306 n., 307, 307 n., 330 n., 337 n.

Belotti Amilcare, 50, 251, 310 n.

Benvenuti Carlo, 150 n., 179, 179 n.

Bercanovich Gualfardo, 62, 62 n., 321 n.

Berengo Marino, 218 n.

Bernardoni Filippo, 377.

Berselli Aldo, 146 n.

Bersezio Vittorio, 8, 39, 46 n., 48, 48 n., 49 n., 51 n., 52, 77, 214, 253 n., 256, 256 n., 257 n., 271, 297.

Bertacchini Renato, 140 n.

Bertani Agostino, 9.

Bertanzon Boscarini Antonio Federico, 151 n.

Berti Domenico, 13, 36, 263, 326, 326 n., 368, 368 n.

Berti Filippo, 64, 65 n., 107, 108, 108 n., 109, 110, 110 n., 111, 115, 117, 131 n., 140, 140 n., 180.

Bertini Giuseppe, 376.

Bertoldi Giuseppe, 63 n.

Bettoli Parmenio, 48 n., 172, 172 n., 178, 178 n., 179 n., 202, 251, 314, 315, 315 n., 333, 333 n., 346, 380 n.

Bettoni Amalia, 95 n.

Biaggi Girolamo Alessandro, 15, 30 n., 42, 42 n., 45 n., 110, 125, 125 n., 126, 126 n., 127 n., 128, 131, 131 n., 296, 318, 319 n., 322 n., 324, 327 n.

Bianchi Celestino, 7, 46, 46 n., 57 n., 64, 65 n., 72, 73, 73 n., 74, 74 n., 75 n., 76, 76 n., 77, 79, 83, 99, 102, 102 n., 103, 103 n., 107, 108, 114, 116 n., 180, 184, 204 n., 263, 328 n.

Bianchi Giuseppe, 72, 72 n.

Bianchi Nicomede, 379.

Bicchierai Zanobi, 80, 81 n., 102, 102 n., 104, 104 n., 105 n.

Bigazzi Roberto, 60 n., 211 n., 213 n.

Billia Antonio, 235.

Biondelli Bernardino, 218 n.

Biscontini Giuseppe, 164.

Blanc Jean Joseph Charles Louis, 369.

Boccardo Gerolamo, 208, 208 n., 219, 219 n., 226, 261.

Boito Arrigo, 118, 119, 122 n., 124, 124 n., 259 n., 384.

Boldrini Stefano, 157, 157 n.

Bonanni Angela Nadia, 219 n.

Bonazzi Luigi, 37 n.

Bonci Fanny, 113.

Bon Compagni di Monbello Carlo, conte, 326 n.

Bonghi Ruggiero, 9 n., 15, 73, 113 n., 195, 196, 196 n., 212, 334, 335.

Boni Baldassare, 253.

Bonola Giuseppe, 294, 294 n., 295.

Bordoni Paolo, 116 n.
Borghese Francesco, 338 n.
Borghese Giovanni Battista, 338.
Borghetti Giuseppe, 186 n.
Borghi Baldassarre, 291, 292 n.
Borioni Romano, 188.
Borromeo Carlo, 339 n., 358 n.
Bosani Fiando Angela, 292, 293.
Boselli Paolo, 116 n., 321 n.
Botta eredi editori, 38.
Bottasso Enzo, 68.
Boutet Edoardo, 33 n.
Bozzo Bagnera Giuseppe, 261.
Breda Stefano Vincenzo, 328 n.
Brescia Morra Achille, 171 n.
Briganti Alessandra, 213 n.
Brilli Attilio, 59 n.
Brioschi Francesco, 71, 71 n., 373.
Brizzi Enea, 318.
Brofferio Angelo, 13, 35 n., 36, 46, 46 n., 68, 68 n., 71, 74 n., 75 n., 76, 77, 107 n., 116, 248 n., 253 n.
Broglio Emilio, 69 n., 120, 120 n., 121, 121 n., 122, 123, 123 n., 124, 124 n., 125, 130 n., 131, 322.
Brunet Carlo, 275 n.
Brunet Luigi, 110.
Bulow Hans Guido von, 318.
Buonfiglio Antonio, 76 n.
Byron George Gordon lord, 69 n.

C

Cafiero Martino, 214 n., 307 n.
Caiani Cosimo, 296.
Cairoli Benedetto, 301 n., 362 n.
Calandra Claudio, 300 n.
Calcaterra Carlo, 168 n.
Calendoli Giovanni, 145 n.
Calloud Giampaolo, 50, 333, 333 n.
Calore Marina, 144 n.
Cambray Digny Luigi Guglielmo, 282.
Camerani Sergio, 73 n., 199 n., 329 n.

Cameroni Felice (Pessimista), 106, 199, 200 n., 212 n., 213, 213 n., 278, 292 n., 294 n., 335, 341 n., 342, 381, 382 n.
Cammarota Gaetano, 328 n.
Campagnoli Antonio, 24, 25 n.
Candeloro Giorgio, 158 n.
Cantelli Girolamo, 183, 195, 301 n.
Cantù Cesare, 118, 218 n., 234 n., 311 n., 325, 373, 377, 378.
Cantù Orlando, 149.
Capellina Domenico, 248 n.
Cappi Bentivegna Ferruccia, 326 n.
Capponi Gino, 107.
Capuana Luigi, 14 n., 46, 88 n., 110 n., 252, 253, 253 n., 342 n.
Caputo Michele Carlo, 126, 126 n., 247 n.
Caracciolo Camillo, 68, 68 n., 71, 72.
Carati Renzo, 339 n., 352, 357.
Carcano Giulio, 313 n., 339 n., 373, 379.
Carducci Giosue, 376 n., 379.
Carega di Muricce Francesco, 318, 318 n.
Carletti, 296.
Carletti Mario, 139, 140.
Carlo Felice di Savoia, 68 n.
Carozzi Enrico, 339 n.
Carpi Umberto, 223 n.
Carrera Valentino, 23, 31, 52 n., 53, 53 n., 75, 85 n., 86, 91, 92 n., 94, 106, 142 n., 341, 341 n., 345, 384.
Casalegno Luigi, 300 n.
Casali Pieri Alberti Giuseppina, 23 n.
Casamorata Luigi Ferdinando, 110, 119, 125 n., 126, 127, 128.
Casarini Camillo, 130, 130 n., 327, 327 n., 328, 328 n.
Casati Alessandro, 320 n.
Casati Giovanni, 249 n.
Casati Tomaso, 242 n.
Castagnola Stefano, 235, 271, 272, 273, 274, 274 n., 275, 275 n.
Castelbarco Alessandro, 326.
Castelli Michelangelo, 36, 230.
Castellini Michele, 53 n., 86 n., 209, 210, 210 n.
Castelnuovo Leo di, vedi Pullè Leopoldo

Castelvecchio Riccardo, vedi Pullè Giulio.

Castronovo Valerio, 256 n.

Cataldi Renata, 202 n.

Caterina II, imperatrice di Russia, 162 n.

Cattaneo Carlo, 9.

Cattaneo Cesare, 43 n.

Cattaneo Giulio, 71 n.

Catter Luigi, 26 n.

Cavalletto Alberto, 370.

Cavallotti Felice, 8, 96, 97, 97 n., 98, 98 n., 254 n., 255 n., 261, 267, 267 n., 301 n., 325 n., 339 n., 348 n., 359, 365, 366, 367 n., 368, 368 n., 370, 371, 372, 376 n., 381, 382 n., 384.

Cavallucci Jacopo, 78, 104 n.

Cavour Camillo Benso, conte di, 35, 35 n., 36, 36 n., 37, 38, 49, 68 n., 74, 116, 141 n., 148, 150, 383.

Cecchi Aristodemo, 102 n.

Ceccuti Cosimo, 219 n.

Cerutti Angelo, 177.

Ceschina Renzo Ermes, 361 n.

Chabod Federico, 342, 342 n.

Checchetelli Giuseppe, 88, 88 n., 99.

Checchi Eugenio, 46, 46 n., 51 n., 108 n., 222, 236, 251, 342 n.

Chiaves Desiderato, 8, 115, 261, 337.

Chierici Luigi, 171.

Chiossone David, 70, 248 n., 251.

Ciampini Paolo, 205, 205 n.

Ciconi Teobaldo, 75, 241, 242 n.

Cimarosa Domenico, 44.

Cimmino Alessandra, 46 n.

Ciniselli Gaetano, 84 n.

Ciotti Francesco, 89, 329.

Clemente VII (Giulio de' Medici), papa, 164 n.

Coccoluto Ferrigni Pietro, vedi Yorick

Codebò Andrea, 160 n.

Colaci Francesco, 342 n.

Coletti Francesco, 148.

Collino Luigi, 200 n.

Collodi Carlo, vedi Lorenzini Carlo

Colombo Giuseppe, 357.

Colonna Marcantonio, 314.

Colucci Pasquale, 138, 139, 139 n.

Colucci Raffaele, 226, 248 n.

Comelli Giovanni, 76 n.

Conci Turcio, 156 n.

Confalonieri Federico, 331.

Contestabile della Staffa Carlo, 338 n.

Conti Emilio, 339 n.

Coppino Michele, 63 n., 68 n., 99, 100, 114, 115, 117, 131, 277, 344, 382.

Cora Egidio, 321 n.

Cordova Filippo, 225 n., 234 n.

Cordova Savini Vincenzo, 304 n.

Correale Salvatore, 283, 304.

Correnti Cesare, 36, 110, 112, 113, 125, 128, 129, 131, 131 n., 132, 133, 197 n., 275, 330, 379, 383.

Corsini Guido, 108 n.

Corsini Lorenzo, 93, 93 n., 99, 99 n., 101, 101 n., 102, 102 n., 318 n., 328 n.

Cortese Paolo, 287 n.

Cossa Pietro, 48 n., 132, 201, 201 n., 206.

Costetti Giuseppe, 9 n., 35 n., 47 n., 60 n., 77, 85 n., 92, 96, 106, 110, 132, 141, 141 n., 142, 143, 251, 253, 296, 296 n., 307 n., 309, 309 n., 341, 380 n., 384.

Cottin Andrea, 145 n.

Cottrau Teodoro, 241, 258, 259 n., 267.

Crespi (famiglia), 326.

Crespi Elena, 310.

Crespi Mario, 383 n.

Cristofori Bartolomeo, 358.

Crivelli Enea, 250.

Croce Benedetto, 93 n., 98 n.

Croci Emilio, 220 n.

Cuciniello Michele, 155, 162 n.

Cuniberti Teodoro, 53 n.

Curti Pier Ambrogio, 42 n., 249, 249 n., 250 n., 285, 287 n., 313 n.

Curto Vittorio, 153.

Curzio Francesco Raffaele, 56, 183 n.

Gallavresi Luigi, 379.

Gallenga Antonio, 55 n., 56, 279, 279 n., 280, 280 n.

Galli Amintore, 201, 270 n.

Galliera Cesare, 325.

Gallotti Giuseppe, 283.

Galvagno Giovanni Filippo, 136, 136 n., 283.

Gamba Ippolito, 146 n.

Gandolfi Luigi, 167, 174.

Garelli Federico, 49.

Garibaldi Giuseppe, 145, 145 n., 146, 149, 150, 151, 152, 189, 198.

Garzilli Francesco, 353.

Gatti Aurelio, 99, 100 n.

Gattinelli Gaetano, 71, 84 n., 86, 87 n., 110, 113, 115 n., 116, 116 n., 144, 147 n., 163 n., 166, 166 n., 251, 314, 314 n., 331, 344 n., 345 n.

Gattinelli Luigi jr., 357 n.

Gavazzi Antonio, 119 n.

Gavelli Mirtide, 144 n.

Gerbino Carlo, 296, 297, 300 n.

Gherardi del Testa Tommaso, 64, 64 n., 77, 79, 82, 95, 104 n., 193 n., 251, 341, 345.

Ghislanzoni Antonio, 21 n., 44 n., 46, 46 n., 57, 123, 123 n., 209, 249 n., 253 n.

Ghisleri Arcangelo, 212.

Ghivizzani Antonio, 80, 81 n.

Giacometti Paolo, 95 n., 142 n., 163 n., 179 n., 203, 251.

Giacosa Giuseppe, 96, 99, 102 n., 103 n., 104 n., 384.

Giordani Pietro, 107.

Giorgini Giovan Battista, 66 n., 69, 69 n., 71, 72.

Giorza Paolo, 249 n.

Giotti Napoleone (pseud. di Jouhaud Carlo), 52 n., 94.

Giovagnoli Raffaello, 8, 85 n., 106, 205, 205 n., 380 n.

Giovanelli Paola Daniela, 60 n.

Giraud Giovanni, 178 n.

Giuliani Alberto, 16.

Giuliani Giambattista, 99, 99 n., 100 n.

Giusti Giuseppe, 80.

Goethe Johann Wolfgang, 354.

Goldoni Carlo, 47, 48 n., 53 n., 84, 96, 107 n., 148 n., 178 n. 212 n., 213, 315

Gounod Charles, 41 n., 44.

Govean Felice, 163 n., 200, 200 n., 253 n., 327.

Gozzi Carlo, 99 n.

Grandi Terenzio, 9 n., 37 n, 38 n.

Grantaliano Elvira, 202 n.

Grassi Ernesto, 85 n.

Grillandi Massimo, 362 n., 377 n.

Grossi Tommaso, 311.

Gualtieri Luigi, 82 n., 91, 142, 144, 147 n., 251.

Guerrazzi Francesco Domenico, 69 n., 166, 170.

Guicciardi Emilio, 310 n.

Guillaume Natale, 291 n.

H

Halévy Jacques Fromental Elias, 201, 201 n.

Halt Robert, 199 n.

Händel Georg Friedrich, 322.

Haydn Franz Joseph, 358.

Hoepli Ulrico, 379.

Hugo Victor, 173 n., 174, 354.

Huss Augusto, 355.

Hutre Cesare, 156.

I

Imperatori Ugo E., 136 n., 189 n., 190 n.

Inama Vigilio, 379.

Indelli Luigi, 366, 368, 370.

Induno Domenico, 373.

Induno Girolamo, 376.

Interdonato Stefano, 103 n., 304, 304 n., 339 n., 352, 374.

329, 331, 331 n., 345, 346, 348, 348 n., 351, 352, 353, 356.
Morelli Arnaldo, 202 n.
Morelli Giovanni, 279 n.
Morelli Stanislao, 90, 90 n., 91 n., 200 n., 366 n.
Moreno Filippo, 260, 260 n., 290, 290 n., 291, 291 n.
Morini Ferdinando, 296 n.
Morolin Angelo, 52, 53.
Morpurgo Emilio, 277, 277 n., 278 n.
Mozart Wolfgang Amadeus, 44.
Mozzi Giustiniano, 178 n.
Muratori Lodovico, 186.
Mustafà Domenico, 322.

N

Napoleone I, 162.
Napoleone III, 145 n, 148, 149, 150.
Naveriani Ignazio, 162.
Nemo, vedi Ademollo Alessandro Felice
Nerucci Gherardo, 39 n., 48 n.
Niccolini Giovan Battista, 69 n., 107, 161.
Niccolini Ippolito, 328 n.
Niccolini Lorenzo, 356.
Nicolodi Fiamma, 60 n.
Nicotera Giovanni, 301, 381.
Nocito Pietro, 370.
Noseda Giovanni, 324 n.
Nota Alberto, 148 n.

O

Odiard Vittorio, 304.
Oldofredi Tadini Girolamo, 373.
Oliva Antonio, 287 n., 368.
Omar Sereno, 287 n.
Operti Bartolomeo, 140, 140 n., 173.
Ottino Giuseppe, 378.

P

Pacini Giovanni, 122.
Pacini Silvio, 108 n.

Paggi Felice, 379 n.
Pagliano Eleuterio, 376, 379.
Palazzolo Maria Iolanda, 219 n., 221 n., 222 n., 223 n.
Palestrina Giovanni Pierluigi da, 126.
Panattoni Carlo, 361, 368, 369, 370, 372 n., 376 n.
Panattoni Giuseppe, 227.
Panerai Napoleone, 96.
Panissa Barnaba, 300 n.
Pappafava Vladimiro, 262 n.
Paravicini Rodolfo, 328 n., 357.
Parenzo Cesare, 366, 368.
Parisius Otto, 26 n.
Parrini Cesare, 328 n., 346.
Pasquario Gaetano, 300 n.
Patrizi Costantino, 203, 204 n.
Patti Adelina, 31.
Pavan Antonio, 72, 72 n., 74, 74 n., 75 n., 76, 76 n., 77, 345.
Pedretti Anna, 297 n.
Pedrotti Carlo, 321.
Pellatis Giacinto, 287, 287 n., 288, 300.
Pellico Silvio, 148 n.
Pepoli Gioacchino, 225, 226, 227, 228, 229, 230, 230 n., 248 n., 253 n., 301 n., 348 n.
Peracchi Giuseppe, 89, 148.
Perelli Edoardo, 319 n.
Perelli Napoleone, 171 n., 363, 377, 379.
Perez Francesco Paolo, 116, 116 n.
Perini Cesare, 65 n.
Perino Giovanni Giuseppe don, 312, 313.
Personali Federico, 179 n.
Peruzzi Emilia, 80 n.
Peruzzi Ubaldino, 56, 56 n., 146, 146 n., 183, 184, 185, 319, 328, 346, 347.
Peruzzini Giovanni, 140, 140 n.
Pesci Ugo, 314 n., 328 n.
Pessimista, vedi Cameroni Felice
Petito Antonio, 53.
Petitti Bagliani di Roreto Agostino, 195 n.
Petri Aldo, 84 n.
Petroni Paolo, 46 n.

Pezzana Gualtieri Giacinta, 31, 300 n.
Piacentini Cesare, 261 n.
Pianciani Luigi, 314, 331.
Piave Francesco Maria, 249.
Piazzoni Irene, 54 n., 59 n.
Piccardi Leopoldo, 341 n., 342, 342 n.
Piccini Giulio (Jarro), 102 n.
Piccolellis Filippo, 328 n.
Pieri Gaspare, 76 n.
Pieri Giuseppe, 79.
Pietracqua Luigi, 49, 49 n., 166 n., 176.
Pietriboni Giuseppe, 255.
Pindemonte Giovanni, 167.
Pinelli Ettore, 322, 323.
Pio IX (Giovanni Maria Mastai Ferretti), papa, 142 n.
Piola Caselli Angelo, 300 n.
Platania Pietro, 119.
Plauto Tito Maccio, 68 n., 104 n., 213.
Plebano Achille, 304.
Plura Giovanni, 300 n.
Poggi Giuseppe, 89 n.
Polese Santarnecchi Icilio, 257 n.
Poli Baldassare, 227.
Poli Lenzi Paolo, 291, 291 n.
Pomba Giuseppe, 76 n., 225 n.
Ponchielli Amilcare, 384.
Poniatowsky Carlo, 328, 330, 356.
Ponti Ettore, 339 n.
Pontoglio Giovanni, 320.
Ponza di San Martino Gustavo, 57 n., 146 n., 184, 185, 185 n.
Ponzoni Giovanni, 263, 264 n.
Porciani Ilaria, 81 n.
Posa Laura, 92 n.
Pozzoli Gaetano, 188.
Prado Benedetto, 75, 161, 197.
Praga Emilio, 166.
Prandi Ettore, 292.
Prandi Giovan Battista, 292.
Prati Bartolomeo, 119.
Prati Giovanni, 63 n., 379.
Preda Luigi, 297 n.
Prina Vitaliano, 249 n.
Proudhon Pierre-Joseph, 335 n.

Puccini Giovanni, 100, 104 n.
Puccioni Piero, 78, 79, 80, 81 n., 99, 99 n., 100 n., 102, 108, 108 n.
Puerari Teodosio, 43 n.
Pulce Graziella, 131 n.
Pullè Giulio (Riccardo Castelvecchio), 102, 147 n., 196, 253 n., 339 n.
Pullè Leopoldo (Leo di Castelnuovo), 8, 92, 142, 142 n., 325, 331 n., 339 n., 352, 356, 359, 366, 368, 377, 379, 384.
Punzo Maurizio, 16.

R

Raeli Matteo, 272.
Ragni Stefano, 208 n.
Raicich Marino, 52 n.
Ranieri Antonio, 71, 71 n., 75 n.
Raponi Nicola, 120 n.
Rasi Luigi, 117.
Rattazzi Urbano, 146, 156, 167, 180, 263, 285.
Ravelli Spirito, 140, 140 n., 142, 143, 151, 159, 162, 164, 169, 172, 175, 179.
Razzani Francesco, 187.
Razzetti Domenico, 25, 25 n.
Regli Francesco, 77 n., 140 n., 141 n.
Reina Ettore, 33, 33 n.
Renouard Augustin Charles, 226.
Re Riccardi Adolfo, 257.
Resasco Ferdinando, 152 n.
Restelli Francesco, 218 n., 379 n.
Revere Giuseppe, 88 n., 132, 132 n.
Rezasco Giulio, 93 n.
Ricasoli Bettino, 63, 64, 66, 72, 73, 79, 99, 131 n., 140 n., 150, 179, 180, 181, 204 n., 208, 329.
Ricciardi Giuseppe, 8, 31, 31 n., 144 n.
Riccomanni Cesare, 258.
Ricordi (Casa editrice), 21 n., 121, 241, 249, 258, 259, 259 n., 260, 264 n., 265, 265 n., 267, 323 n., 344 n., 361.
Ricordi Giulio, 124, 259 n., 270 n., 364, 365, 366.

Y

Yorick (Coccoluto Ferrigni Pietro), 8, 9, 15, 24 n., 46 n., 48 n., 60 n., 73, 90 n., 116 n., 189 n., 207, 210, 210 n., 213, 214, 296, 300 n., 305, 305 n., 316, 316 n., 330, 336, 336 n., 337 n., 338 n., 339, 340, 344 n., 345, 346, 351 n., 352, 354 n., 355 n., 367, 367 n., 383, 383 n., 384.

Y.Z., vedi Lorenzini Carlo.

Z

Zanardelli Giuseppe, 365, 366, 368, 377, 381.

Zanichelli Nicola, 379 n.

Zauro Nicola, 244, 245 n.

Zecchini Pietro Stefano, 76 n.

Zini Leto, 108 n., 109 n.

Zola Émile, 214 n.

Zoppetti Giovanni Battista, 287.

Zuccoli Eugenio, 250 n., 271 n., 324 n.

Zuccoli Luigi, 355.

INDICE